Obra Completa de C.G. Jung
Volume 6

Tipos psicológicos

Comissão responsável pela organização do lançamento da Obra Completa de C.G. Jung em português:

Dr. Léon Bonaventure
Dr. Leonardo Boff
Dora Mariana Ribeiro Ferreira da Silva
Dra. Jette Bonaventure

A comissão responsável pela tradução da Obra Completa de C.G. Jung sente-se honrada em expressar seu agradecimento à Fundação Pro Helvetia, de Zurique, pelo apoio recebido.

Dados Internacionais de Catalogação na Publicação (CIP)
(Câmara Brasileira do Livro, SP, Brasil)

Jung, Carl Gustav, 1875-1961.
Tipos psicológicos / C.G. Jung ; tradução de Lúcia Mathilde Endlich Orth. – 7. ed. – Petrópolis, Vozes, 2013.
Título original: Psychologische Typen.
Bibliografia.

18ª reimpressão, 2023.

ISBN 978-85-326-0516-0
1. Caracteres e características 2. Personalidade 3. Tipologia (Psicologia) I. Título.

07-10146 CDD-155.264

Índices para catálogo sistemático:
1. Tipologia junguiana : Psicologia individual 155.264

C.G. Jung

Tipos psicológicos

6

Petrópolis

Tradução realizada a partir do original em alemão intitulado *Psychologische Typen* (Band 6)

Editores da edição suíça:
Marianne Niehus-Jung
Dra. Lena Hurwitz-Eisner
Dr. Med. Franz Riklin
Lilly Jung-Merker
Dra. Fil. Elisabeth Rüf

Tradução: Lúcia Mathilde Endlich Orth
Revisão literária: Edgar Orth
Revisão técnica: Dra. Jette Bonaventure

Diagramação: AG.SR Desenv. Gráfico
Capa: 2 estúdio gráfico

ISBN 978-85-326-2424-6 (Obra Completa de C.G. Jung)

ISBN 978-85-326-0516-0 (Brasil)
ISBN 3-350-40706-2 (Suíça)

Este livro foi composto e impresso pela Editora Vozes Ltda.

Sumário

Prefácio dos editores

O livro *Tipos psicológicos* apareceu em 1921. É um dos mais conhecidos de Jung. O fato de a oitava edição, publicada em 1950, estar esgotada, comprova o vivo interesse pelas questões da psicologia da consciência. Alguns conceitos, inseridos por Jung, pela vez primeira, neste livro, são hoje usados no linguajar quotidiano.

No corpo principal do livro interessa ao autor apresentar certas estruturas típicas e modalidades de função da psique, estimulando a compreensão que a pessoa humana deve ter de si mesma e de seus semelhantes. O antagonismo dos tipos desempenha papel importante nas dissensões religiosas, nas explanações científicas, culturais e cosmovisuais e nas relações humanas em geral.

O escrito é um marco na obra de Jung e de interesse histórico. Por isso foi mantido, quase totalmente, em sua redação original. Ao leitor é possível, então, acompanhar o nascimento e o desenvolvimento das ideias de Jung.

O último capítulo, Jung o dedicou às definições dos conceitos psicológicos mais usados. Contém uma definição de *Selbst* (si-mesmo) que o autor formulou para este volume e que, nas edições anteriores, ainda figurava sob o conceito de *Eu*. Mas o conceito assumiu importância tão central na obra de Jung que foi necessário dar-lhe definição própria.

O anexo é uma conferência, pronunciada em 1913, num Congresso de Psicanálise de Munique, "Sobre a questão dos tipos psicológicos", que é um estudo prévio muito ilustrativo para este livro. Além disso, há três outros trabalhos que, às vezes, resumem e, outras, complementam o mesmo tema.

Ao final, temos uma bibliografia, compilada para este volume, e um novo índice analítico.

O texto é revisado – em parte com ajuda do autor – e todas as citações e referências foram confrontadas, sendo, em alguns casos, complementadas. Textos latinos, até agora simplesmente transcritos no original, foram traduzidos para o alemão.

Queremos agradecer a valiosa colaboração de Prof. Dr. E. Abegg – pelo controle dos textos hindus; Dra. M.-L.v. Franz – pela tradução dos textos latinos; A. Jaffé e Dr. P. Walder – por certas formulações.

Maio de 1960

P.S. à segunda edição dentro da *Obra Completa*: A paragrafação desse volume não corresponde exatamente à do volume VI da edição inglesa (*Collected Works*) que foi lançada, em sua primeira edição, quase que simultaneamente.

Primavera de 1967

Prefácio à oitava edição

A nova edição aparece outra vez sem alterações essenciais, mas em pequenos detalhes houve várias correções, pequenas, mas absolutamente necessárias. Também foi elaborado novo índice analítico.

Devo especial agradecimento a Lena Hurwitz-Eisner por este trabalho cansativo.

C.G. Jung
Junho de 1949

Prefácio à sétima edição

A nova edição aparece sem alterações, o que não significa que o livro não necessite de complementos, melhorias e suplementos. Sobretudo poderiam ser bastante ampliadas as descrições, algo sucintas, dos tipos. Seria interessante também um comentário sobre os trabalhos tipológicos de psicólogos que, desde a publicação dessa obra, foram aparecendo. Mas a envergadura atual do livro é tão grande que não deveria ser aumentada sem necessidade premente. Além disso, pouco sentido prático teria complicar ainda mais a problemática tipológica, enquanto não se entenderem exatamente, ao menos, seus elementos. A crítica, muitas vezes, comete o erro de supor que os tipos sejam, por assim dizer, livremente inventados e impostos, de certa forma, ao material experimental. Devo dizer contra esta suposição que minha tipologia é o resultado da experiência prática de muitos anos, uma experiência aliás completamente inacessível ao psicólogo acadêmico. Antes de mais nada sou médico e psicoterapeuta prático e todas as minhas formulações psicológicas provêm das experiências de um trabalho profissional, diário e árduo. Portanto, o que afirmo neste livro é comprovado, item por item e centenas de vezes, por assim dizer, pelo tratamento prático do doente, e foi no doente que o livro teve sua origem. Naturalmente as experiências médicas são acessíveis e inteligíveis apenas aos que profissionalmente se devem ocupar do tratamento de complicações psíquicas. Não se pode, por isso, culpar o leigo quando certas afirmações lhe soam estranhas ou quando pensa, inclusive, que minha tipologia é o produto de um gabinete idílico e sossegado. Duvido, porém, que esta ingenuidade leve a uma crítica competente.

CG. Jung
Setembro de 1937

Prólogo

Este livro é fruto de quase vinte anos de trabalho no campo da psicologia prática. Foi surgindo aos poucos no plano mental: às vezes, das inúmeras impressões e experiências que obtive na práxis psiquiátrica e no tratamento de doenças nervosas; outras vezes, do relacionamento com pessoas de todas as camadas sociais; de discussões pessoais com amigos e inimigos e, finalmente, da crítica às minhas próprias idiossincrasias psicológicas. Fiz o propósito de não cansar o leitor com casuística; ao contrário, é minha intenção conectar histórica e terminologicamente minhas ideias, tiradas da experiência, com os conhecimentos já em voga. Lancei-me a este empreendimento não tanto por necessidade de uma justificação histórica, mas com a intenção de trazer as experiências do médico especialista, muito restritas ao campo profissional, para um contexto mais amplo, um contexto que permitisse também ao leigo bem formado utilizar-se das experiências de um campo tão especializado. Jamais teria ousado esta conexão – que facilmente pode ser interpretada como intromissão em outros campos – se não tivesse certeza de que os pontos de vista psicológicos, apresentados neste livro, são de importância e aplicabilidade gerais e que, por isso, podem ser melhor tratados num contexto geral do que na forma de hipótese científico-técnica. Em consequência, restringi-me a discutir as ideias de alguns estudiosos do assunto, não trazendo para o livro tudo o que já foi dito sobre esta problemática. E isto sem considerar que estaria além de minhas forças fazer um catálogo, mesmo incompleto, dos materiais e opiniões competentes; e uma coletânea dessa natureza nada traria de substancial para a compreensão e desenvolvimento do problema. Por isso, renunciei, sem compaixão, a muita coisa que havia reunido durante anos e concentrei-me, o mais que pude, no essencial. A esta renúncia também foi sacrificado um documento importante que, para mim, é de grande valia. É a longa correspondência epistolar que mantive com meu amigo Dr. H. Schmid, falecido na Basileia, sobre a questão dos tipos. Devo a esta troca de ideias muitos esclarecimentos; e também muita coisa foi aproveitada – ainda que de forma modificada e várias vezes retrabalhada – em meu livro. Esta troca de cartas pertence à fase preparatória e sua divulgação traria mais confusão do que clareza. Contudo, sinto-me obrigado a expressar aqui meus agradecimentos a este amigo.

C.G. JUNG
Küsnacht/Zurique, primavera de 1920.

Introdução

> Platão e Aristóteles! Não são apenas os dois sistemas, mas também os tipos de duas naturezas humanas diferentes que, desde tempos imemoriais e sob as mais diversas aparências, se confrontam de forma mais ou menos hostil. Durante toda a Idade Média houve este confronto que veio até os nossos dias. Aliás esta disputa é o conteúdo essencial da história da Igreja cristã. Sempre se trata de Platão e Aristóteles, ainda que sejam outros os nomes. Naturezas apaixonadas, místicas e platônicas desentranham, do mais profundo de sua índole, as ideias cristãs e os símbolos correspondentes. Naturezas práticas, sistemáticas e aristotélicas constroem a partir dessas ideias e símbolos um sistema sólido, uma dogmática e um culto. A Igreja absorveu, ao final, ambas as naturezas, enraizando-se uma sobretudo no clero e a outra no monacato, havendo entre eles hostilidade sem tréguas.
>
> H. HEINE, *Deutschland*, I

Em minha prática médica junto a pacientes nervosos constatei, de longa data, que, a par das muitas diferenças individuais na psicologia humana, há também *diferenças de tipos*; e chamaram-me a atenção principalmente *dois tipos* que denominei de *introvertido* e *extrovertido*. 1

Quando observamos o desenrolar de uma vida humana, vemos que o destino de alguns é mais determinado pelos objetos de seu interesse e o de outros mais pelo seu interior, pelo subjetivo. E, como todos nós pendemos mais para este ou aquele lado, estamos naturalmente inclinados a entender tudo sob a ótica de nosso próprio tipo. 2

Lembro esta circunstância, desde já, para evitar possíveis mal-entendidos. É perfeitamente compreensível que esta circunstância dificulte muito uma descrição genérica dos tipos. Devo presumir boa vontade do leitor quando pretendo ser entendido corretamente. Se- 3 ria relativamente fácil se cada leitor soubesse a que categoria pertence. Mas é difícil, muitas vezes, descobrir em qual tipo se enquadra alguém, sobretudo quando se trata de nós mesmos. O julgamento sobre a própria personalidade é sempre muito confuso. Essas confusões subjetivas de julgamento são muito numerosas, porque a todo tipo mais declarado corresponde *uma tendência especial a compensar a unilateralidade de seu tipo*, uma tendência que tem seu conveniente biológico, pois luta por manter o equilíbrio psíquico. Devido à compensação, surgem caracteres ou *tipos* secundários que apresentam uma conformação extremamente difícil de elucidar, tão difícil que seria preferível negar a existência dos tipos e acreditar apenas nas diferenças individuais.

4 Devo salientar essas dificuldades para justificar uma certa peculiaridade em minha exposição a seguir: poderia até parecer que o caminho mais simples seria descrever dois casos concretos e colocá-los, dissecados, lado a lado. Mas todo indivíduo possui os dois mecanismos, tanto o da introversão como o da extroversão; e apenas a relativa preponderância de um ou de outro define o tipo. Deveríamos, então, proceder a retoques profundos para conseguir o realce necessário no quadro, o que implicaria num embuste algo piedoso. Acresce que a reação psicológica de uma pessoa é algo mais complicado e minha capacidade de descrição não chegaria a traçar dela uma imagem absolutamente correta. Devo restringir-me, por isso, a apresentar os princípios que tirei da totalidade dos fatos individuais observados. Não se trata, porém, de uma dedução *a priori*, como poderia parecer, mas de uma descrição dedutiva de impressões conseguidas empiricamente. Espero que sejam contribuição esclarecedora para um dilema que levou e ainda leva a mal-entendidos e discórdias não só na psicologia analítica, mas também em outros campos científicos e, muito especialmente, no relacionamento das pessoas entre si. Explica-se, assim, por que a existência de dois tipos diferentes já era fato bem conhecido e que chamou a atenção, de uma forma ou de outra, de peritos no conhecimento das pessoas e da reflexão inquieta do pensador, ou que se apresentou, por exemplo, à intuição de Goethe como o princípio abrangente da *sístole* e *diástole*. Os nomes e conceitos que designam o mecanismo da introversão e extroversão são bastante diversos e, de certa forma, adaptados ao ponto de vista do observador individual. Apesar da diferença de formulações, sempre de novo se

impõe o que há de comum na concepção básica, isto é, um movimento do interesse para o objeto, num caso, e um movimento do interesse que sai do objeto e se volta para o sujeito e para seus próprios processos psicológicos, em outro caso. No primeiro caso, o objeto atua como um ímã sobre as tendências do sujeito; ele as atrai e condiciona em grande parte o sujeito; ele torna o sujeito alheio a si mesmo e modifica suas qualidades no sentido de uma assimilação tão grande com o objeto que se poderia pensar ser este da mais alta e decisiva importância para o sujeito, como se houvesse uma determinação absoluta e o sentido especial da vida e do destino do sujeito fosse abandonar-se completamente ao objeto. Mas isto não é assim. O sujeito é e continua sendo, em última instância, o centro de todos os interesses. Poderíamos dizer que, aparentemente, toda a energia vital procura o sujeito e impede, por isso, que o objeto receba uma influência de certa forma ultrapoderosa. Até parece que a energia se esvai do objeto, como se o sujeito fosse o ímã que desejasse atrair para si o objeto.

5 Não é fácil caracterizar essa relação contraditória com o objeto, de maneira clara e bem compreensível. É grande o perigo de se chegar a formulações totalmente paradoxais que trazem mais confusão do que clareza. Poderíamos designar, de modo bem genérico, a atitude introvertida como aquela que procura sobrepor, em qualquer circunstância, o eu e o processo psicológico subjetivo ao objeto e ao processo objetivo, ou, ao menos, resistir ao objeto. Este enfoque dá, portanto, mais valor ao sujeito do que ao objeto. Consequentemente o objeto está sempre num nível de valor mais baixo, tem importância secundária, e ocasionalmente é considerado como o sinal exterior e objetivo de um conteúdo subjetivo, algo como a materialização de uma ideia, mas onde a ideia continua sendo o essencial; ou a materialização de um sentimento, onde a vivência do sentimento será o mais importante e não o objeto em sua individualidade real. A atitude extrovertida, porém, subordina o sujeito ao objeto; o objeto recebe o valor preponderante. O sujeito tem sempre importância secundária; o processo subjetivo só aparece, às vezes, como apêndice perturbador ou supérfluo de fatos objetivos. É claro que a psicologia que promana dessas atitudes opostas vai dividir-se em duas orientações totalmente diversas. A primeira verá tudo sob o prisma de sua concepção, a outra sob o aspecto dos fatos objetivos.

6 Essas atitudes opostas nada mais são do que mecanismos opostos: um voltar-se diastólico para o objeto e uma apreensão do mesmo; e uma concentração sistólica e liberação de energia dos objetos apreendidos. Toda pessoa tem ambos os mecanismos para exprimir seu ritmo natural de vida que Goethe designou, não por acaso, como conceitos fisiológicos da atividade do coração. Uma alternação rítmica de ambas as formas psíquicas de ação talvez corresponda ao fluxo normal de vida. Mas as condições complicadas e externas sob as quais vivemos, bem como as condições talvez mais complicadas ainda de nossa disposição psíquica individual, raramente permitem um fluxo totalmente imperturbável da atividade psíquica. Circunstâncias externas e disposição interna favorecem muitas vezes um dos mecanismos e limitam ou estorvam o outro. Com isso temos, naturalmente, uma predominância de um dos mecanismos. Tornando-se crônica esta situação, surge então um *tipo*, ou seja, uma atitude habitual onde predominará um dos mecanismos, sem contudo poder suprimir totalmente o outro, pois este faz parte necessária da atividade psíquica. Por isso não pode haver um tipo puro no sentido de possuir apenas um dos mecanismos, ficando o outro completamente atrofiado. Uma atitude típica significa sempre e tão somente a predominância relativa de um dos mecanismos.

7 Com a constatação da introversão e extroversão, surgiu, antes de tudo, uma possibilidade de distinguir dois grandes grupos de indivíduos psicologicamente falando. Mas este grupamento é tão superficial e genérico que não permite mais do que uma distinção igualmente genérica. Um exame detalhado das psicologias individuais, que são classificadas como sendo de um ou outro grupo, vai revelar grande diferença entre as pessoas individuais que pertencem, no entanto, ao mesmo grupo. Precisamos dar um passo a mais e procurar saber onde estão as diferenças que distinguem os indivíduos de um mesmo grupo. Minha experiência mostrou que, bem genericamente considerando, os indivíduos não podem ser distinguidos apenas segundo as características universais de extroversão ou introversão, mas também segundo as funções psicológicas básicas de cada um. Na mesma medida em que, por exemplo, as circunstâncias externas, bem como a disposição interna, causam um predomínio da extroversão, favorecem também o predomínio de certa função básica no indivíduo. Segundo

minha experiência, as funções básicas, ou seja, as funções que se distinguem genuína e essencialmente de outras funções, são: o *pensamento, o sentimento, a sensação e a intuição*. Predominando uma dessas funções, surge um tipo correspondente. Distingo, por isso, um tipo pensamento, um sentimento, um sensação e um intuição. *Cada um desses tipos pode, no entanto, ser introvertido ou extrovertido*, dependendo de seu comportamento em relação ao objeto, como ficou dito acima. Não mencionei esta distinção em dois estudos anteriores sobre os tipos psicológicos, onde identifiquei o tipo pensamento com o introvertido e o sentimento com o extrovertido[1]. Um estudo mais profundo do problema mostrou ser insustentável esta identificação. Para evitar mal-entendidos, gostaria de pedir ao leitor que mantivesse na lembrança a distinção aqui feita. E, para garantir a necessária clareza em coisas tão complicadas, dediquei o último capítulo deste livro à definição de meus conceitos psicológicos.

---

1. A questão dos tipos psicológicos (§ 931-950 deste volume); *Psicologia do inconsciente* [OC, 7/1).

I

O problema dos tipos na história do pensamento antigo e medieval

1. A psicologia na Antiguidade

Tertuliano e Orígenes

8 Desde que existe o mundo histórico, sempre houve psicologia; mas a psicologia objetiva é de recente data. Para a ciência dos tempos antigos, vale a afirmação: o teor da psicologia subjetiva aumenta com a falta de psicologia objetiva. As obras dos antigos estão cheias de psicologia, mas pouca coisa pode ser qualificada como psicológico-objetiva. Isto se deve, em grande parte, ao caráter peculiar do relacionamento das pessoas na época antiga e medieval. Os antigos atribuíam ao seu semelhante um valor apenas biológico, por assim dizer; isto transparece de seus costumes e da legislação. A Idade Média – se é que expressou algum julgamento de valor – fazia uma valorização metafísica do ser humano, e isto baseando-se na ideia do valor imperecível da alma. Esta valorização metafísica, que pode ser considerada uma compreensão do enfoque da Antiguidade, é tão desfavorável para a valorização da pessoa – que é o único fundamento de uma psicologia objetiva – quanto a biológica. Há muitas pessoas que ainda acreditam na possibilidade de se escrever uma psicologia *ex cathedra*, mas a maioria de nós está convencida de que uma psicologia objetiva deve fundamentar-se sobretudo na observação e na experiência. Esta fundamentação seria o ideal, se fosse possível. O ideal e objetivo da ciência não consistem em dar uma descrição, a mais exata possível, dos fatos – a ciência não pode competir com a câmara fotográfica ou com o gravador de som –, mas em estabelecer a lei que nada mais é do que a expressão abreviada

de processos múltiplos que, no entanto, mantêm certa unidade. Este objetivo se sobrepõe, por intermédio da *concepção*, ao puramente empírico, mas será sempre, apesar de sua validade geral e comprovada, um produto da constelação psicológica subjetiva do pesquisador. Na elaboração de teorias e conceitos científicos há muita coisa de sorte pessoal. Há também uma equação pessoal psicológica e não apenas psicofísica. Enxergamos cores, mas não o comprimento das ondas. Esta realidade bem conhecida deve ser levada em conta na psicologia, mais do que em qualquer outro campo. O efeito dessa equação pessoal já começa na observação. Vemos *aquilo que melhor podemos ver a partir de nós mesmos*. Assim, vemos, em primeiro lugar, o cisco no olho do irmão. Sem dúvida o cisco está lá, mas a trave está no nosso olho – e perturbará de certa forma o ato de ver. Desconfio do princípio da "pura observação" na assim chamada psicologia objetiva, a não ser que nos limitemos à lente do cronoscópio, taquistoscópio e outros aparelhos "psicológicos". Assim nos garantimos também contra uma demasiada exploração dos fatos psicológicos da experiência. Esta equação pessoal psicológica aparece mais ainda quando se trata de expor ou comunicar o que se observou, sem falar da concepção e abstração do material experimental. Em parte alguma, como no campo da psicologia, é exigência absolutamente básica que o observador e pesquisador sejam adequados a seu objeto, no sentido de serem capazes de ver uma e outra coisa. Exigir que *só* se olhe objetivamente nem entra em cogitação, pois isto é impossível. Já deveria bastar que não se olhasse subjetivamente *demais*. O fato de a observação e a interpretação subjetivas concordarem com os fatos objetivos prova a verdade da concepção apenas na medida em que esta última não pretenda ser válida em geral, mas tão somente para aquela área do objeto que está sendo considerada. Neste sentido, é exatamente a trave no nosso próprio olho que nos possibilita ver o cisco no olho do irmão. E nesse caso a trave no nosso olho não prova que o irmão não tenha um cisco no seu olho, como ficou dito. Mas a perturbação de nossa visão leva facilmente a uma teoria geral de que todos os ciscos são traves. Reconhecer e levar em consideração o condicionamento subjetivo dos conhecimentos em geral e dos conhecimentos psicológicos em particular é a condição essencial da valorização científica e correta de uma psique diferente da do sujeito que observa. Esta condição só será satisfeita quando o observador estiver suficientemente informado sobre a extensão e a natureza de sua própria personalidade. E só poderá estar suficientemente informado quando se tiver libertado da influência niveladora das opiniões coletivas e, assim, tiver chegado a uma concepção clara de sua própria individualidade.

9 Quanto mais retrocedermos na história, tanto mais veremos a personalidade desaparecendo sob o manto da coletividade. E quando chegamos à psicologia primitiva, nem vestígios encontramos do conceito de indivíduo. Em vez da individualidade, só acharemos relacionamento coletivo ou "participação mística" (*participation mystique*)[1]. Esta atitude coletiva impede o reconhecimento e a valorização de uma psicologia diferente da do sujeito, pois a mente, orientada coletivamente, é totalmente incapaz de pensar e sentir de outra forma que não seja por projeção. O que entendemos sob o conceito de "indivíduo" é uma aquisição relativamente nova na história do pensamento e cultura humanos. Por isso não é de admirar que a atitude coletiva, primitiva e todo-poderosa, impedisse quase completamente uma valorização psicológica objetiva das diferenças individuais ou qualquer objetificação científica dos processos psicológicos individuais. É devido a esta falta de pensamento psicológico que o conhecimento se tornou "psicologizado", isto é, repleto de psicologia projetada. Encontramos exemplos marcantes disso nas primeiras tentativas do homem de explicar filosoficamente o cosmos. O desenvolvimento da individualidade, com a consequente diferenciação psicológica do homem, caminha passo a passo com o trabalho despsicologizante da ciência objetiva. Isto pode explicar por que as fontes da psicologia objetiva fluem tão escassamente do material que nos foi transmitido pela Antiguidade. A diferenciação dos quatro temperamentos que assumimos dos antigos pouca coisa tem de tipificação psicológica, já que os temperamentos quase nada mais são do que complexões psicofisiológicas. Mas esta falta de informação não significa que não encontremos, na história do pensamento clássico, vestígio dos efeitos dos opostos psicológicos em questão.

---

1. LÉVY-BRUHL, L. *Les Fonctions mentales dans les sociétés inférieures*. Paris: [s.e.], 1912.

10 A filosofia gnóstica estabeleceu três tipos que correspondem talvez a três funções psicológicas básicas: *pensamento*, *sentimento* e *sensação*. Os *pneumatikoi* poderiam estar relacionados com o pensamento, os *psychikoi* com o sentimento e os *hylikoi* com a sensação. O menor valor atribuído aos *psychikoi* estava de acordo com o espírito do gnosticismo que, ao contrário do cristianismo, insistia no valor do conhecimento. Os princípios cristãos do amor e da fé mantinham o conhecimento à distância. No âmbito cristão os *pneumatikoi* recebiam, por sua vez, a menor consideração, pois se distinguiam apenas por possuírem a gnose, isto é, o conhecimento.

11 Devemos ter em mente também as diferenças de tipos quando recordamos a longa e perigosa luta que a Igreja travou contra o gnosticismo logo nos inícios de sua história. Devido à orientação sobretudo prática do cristianismo primitivo, o intelectual pouco valor tinha, a não ser que desse vazão a seus instintos belicosos numa apologética polêmica. A norma da fé (*regula fidei*) era muito rígida e não permitia liberdade de movimentos. Além disso era pobre em conteúdo intelectual positivo. Constava de poucas ideias e estas, apesar de serem de grande valor prático, eram um obstáculo decisivo para o pensamento. O tipo intelectual era mais atingido negativamente pelo sacrifício do intelecto (*sacrificium intellectus*) do que o tipo sentimento. Por isso é compreensível que o conteúdo intelectual bem superior da gnose que, à luz de nosso desenvolvimento mental moderno não perdeu, mas ganhou muito em valor, fizesse o maior apelo possível ao intelectual dentro da Igreja. A gnose apresentava para ele todas as tentações do mundo. Sobretudo o *docetísmo* deu grande trabalho à Igreja com sua afirmação de que Cristo possuía apenas um corpo aparente e que toda a sua existência terrena e sua paixão haviam sido mera aparência. Nesta afirmação predomina o elemento puramente intelectual sobre o sentimento humano. Talvez a luta com a gnose seja melhor compreendida se tomarmos os dois grandes expoentes que se impuseram não só por serem Padres da Igreja, mas também por sua personalidade: Tertuliano e Orígenes que foram contemporâneos ao final do século II. Schultz[2] escreve sobre eles: "Um organismo é capaz de ingerir alimento e assimilá-lo quase totalmente à sua

---

2. SCHULTZ, W. *Dokumente der Gnosis*. Jena: [s.e.], 1910, p. XXIX.

natureza; outro o elimina, de igual modo, com sinais de resistência apaixonada. Assim, Orígenes, por um lado, e Tertuliano, por outro, reagiram de forma diametralmente oposta. Sua reação à gnose não é característica apenas das duas personalidades e de sua visão do mundo, mas é de fundamental importância também para a posição da gnose na vida espiritual e nas correntes religiosas daquela época".

12 Tertuliano nasceu em Cartago, por volta de 160 dC. Era pagão e levou vida dissoluta em sua cidade natal até aos trinta e cinco anos, quando se converteu ao cristianismo. É autor de numerosos escritos onde transparece bem seu caráter – que nos interessa em especial. Com nítida clareza aparece seu zelo nobre e sem par, seu fogo, seu temperamento apaixonado e a profundeza de sua concepção religiosa. É fanático e de uma tendenciosidade genial quando se trata de verdade reconhecida, intolerante e de natureza belicosa sem igual, um lutador implacável que só admite a vitória após ver aniquilado completamente o adversário; sua linguagem era espada flamejante, manejada com terrível maestria. Foi o criador do latim eclesiástico que perdurou por mil anos. Cunhou a terminologia da jovem Igreja. "Tendo assumido um ponto de vista, levava-o às últimas consequências, como que aguilhoado por uma legião de demônios, mesmo que a razão já não estivesse a seu lado e todo ordenamento racional se lhe apresentasse em farrapos"[3]. A paixão de seu pensamento era tão inexorável que se afastava sempre de novo daquilo por que havia dado o sangue de seu coração. Por isso, sua ética era de uma austeridade rude. Mandava procurar o martírio em vez de fugir dele, não permitia segundas núpcias e exigia que as pessoas do sexo feminino se cobrissem completamente. Combatia com desconsideração fanática a gnose que era exatamente uma paixão do pensamento e do conhecimento e, com ela, a ciência e filosofia que pouco diferiam dela. Atribuiu-se a ele a grandiosa confissão: Creio porque é absurdo (*credo quia absurdum est*). Parece que isto não corresponde bem à verdade histórica e que só teria dito: "E morreu o Filho de Deus, isto é perfeitamente crível porque é absurdo. E sepultado ressuscitou; isto é certo porque é impossível"[4].

---

3. Ibid., p. XXV.

4. "Et mortuus est dei fllius, prorsus credibile est, quia ineptum est. Et sepultus resurrexit; certum est, quia impossibile est." TERTULIANO. *De carne Christi*, 5.

13 Graças à agudeza de seu espírito, percebeu o lado vulnerável do saber filosófico e gnóstico e o repudiou com desprezo. Apoiou-se, então, no testemunho de seu próprio mundo interior, nos fatos de sua própria intimidade que se identificavam com sua fé. Estruturou estes fatos, tornando-se assim o criador das conexões conceituais que ainda hoje constituem a base do sistema católico. O fato íntimo irracional que para ele era de natureza essencialmente dinâmica foi o princípio e fundamento perante o mundo e perante a ciência e filosofia racionais ou de validade geral. Transcrevo suas palavras:

14 "Invoco um novo testemunho, ou melhor, um testemunho mais conhecido do que qualquer monumento escrito, mais discutido do que qualquer sistema doutrinário, mais difundido do que qualquer publicação, maior do que o homem todo, isto é, aquilo que constitui o todo do homem. Venha, então, alma minha, quer você seja algo divino e eterno, como acreditam muitos filósofos – tanto menos, portanto, você mentirá – ou não divino, porque mortal, como só Epicuro afirma – tanto menos, portanto você ousará mentir – quer você venha do céu ou seja nascida na terra; quer seja composta de números ou átomos; quer você tenha seu começo com o corpo ou a este seja agregada mais tarde; não importa donde você provenha ou como faz para que o homem seja o que ele é, um ser racional, capaz de percepção e conhecimento. Mas eu não a invoco, ó alma, treinada nas escolas, familiarizada com bibliotecas, alimentada e saciada nas academias e nos salões cheios de colunas de Atenas, propagadora de sabedoria. Não! Eu gostaria de falar com você, ó alma, como admiravelmente simples e inculta, inábil e inexperiente, exatamente como você é para aqueles que nada mais possuem do que a você, exatamente como você surge das alamedas, das esquinas e das oficinas. É precisamente de sua ignorância que eu preciso"[5].

15 A automutilação realizada por Tertuliano no *sacrificium intellectus* levou-o a um reconhecimento sem reservas da realidade irracional interior, o verdadeiro fundamento de sua fé. A necessidade do processo religioso que sentia em si, ele a sintetizou na fórmula incomparável "alma naturalmente cristã" (*anima naturaliter Christia-*

---

5. SCHULTZ, W. *Dokumente der Gnosis*. Op. cit., p. XXVs.

na). Com o *sacrificium intellectus* sucumbem para ele também a filosofia e a ciência, consequentemente também a gnose.

16 No decorrer de sua vida, as qualidades, acima descritas, foram se exacerbando. Quando a Igreja foi levada a um compromisso sempre maior com as massas, revoltou-se contra isso e tornou-se adepto do profeta Montano, um extático, que seguia o princípio da negação absoluta do mundo e da espiritualização total. Em panfletos violentos começou a atacar a política do Papa Calixto I. Isto e mais o montanismo o levaram mais ou menos para fora da Igreja. Segundo um informe de Agostinho, desentendeu-se depois também com o montanismo e fundou sua própria seita.

17 Tertuliano é exemplo clássico de pensador introvertido. Sua inteligência brilhante, altamente desenvolvida, tinha o flanco aberto para uma inegável sensualidade. O processo psicológico de desenvolvimento, que designamos como sendo o *cristão*, levou-o ao sacrifício, à amputação da função mais valiosa, cuja ideia mítica está contida no grande e exemplar símbolo do sacrifício do Filho de Deus. Seu órgão mais valioso era precisamente o intelecto e o conhecimento nítido que dele se originava. Devido ao *sacrificium intellectus* fechava-se para ele o caminho para um desenvolvimento puramente intelectual e viu-se, assim, forçado a reconhecer o dinamismo irracional de sua alma como fundamento de seu ser. A intelectualidade da gnose, o caráter especificamente racional que ela imprimia nos fenômenos dinâmicos da alma devem ter sido odiosos para ele, pois foi este o caminho que teve de abandonar para reconhecer o princípio do sentimento.

18 Em Orígenes temos exatamente o oposto de Tertuliano. Nasceu em Alexandria por volta de 185 dC. Seu pai foi um mártir cristão. Ele, porém, nasceu naquela atmosfera mental ímpar onde se misturavam as ideias do Oriente e do Ocidente. Com verdadeira ânsia de saber, absorvia avidamente tudo o que fosse digno de conhecer e aceitava tudo o que o riquíssimo mundo intelectual de Alexandria podia oferecer: cristão, judeu, helênico ou egípcio. O filósofo pagão Porfírio, discípulo de Plotino, dizia dele que sua vida externa era a de um cristão e contra a lei; em suas opiniões sobre as coisas e a divindade helenizou e introduziu ideias gregas nos mitos estrangeiros[6]. Já antes

6. Ibid., p. XXII.

de 211 dC ocorreu sua autocastração, cujos motivos podemos adivinhar, mas, historicamente, permanecem desconhecidos. Exercia grande influência pessoal e tinha um discurso cativante. Estava sempre cercado de discípulos e de grande número de estenógrafos que recolhiam as preciosas palavras que saíam da boca do venerado mestre. Foi autor muito prolífico e tornou-se grande professor. Em Antioquia deu aulas de teologia, inclusive para a mãe do imperador, de nome Mameia. Em Cesareia foi o diretor de uma escola. Sua atividade professoral era frequentes vezes interrompida por longas viagens. Tinha uma erudição extraordinária e uma capacidade impressionante de pesquisa. Andava à procura de manuscritos bíblicos antigos e obteve grandes méritos como crítico de textos. "Era um grande sábio, aliás o único verdadeiro sábio que a Igreja primitiva teve", disse Harnack. Em total contraste com Tertuliano, Orígenes não se fechou à influência do gnosticismo; ao contrário, até mesmo o canalizou, de forma atenuada, para o seio da Igreja; ao menos foi esta a sua intenção. Na verdade, a julgar por seu pensamento e pontos de vista fundamentais, foi quase um gnóstico cristão. Sua posição perante *a fé* e o *conhecimento* foi descrita por Harnack com as seguintes palavras, psicologicamente significativas: "A Bíblia é igualmente necessária para ambos: os crentes recebem dela os fatos e mandamentos de que precisam, enquanto os gnósticos decifram a partir dela pensamentos e reúnem forças que os levam à contemplação e ao amor de Deus – e assim todas as coisas materiais parecem amalgamadas pela interpretação espiritual (exegese alegórica, hermenêutica etc.), num cosmos de ideias, até que tudo, finalmente, seja superado e abandonado como simples degrau, só permanecendo isto: a relação abençoada e duradoura da alma criada por Deus e para Deus (*amor et visio*)".

19 Sua teologia, em contraste com a de Tertuliano, era essencialmente filosófica; inseria-se perfeitamente no âmbito da filosofia neoplatônica. Em Orígenes se interpenetram num todo pacífico e harmonioso os dois mundos: a filosofia grega e a gnose, por um lado, e as ideias cristãs, por outro. Mas esta tolerância ousada e perspicaz, sua imparcialidade, levaram-no também a ser condenado pela Igreja. Na verdade, a condenação final só ocorreu postumamente, após, já idoso, haver sofrido torturas na perseguição de Décio e ter falecido em consequência delas. Em 399, o Papa Anastácio I pronunciou a

condenação e, em 543, foram anatematizados seus ensinamentos por um sínodo convocado por Justiniano, e este anátema foi confirmado por concílios ulteriores.

20 Orígenes é exemplo clássico do tipo extrovertido. Sua orientação básica era o objeto; isto se mostrava em sua preocupação escrupulosa por fatos objetivos e suas condições, bem como na formulação daquele princípio supremo: amor e visão de Deus (*amor et visio Dei*). O processo cristão de desenvolvimento encontrou em Orígenes um tipo cujo fundamento último era a relação com o objeto – uma relação que sempre se expressou simbolicamente na sexualidade, e explica o fato de haver certas teorias hoje que também reduzem todas as funções psíquicas essenciais à sexualidade. A castração foi, portanto, expressão adequada do sacrifício da função mais valiosa. É bem característico que Tertuliano quisesse realizar o *sacrificium intellectus* e Orígenes fosse levado ao *sacrificium phalli*, porque o processo cristão exigia completa abolição do vínculo sensual com o objeto. Em outras palavras, exigia o sacrifício da função mais valiosa, da possessão mais amada, do instinto mais forte. Biologicamente considerado, o sacrifício serve aos interesses da domesticação. Mas, psicologicamente, abre uma porta para novas possibilidades de desenvolvimento espiritual, mediante a dissolução de laços antigos. Tertuliano sacrificou o *intelecto* porque este o amarrava fortemente ao mundano. Lutou contra a gnose porque representava para ele um desvio para a intelectualidade que envolvia, ao mesmo tempo, sensualidade. Examinado este fato, vemos que o gnosticismo estava, na verdade, dividido em duas escolas: uma, que lutava por uma espiritualidade que excedia todos os limites; outra, que se perdia num anarquismo ético, num libertinismo absoluto que não se detinha diante de nenhuma luxúria ou devassidão, por mais atroz e perversa. Há que distinguir os encratistas – que praticavam a continência – dos antitactas ou antinomistas – que se opunham à lei e à ordem e que, em obediência a certas doutrinas, pecavam por princípio e se entregavam ao mais deslavado deboche. A esta última escola pertenciam os nicolaítas, os arcônticos etc., e os apropriadamente denominados borborianos. Os arcônticos dão um exemplo de quão próximos estavam os aparentemente contrários. Esta seita era dividida em uma escola encratista e antinomiana e ambas perseguiam seus fins lógica e consequentemente. Se al-

guém quiser saber quais as consequências éticas de um intelectualismo ousado e de grandes proporções, pode estudar a história da moral gnóstica. Entenderá, então, perfeitamente o *sacrificium intellectus*. Essas pessoas eram coerentes também na prática e viviam suas convicções até o absurdo. Pela automutilação, Orígenes sacrificou seu *vínculo sensual* com o mundo. Para ele, evidentemente, o perigo específico não era o intelecto, mas o sentimento e a sensação que o ligavam ao objeto. Pela castração, livrou-se da sensualidade que estava acoplada ao gnosticismo e pôde entregar-se, sem medo, à riqueza do pensamento gnóstico, ao passo que Tertuliano, pelo sacrifício do intelecto, afastou-se da gnose, mas alcançou uma profundidade de sentimento religioso que falta em Orígenes. Diz Schultz: "Supera Orígenes porque vivia, no mais profundo de seu espírito, cada uma de suas palavras e porque não era, como acontecia com Orígenes, o entendimento que o arrastava, mas o coração. Por outro lado, fica atrás de Orígenes porque, sendo o mais apaixonado dos pensadores, esteve a ponto de recusar o *saber* como tal e converter sua luta contra a gnose em luta contra o pensar humano pura e simplesmente"[7].

21 Vemos aqui como, no processo cristão, o tipo original se inverteu completamente: Tertuliano, o aguçado pensador, torna-se o homem do sentimento, enquanto Orígenes se transforma no sábio e se perde na intelectualidade. Naturalmente é fácil inverter, também logicamente, a coisa e dizer que Tertuliano foi sempre o homem do sentimento e Orígenes, o intelectual. Abstraindo do fato de que a diferença de tipo não foi, com isso, eliminada, mas persiste, antes como depois, a concepção inversa, porém não explica por que Tertuliano via no intelecto seu pior inimigo e Orígenes, na sexualidade. Poder-se-ia dizer que ambos se enganaram, aduzindo-se como argumento o resultado fatal da vida deles. Se este fosse o caso, seria de admitir-se que ambos sacrificaram a coisa menos importante e que fizeram uma trapaça com o destino. É um ponto de vista cujo princípio merece ser considerado válido. Até entre os primitivos existem espertalhões que se apresentam diante de seu fetiche trazendo uma galinha debaixo do braço e dizendo: "Veja, estou lhe oferecendo um belo porco preto". Contudo, sou de opinião que o modo depreciativo de

7. SCHULTZ, W. Op. cit., p. XXVII.

explicação, apesar do alívio indiscutível que sente a pessoa comum na derrubada de algo grande, não é sempre o mais correto, mesmo que pareça muito "biológico". Pelo que sabemos desses dois grandes personagens no campo do espírito, devemos afirmar que sua natureza toda era tão sincera que sua conversão ao cristianismo não foi uma brincadeira de mau gosto ou uma fraude, mas foi real e verdadeira.

22

Não será digressão se aproveitarmos esta oportunidade para tentar compreender o significado psicológico dessa ruptura do curso natural do instinto – o que o processo cristão (do sacrifício) parece ser. Do que foi dito, segue-se que conversão significa também transição para outra atitude. Também fica claro donde provém o motivo que impele à conversão e até que ponto Tertuliano tem razão em classificar a alma como *naturaliter Christiana:* o curso natural do instinto segue, como tudo na natureza, o princípio do menor esforço. Uma pessoa tem mais aptidão aqui, outra acolá. Ou a adaptação ao primeiro ambiente da infância exige mais reserva e reflexão ou maior empatia, de acordo com a natureza dos pais e das circunstâncias. Desse modo forma-se automaticamente uma certa atitude preferencial que produz tipos diferentes. Na medida em que toda pessoa, como ser relativamente estável, possui todas as funções psicológicas básicas, seria também uma necessidade psicológica, para uma adaptação perfeita, que a pessoa as empregasse de maneira uniforme. Deve haver uma razão para existirem caminhos diferentes de adaptação psicológica: evidentemente um só não é suficiente, pois o objeto parece apenas parcialmente compreendido quando ele é, por exemplo, algo meramente pensado ou sentido. Numa atitude unilateral ("típica") permanece um déficit no trabalho de adaptação psicológica que aumenta com o passar dos anos e que, mais cedo ou mais tarde, evoluirá para um distúrbio na adaptação, forçando o sujeito a uma compensação. A compensação, no entanto, só é conseguida por meio de uma *amputação* (sacrifício) da atitude até então unilateral. Surge, assim, um represamento temporário de energia e um excesso em canais até então não usados conscientemente, mas inconscientemente à disposição. A deficiência de adaptação que é a causa eficiente do processo de conversão manifesta-se subjetivamente como um sentimento de vaga insatisfação. Esta atmosfera dominava na virada de nossa era. Uma necessidade espantosa e extraordinária de salvação tomou conta da humanidade e fez surgir um florescimento inaudito de todos os cultos possíveis e impossíveis na antiga Roma. Também não faltaram adeptos da teoria do gozar a vida que, ao invés da "biologia", usavam argumentos da ciência daquela época. Também não era possível satisfazer-se com especulações sobre o porquê de a humanidade ir tão mal. Apenas o causalismo daquela época não era tão restrito como o de nossa ciência. Não se retrocedia apenas até a infância, mas até a cosmogonia, e vários sistemas foram inventados provando que tudo o que havia acontecido no passado mais remoto era a causa das consequências insuportáveis para a humanidade.

23 O sacrifício que Tertuliano e Orígenes fizeram é drástico, drástico demais para o nosso gosto, mas correspondeu ao espírito da época que era muito concretista. Foi desse espírito que a gnose derivou a presunção de que suas visões eram simplesmente reais ou, ao menos, diretamente ligadas à realidade. E Tertuliano colocou o fato de seu sentimento como algo válido objetivamente. O gnosticismo projetou a percepção subjetiva interna do processo de mudança de atitude como um sistema cosmogônico e acreditava na realidade de suas figuras psicológicas.

24 Em meu livro *Símbolos da transformação*[8] deixei em aberto a questão sobre a proveniência do rumo peculiar da libido no processo cristão. Falei aí de uma separação do rumo da libido em duas metades, voltadas uma contra a outra. A explicação disso surge da unilateralidade da atitude psicológica que se tornou tão unilateral que se impôs a compensação a partir do inconsciente. É exatamente o movimento gnóstico nos primeiros séculos que melhor demonstra a irrupção de conteúdos inconscientes no momento da compensação. O próprio cristianismo significou a destruição e sacrifício de valores culturais antigos, isto é, da atitude antiga. No tempo atual é quase supérfluo dizer que tanto faz se falamos de hoje ou de dois mil anos atrás.

2. As disputas teológicas na Igreja Antiga

25 Não é improvável encontrarmos a oposição de tipos também alhures na história dos cismas e heresias da Igreja primitiva, tão rica

---

8. A primeira edição saiu com o título *Wandlungen und Symbole der Libido*.

em disputas. Os ebionitas ou judeu-cristãos, que se identificavam talvez com os cristãos primitivos em geral, acreditavam apenas na humanidade de Cristo; Ele era o filho de Maria e José que recebeu mais tarde sua unção do Espírito Santo. Os ebionitas são, neste aspecto, o extremo oposto dos docetas. Esta oposição durou muito tempo. Em 320, surgiu novamente, algo modificada, na heresia de Ario. Considerada sob o ponto de vista da política eclesiástica, foi contundente; mas, quanto ao conteúdo, era mais moderada. Ario negava a fórmula proposta pela Igreja ortodoxa τῷ Πατρὶ ὁμοούσιος (igual ao Pai). Examinando melhor a história da grande disputa ariana sobre homoousia e homoiousia (igualdade de ser e semelhança de ser de Cristo com Deus), parece-nos que a homoiousia coloca claramente o acento no sensual e humanamente palpável, contra o puramente concebível e abstrato do enfoque da homoousia. Quer-nos parecer também que a revolta dos monofisitas (que defendiam a unidade absoluta da natureza de Cristo) contra a fórmula duofisita do Concílio de Calcedônia (que defendia a inseparável dupla natureza de Cristo, ou seja, sua natureza *humana* e *divina*) fez valer novamente o ponto de vista do abstrato e inconcebível contra o sensual-natural da fórmula duofisita.

26 Torna-se absolutamente claro também que, tanto no movimento ariano quanto na disputa monofisita, a sutil questão dogmática foi a preocupação principal das mentes que a conceberam, mas não o era para a grande massa da população que participava da controvérsia. Mesmo naquela época primitiva uma questão assim sutil não tinha força motivadora para as massas que estavam mais interessadas nos problemas e reivindicações do poder político que nada tinham a ver com diferenças de opinião teológica. Se as diferenças de tipo têm algum significado aqui, é simplesmente porque forneceram palavras-chave que emprestaram um rótulo lisonjeiro aos instintos selvagens das massas. Mas isto não deve cegar-nos para o fato de que homoousia e homoiousia era assunto muito sério para aqueles que suscitaram a discussão. Dentro dela estava oculto, histórica e psicologicamente, o credo ebionita de um Cristo puramente humano, com divindade apenas relativa ("aparente"), e o credo docetista de um Cristo puramente divino com corporeidade apenas aparente. E, por sua vez, debaixo desse nível está o grande cisma psicológico. Uma das posições atribui valor e importância máximos ao perceptível sensualmente, cujo sujeito, ain-

da que nem sempre humano e pessoal, é sempre uma sensação humana projetada; a outra sustenta que o valor principal está no abstrato e extra-humano, cujo sujeito é a função, isto é, o processo objetivo da natureza que faz seu percurso determinado pela lei impessoal, para além da sensação humana, da qual é o fundamento real. O primeiro ponto de vista menospreza a função em favor do complexo de função, se o homem puder ser considerado assim; o segundo menospreza o homem, como o sujeito indispensável, em favor da função. Cada qual desses pontos de vista nega o valor principal do outro. Quanto mais vigorosamente os adeptos de um dos pontos de vista se identificam com ele, tanto mais se esforçam, talvez com a melhor das intenções, para impô-lo aos outros e consequentemente violam o supremo valor do outro.

27 Outro aspecto do conflito de tipos aparece na controvérsia pelagiana, no início do século V. A experiência, profundamente sentida por Tertuliano, de que o homem não pode evitar o pecado, mesmo após o batismo, evoluiu com Agostinho – que, em vários aspectos, não foi diferente de Tertuliano – para uma doutrina totalmente pessimista do pecado original, cuja essência consiste na *concupiscência* herdada de Adão[9]. Diante do fato do pecado original, Agostinho coloca a graça redentora de Deus com a instituição da Igreja por ela criada, que administra os meios de salvação. Nesta concepção, o valor do homem fica num nível bem baixo. O homem é apenas uma criatura abjeta e infeliz, entregue à mercê do demônio. Somente a Igreja – único meio capaz de proporcionar a salvação – pode fazê-lo participante da graça divina. E assim fica rebaixado não só o valor do homem, mas também, de certa forma, sua liberdade moral e autodeterminação, e se exalta o valor e significado da *ideia* de Igreja – o que responde perfeitamente ao programa apresentado em *A Cidade de Deus*, de S. Agostinho.

28 Em oposição a esta concepção tão depreciativa, ergue-se, sempre de novo, o sentimento de liberdade e valor moral do homem, sentimento este que não se deixa aniquilar nem pela inteligência mais brilhante e nem pela lógica mais ferrenha. Foram Pelágio, um monge

9. Desejos; diríamos mais ou menos isto: libido incontrolada que, como εἱμαρ – μένη, constrangimento pelos astros e pelo destino, leva os homens a se perderem no pecado.

britânico, e seu discípulo Celéstio que saíram em defesa do sentimento do valor humano. Sua doutrina baseava-se na liberdade moral do homem como um fato dado. Existe um parentesco psicológico entre o ponto de vista pelagiano e a concepção duofisita; isto se comprova porque os perseguidos pelagianos foram acolhidos por Nestório, o patriarca de Constantinopla. Nestório defendia com veemência a separação das duas naturezas de Cristo em oposição à doutrina de Cirilo, da φυσικὴ ἕνωσις, da unidade física de Cristo como homem-Deus. Nestório também não considerava Maria como *decnoicos* (genitora de Deus), mas simplesmente como ϑεοτόκος (genitora de Cristo). Com certa razão, qualificava de ímpia a ideia de Maria ser a mãe de Deus. Nestório foi a causa dessa disputa que resultou na separação da igreja nestoriana.

3. O problema da transubstanciação

29 Com as grandes transformações políticas, o desmoronamento do Império Romano e o ocaso da civilização antiga, tiveram fim também estas disputas. Mas quando, ao final de alguns séculos, se conseguiu certa estabilidade, surgiram de novo as diferenças psicológicas em sua forma característica. Primeiro, timidamente, mas, com o progresso da civilização, mais intensamente. Já não se tratava dos mesmos problemas que haviam sacudido a Igreja antiga. Eram formas novas, mas a psicologia por detrás delas era a mesma.

30 Pelos meados do século IX, aparece em cena o Abade Pascásio Radberto com um escrito sobre a ceia cristã, onde defendia a doutrina da transubstanciação, isto é, afirmava que o vinho e a hóstia, na comunhão, se transformavam no verdadeiro sangue e verdadeira carne de Cristo. Como sabemos, esta concepção tornou-se dogma, segundo o qual a transformação ocorre verdadeira, real e substancialmente (*vere*, *realiter*, *substantialiter*); ainda que os "acidentes", isto é, o pão e o vinho conservem sua aparência, são, contudo, substancialmente, carne e sangue de Cristo. Contra esta concretização extrema, ousou levantar certa oposição um monge do mesmo mosteiro onde Radberto era abade, de nome Ratramno. Mas um opositor de peso foi Scoto Erígena o grande filósofo e pensador da Baixa Idade Média que pairava tão alto e sozinho sobre o seu tempo que a conde-

nação da Igreja só veio atingi-lo após séculos, conforme diz Hase em seu livro *Kirchengeschichte*[10]. Como abade de Malmesbury, foi assassinado por seus próprios monges em 889. Para Scoto Erígena, verdadeira filosofia era também verdadeira religião. Não era adepto cego da autoridade e do *magister dixit*, pois, ao contrário da maioria de sua época, sabia pensar por si mesmo. Ele colocou a razão acima da autoridade, talvez de forma precoce para a época, mas que lhe mereceu o reconhecimento dos séculos posteriores. Também os Padres da Igreja, considerados inquestionáveis, ele só os aceitava como autoridade quando, nos diversos assuntos, seus escritos contivessem o tesouro da razão humana. Era de opinião que a ceia cristã nada mais representava do que uma recordação da última ceia que Jesus celebrou com seus discípulos, o que, aliás, toda pessoa razoável vai pensar em qualquer tempo. Mas Scoto Erígena, por mais claro e humanamente fácil que fosse seu pensamento, e por menos inclinado que estivesse em diminuir o sentido e valor da cerimônia sagrada, não estava sintonizado com o espírito de sua época e com os desejos do mundo circundante, o que se manifestou inclusive no assassinato pelas mãos de seus próprios companheiros de convento. Sabia pensar racional e logicamente, por isso não obteve êxito. Êxito obteve Radberto que não sabia pensar, mas que "transubstanciou" o simbólico e significativo e o tornou grosseiro e sensual, mas estava sintonizado com o espírito de sua época que exigia a concretização de experiências religiosas.

31 Reconhecemos, sem dificuldade, nesta briga, novamente, aqueles elementos fundamentais que já encontramos nas disputas mencionadas antes, isto é, o ponto de vista abstrato que rejeita a mistura com o objeto concreto, e o concretista que está voltado para o objeto. Longe de nós pronunciarmos, do ponto de vista intelectual, um juízo unilateral e desmerecedor sobre Radberto e sua obra. Ainda que este dogma pareça absurdo à mente moderna, não podemos apressar-nos em declará-lo inútil historicamente. Certamente é um espetáculo que reúne uma porção de erros humanos, mas isto não o torna inútil sem mais. Antes de qualquer julgamento devemos examinar com cuidado o que este dogma trouxe para a vida religiosa daquela época e o que nossa época ainda deve indiretamente a seu efeito. Não se pode des-

10. HASE, K.A. *Kirchengeschichte*. Leipzig: [s.e.], 1877.

considerar, por exemplo, que precisamente a crença na realidade desse milagre exige que o processo psíquico se desvincule do puramente sensual, e isto não pode acontecer sem influência sobre o próprio processo psíquico. É absolutamente impossível um pensamento dirigido quando o sensual tem um valor liminar muito elevado. Exatamente por ter valor muito elevado, intromete-se constantemente na psique, onde dilacera e destrói a função do pensamento dirigido que se baseia na exclusão de tudo o que é incompatível com o pensamento. Dessa consideração elementar segue a importância prática dos ritos e dogmas que afirmam seu valor não apenas sob este ponto de vista, mas também de um ponto de vista puramente oportunista e biológico, sem falar dos efeitos imediatos e especificamente religiosos que advêm para os indivíduos por causa da crença neste dogma. Por mais que apreciemos Scoto Erígena, não é lícito menosprezar a obra de Radberto. Mas o que podemos aprender desse exemplo é que o pensamento do introvertido e incomensurável com o do extrovertido, uma vez que as duas formas de pensar, no que se refere às suas condições, são total e fundamentalmente diversas. Talvez pudéssemos dizer que o pensar do *introvertido é racional* e o do *extrovertido é programático*.

32 Quero ressaltar que esses argumentos nada pretendem ter dito de decisivo sobre a psicologia individual dos dois personagens. O que conhecemos da pessoa de Scoto Erígena – apenas o pouco necessário – não é suficiente para fazer um diagnóstico seguro de seu tipo. Aquilo que sabemos aponta para um tipo introvertido. De Radberto, sabemos tanto quanto nada. Sabemos apenas que disse algo que contradiz o pensar comum, mas uma segura lógica sentimental levou-o a descobrir o que sua época estava disposta a aceitar como conveniente. Isto fala em favor do tipo extrovertido. Por causa do pouco conhecimento, temos que suspender nosso julgamento sobre ambas as personalidades já que, sobretudo no caso de Radberto, o assunto deve ser resolvido de modo bem diverso. Ele pode muito bem ter sido também um introvertido, mas com limitada força de pensar que, de modo algum, ultrapassou as concepções de sua época e com uma lógica tão carente de originalidade que apenas conseguiu tirar a conclusão óbvia das premissas já contidas nos escritos dos Padres de Igreja. Por sua vez, Scoto Erígena também pode ter sido extrovertido, se pudésse-

mos provar que vivia num ambiente dominado pelo senso comum ("common sense") e que considerava como mais adequada e desejável a expressão concorde com esse senso comum. Mas isto não foi provado de modo algum. Sabemos, no entanto, como era grande a aspiração daquela época pela realidade do milagre religioso. Para uma época assim constituída, os pontos de vista de Scoto Erígena devem ter parecido frios e mortiços, enquanto que a afirmação de Radberto deve ter sido considerada cheia de vitalidade, pois concretizava a expectativa de todos e de cada um.

4. Nominalismo e realismo

33 A controvérsia sobre a ceia (Eucaristia), no século IX, foi apenas indício de uma controvérsia maior que dividiu a opinião das pessoas durante séculos e teve consequências incalculáveis. Foi o conflito entre *nominalismo* e *realismo*. Por nominalismo entendemos aquela escola que afirmava serem os assim chamados universais, ou seja, os conceitos genéricos e universais como a beleza, o bem, o animal, o homem etc., nada mais do que nomes (*nomina*), ou palavras ironicamente chamadas sopros de voz (*flatus vocis*). Anatole France diz: "O que é pensar? E como alguém pensa? Nós pensamos com palavras –, mas lembrai-vos que um metafísico não possui outra coisa para construir seu sistema do mundo do que o grito aperfeiçoado de macacos e cães". Isto é nominalismo extremo, como o é quando Nietzsche diz que a razão é a "metafísica da linguagem".

34 O realismo, contudo, afirma a existência dos universais antes da coisa (*ante rem*) e que os conceitos gerais existem em si mesmos, a modo das ideias de Platão. Apesar de sua associação eclesiástica, o nominalismo é uma tendência cética que nega a existência separada e característica das abstrações. É uma espécie de ceticismo científico vinculado com o mais rígido dogmatismo. Sua concepção de realidade coincide necessariamente com a realidade sensória das coisas, cuja individualidade representa o real como oposto à ideia abstrata. O realismo estrito, por outro lado, transfere o acento da realidade para o abstrato, para a ideia, o universal que ele coloca antes da coisa (*ante rem*).

a) O problema dos universais na Antiguidade

35 Conforme o demonstra a referência à teoria platônica das ideias, trata-se de um conflito que retroage muito no tempo. Algumas observações mordazes de Platão sobre "anciãos tardos em aprender" e "pobres de espírito" se referem aos representantes de duas escolas filosóficas afins e que não suportavam o espírito platônico: os *cínicos* e os *megáricos*. O fundador da primeira escola, Antístenes, apesar de não se distanciar da atmosfera espiritual socrática e ser, inclusive, amigo de Xenofonte, era inimigo ferrenho do mundo ideal de Platão. Escreveu, mesmo, uma diatribe contra Platão, onde mudou irreverentemente o nome dele para Σάϑων. Esta palavra significa rapaz ou homem, mas sob o aspecto sexual, pois σάϑων vem de σάϑη, pênis, com o que Antístenes nos dá a entender delicadamente, por meio de projeção bem conhecida de nós, qual o assunto que pretendia defender contra Platão. Para o cristão Orígenes, como vimos, foi este também o motivo original, o próprio demônio, do qual procurou fugir pela autocastração e assim penetrou, desimpedido, no rico e adornado mundo das ideias. Antístenes, porém, era um pagão da época pré-cristã que se sentia ainda muito vinculado ao simbolismo atribuído ao falo desde a Antiguidade, ou seja, o símbolo do prazer sensual. Não só ele, mas também toda a escola cínica, cujo lema era: de volta à natureza. São muitos os motivos que poderiam ter trazido para o primeiro plano o sentir e perceber concretos de Antístenes: primeiro, ele foi um proletário que fez de sua inveja uma virtude. Não era um ἰϑαγενής, um grego de puro sangue. Era da periferia e ensinava também na periferia, diante das portas de Atenas; adotou um comportamento proletário, exemplo da filosofia cínica. Toda a escola se compunha de proletários ou, ao menos, de pessoas "periféricas" e se caracterizava pela crítica destruidora de todos os valores tradicionais. Após Antístenes, um dos maiores representantes dessa escola foi Diógenes, que se deu a si mesmo o título de κύον, cachorro, e em cujo túmulo foi esculpido um cachorro em mármore de Paros. Por mais terno que tivesse sido seu amor aos homens e por mais compreensível e humano todo o seu ser, demolia impiedosamente tudo o que existia de mais sagrado para as pessoas de seu tempo. Caçoava do sentimento de horror que exprimiam os espectadores ao assistirem, no

teatro, ao banquete de Tieste[11] ou à tragédia do incesto de Édipo, pois a antropofagia não era tão ruim, uma vez que a carne humana não podia reivindicar nenhum privilégio sobre outra carne qualquer; e também a sina de um comportamento incestuoso não era uma desgraça tão grande, conforme mostrava o exemplo eloquente de nossos animais domésticos. A escola megárica se assemelhava em muitos pontos à escola cínica. Não era Mégara a cidade que tentava, em vão, rivalizar com Atenas? Após início promissor, quando Mégara sobressaiu com a fundação de Bizâncio e da Mégara hibleia, na Sicília, surgiram conflitos internos que a levaram à ruína, fazendo com que fosse ultrapassada por Atenas em todos os aspectos. As grosseiras brincadeiras dos camponeses eram tachadas, em Atenas, de "megáricas". Esta inveja do subjugado, que era sugada com o leite materno, pode explicar várias características da filosofia megárica. A exemplo da filosofia cínica, era totalmente nominalista e oposta ao idealismo realista de Platão.

36 Estilpão de Mégara foi outra figura proeminente desta escola. Dele se conta esta piada típica: Um dia, chegou a Atenas e viu, na Acrópole, a maravilhosa estátua de Palas Atena, esculpida por Fídias. Como bom megárico, observou que não era a filha de Zeus, mas a de Fídias. Este gracejo traduz todo o espírito do pensamento megárico. Estilpão realmente ensinava que os conceitos genéricos não tinham nenhuma realidade e nenhum valor objetivo. Por isso, ao se falar de "homem", não se está falando de ninguém, pois não se designa οὔτε τόνδυ οὔτε τόνδε (nem este e nem aquele). Plutarco lhe atribui a afirmação ἕτερον ἑτέρον μὴ κατηγορεῖσϑαι (nada se pode afirmar de nada). O ensinamento de Antístenes estava bem próximo disso. O expoente mais antigo desse modo de pensar parece ter sido Antifão de Rhamos, um sofista e contemporâneo de Sócrates. Uma de suas proposições era a seguinte: "Alguém que vê objetos compridos não vê o comprimento com seus olhos, nem pode percebê-lo com seu espírito". A negação da substancialidade dos conceitos genéricos provém diretamente desta proposição. Naturalmente, este tipo de pensamento priva de toda base sólida as ideias platônicas, pois, em Platão, são exatamente as ideias que têm valor eterno e imutável, en-

11. Tieste, filho de Pélops; após uma batalha pela posse do reino, com seu irmão Atreu, foi-lhe apresentada, sem ele o saber, a carne de seus próprios filhos.

quanto o "real" e o "múltiplo" são apenas seus reflexos passageiros. Colocando-se no ponto de vista realista, a crítica cínico-megárica dilui os conceitos genéricos em nomes (*nomina*) puramente casuísticos e descritivos, sem nenhuma substancialidade, e coloca o acento na coisa individual.

37 Esta oposição notória e fundamental, Gomperz[12] a apresentou claramente como um problema de *inerência* e *predicação*. Quando, por exemplo, falamos de "quente" e "frio", falamos de coisas quentes e frias, em que "quente" e "frio" são atributos, predicados ou enunciados. O enunciado se refere a algo percebido e realmente existente, isto é, um corpo quente ou frio. Abstraímos os conceitos de "calor" e "frio" de uma pluralidade de casos semelhantes que, imediatamente, ligamos em nosso pensamento a algo concreto. Portanto, "calor" e "frio" são para nós algo de real porque a percepção repercute até na abstração. É muito difícil separar a abstração de sua "objetividade", pois, pela própria origem, a abstração está ligada ao objeto donde foi abstraída. Neste sentido, a objetividade do predicado é anterior à experiência (*a priori*). Se passarmos ao conceito genérico logo acima, a "temperatura", percebemos ainda aqui, sem dificuldade, o real, ainda que tenha perdido um pouco de sua precisão sensível; mas conserva a qualidade de representatividade que adere a toda percepção dos sentidos. Se ascendermos a um conceito genérico ainda mais elevado, qual seja o de energia, seu caráter de realidade quase desaparece e, com ele, desaparece, até certo ponto, a qualidade de ser representado; surge, então, o conflito sobre a "natureza" da energia: é ela puramente conceitual e abstrata, ou é algo de "real"? O nominalista culto de nossos dias está convencido de que "energia" é simples nome, mero "coeficiente" de nosso cálculo mental; mas, apesar disto, em nossa linguagem diária, tratamos a "energia" como se fosse algo real, causando em nossas cabeças a maior confusão do ponto de vista da teoria epistemológica.

38 A concretização do puramente conceitual que se introduz tão naturalmente no processo de abstração e causa a "realidade" do predicado ou da ideia abstrata, não é produto artificial, nem hipóstase ar-

---

12. GOMPERZ, T. *Griechische Denker*. Vol. II. Leipzig: [s.e.], 1911/1912, p. 143.

bitrária de um conceito, mas uma necessidade natural. A ideia abstrata não foi hipostasiada arbitrariamente e transposta para um mundo transcendental de origem igualmente artificial, mas o verdadeiro processo histórico é invertido. Entre os primitivos, por exemplo, a imagem (imago), ressonância psíquica da percepção sensorial, é tão forte e tão cabalmente sensível que, quando se apresenta como imagem-lembrança espontânea, também possui às vezes a qualidade de alucinação. Por isso, quando a imagem-lembrança de sua falecida mãe aparece de repente para o primitivo, é como se estivesse vendo e ouvindo o espírito dela. Nós apenas "recordamos" os mortos, mas o primitivo realmente os percebe devido à extraordinária sensualidade de suas imagens mentais. Isto explica a crença dos primitivos em espíritos e fantasmas. Eles são o que chamamos simplesmente de "pensamentos". Quando o primitivo "pensa", ele tem, literalmente, visões, cuja realidade é tão grande que ele confunde, frequentes vezes, o psíquico com o real. Powell[13] diz: "A confusão das confusões é aquele hábito universal dos selvagens – a confusão do objetivo com o subjetivo". Spencer e Gillen[14] observam: "O que um selvagem experimenta durante um sonho é tão real para ele como aquilo que ele vê quando acordado". O que eu, pessoalmente, pude observar na psicologia do negro, endossa essas afirmações. A crença nos espíritos se origina desse fato básico – o realismo psíquico da autonomia da imagem frente à autonomia da percepção sensória – e não de uma necessidade de explicação por parte do primitivo, o que lhe é imputado pelos europeus. Para o primitivo, o pensamento tem caráter visual e auditivo e, por isso também, de revelação. O feiticeiro, o visionário, é sempre o pensador da tribo que transmite a manifestação dos espíritos e dos deuses. Isto explica também o efeito mágico do pensamento; ele é tão bom quanto o fato, exatamente porque é real. Da mesma forma a palavra – a manifestação externa do pensamento – tem um efeito "real" porque evoca imagens-lembranças "reais". A superstição dos primitivos

13. "But the confusion of confusions is that universal habit of savagery – the confusion of the objective with the subjective." POWELL, J.W. *Sketch of the Mythology of the North American Indians*. Washington: [s.e.], p. 20.

14. "What a savage experiences during a dream is just as real to him as what he sees when he is awake." SPENCER, B. & GILLEN, Fr.J. *The Northern Tribes of Central Australia*. Londres: [s.e.], 1904.

nos surpreende somente porque já conseguimos uma dessensualização da imagem psíquica; já aprendemos a pensar "abstratamente", sempre, porém, com as limitações acima mencionadas.

39 No entanto, todo aquele que tem certa experiência em psicologia analítica sabe que deve lembrar muitas vezes até a seus pacientes "instruídos" europeus que "pensar" não é "agir" – a uns porque acham que basta pensar alguma coisa, a outros porque acham que devem abster-se de pensar algo, pois, caso contrário, se sentiriam obrigados a fazer o que pensaram. A facilidade com que reaparece a realidade primitiva da imagem psíquica é evidenciada nos sonhos das pessoas normais e nas alucinações, em caso de desequilíbrio mental. Os místicos se esforçam para restabelecer a realidade primitiva da imagem por meio de uma introversão artificial, a fim de contrabalançar a extroversão. Temos belo exemplo disso na iniciação do místico muçulmano Tewekkul-Beg, por Mollâ-Shah[15]. Tewekkul-Beg conta: "Após estas palavras, convidou-me Mollâ-Shah a tomar assento diante dele, enquanto meus sentidos ainda estavam como que embriagados, e me ordenou que criasse no meu íntimo a sua própria imagem; depois de vendar os meus olhos, pediu-me que reunisse em meu coração todas as forças da alma. Obedeci e, num piscar de olhos, por graça divina e com a ajuda espiritual do Xeique, meu coração estava aberto. Dei-me conta de que no meu íntimo havia algo como uma taça emborcada; quando a taça foi colocada de pé, um sentimento de alegria incontida derramou-se em todo o meu ser. Eu disse ao mestre: 'Nesta cela em que me encontro diante de ti, percebo dentro de mim uma verdadeira visão e é como se um outro Tewekkul-Beg estivesse sentado diante de outro Mollâ-Shah'". O mestre explicou-lhe que isto era o primeiro fenômeno de sua iniciação. Outras visões logo se seguiram, uma vez que o caminho para a imagem primitiva do real fora aberto.

40 *A realidade do predicado é dada a priori*, uma vez que sempre existiu na mente humana. Somente pela crítica subsequente é a abstração privada da qualidade do real. Mesmo no tempo de Platão a crença na realidade mágica dos conceitos verbais era tão grande que era útil ao filósofo imaginar sofismas e paralogismos que, devido ao

15. BUBER, M. Ekstatische Konfessionen. Jena: [s.e.], 1909, p. 31s.

significado absoluto do termo, levaram forçosamente a uma resposta absurda. Um exemplo simples temos no *Enkekalymmenos* (o encoberto) do filósofo megárico Eubúlides: "Consegue reconhecer seu pai? – Sim. Consegue reconhecer este homem encoberto? – Não. Você se contradiz, pois este homem encoberto é seu pai. E assim você reconhece e, ao mesmo tempo, não reconhece o seu pai". A falácia consiste simplesmente no fato de a pessoa interrogada pressupor, ingenuamente, que a palavra "reconhecer" se refere, em todos os casos, ao mesmo fato objetivo, quando, na verdade, sua validade se restringe a certos casos definidos. A falácia dos queratinos (cornudos) se baseia no mesmo princípio: "O que você não perdeu você ainda tem. Você não perdeu os chifres, logo você tem chifres". Também aqui a falácia reside na ingenuidade do sujeito que supõe, na premissa, um fato específico. Com a ajuda desse método, poderia ser demonstrado que era ilusão o significado absoluto das palavras. E, assim, foi colocada em xeque a realidade do conceito genérico que, na forma da ideia platônica, tinha uma existência metafísica e um valor exclusivo. Gomperz diz: "Não tínhamos ainda aquela desconfiança na linguagem que nos acompanha hoje e graças à qual compreendemos que as palavras são muitas vezes expressão inadequada dos fatos. Havia, isto sim, a crença pura e simples de que o âmbito da ideia e o âmbito da palavra que lhe correspondia em geral deveriam coincidir em todos os casos"[16]. Em virtude dessa significação mágica e absoluta das palavras, que pressupõe também estar contida nelas a atitude objetiva das coisas, a crítica sofista estava em seu devido lugar. Ela prova definitivamente a impotência da linguagem. Se as ideias são apenas nomes – uma hipótese a ser comprovada – o ataque a Platão é justificado. Mas os conceitos genéricos deixam de ser meros nomes quando designam as semelhanças ou conformidades entre as coisas. Trata-se, agora, de saber se as conformidades são realidades objetivas ou não. Na verdade, essas conformidades existem e, por isso, o conceito genérico também corresponde a algum tipo de realidade. Ele contém tanto de realidade quanto a descrição exata de uma coisa. O conceito genérico difere da descrição somente enquanto descreve ou designa a conformidade das coisas. A fragilidade não está, portanto, no concei-

---

16. GOMPERZ, T. *Griechische Denker*. Vol. II, op. cit., p. 158.

to genérico e nem na ideia de Platão, mas na expressão verbal que, evidentemente, não reproduz de modo adequado a coisa ou a conformidade. O ataque nominalista à doutrina das ideias é, pois, em princípio, um abuso injustificado. Por isso, a réplica irritada de Platão é perfeitamente justificada.

41 Segundo Antístenes, o princípio da inerência consiste em que não se pode afirmar de um sujeito muitos predicados, ou até mesmo nenhum, que dele divirjam. Antístenes só aceitava como válidos aqueles predicados que eram idênticos ao sujeito. Abstraindo do fato de que tais afirmações de identidade (como "doce é doce") nada dizem e são, por isso, inúteis, a fragilidade do princípio da inerência está em que uma afirmação de identidade também nada tem a ver com a coisa: a palavra "capim" não tem nexo com a coisa "capim". O princípio da inerência sofre também, em alto grau, do velho fetichismo de palavras que admite ingenuamente que a palavra coincide com a coisa. Quando, pois, o nominalista diz ao realista "você está sonhando – você pensa estar lidando com coisas, mas está lutando, o tempo todo, contra quimeras verbais", o realista pode responder ao nominalista com as mesmas palavras; pois este último também não está lidando com coisas em si, mas com as palavras que colocou no lugar das coisas. Mesmo que use uma palavra especial para cada coisa individual, são apenas palavras e não as coisas propriamente ditas.

42 Ainda que a ideia de "energia" seja comprovadamente mero conceito verbal, ela é tão real que a Companhia de Eletricidade paga dividendos aos acionistas. Nenhum argumento metafísico convencerá o conselho diretor da irrealidade da energia. "Energia" designa simplesmente a conformidade dos fenômenos de força – uma conformidade que não pode ser negada e que, diariamente, dá provas convincentes de sua existência. Na medida em que uma coisa é real, e uma palavra designa convencionalmente esta coisa, a palavra também adquire "significação real". E na medida em que a conformidade de coisas é real, o conceito genérico designando esta conformidade adquire igualmente uma "significação real"; esta não é maior nem menor do que a da palavra que designa a coisa individual. O deslocamento do acento de valor, de um lado para outro, depende da atitude individual e da psicologia contemporânea. Gomperz percebeu estes fatores psicológicos subjacentes em Antístenes e diz o seguinte: "Senso co-

mum vigoroso, uma resistência a qualquer entusiasmo sonhador, talvez também a força do sentimento individual para quem a personalidade individual e provavelmente o indivíduo em geral têm sua realidade plena enquanto tipo"[17]. A tudo isto podemos acrescentar a inveja de um homem sem o pleno direito da cidadania, um proletário, um homem a quem o destino reservou pouca beleza e que consegue subir às alturas somente destruindo os valores dos outros. Isto se aplica sobretudo ao cínico que vivia fazendo troça dos outros; nada lhe era sagrado, especialmente quando era dos outros; não tinha receio de perturbar a paz do lar quando se lhe apresentava alguma ocasião de dar seus conselhos a alguém.

43 O mundo das ideias de Platão, com sua eterna realidade, está em posição diametralmente oposta a esta atitude de espírito, essencialmente crítica. É óbvio que a psicologia do homem que criou este mundo tinha uma orientação totalmente estranha aos julgamentos ferinos e de troça, descritos acima. O pensamento de Platão abstraiu do mundo da multiplicidade e criou conceitos sintético-construtivos que designam e expressam as conformidades gerais das coisas, assim como elas são. Sua qualidade invisível e supra-humana é exatamente o oposto do concretismo do princípio da inerência, que pretendia reduzir a matéria do pensar ao único, ao individual, ao objetivo. Esta tentativa é tão impossível quanto a aceitação exclusiva do princípio da predicação que pretendia elevar à substância eternamente existente, além de qualquer caducidade, o que foi afirmado de muitos objetos isolados. Ambas as formas de juízo têm sua razão de ser porque ambas estão naturalmente presentes em cada pessoa humana. A melhor prova disso, na minha opinião, é que o próprio fundador da escola megárica, Euclides de Mégara, concebeu uma unidade global, incomensuravelmente superior ao individual e casuístico. Combinou o princípio eleático[18] do "ser" com o do "bem" e identificou um com o outro. Oposto a isto se encontrava apenas o "não-ser-mal". Esta

---

17. Ibid., vol. II, p.148.

18. A escola eleática de filosofia foi fundada, por volta de 500 aC, por Xenófanes de Eleia. O cerne de sua doutrina consistia em que só aceitava como única realidade a unidade e imutabilidade do ser; o mundo dos fenômenos em sua multiplicidade ele o considerava simples aparência. Considera, pois, inútil todas as tentativas de explicar este mundo.

unidade global otimista não era outra coisa que um conceito genérico do mais alto grau, englobando o "ser" e, ao mesmo tempo, contradizendo toda evidência, bem mais do que o fizeram as ideias de Platão. Com este conceito, Euclides trouxe uma compensação para a dissolução negativamente crítica do juízo construtivo em simples verbosidades. Sua unidade global era tão remota e vaga que já não exprimia a menor conformidade das coisas; já não era um tipo, mas um produto de um desejo de unidade abarcando a massa caótica das coisas individuais. Este desejo se impõe a todos os que aderiram ao nominalismo extremo, na medida em que se esforçam para escapar de sua atitude crítica negativa. Por isso não é raro encontrar nessas pessoas uma ideia de uniformidade fundamental que é absolutamente improvável e arbitrária. É impossível alguém apoiar-se unicamente no princípio da inerência. Gomperz diz muito bem: 'Tentativas dessa espécie estão fadadas a fracassar em qualquer tempo. Não poderiam ter tido sucesso numa época destituída de senso histórico e onde não havia quase nenhuma compreensão dos problemas mais profundos da psicologia. Não era apenas um risco, era uma certeza absoluta de que os valores mais evidentes e palpáveis –, mas, no fundo, os menos importantes – relegavam a segundo plano os de maior peso, ainda que fossem menos perceptíveis. Tomando o mundo animal e o selvagem como modelo em seu esforço para podar as excrescências da civilização, o homem meteu a mão destruidora sobre aquilo que foi o fruto de um crescente processo de desenvolvimento durante centenas de anos"[19].

44

O juízo construtivo que, ao contrário da inerência está baseado na conformidade das coisas, criou ideias gerais que devem ser elencadas entre os mais altos valores da civilização. Ainda que estas ideias se relacionem apenas aos mortos, estamos ligados a elas por laços que, segundo Gomperz, adquiriram força quase indestrutível. E continua: "Como o cadáver sem alma, as coisas inanimadas também podem pretender a nossa benevolência, reverência e autossacrifício. Lembremos as estátuas, os túmulos e as bandeiras dos soldados. Mas, se empregar violência e se conseguir romper aquela teia, sucumbirei ao embrutecimento e sofrerei grande perda em todas as sensações que revestem, qual rico manto florido, o solo duro da nua realidade. É na

19. GOMPERZ, T. Op. cit., vol. II, p. 137.

manutenção dessa exuberância de sentimentos e no devido apreço aos valores adquiridos que repousa toda finura, beleza e graça de vida, todo enobrecimento das tendências animais, todo o deleite artístico e exercício da arte, tudo, enfim, que os cínicos procuravam destruir sem escrúpulo e sem compaixão. Sem dúvida é preciso reconhecer, com os cínicos e seus sucessores – mais numerosos hoje do que se imagina –, que há limites para além dos quais não podemos dar livre curso à ação do princípio da associação, sob pena de incorrermos no mesmo disparate e superstição, oriundos do emprego exagerado desse princípio"[20].

45 Abordamos tão longamente o problema da inerência e predicação não só porque foi revivido no nominalismo e realismo da Escolástica, mas porque não foi superado até hoje e, provavelmente, nunca o será. Trata-se novamente do antagonismo típico entre o ponto de vista abstrato, onde o valor essencial está no processo de pensar em si, e o pensamento e sentimento do indivíduo que, consciente ou inconscientemente, recebem sua orientação do objeto sensível. No último caso, o processo mental é simples meio para evidenciar a personalidade. Pouco admira ter sido exatamente a filosofia proletária que adotou o princípio da inerência. Onde quer que existam razões suficientes para colocar a ênfase no sentimento pessoal, o pensar e o sentir se tornam crítico-negativos por falta de energia crítico-positiva, porque ela é toda voltada para fins pessoais; tornam-se um órgão meramente analítico que tudo reduz ao concreto e particular. A acumulação de particulares desordenados daí resultantes fica subordinada, na melhor das hipóteses, a um vago sentimento de unidade universal, cujo caráter de desejo é fácil de perceber. Mas quando a ênfase está no processo mental, o produto da atividade intelectual se sobrepõe à multiplicidade desordenada como ideia. A ideia é despersonalizada tanto quanto possível, enquanto o sentimento pessoal passa, quase que totalmente, para o processo mental que ele hipostasia.

46 Antes de prosseguir, poderíamos perguntar se a psicologia da doutrina platônica das ideias justifica nossa suposição que Platão houvesse pertencido ao tipo introvertido, e se a psicologia dos cíni-

---

20. Ibid., p. 138.

cos e megáricos nos permite incluir as figuras de Antístenes, Diogénes e Estilpão entre os extrovertidos. Colocada assim, é impossível responder à questão. Meticuloso exame dos escritos autênticos de Platão, considerados *documentos humanos*, talvez permita uma conclusão sobre o tipo a que pertencia; mas eu pessoalmente não me atrevo a fazer um julgamento positivo. Se alguém provar que Platão pertencia ao tipo extrovertido, não me espantaria. Quanto aos outros, as informações são tão fragmentárias que me parece impossível qualquer decisão. Como as duas formas de pensamento que estamos examinando dependem de um deslocamento do acento de valor, é possível que, no caso do introvertido, o sentimento pessoal seja impelido para o primeiro plano, sobrepondo-se ao pensamento que se tornara então crítico-negativo. No caso do extrovertido, o acento está em sua relação com o objeto em si, mas não necessariamente em sua relação pessoal com ele. Quando a relação com o objeto ocupa o primeiro plano, o processo mental já está subordinado, mas não tem caráter destrutivo, porque se trata unicamente da natureza do objeto, com exclusão de qualquer envolvimento do sentimento pessoal. Por isso temos que considerar o conflito particular entre os princípios da inerência e predicação como um caso especial que examinaremos em maior profundidade no decorrer de nossa pesquisa. O característico desse caso está no papel negativo e positivo que desempenha o sentimento pessoal. Quando o tipo (conceito genérico) reduz a coisa individual a uma sombra, consegue adquirir a realidade de uma ideia coletiva. Mas quando a importância da coisa individual suprime o tipo (conceito genérico), começa a dissolução anárquica.

47 Ambas as posições são extremas e injustas, mas apresentam um quadro contrastante cuja nitidez nada deixa a desejar e, devido a seu exagero, põe em realce certas características que, de forma mais branda e encoberta, são também inerentes à natureza dos tipos introvertido e extrovertido, mesmo que se trate de indivíduos em que o sentimento pessoal não está no primeiro plano. A diferença, por exemplo, é grande se a função mental for mestra ou servidora. O mestre pensa e sente de forma diferente da do servo. Até mesmo a abstração mais abrangente do pessoal em favor do valor geral não consegue eliminar completamente o envolvimento pessoal. E, enquanto ele existir, o pensamento e o sentimento conterão tendências

destrutivas advindas da autoafirmação da pessoa em face de condições sociais adversas. Mas seria grande erro se, por causa de tendências pessoais, tivéssemos que reduzir os valores tradicionais e universais a subcorrentes de ordem pessoal. Isto seria pseudopsicologia, mas ela existe.

b) O problema dos universais na Escolástica

48 O problema das duas formas de julgamento permaneceu insolúvel – *tertium non datur* (não há terceira alternativa). Porfírio transmitiu assim o problema para a Idade Média: "Quanto aos conceitos universais e genéricos, trata-se de saber se são substanciais ou simplesmente intelectuais, corporais ou incorporais, se são distintos dos objetos percebidos ou se são encontrados neles e ao redor deles" ("Mox de generibus et speciebus illud quidem sive subsistant sive in nudis intellectibus posita sint, sive subsistentia corporalia sint an incorporalia, et utrum separata a sensibilibus an in sensibilibus posita et circa haec consistentia, dicere recusabo"). Os escolásticos receberam o problema, mais ou menos, dessa forma. Começaram com a concepção platônica dos universais antes da coisa (*universalia ante rem*), a ideia universal como padrão ou exemplo acima de todo objeto individual e totalmente separado dele, existindo num lugar celeste (ἐν οὐρανίῳ τόπῳ), como a sábia Diotima diz a Sócrates no diálogo sobre a beleza:

49 "*Beleza* que não se apresentará a seus olhos como a beleza de um rosto, das mãos ou de algo corpóreo, ou como a beleza de um pensamento ou da ciência, ou como a beleza que tem sua sede em outra coisa que não nela mesma, seja um ser vivo, a terra, o céu ou qualquer outra coisa; *ele a verá como absoluta, existindo por si e em si, única, eterna*, dela participando todas as outras coisas belas, de tal forma que, vindo elas a nascer ou morrer, ela não sofrerá aumento, diminuição ou mudança"[21].

50 Oposta à forma platônica posicionava-se, como vimos, a concepção crítica segundo a qual os conceitos genéricos eram simples palavras. Aqui o real é *prius* (primeiro) e o ideal *posterius* (depois). Esta concepção foi designada *universalia post rem* (universais depois da coisa).

---

21. PLATÃO. *Symposion*, 211 B.

51 Entre as duas concepções estava o enfoque moderado e realista de Aristóteles que podemos chamar *universalia in re* (universais na coisa), onde a forma (εἶδος) e a matéria coexistem. É uma tentativa de mediação concretista que corresponde perfeitamente à natureza de Aristóteles. Em contraste com o transcendentalismo de seu mestre Platão, cuja escola resvalou, mais tarde, para o misticismo pitagórico, Aristóteles foi inteiramente um homem da realidade – da realidade clássica, poderíamos dizer, que continha muito de concreto e que os séculos posteriores lhe tiraram e adicionaram ao patrimônio do espírito humano. Sua solução refletiu o concretismo do *common sense* (senso comum) antigo.

52 Essas três formas nos mostram a articulação do ponto de vista medieval na grande controvérsia sobre os universais que foi a quintessência da Escolástica. Não cabe a mim – mesmo que tivesse competência para tanto – penetrar mais profundamente nos detalhes dessa controvérsia. Devo contentar-me em oferecer pistas de orientação geral. A disputa começou com as opiniões de João Roscelino pelos fins do século XI. Os universais para ele nada mais eram do que *nomina rerum*, nomes das coisas, ou, conforme dizia a tradição, *flatos vocis* (sopro da voz). Para ele só existiam coisas individuais. E como diz muito bem Taylor, ele "estava fortemente tomado pela realidade do individual" (strongly held by the reality of individuals)[22]. A conclusão óbvia era também pensar Deus como indivíduo, e ele realmente separou a Trindade em três pessoas distintas, caindo num triteísmo. Isto foi intolerável para o realismo predominante na época e, em 1092, suas opiniões foram condenadas por um Sínodo em Soissons. No lado oposto estava Guilherme de Champeaux, o mestre de Abelardo, realista extremo, mas de tendências aristotélicas. Segundo Abelardo, ele ensinava que uma e mesma coisa existia em sua totalidade e ao mesmo tempo nas diversas coisas particulares. Não havia diferença essencial entre as coisas individuais, apenas uma diversidade de "acidentes". Segundo esse conceito, as diferenças reais entre as coisas são fortuitas, exatamente como, no dogma da transubstanciação, o pão e o vinho em si são apenas "acidentes".

---

22. TAYLOR, H.O. *The Mediaeval Mind*. Vol. II. Londres: [s.e.], 1911, p. 340.

53 Do lado realista estava também Anselmo de Cantuária, o pai da Escolástica. Como fiel platônico, os universais para ele residiam no Logos divino. É nesse espírito que se deve entender a sua *prova da existência de Deus*, tão importante psicologicamente, e conhecida como a prova *ontológica*. Ela demonstra a existência de Deus a partir da própria ideia de Deus. I.H. Fichte a resume da seguinte forma: "A existência da ideia de um Absoluto em nossa consciência prova a existência real desse Absoluto"[23]. Anselmo sustentava que o conceito de um Ser Supremo presente no intelecto também implicava a qualidade de sua existência (non potest esse in intellectu solo – não pode estar apenas no intelecto). E continuava: "Há um ser realmente existente, em comparação ao qual não se pode pensar outro maior, e que existe de tal maneira que sua não existência não pode ser pensada sem contradição. E este ser – é Deus"[24]. A fraqueza lógica do argumento ontológico é tão óbvia que necessária se torna uma explicação psicológica para o fato de uma inteligência como a de Anselmo ter apresentado um tal argumento. A primeira deve ser procurada na disposição psicológica geral do realismo: uma certa classe de homens e mesmo, segundo a corrente da época, certos grupos de homens colocavam o acento do valor na ideia, de modo que a ideia representava para eles uma realidade ou valor de vida mais altos do que a realidade das coisas individuais. Parecia-lhes, pois, simplesmente impossível admitir que o que lhes era mais precioso e mais importante pudesse não existir *realmente*. Tinham em mãos a prova mais cabal de sua eficácia, já que suas vidas, seu pensar e sentir estavam totalmente orientados segundo este ponto de vista. A invisibilidade de uma ideia pouco importava em vista de sua extraordinária *eficácia* que, esta sim, era *realidade*. Eles tinham um conceito ideal da realidade, e não um conceito sensual.

54 Adversário contemporâneo de Anselmo foi Gaunilo. Ele já objetava que a representação frequente da Ilha dos Bem-aventurados (baseada no país dos feácios, descrito por Homero na Odisseia, VIII)

---

23. FICHTE, I.H. *Psychologie*. Vol. II. Leipzig: [s.e.], 1864-1873, p. 120.

24. "Sic ergo vere est aliquid quo maius cogitari non potest, ut nec cogitari possit non esse: et hoc es tu, Domine Deus noster". *Proslogion seu Alloquium de Dei existentia*. Tübingen: [s.e.], 1858, p. 110.

não prova necessariamente sua existência real. Esta objeção é sumamente razoável. Objeções semelhantes foram feitas ao longo dos séculos, o que não impediu, porém, que o argumento ontológico sobrevivesse até os nossos dias. Foi, mesmo, retomado por Hegel, Fichte e Lotze, no século XIX. Tais contradições não podem ser atribuídas a alguma falha peculiar na lógica desses pensadores ou a uma ilusão ainda maior de uma e outra parte. Seria absurdo. Trata-se, antes, de diferenças psicológicas profundas que precisamos admitir e claramente enfocar. É uma tirania intolerável supor que existe apenas *uma* psicologia ou apenas um princípio psicológico fundamental; isto é um preconceito pseudocientífico do homem comum. Fala-se sempre *do* homem e de sua "psicologia", como se não existisse "outra coisa do que" esta psicologia. Também se fala *da* realidade como se existisse apenas esta única. Realidade é o que atua na alma humana, e não o que alguns acham que lá atue, fazendo generalizações preconcebidas. Mesmo agindo assim, com espírito científico, não se deve esquecer que a ciência não é a "soma" da vida, mas apenas uma das atitudes psicológicas, uma das formas do pensar humano.

55 O argumento ontológico não é argumento e nem prova, mas a simples demonstração psicológica de que existe uma classe de pessoas para a qual uma ideia determinada tem eficácia e realidade – uma realidade que, inclusive, rivaliza com o mundo da percepção. O sensualista faz alarde da inegável certeza de sua "realidade", e o idealista insiste na sua própria realidade. A psicologia deve resignar-se à existência desses dois (ou mais) tipos e evitar, a todo custo, considerar um como falsa interpretação do outro; jamais deve tentar seriamente reduzir um tipo a outro, como se toda diferença do "outro" fosse apenas função do "um". Isto não quer dizer que o axioma científico "os princípios explicativos não devem ser multiplicados além do necessário", deva ser ab-rogado. Pois a necessidade de uma pluralidade de princípios psicológicos explicativos ainda permanece. Abstraindo dos argumentos já aduzidos em favor dessa hipótese, um fato marcante deve abrir nossos olhos: apesar de Kant ter aparentemente demolido a prova ontológica, bom número de filósofos pós-kantianos voltou a retomá-la. E estamos hoje ainda tão longe ou mais longe ainda de entender os pares de opostos – idealismo/realismo, espiritualismo/materialismo e todas as questões acessórias daí oriundas – do que

o homem da Idade Média, quando havia, ao menos, uma filosofia de vida comum.

56 Certamente não pode haver argumento lógico em favor da prova ontológica que apele ao intelecto moderno. O argumento ontológico em si nada tem a ver com lógica; na forma como Anselmo o legou à história, ele é um *fato psicológico*, posteriormente intelectualizado e racionalizado, o que não poderia ocorrer sem a petição de princípios e outros sofismas. Ou será precisamente aqui que se mostra a validade inquebrantável do argumento: ele existe e o *consensus gentium* (consenso universal) prova que é um fato de ocorrência universal. É o fato que conta, não o sofisma de sua prova. O erro do argumento ontológico consiste única e exclusivamente em tentar argumentar com lógica, quando se trata de algo mais do que uma simples prova lógica. O importante é que se trata de um fato psicológico, cuja existência e eficácia são meridianamente claras, não necessitando de nenhuma espécie de prova. O *consensus gentium* prova que na afirmação "Deus *existe* porque é pensado", Anselmo estava certo. É uma verdade óbvia, nada mais que uma afirmação de identidade. A "argumentação 'lógica" é supérflua e, além disso, falsa, visto que Anselmo pretendia estabelecer sua ideia de Deus como realidade concreta. Ele diz: "Sem dúvida existe, portanto, algo em comparação ao que não se pode pensar outra coisa maior, tanto no intelecto como na realidade"[25]. Para os escolásticos, o conceito *res* existia no mesmo plano que a ideia. Dionísio Areopagita, cujos escritos exerceram grande influência sobre a filosofia medieval antiga, distinguia entre seres racionais, intelectuais, sensíveis e simplesmente existentes (entia rationalia, intellectualia, sensibilia, simpliciter existentia). Para Tomás de Aquino, *res* era o que está na alma (*quod est in anima*) bem como o que está fora da alma (*quod est extra animam*). Esta equação estupenda nos permite observar a primitiva objetividade (res = realidade) do pensamento na concepção da época. E neste estado de espírito é fácil compreender a psicologia da prova ontológica. A hipótese da ideia não foi um passo essencial, foi uma reverberação implícita da materialidade primitiva do pensar. A contra-argumentação de Gaunilo foi psicolo-

25. "Existit ergo procul dubio aliquid, quo maius cogitari non valet, et in intellectu, et in re". ANSELMO. *Proslogion seu Alloquium de Dei existentia*. Op. cit., p. 109.

gicamente insatisfatória; mesmo que a ideia da Ilha dos Bem-aventurados ocorra muitas vezes, como o prova o *consensus gentium*, ela é muito menos eficaz do que a ideia de Deus e, portanto, adquire "valor real" bem maior.

57 Todos os autores que reassumiram posteriormente o argumento ontológico caíram, ao menos em princípio, no erro de Anselmo. A argumentação de Kant[26] poderia ser definitiva. Por isso, vamos apresentá-la brevemente: "A ideia de um ser absolutamente necessário é um conceito da razão pura, isto é, uma simples ideia cuja realidade objetiva está longe de ser demonstrada pelo fato de a razão precisar dela".

58 "Mas a necessidade absoluta de juízos não é uma necessidade absoluta de coisas. A necessidade absoluta do juízo é apenas uma necessidade relativa da coisa ou do predicado no juízo".

59 Um pouco antes, dera como exemplo de julgamento necessário que o triângulo deve ter três lados. Refere-se a esta proposição ao continuar: "A proposição acima não declara que três ângulos são absolutamente necessários, mas que, para a condição de que exista um triângulo (isto é, que um triângulo seja dado), três ângulos serão necessariamente encontrados nele. Tão grande é, na verdade, a força da ilusão exercida por esta necessidade lógica que, pelo simples fato de se elaborar um conceito *a priori* de uma coisa, de tal forma a incluir a existência em sua razão de ser, acreditava-se ser justificada a conclusão de que – pelo fato de a existência pertencer necessariamente ao objeto como dado (existente) – temos que colocar necessariamente a existência desse objeto (seguindo a lei da identidade), e que este ser é, portanto, ele mesmo, absolutamente necessário e isto, repito, pela razão de a existência desse ser já ter sido pensada num conceito assumido arbitrariamente e na condição em que colocamos seu objeto". A força da ilusão mencionada aqui nada mais é do que *a força mágica primitiva da palavra* que habita quase misteriosamente no conceito. Foi necessário longo processo de desenvolvimento antes que o homem reconhecesse, de uma vez por todas, que a palavra, o *flatus vocis*, não significa sempre uma realidade ou um trazer à realidade. O

---

26. KANT, I. *Die Kritik der reinen Vernunft* (*Crítica da razão pura*). Halle: Kehrbach, 1878, p. 468s.

fato de certos homens terem percebido isto não conseguiu, de forma alguma, arrancar de todas as mentes a força da superstição que reside no conceito formulado. Há certamente nessa superstição "instintiva" algo que recusa ser extirpado porque tem uma espécie de justificação que não foi apreciada suficientemente até agora. O paralogismo aparece, de maneira análoga, no argumento ontológico, em virtude de uma ilusão que Kant tenta explicar. Começa com a afirmação de "sujeitos absolutamente necessários", cuja concepção é inerente ao conceito de existência e que não poderiam ser suprimidos sem contradição interna. Esta concepção seria a do "ser supremamente real": "Dizeis que ele possui toda a realidade e tendes o direito de admitir que tal ser é possível [...] Ora, toda a realidade inclui a existência (*Dasein*); a existência (*Dasein*), portanto, está contida no conceito de uma coisa possível. Se esta coisa for suprimida, então será suprimida a possibilidade interna da coisa – o que é contraditório. Eu respondo: Vocês caíram em contradição ao incluir já no conceito de uma coisa que vocês queriam pensar apenas como possibilidade, qualquer que seja seu nome oculto, o conceito de sua existência. A prevalecer isto, vocês terão ganho aparentemente o jogo, mas na verdade nada disseram; cometeram simples tautologia"[27].

60 "Ser não é evidentemente um predicado real; não é um conceito de algo que pode ser acrescentado ao conceito de uma coisa. É simplesmente a colocação de uma coisa ou de algum de seus determinantes. No uso lógico, é apenas a cópula do juízo. A proposição 'Deus é onipotente' contém dois conceitos, tendo cada qual seu objeto – Deus e onipotência. A pequena palavra 'é' não acrescenta predicado novo; serve apenas para posicionar o predicado em sua relação com o sujeito. Se tomarmos o sujeito (Deus) com todos os seus predicados (entre os quais está a onipotência) e dissermos 'Deus é' ou 'há um Deus', não acrescentamos predicado novo ao conceito de Deus, mas apenas posicionamos o sujeito em si, com todos os seus predicados, como sendo um objeto em relação a meu *conceito*. O conteúdo de ambos deve ser o mesmo; nada pode ter sido acrescentado ao conceito que expressa apenas o que é possível, pois eu penso seu objeto (por meio da expres-

27. Ibid., p. 470s.

são 'é') como simplesmente dado. Dito de outra forma, o real não contém mais do que o meramente possível. Cem táleres reais não contêm nenhum centavo a mais do que cem táleres possíveis".

61 "Contudo, minha situação financeira é afetada de modo diferente por cem táleres reais do que pelo simples conceito deles (por sua possibilidade)".

62 "Seja qual for o conteúdo de nosso conceito de um objeto, precisamos sair dele para lhe dar existência. No caso dos objetos dos sentidos, isto acontece pela conexão com alguma de minhas percepções segundo leis empíricas. Mas, tratando-se de objetos do pensamento puro, não há meio de reconhecer sua existência porque deveria ser reconhecida inteiramente *a priori* e nossa consciência de toda existência [...] pertence totalmente à unidade da experiência, e uma existência fora desse campo dificilmente pode ser declarada impossível, mas é uma suposição que não podemos justificar através de nada"[28].

63 Pareceu-me necessário trazer em detalhes a exposição fundamental de Kant, porque é exatamente aqui que encontramos a divisão mais clara entre *esse in intellectu* e *esse in re*. Hegel se opõe a Kant pois não se pode comparar o conceito de Deus com cem táleres imagináveis. Mas, diz Kant, com razão, que a lógica abstrai de todo conteúdo, pois não seria mais lógica se prevalecesse um conteúdo. Como sempre, não existe, entre o lógico ou-ou, um *tertium*, sobretudo do ponto de vista da lógica. Mas entre *intellectus et res* ainda existe *anima* e este *esse in anima* torna supérflua toda a argumentação ontológica. O próprio Kant, em sua *Crítica da razão prática*, fez uma grandiosa tentativa de valorizar o *esse in anima* em termos filosóficos. Introduz Deus como um postulado da razão prática que resulta do reconhecimento *a priori* do "respeito à lei moral necessariamente voltada para o bem supremo e a consequente suposição de sua realidade objetiva"[29].

64 O *esse in anima* é, então, um fato psicológico, e a única coisa a saber é se ocorre uma vez apenas, mais vezes ou universalmente na

28. Ibid., p. 472s.

29. KANT, I. *Kritik der praktischen Vernunft* (*Crítica da razão prática*). I, II,II. Halle/Leipzig: Kehrbach, 1878, p. 159.

psicologia humana. O dado chamado "Deus" e designado pela fórmula "bem supremo" significa, como o próprio termo o diz, o valor psicológico supremo. Em outras palavras, é um conceito ao qual se atribui, ou realmente possui, a maior e mais geral importância na determinação de nossos pensamentos e ações. Na linguagem da psicologia analítica, o conceito de Deus se confunde com o complexo representativo que, segundo a definição anterior, concentra em si a maior soma de libido (energia psíquica). De acordo com isso, o conceito de Deus real da alma seria completamente diferente nas diversas pessoas, como se verifica na experiência. Mesmo como ideia, Deus não é um ser único e constante, muito menos na realidade. Pois, como se sabe, o valor atuante mais alto da alma humana está localizado bem diversamente. Há pessoas "cujo Deus é a barriga" (Fl 3,19) e para outras ele é o dinheiro, a ciência, o poder, o sexo etc. Toda a psicologia do indivíduo, ao menos em seus aspectos essenciais, varia conforme a localização do bem supremo, de sorte que uma teoria psicológica baseada exclusivamente em um instinto fundamental, como poder ou sexo, só pode explicar traços de importância secundária quando aplicada a um indivíduo com outra orientação.

c) Tentativa de conciliação de Abelardo

65 Não está fora do interesse tentar saber como os próprios escolásticos procuraram resolver a discussão sobre os universais e estabelecer um equilíbrio entre os opostos típicos, separados pelo *tertium non datur*. Esta tentativa de conciliação foi obra de Abelardo, este homem infeliz que ardia de amor por Heloísa e que pagou por esta paixão com a perda de sua virilidade. Quem conhece a vida de Abelardo sabe o quanto abrigava em sua alma estes opostos que sua filosofia tentava conciliar. Remusat[30] descreve Abelardo como um eclético que criticava e rejeitava toda teoria aceita sobre os universais, mas dela haurindo tudo o que tivesse de verdadeiro e aproveitável. Os escritos de Abelardo, quando tratam dos universais, são difíceis e confusos, porque o autor queria pesar sempre todo argumento e todo as-

---

30. REMUSAT, C. de. *Abélard*. Paris: [s.e.], 1845.

pecto da questão. E como não dá razão a nenhum ponto de vista já existente e procura sempre compreender e conciliar os opostos, não foi bem entendido, nem mesmo por seus discípulos. Alguns o tinham por nominalista, outros, por realista. Este mal-entendido é característico, pois é mais fácil pensar em termos de um tipo definido, porque nele se pode permanecer lógico e consequente, do que em termos de ambos os tipos, pois não há posição intermédia. Seguidos em si mesmos, tanto o realismo como o nominalismo levam à precisão, clareza e uniformidade. Mas a pesagem e nivelamento dos opostos leva à confusão e, no que diz respeito aos tipos, a uma conclusão insatisfatória, uma vez que a solução não é completamente satisfatória nem para um e nem para o outro. Remusat colheu dos escritos de Abelardo uma série de afirmações quase contraditórias sobre o assunto e exclama: "Devemos admitir um conjunto tão vasto e incoerente de doutrinas na cabeça de um homem, e a filosofia de Aberlardo é ela um caos?"[31]

66 Do nominalismo extraiu Abelardo a verdade de que os universais são "palavras", no sentido de serem convenções intelectuais expressas pela linguagem; e também a verdade de que uma coisa nunca é, na realidade, um geral, mas sempre um particular, e de que a substância nunca é, na realidade, um fato universal, mas individual. Do realismo tomou a verdade de que os *genera* e *species* são combinações de fatos e coisas individuais devido às suas inquestionáveis semelhanças. Para ele, o ponto de vista intermédio era o *conceitualismo* que deve ser compreendido como uma função que abrange os objetos individuais percebidos e, por causa de sua semelhança, os classifica em *genera* e *species*, reduzindo-os, assim, de sua multiplicidade absoluta a uma unidade relativa. Por mais indubitáveis que sejam a multiplicidade e a diversidade dos objetos, a existência de semelhanças que possibilita sua reunião sob um mesmo conceito também é fora de dúvida. Para alguém cuja disposição psicológica está orientada sobretudo para perceber as semelhanças das coisas, o conceito de conjunto lhe é, por assim dizer, dado, isto é, ele se impõe formalmente quase que com a realidade inegável da percepção sensível. Contudo, para

31. "Faut-il admettre, en effet, ce vaste et incohérent ensemble de doctrines dans la tête d'un seul homme, et la philosophie d'Abélard est-elle le chaos?". Ibid., t. II, p. 119.

alguém cuja disposição psicológica o leva a perceber sobretudo as diferenças das coisas não foi dada claramente a semelhança, mas a diferença das coisas que se impõe a ele com tanta realidade quanto ao outro a semelhança. Poderia parecer que a *empatia com o objeto* fosse o processo psicológico que traz para um foco de luz, particularmente claro, sobretudo o que diferencia um objeto de outro e que a *abstração do objeto* fosse o processo psicológico especialmente indicado para desconsiderar a diversidade real das coisas particulares em favor de sua semelhança geral – que é exatamente o fundamento da ideia. Empatia e abstração combinadas dão origem àquela função que está na base da noção de conceitualismo. Baseia-se na função psicológica que é a única possibilidade real de levar a uma confluência as diferenças entre nominalismo e realismo.

67 A Idade Média soube pronunciar belas palavras sobre a alma. Não tinha, porém, psicologia, pois é uma das ciências mais jovens. Tivesse existido uma psicologia naquela época, Abelardo teria feito do *esse in anima* a fórmula conciliadora. Remusat reconheceu-o ao dizer: "Na lógica pura, os universais não são mais do que os termos de uma linguagem de convenção. Na física que, para ele, é mais transcendente do que experimental e que é sua verdadeira ontologia, os gêneros e espécies se baseiam na maneira como os seres são realmente produzidos e constituídos. Enfim, entre a lógica pura e a física há um meio-termo, ou uma ciência intermédia que poderíamos chamar de psicologia, onde Abelardo investiga como se originam nossos conceitos e reconstitui toda aquela genealogia intelectual dos seres, quadro ou símbolo de sua hierarquia e existência real"[32].

68 Os *universalia ante rem et post rem* permaneceram como ponto litigioso por todos os séculos a seguir, mesmo quando se despojaram de seu manto escolástico e se apresentaram com roupagem nova. No fundo, tratava-se sempre do velho problema. Às vezes a tendência era

---

32. "Dans la logique pure, les universaux ne sont que les termes d'un langage de convention. Dans la physique, qui est pour lui plus transcendante qu'expérimentale, qui est sa véritable ontologie, les genres et les espèces se fondent sur la manière dont les êtres sont réellement produits et constitués. Enfin, entre la logique pure et la physique, il y a un milieu et comme une science mitoyenne, qu'on peut appeler une psychologie, où Abelard recherche comment s'engendrent nos concepts, et retrace toute cette généalogie intellectuelle des êtres, tableau ou symbole de leur hiérarchie et de leur existence réelle". Ibid, t. II, p. 112.

para o nominalismo, outras, para o realismo. O século XIX, com predominância científica, deu novo impulso ao problema no sentido do nominalismo, depois que a filosofia dos inícios desse século dera preferência ao realismo. Mas, a distância entre os opostos já não era tão grande como no tempo de Abelardo. Nós temos uma psicologia, uma ciência intermediária capaz de, só ela, conciliar ideia e objeto sem violentar nem um nem outro. A própria essência da psicologia lhe permite isto; mas ninguém pode afirmar que, até o presente, tenha cumprido esta tarefa. Devemos concordar com as palavras de Remusat: "Abelardo triunfou; pois, apesar das graves restrições que uma crítica clarividente descobre no nominalismo ou conceitualismo que lhe é imputado, seu espírito é um espírito bem moderno desde sua origem. Ele o anuncia, ele o antecipa, ele o promete. A luz que prateia o horizonte matutino já é a do astro ainda invisível que iluminará o mundo"[33].

69 Quem não aceita a existência de tipos psicológicos e nem que a verdade de um pode ser o erro do outro, para ele a tentativa de Abelardo não passa de mais um sofisma escolástico. Mas, reconhecida a existência dos dois tipos, o esforço de Abelardo deve ser considerado da maior importância. Procurou a posição intermédia no *sermo* (discurso), pelo qual entende não tanto o "discurso", mas uma proposição formal unida a um sentido determinado, uma definição portanto que, para estabelecer seu significado, utiliza diversas palavras. Não fala do *verbum* que, para o nominalismo, nada mais era do que *vox*, ou *Flatus vocis*. A grande obra psicológica do nominalismo antigo e medieval foi ter abolido completamente a identidade primitiva, mágica ou mística da palavra com a coisa; radical demais para o tipo de homem que se apoiava não nas coisas, mas na abstração da ideia a partir das coisas, Abelardo tinha um espírito aberto demais para negligenciar esta importância do nominalismo. A palavra era para ele uma vox, mas o *sermo*, como ele o entendia, era algo mais; trazia consigo um significado

33. "Abélard a donc triomphé; car, malgré les graves restrictions qu'une critique clairvoyante découvre dans le nominalisme ou le conceptualisme qu'on lui impute, son esprit est bien l'esprit moderne à son origine. Il l'annonce, il le devance, il le promet. La lumière qui blanchit au matin l'horizon est déjà celle de l'astre encore invisible que doit éclairer le monde." Ibid., t. II, p. 140.

fixo, descrevia o comum, o ideal, o pensado, o que era percebido pelo pensamento nas coisas. No *sermo* vivia o universal e só lá. É compreensível, pois, que Abelardo fosse incluído entre os nominalistas, mas sem razão, porque o universal era para ele uma realidade maior do que uma *vox*.

70 Abelardo deve ter tido muita dificuldade para traduzir seu conceitualismo, pois tinha que construí-lo a partir de contradições. Um epitáfio, num manuscrito de Oxford, parece-me dar uma ideia bem adequada do caráter paradoxal de sua doutrina:

> Este ensinou que as palavras têm significado junto com as coisas,
> E ensinou que as palavras tornam as coisas conhecidas quando as designam;
> Corrigiu os erros dos gêneros e das espécies.
> Este juntou numa só palavra o gênero e a espécie,
> E disse que gênero e espécie eram modo de falar.
> ....
> Assim fica provado que animal e nenhum animal são um gênero,
> E assim o homem e nenhum homem é denominado espécie[34].

71 Os opostos dificilmente podem ser expressos a não ser em paradoxos, ao se procurar uma expressão que, em princípio, se apoia em um dos pontos de vista e, no caso presente, no ponto de vista intelectual. Mas não devemos esquecer que a diferença essencial entre o nominalismo e o realismo não é apenas lógico-intelectual, mas também psicológica que redunda, em última análise, numa diferença típica de atitude psicológica, tanto em relação ao objeto quanto à ideia. Aquele cuja atitude é ideal apreende tudo e reage a tudo sob o ângulo da ideia. Mas quem está orientado para o objeto apreende e reage sob o prisma da sensação; para ele o abstrato está em segundo plano, pois o que deve ser pensado sobre as coisas parece-lhe de somenos importância, ao contrário do que ocorre com o primeiro. Aquele que está orientado para o objeto é naturalmente nominalista – "nome é baru-

---

34. "Hic docuit voces cum rebus significare, / Et docuit voces res significando notare; / Errores generum correxit, ita specierum. / Hic genus et species in sola voce locavit, / Et genus et species sermones esse notavit. // Sic animal nullumque animal genus esse probatur. / Sic et homo et nullus homo species vocitatur."

lho e fumaça" – na medida em que ainda não aprendeu a compensar sua atitude orientada para o objeto. Mas se tiver conseguido isto e se tiver lastro para tanto, ele se tornará um lógico agudíssimo, sem igual na exatidão, método e concisão. O de constituição ideal é naturalmente lógico e por isso não pode entender e apreciar, em última análise, um manual de lógica. À medida que avança para a compensação de seu tipo, torna-se, como vimos em Tertuliano, um homem sentimental apaixonado, cujos sentimentos permanecem, contudo, sob a influência das ideias. O lógico por compensação, no entanto, permanece com seu mundo de ideias sob a influência de seus objetos.

72 Chegamos, assim, ao lado escuro do pensamento de Abelardo. Sua tentativa de solução é unilateral. Se o conflito entre nominalismo e realismo era apenas uma questão de entendimento lógico-intelectual, então não dá para entender por que não havia outra saída a não ser uma formulação conclusiva paradoxal. Mas como se trata de um conflito essencialmente psicológico, era necessário que uma formulação lógico-intelectual e unilateral acabasse no paradoxo. – *E assim o homem e nenhum homem é denominado espécie*. – A expressão lógico-intelectual, mesmo sob a forma de *sermo*, é simplesmente incapaz de fornecer a fórmula intermediária que sirva igualmente à natureza real das duas atitudes psicologicamente opostas, pois ela provém exclusivamente do lado abstrato e ignora completamente a realidade concreta.

73 Toda expressão lógico-intelectual, por mais perfeita que seja, retira da impressão objetiva sua vitalidade e imediatidade. Ela tem que fazer assim para poder chegar a uma formulação. Com isso se perde, no entanto, o que parece ser o mais essencial para a atitude extrovertida: a relação com o objeto real. Não há, portanto, nenhuma possibilidade de encontrar, através de uma ou outra atitude, uma fórmula de conciliação satisfatória. E mesmo que seu espírito o suportasse, o homem não poderia persistir nessa divisão que não diz respeito apenas a uma filosofia longínqua, mas ao problema diuturno do relacionamento do homem consigo mesmo e com o mundo. E como, no fundo, é desse problema que se trata, a divisão não pode ser resolvida discutindo-se os argumentos dos nominalistas e realistas. Para a solução, é preciso um terceiro ponto de vista, intermediário. Ao *esse in intellectu* falta a realidade tangível, e ao *esse in re* falta espírito. Ideia

e coisa confluem na psique humana que mantém o equilíbrio entre elas. Afinal o que seria da ideia se a psique não lhe concedesse um valor vivo? E o que seria da coisa objetiva se a psique lhe tirasse a força determinante da impressão sensível? O que é a realidade se não for uma realidade em nós, um *esse in anima?* A realidade viva não é dada exclusivamente pelo produto do comportamento real e objetivo das coisas, nem pela fórmula ideal, mas pela combinação de ambos no processo psicológico vivo, pelo *esse in anima*. Somente através da atividade vital e específica da psique alcança a impressão sensível aquela intensidade, e a ideia, aquela força eficaz que são os dois componentes indispensáveis da realidade viva. Esta atividade autônoma da psique, que não pode ser considerada uma reação reflexiva às impressões sensíveis nem um órgão executor das ideias eternas, é, como todo processo vital, um ato de criação contínua. A psique cria a realidade todos os dias. A única expressão que me ocorre para designar esta atividade é *fantasia*. A fantasia é tanto sentimento quanto pensamento, é tanto intuição quanto sensação. Não há função psíquica que não esteja inseparavelmente ligada pela fantasia com as outras funções psíquicas. Às vezes aparece em sua forma primordial, às vezes é o produto último e mais audacioso da síntese de todas as capacidades. Por isso, a fantasia me parece a expressão mais clara da atividade específica da psique. É sobretudo a atividade criativa donde provêm as respostas a todas as questões passíveis de resposta; é a mãe de todas as possibilidades onde o mundo interior e exterior formam uma unidade viva, como todos os opostos psicológicos. A fantasia foi e sempre será aquela que lança a ponte entre as exigências inconciliáveis do sujeito e objeto, da introversão e extroversão.

74 Somente na fantasia se acham vinculados os dois mecanismos. Se Abelardo tivesse penetrado até o conhecimento da diferença psicológica entre os dois pontos de vista, logicamente devia ter incluído a fantasia na elaboração de sua fórmula conciliadora. Mas, para o campo da ciência, a fantasia é tabu, tanto quanto o sentimento. Uma vez, porém, reconhecida a oposição subjacente como psicológica, a psicologia será obrigada a reconhecer não só o ponto de vista do sentimento, mas também o ponto de vista intermediário da fantasia. É aqui que surge a grande dificuldade: a fantasia é, em sua maior parte, produto do inconsciente. Ainda que inclua elementos conscientes, sua característica

especial é ser essencialmente involuntária e estranha ao conteúdo da consciência. Essas qualidades ela as partilha com o sonho, ainda que este último seja involuntário e estranho em grau bem mais elevado.

75 A relação do homem com sua fantasia é condicionada, em boa parte, por seu relacionamento com o inconsciente em geral. E este relacionamento é, por sua vez, condicionado sobretudo pelo espírito da época. De acordo com o grau de racionalismo predominante, estará o indivíduo mais ou menos inclinado a abandonar-se ao inconsciente e seus produtos. A esfera cristã, como todo sistema fechado de religião, tem uma tendência natural de reprimir, no indivíduo, o mais que possível, o inconsciente, paralisando dessa forma sua fantasia. Em seu lugar, coloca a religião concepções simbólicas solidamente estruturadas que devem substituir plenamente o inconsciente do indivíduo. As representações simbólicas de todas as religiões são configurações de processos inconscientes em forma típica e com obrigatoriedade universal. A doutrina religiosa dá, por assim dizer, explicações definitivas sobre as "coisas últimas", sobre o além da consciência humana. Sempre que nos é possível observar o surgimento de uma religião, vemos que as figuras de sua doutrina se apresentam ao próprio fundador como revelações, isto é, como concretizações de sua fantasia inconsciente. As formas oriundas de seu inconsciente são declaradas de validade geral e substituem, portanto, as fantasias individuais dos outros. O *Evangelho segundo Mateus* conservou-nos um fragmento desse processo na vida de Cristo: na história da tentação vemos como a ideia de reinado nasce do inconsciente do fundador sob a forma da visão do demônio que lhe oferece o poder sobre os reinos do mundo. Se Cristo houvesse entendido a fantasia em sentido concreto, tomando-a ao pé da letra, teríamos tido um louco a mais no mundo. Mas Ele rejeitou o concretismo de sua fantasia e entrou no mundo como um rei a quem estão sujeitos os impérios do *céu*. Não foi um paranoico, como o demonstram seus êxitos. As ideias expressas, de tempos em tempos, por psiquiatras sobre a morbidade da psicologia de Cristo, nada mais são do que palavrório de cunho racionalista, longe de qualquer compreensão de processos semelhantes na história da humanidade. A forma pela qual Cristo apresentou ao mundo o conteúdo de seu inconsciente foi aceita e declarada obrigatória em geral. Todas as fantasias individuais perderam seu efeito e

valor; foram perseguidas como heréticas, como no-lo atestam o movimento gnóstico e todas as heresias posteriores. O Profeta Jeremias já se expressara neste sentido[35].

"Assim diz o Senhor Todo-poderoso: Não ouçais as palavras dos profetas que vos profetizam! Eles vos enganam anunciando *visões que provêm de seu coração*, e não da boca do Senhor" (23,16).

"Ouvi o que dizem os profetas que profetizam mentiras em meu nome, dizendo: '*Tive um sonho*! Tive um sonho!'" (23,25).

"Até quando haverá entre os profetas os que profetizam mentiras e os que profetizam enganos de seus corações?" (23,26).

"Eles que tentam fazer o meu povo esquecer o meu nome, por meio de sonhos que contam uns aos outros, como seus pais esqueceram o meu nome por causa de Baal" (23,27).

"O profeta que tem um sonho, que o conte! E o que tem uma palavra minha, que a fale com verdade! Que tem a palha em comum com o grão?

– Oráculo do Senhor!" (23,28).

76 A mesma coisa encontramos no cristianismo primitivo, onde os bispos se esforçavam por extirpar a atividade do inconsciente individual entre os monges. O arcebispo de Alexandria, Atanásio[36], dá-nos um valioso testemunho desse ponto de vista, em sua biografia de Santo Antão. Para ensinar seus monges, descreve as aparições e visões, os perigos da alma que acometem os que rezam e jejuam na solidão. Ele ensina como o diabo se disfarça para levar à queda os santos. O diabo é, evidentemente, a voz do próprio inconsciente do anacoreta que se volta contra a repressão violenta da natureza individual. Eis alguns trechos desse livro tão difícil de ser encontrado. Mostram com absoluta clareza como o inconsciente foi sistematicamente reprimido e desvalorizado.

77 "Há momentos em que não vemos ninguém, mas ouvimos o som dos demônios em ação, que se parece ao soar de uma canção em voz alta; e há ocasiões em que ouvimos as palavras das Escrituras como se alguém vivo as estivesse repetindo, e elas são exatamente iguais às pa-

---

35. O texto das citações bíblicas foi tirado de *Bíblia Sagrada*. Petrópolis: Vozes [N.T.].

36. *Life of St. Antony*. In: PALLADIUS, H. *The Book of Paradise*. Londres: [s.e.], 1904.

lavras que ouviríamos se um homem estivesse lendo o Livro (Bíblia). Acontece também que eles (os demônios) nos impelem à oração da noite e nos forçam a levantar-nos; enganam-nos tomando a aparência de monges e daqueles que fazem lamentações (anacoretas); e se aproximam de nós como se viessem de longe e começam a dizer palavras propícias a enfraquecer o entendimento dos pusilânimes: 'Há uma lei em toda a criação de que amamos a desolação, mas que somos incapazes, por vontade de Deus, de entrar em nossas casas ao chegarmos perto delas e de fazer coisas boas'. E quando não conseguem o que queriam por um esquema dessa espécie, partem para outro e dizem: 'Como é possível você ainda viver? Você pecou e cometeu iniquidades em muitas coisas. Você pensa que o Espírito não me revelou o que você fez, ou que eu não sei que você fez isto ou aquilo?' Se por causa disso um simples irmão, ao ouvir essas coisas, sentir em si que procedeu mal, como disse o maligno, e não está acostumado com sua astúcia, sua mente ficará perturbada de imediato e ele cairá em desespero e voltará atrás. Não é necessário, meus caros, ficar aterrorizados com estas coisas, mas devemos temer apenas quando os demônios começam a repetir coisas que *são verdadeiras*, e então devemos repreendê-los severamente [...] Acautelemo-nos, pois, em não inclinar nossos ouvidos às suas palavras, ainda que sejam palavras da verdade que eles proferem; pois seria para nós vergonha se aqueles que se rebelaram contra Deus viessem a ser nossos mestres. Armemo-nos, meus irmãos, com a armadura da justiça e cubramo-nos com o elmo da redenção; e, na hora do combate, lancemos, com espírito de fé, flechas espirituais como de um arco retesado. Pois eles (os demônios) não são nada e, mesmo que fossem algo, sua força nada tem em si que possa resistir ao poder da cruz".

78 Antão narra: "Certa vez apareceu-me um demônio de aparência excessivamente orgulhosa e insolente. Postou-se diante de mim com o barulho estrepitoso de muitas pessoas e ousou dizer: 'Eu, eu mesmo, sou a força de Deus', e ainda: 'Eu, eu mesmo, sou o senhor dos mundos'. E disse-me: 'O que você quer que eu lhe dê? Peça e você receberá'. Então soprei sobre ele e o repreendi em nome de Cristo... E, em outra ocasião, quando eu jejuava, o maligno apareceu sob a forma de um irmão monge trazendo um pão e se pôs a dar-me conselhos: 'Levante-se e reanime seu coração com pão e água e descanse um

pouco dos excessivos labores, porque você é um homem, e por mais nobre que possa ser, você está revestido com um corpo mortal, você deveria temer a doença e as tribulações'. Considerei as suas palavras, mas conservei minha tranquilidade e não lhe dei resposta. Inclinei-me em silêncio e comecei a suplicar em oração, dizendo: 'Senhor, dai um fim nele como costumais fazer desde sempre'. Quando concluí minhas palavras, ele teve seu fim, desapareceu como pó e sumiu da porta como fumaça".

79 "Certa feita, à noite, satanás aproximou-se da casa e bateu à porta. Saí para ver quem estava batendo. Quando levantei os olhos vi a figura de um homem muito alto e forte. Tendo-lhe perguntado 'quem é você?', respondeu-me: 'Eu sou satanás'. Então eu lhe disse: 'O que está procurando?' Ele respondeu: 'Por que os monges, anacoretas e outros cristãos me maltratam e jogam todo o tempo maldições sobre mim?' Então firmei minha cabeça, admirando sua desvairada loucura, e disse: 'Por que você os atormenta?' Respondeu-me ele dizendo: 'Não sou eu que os atormento, mas são eles mesmos que se atormentam. Aconteceu comigo certa vez, e realmente aconteceu, que eles teriam chegado a um fim para sempre se não tivesse gritado que eu era o inimigo. Por isso não tenho lugar para morar, uma espada fulgurante e nem mesmo pessoas que estão realmente sujeitas a mim, porque os que estão a meu serviço me desprezam totalmente; e, mais, tenho que mantê-los a ferros porque não se ligam a mim e acham certo assim proceder, e estão prontos a sempre escapar de mim em qualquer lugar. Os cristãos encheram o mundo todo e inclusive o deserto está cheio de mosteiros e cenóbios. Que eles tomem cuidado para não me cumularem demais com suas maldições!' Então, louvando a graça do Senhor, eu lhe disse: 'Como pode ser que você, que sempre mente em todas as outras ocasiões, esteja falando agora a verdade? E como pode ser que fale a verdade agora, quando está habituado a dizer mentiras? É verdade que, após a vinda de Cristo ao mundo, você foi lançado no mais profundo dos abismos e que a raiz de seus erros foi arrancada da terra'. Quando satanás ouviu o nome de Cristo, sua figura desapareceu e suas palavras tiveram fim."

80 Estas citações mostram como o inconsciente do indivíduo foi rejeitado com a ajuda da crença geral, apesar de claramente ter dito a verdade. Existem razões especiais, na história da mente, para esta re-

jeição, mas não é nossa intenção discuti-las aqui. Basta sabermos que o inconsciente foi reprimido. Psicologicamente esta repressão consiste em subtrair a libido da energia psíquica. A libido assim obtida promove o crescimento e desenvolvimento da atitude consciente, donde resulta aos poucos uma nova imagem do mundo. As vantagens inegáveis daí resultantes consolidam naturalmente esta atitude. Não é de estranhar, pois, que nossa psicologia se caracterize por uma atitude sobretudo desfavorável para com o inconsciente.

81 Não é apenas compreensível, mas absolutamente necessário, que todas as ciências excluam o ponto de vista do sentimento, bem como a fantasia. É por isso mesmo que são ciências. E como fica a psicologia? Enquanto ela se considera ciência, deve proceder da mesma forma. Mas, neste caso, fará justiça a seu material? Toda ciência procura, em última análise, formular e expressar seu material em abstrações; por isso, a psicologia poderia, e realmente o faz, traduzir em abstrações intelectuais o processo do sentimento, da sensação e da fantasia. Este modo de proceder garante o direito do ponto de vista intelectual-abstrato, mas não o direito dos outros pontos de vista psicológicos possíveis. Esses últimos podem apenas ser mencionados no contexto de uma psicologia científica, mas não podem manifestar-se como princípios autônomos de uma ciência. A ciência é, sob todos os aspectos, assunto do intelecto e a ele estão sujeitas as demais funções psicológicas, na qualidade de objetos. O intelecto é o senhor do campo científico. Mas o caso é diferente quando a ciência passa para a aplicação prática. O intelecto que, até então, era soberano, torna-se simples meio, um instrumento científico refinado, sem dúvida, mas apenas um utensílio que já não é um fim em si, mas simples condição. O intelecto e, com ele, a ciência, é colocado aqui a serviço da força e intenção criadoras. Também isto é ainda "psicologia" e não ciência. É psicologia no sentido mais amplo da palavra, uma atividade psicológica de natureza criadora, na qual a fantasia detém o primado. Ao invés de falar em fantasia criadora, poderíamos dizer também que, numa psicologia prática dessa espécie, *a vida* mesma assumiu a direção; pois, de um lado, já é a fantasia geradora e criativa que se serve da ciência como meio e, de outro, são os diversos estímulos da realidade exterior que ativam a fantasia criadora. A ciência como fim em si é, sem dúvida, um ideal elevado, mas sua realização consequente traz tantos fins em si mesmos

quantas são as ciências e as artes. Disso resulta que as funções consideradas em si se especializam e se diferenciam cada vez mais, e ao mesmo tempo se afastam do mundo e da vida, multiplicando-se os campos de especialização que perdem aos poucos qualquer conexão entre si. Começa, então, um empobrecimento e devastação, não apenas nos campos especializados, mas também na psique de cada pessoa que se elevou ou rebaixou ao nível de especialista.

82 A ciência deve provar seu valor vital por sua aptidão de poder ser não só mestra, mas também serva. E nisto não há desonra alguma. Mesmo que a ciência nos tenha dado a conhecer as irregularidades e distúrbios da psique, merecendo por isso nosso mais profundo respeito por seus dons intelectuais intrínsecos, seria grave erro imputar-lhe um fim absoluto e torná-la incapaz de desempenhar o papel de simples instrumento. Ao entrarmos com o intelecto e sua ciência na vida real, vemos que nos defrontamos com limites que impedem o acesso a campos bem mais reais da vida. Forçados somos a reconhecer, pois, que a universalidade de nosso ideal é uma fraqueza e procurar um *spiritus rector* que, levando em conta as exigências de uma vida mais plena, possa oferecer maior garantia de universalidade psicológica do que o intelecto sozinho. Quando Fausto exclama: "O sentimento é tudo", ele expressa o contrário do intelecto e atinge apenas o outro lado, mas não a totalidade da vida e de sua própria psique que reúne sentimento e pensamento num terceiro superior. Este terceiro superior, como já disse, pode ser entendido como uma finalidade prática ou como a fantasia criadora dessa finalidade. A finalidade da totalidade não pode ser alcançada nem pela ciência – que é um fim em si mesma – e nem pelo sentimento – ao que falta a força visionária do pensamento. É preciso que um empreste seu auxílio ao outro, mas a oposição entre eles é tão grande que há necessidade de uma ponte. Esta ponte nos é dada pela fantasia criadora. Ela não é nenhum dos dois, pois é a mãe de ambos – e mais, está grávida da criança, da finalidade, que concilia os opostos.

83 Se a psicologia continuar sendo para nós uma ciência, não penetraremos na vida – estaremos servindo exclusivamente ao fim absoluto da ciência. Ela nos leva, certamente, ao conhecimento da situação objetiva, mas se opõe a qualquer outra finalidade que não a sua. O intelecto permanece aprisionado em si enquanto não renunciar volun-

tariamente à sua supremacia, reconhecendo o valor de outras finalidades. Receia dar o passo que o força para fora de si mesmo e que nega sua validade universal, uma vez que, de seu ponto de vista, tudo o mais é *mera fantasia*. Mas, alguma coisa de real importância chegou a existir sem ter sido, primeiro, fantasia? E mais, ao aderir rigorosamente ao fim absoluto da ciência, o intelecto se exclui da própria fonte da vida. Para ele, fantasia nada mais é do que sonho de desejo e nisto se manifesta todo aquele menosprezo pela fantasia que é bem-vindo e até necessário à ciência. Enquanto o desenvolvimento da ciência é o único objetivo visado, a ciência, como fim em si mesma, é inevitável. Mas isto pode ser um mal, pois o que precisa ser desenvolvido é a própria vida. Foi, portanto, uma necessidade histórica no processo cultural cristão que a fantasia incontrolada fosse suprimida, assim como foi necessário suprimir, ainda que por razões diferentes, a fantasia em nossa época de ciências naturais. Não se deve esquecer que a fantasia criadora, se não mantida dentro de limites adequados, pode degenerar em anormalidades perniciosas. Mas esses limites não devem ser artificialmente impostos pelo intelecto ou pelo sentimento racional. São limites colocados pela necessidade e pela realidade irrefutável. As tarefas de cada época são diversas, e somente em retrospectiva podemos discernir com segurança o que deveria ter sido e o que não deveria ter ocorrido. No momento atual prevalecerá sempre o conflito de opiniões, pois "a guerra é o pai de todas as coisas"[37]. Somente a história decidirá. A verdade não é eterna, é um programa a ser cumprido. Quanto mais "eterna" uma verdade, menos vida e valor terá; nada mais poderá dizer-nos porque é evidente.

84 O quanto a psicologia, na condição de mera ciência, valorizava a fantasia, vem demonstrado pelos pontos de vista bem conhecidos de Freud e de Adler. A interpretação freudiana reduz a fantasia aos processos instintivos causais e elementares. A concepção de Adler a reduz às intenções elementares e finais do eu. A psicologia de Freud é uma psicologia do instinto, a de Adler uma psicologia do eu. O instinto é um fenômeno biológico impessoal. Uma psicologia baseada no instinto deve, por sua própria natureza, desprezar o eu, uma vez

---

37. HERÁCLITO. In: DIELS, H. *Die Fragmente der Vorsokratiker*. Vol. I. 3. ed. Berlim: [s.e.], 1912, p. 88, fragm. 53.

que este só existe por causa do *principium individuationis* (princípio de individuação), isto é, da diferenciação individual, cujo caráter isolado o retira do âmbito dos fenômenos biológicos gerais. É certo que os processos biológicos instintivos também contribuem para a formação da personalidade, mas a individualidade é essencialmente diferente dos instintos coletivos. E, na verdade, está em oposição direta a eles, assim como o indivíduo, enquanto personalidade, é sempre distinto do coletivo. Sua essência consiste precisamente nesta distinção. Toda psicologia do eu deve excluir necessariamente e ignorar todo elemento coletivo, vinculado à psicologia do instinto, já que descreve o próprio processo pelo qual o eu se torna diferenciado dos impulsos coletivos. A animosidade característica entre os adeptos dos dois pontos de vista surge do fato de que um envolve necessariamente uma depreciação e rebaixamento do outro. Enquanto não se admitir a radical diferença entre a psicologia do eu e a psicologia do instinto, cada lado vai naturalmente considerar sua teoria como válida universalmente. Isto não significa que uma psicologia do instino não possa desenvolver uma teoria do processo do eu. Pode fazê-lo, mas de uma forma que parecerá ao psicólogo do eu mais uma negação de sua teoria. Por isso acontece que, em Freud, se manifestam às vezes "instintos do eu", mas, na maioria dos casos, se contentam com uma existência bem modesta. Em Adler, ao contrário, parece que a sexualidade seria um simples veículo a serviço dos objetivos elementares do poder, de uma forma ou de outra. O princípio adleriano é a salvaguarda do poder pessoal que se sobrepõe aos instintos coletivos. Em Freud, é o instinto que faz o eu servir a seus propósitos, de modo que o eu aparece como simples função do instinto.

85 A tendência científica de ambos os autores é reduzir tudo a seu próprio princípio do qual procedem, por sua vez, suas deduções. Esta operação é fácil sobretudo para as fantasias, porque, ao contrário das funções da consciência, elas não se adaptam à realidade e, por isso, não têm um caráter de orientação objetiva, mas expressam tendências puramente instintivas ou puramente do eu. Do ponto de vista do instinto, não causam dificuldade a "realização do desejo", o "desejo infantil", a "sexualidade reprimida". E quem adota o ponto de vista do eu também descobre facilmente as intenções elementares referentes à segurança e diferenciação do eu, pois as fantasias são

produtos intermediários entre o eu e os instintos. Igualmente detêm os elementos de ambos os lados. A interpretação que privilegia um ou outro lado é, portanto, sempre algo forçado e arbitrário, pois um dos caracteres é sempre reprimido. Mas, no final das contas, emerge uma verdade demonstrável; só que é uma verdade parcial que não pode pretender uma validade geral. Sua validade só alcança o âmbito de seu princípio. No âmbito de outro princípio, não tem valor. A psicologia freudiana se caracteriza pelo conceito central da *repressão* de tendências de desejos incompatíveis. O ser humano aparece como um feixe de desejos que se adequam apenas parcialmente ao objeto. Suas dificuldades neuróticas consistem em que a influência do meio ambiente, a educação e condições objetivas perturbam em parte a vivência plena dos instintos. Do pai e da mãe provêm influências funestas, às vezes morais e às vezes infantis, que comprometem as condições da vida futura. A disposição instintiva original é um dado imutável que sofre modificações perturbadoras sobretudo por influência do objeto; por isso o remédio necessário parece ser deixar que os instintos se manifestem livremente em relação ao objeto convenientemente escolhido. A psicologia de Adler se caracteriza, ao contrário, pelo conceito central da *superioridade do eu*. O ser humano aparece, em primeiro plano, como um ponto individual, que não deve estar sujeito, em hipótese alguma, ao objeto. Enquanto, em Freud, o desejo do objeto, a fixação no objeto e desejos de certa forma impossíveis em relação ao objeto desempenham papel importante, em Adler tudo se volta para a superioridade do sujeito. A repressão freudiana do instinto em vista do objeto é, para Adler, a segurança do sujeito. O remédio, para ele, é a supressão da segurança que isola; para Freud, é eliminar a repressão que torna inatingível o objeto.

86 O esquema fundamental para Freud é, portanto, a *sexualidade* que expressa a relação mais forte entre sujeito e objeto; em Adler, ao contrário, é *a força* do sujeito que melhor garante contra o objeto e lhe dá um isolamento intocável que acaba com toda relação. Freud gostaria de assegurar o fluir imperturbável dos instintos para seus objetos; Adler, porém, gostaria de romper o feitiço hostil dos objetos e salvar o eu de sufocar-se em sua própria armadura. A primeira concepção seria, essencialmente, extrovertida; a segunda, introvertida. A teoria extrovertida serve para o tipo extrovertido; a introvertida,

para o introvertido. Na medida em que o tipo puro é um produto de desenvolvimento totalmente unilateral, também lhe falta necessariamente equilíbrio. A demasiada ênfase em uma função implica na repressão de outra. A psicanálise não consegue remover esta repressão, pois os métodos que aplica estão orientados segundo a teoria do tipo próprio de cada qual. Segundo a teoria, portanto, o extrovertido reduzirá suas fantasias que emergem do inconsciente ao que elas contêm de instintivo; o introvertido as reduzirá a seus propósitos de poder. Este tipo de análise só contribui para o predomínio já existente. Só reforça o tipo já existente e impede qualquer entendimento e intermediação entre os dois tipos. Amplia o abismo entre eles, tanto interna como externamente. Surge também uma dissociação interna porque partículas de outras funções, vindas à superfície em fantasias inconscientes (sonhos etc.), são cada vez desvalorizadas e novamente reprimidas. Por isso um certo crítico tinha algo de razão quando afirmou que a teoria de Freud era uma teoria neurótica, sem atribuir a esta designação um sentido maldoso e nem utilizá-la como pretexto para eximir-nos da obrigação de estudar seriamente os problemas levantados. Tanto o ponto de vista de Freud como o de Adler são unilaterais e característicos de um tipo apenas.

87 Ambas as teorias rejeitam o princípio da imaginação na medida em que reduzem as fantasias e só as tratam como expressão semiótica[38]. Mas, na realidade, as fantasias significam mais do que isso: elas representam ao mesmo tempo o outro mecanismo, isto é, no introvertido representam a extroversão reprimida e, no extrovertido, a introversão reprimida. A função reprimida, porém, é inconsciente e, por isso, subdesenvolvida, embrionária e arcaica. E, nesta condição, é incompatível com o nível mais alto da função consciente. O inadmissível da fantasia provém sobretudo dessa particularidade da função não reconhecida sobre a qual se fundamenta.

88 Por causa disso, a imaginação é algo desprezível e inútil para todos os que fazem da adaptação à realidade externa um princípio es-

---

38. Digo "semiótico" em oposição a "simbólico". O que Freud designa *símbolos* nada mais são do que *sinais* para processos instintivos elementares. Um símbolo, porém, é a melhor forma de exprimir um estado de coisas que não pode ser expresso por outra coisa melhor do que por uma analogia.

sencial. Mas sabemos que toda boa ideia e toda obra criadora surgiram da imaginação e tiveram seu começo naquilo que costumamos chamar de fantasia infantil. Não é apenas o artista que deve sua máxima realização à fantasia, mas também qualquer pessoa criativa. O princípio dinâmico da fantasia é o *lúdico* que também é o próprio da criança e que, por isso, parece incompatível com o princípio do trabalho sério. Mas sem esse brincar com a fantasia, jamais teve origem uma obra criativa. Devemos muitíssimo ao brinquedo com a fantasia. É, portanto, visão estreita, considerar a fantasia com menosprezo, devido a seu caráter aventureiro e inaceitável. Não devemos esquecer que pode estar precisamente na imaginação de uma pessoa o mais importante dela. Digo expressamente *pode estar*, porque, de outro lado, as fantasias são inúteis, não podendo ser usadas como material bruto. Para aumentar o valor que nelas reside é preciso desenvolvê-las.

89 Permanece em aberto a questão de saber se a oposição entre os dois pontos de vista pode ser resolvida intelectualmente a contento. Ainda que a tentativa de Abelardo deva ser grandemente valorizada, em certo sentido, na prática não trouxe consequências dignas de mencionar. Não conseguiu fornecer nenhuma função psicológica intermediadora além do conceitualismo ou sermonismo que mais parecem uma reedição unilateral do antigo logos. Como mediador, o logos tem a vantagem sobre o *sermo* de, em sua manifestação humana, fazer justiça também às aspirações não intelectuais.

90 Não consigo livrar-me da impressão de que a inteligência brilhante de Abelardo – que entendeu o grande sim e não (*sic et non*) – jamais se teria contentado com seu conceitualismo paradoxal, renunciando a uma obra criadora, se o trágico destino não lhe tivesse arrebatado a força propulsora da paixão. Para comprovar esta impressão, compare-se o conceitualismo com o que fizeram, desse mesmo problema, os grandes mestres chineses Lao-Tsé e Chuang-Tsé ou Schiller.

5. A controvérsia entre Lutero e Zwínglio sobre a ceia

91 Dentre as controvérsias posteriores que agitaram os espíritos, há que mencionar o protestantismo, em particular, e o movimento da Reforma, em geral. Já este fenômeno em si é tão complexo que mereceria ser decomposto em vários processos psicológicos distintos, an-

tes de se tornar objeto de estudo analítico. Mas isto foge do âmbito do meu saber. Devo ater-me, pois, a um caso apenas dessa grande luta dos espíritos, ou seja, a controvérsia entre Lutero e Zwínglio sobre a Ceia. A doutrina da transubstanciação, mencionada acima, foi sancionada pelo Concílio do Latrão, em 1215, e tornou-se sólido artigo de fé, em cuja tradição também Lutero foi criado. Ainda que a ideia de uma cerimônia e sua execução concreta, com significado salvífico objetivo, fosse totalmente contra o evangelho, e o movimento evangélico se dirigia exatamente contra o valor das instituições católicas, Lutero não conseguiu libertar-se da impressão sensória, imediatamente ativa, das espécies de pão e vinho. Não conseguia ver nelas apenas um sinal; mas a realidade sensória e a imediata experiência eram para ele exigência religiosa indispensável. Defendia, portanto, a presença real do corpo e sangue de Cristo na Ceia. Recebia-se, "no e sob" o pão e o vinho, o corpo e o sangue de Cristo. A importância religiosa da experiência imediata do objeto era de tal ordem que sua imaginação estava fascinada pelo concretismo da presença material do corpo sagrado. Todas as suas tentativas de explicação ficam sujeitas a este fato: o corpo de Cristo está presente, apenas "não espacialmente". Segundo a chamada doutrina da consubstanciação, está realmente presente, além da substância do pão e do vinho, também a substância do corpo sagrado. A ubiquidade do corpo de Cristo, postulado por esta concepção, e que acarreta dificuldade especial para a compreensão humana, foi substituída pelo conceito de volipresença, o que significa que Deus está presente em toda parte onde quiser. Imperturbável diante dessas dificuldades todas, Lutero não abriu mão da experiência imediata da impressão sensível e preferiu colocar de lado todos os escrúpulos da compreensão humana, dando explicações em parte absurdas e em parte insatisfatórias.

92 É difícil admitir que tenha sido apenas a força da tradição que prendeu Lutero a este dogma, pois exatamente ele demonstrou, de sobejo, poder alijar formas tradicionais de fé. Não estaremos errados ao supor que foi exatamente o contacto com o "real" e o material na Ceia que fez com que o valor sentimental estivesse para o próprio Lutero acima do princípio evangélico, segundo o qual a Palavra era o único veículo da graça e não a cerimônia. Para Lutero, a Palavra tinha o valor salvífico, mas, além disso, a participação na Ceia também era

um supermediador da graça. Como dissemos, isto seria apenas uma concessão aparente às instituições da Igreja católica; na realidade era um reconhecimento, exigido pela psicologia de Lutero, da realidade sentimental baseada na experiência sensória.

93 Em oposição ao ponto de vista de Lutero, defendia Zwínglio uma concepção puramente simbólica. Segundo ele, tratava-se de uma recepção "espiritual" do corpo e sangue de Cristo. Este ponto de vista se caracteriza pela razão e por uma concepção ideal da cerimônia. Tem a vantagem de não ferir o princípio evangélico e evitar, ao mesmo tempo, qualquer hipótese contrária à razão. Mas não estava conforme ao que Lutero queria conservar, isto é, a realidade da impressão sensória e de seu específico valor sentimental. Também Zwínglio repartia a Ceia e nela se tomava o pão e o vinho como o fazia Lutero, mas sua concepção não continha nenhuma fórmula que pudesse reproduzir adequadamente o valor sensório e sentimental, próprio do objeto. Lutero criou uma fórmula para isso, mas ela se contrapunha à razão e ao princípio evangélico. Isto não importava em nada sob o ponto de vista da sensação e do sentimento e, com razão, porque a ideia, o "princípio", pouco se importa também com a sensação do objeto. Em última análise, os dois pontos de vista se excluem mutuamente.

94 A formulação de Lutero favorece a concepção extrovertida, a de Zwínglio favorece o ponto de vista ideal. Ainda que a fórmula de Zwínglio não faça violência ao sentimento e à sensação, mas dê apenas uma concepção ideal, parece que deixa lugar para a atividade do objeto. Mas, ao que tudo indica, o ponto de vista extrovertido não se contenta em ter um lugar disponível, exige também uma formulação em que o ideal vem depois do sensório, assim como a formulação ideal exige um segundo plano para o sentimento e a sensação.

95 Encerro este capítulo sobre o princípio dos tipos na história do pensamento antigo e medieval, certo de haver levantado apenas um problema. Minha competência não chega ao ponto de poder abordar exaustivamente um problema tão vasto e difícil. Se consegui dar ao leitor uma noção da existência de diferenças típicas de pontos de vista, realizei meu objetivo. Nem preciso acrescentar que estou ciente de que nenhum material aqui empregado o foi de maneira definitiva. Devo deixar este trabalho àqueles que possuem, neste campo, melhores conhecimentos do que eu.

II
As ideias de Schiller sobre o problema dos tipos

1. As cartas sobre a educação estética do homem

a) A função superior e inferior

96 Pelo que pude constatar, em virtude dos limitados meios à minha disposição, Frederico Schiller foi o primeiro a tentar uma distinção consciente e de grande envergadura entre as atitudes típicas, e a fazer delas uma descrição completa e detalhada. Esta importante tentativa de descrever os dois mecanismos de que estamos tratando e de descobrir como poderiam ser conciliados, encontra-se num estudo publicado, pela primeira vez, em 1795, *Über die ästhetische Erziehung des Menschen*[1]. É uma série de cartas dirigidas por Schiller ao duque de Holstein-Augustenburg.

97 A profundidade de pensamento, a penetração psicológica da matéria e a ampla visão de uma possível solução psicológica do conflito me animam a expor longamente, como nunca feito antes, as ideias de Schiller, contidas neste ensaio. A contribuição dada por ele ao nosso ponto de vista não é pequena, conforme se verá ao longo de nossa exposição. Ele nos oferece pontos de vista bem elaborados e que, em nossa ciência psicológica, começamos apenas agora a valorizar. Minha tarefa não será fácil, pois pode acontecer que eu dê uma interpretação às ideias de Schiller que não corresponda ao que ele diz. Porei todo o empenho em trazer as próprias palavras do autor para as passagens essenciais, mas não será possível introduzir suas ideias no con-

1. O autor utiliza a edição Cotta, Vol. 18, 1826.

texto de minha exposição, sem lhes dar certas interpretações ou explicações. A isto serei forçado pela circunstância que acabo de mencionar, e também não se pode esquecer que o próprio Schiller pertence a um tipo definido, e era compelido, pois, mesmo contra sua vontade, a dar uma descrição segundo seu ponto de vista.

98 As limitações de nossa inteligência e de nosso conhecimento aparecem com maior intensidade nas descrições psicológicas, pois nelas é quase impossível projetar outra imagem que não aquela cujos traços fundamentais já estão projetados em nossa psique. Várias características de Schiller me levam a concluir que ele pertencia ao tipo introvertido, ao passo que Goethe – excetuando-se a intuição que nele predomina – tende mais para o tipo extrovertido. Podemos facilmente identificar a própria imagem de Schiller em sua descrição idealista. Esta dependência coloca, em sua descrição, limites inevitáveis que não podemos ignorar se o quisermos bem entender. A estas limitações se deve que uma função é mais ricamente apresentada do que a outra, que está ainda imperfeitamente desenvolvida no introvertido, e, por isso, apresenta certos traços de inferioridade devidos exatamente à deficiência de seu desenvolvimento. E neste ponto a exposição do autor precisa de nossa crítica e correção. Também é evidente que esta limitação levou Schiller ao uso de uma terminologia imprópria para ser aplicada em geral. Como introvertido, tinha melhor relacionamento com as ideias do que com as coisas. O relacionamento com as ideias pode ser mais emocional ou mais reflexivo, dependendo do tipo a que pertence o indivíduo: sentimento ou pensamento. Gostaria de pedir ao leitor que, levado por meus escritos anteriores, identificou sentimento com extroversão e pensamento com introversão, tenha em mente as definições dadas no capítulo XI deste livro. Ali distingo duas classes gerais de pessoas: os tipos introvertido e extrovertido. A divisão em tipos funcionais como tipo pensamento, sentimento, sensação e intuição é uma espécie de subdivisão. Um introvertido pode ser um tipo pensamento ou sentimento, pois tanto o tipo pensamento quanto o sentimento podem estar sob o primado da ideia, como podem estar sob o primado do objeto.

99 Se eu classificar Schiller, por sua natureza e especialmente por sua oposição característica a Goethe, como do tipo introvertido, ainda resta saber a qual subdivisão ele pertence. É difícil responder a esta questão. Sem dúvida, o momento da intuição desempenha gran-

de papel nele, por isso, se o considerarmos apenas como poeta, podemos enquadrá-lo no tipo intuitivo. Mas, nas cartas sobre a educação estética, defrontamo-nos com o pensador Schiller. Não só pelas cartas, mas também das próprias confissões de Schiller podemos deduzir quão forte era nele o elemento reflexivo. Consequentemente, devemos inclinar sua capacidade de intuição mais para o lado do pensamento e, assim, também o entenderemos melhor do ponto de vista da psicologia do tipo pensamento introvertido. Espero que fique suficientemente demonstrado, a seguir, que esta suposição corresponde à realidade, pois não são poucas as passagens nos escritos de Schiller que falam expressamente em seu favor. Peço ao leitor ter sempre presente que a hipótese por mim levantada estará na base de toda a argumentação que se segue. Esta advertência parece-me necessária porque Schiller aborda o problema pelo ângulo de sua própria experiência interior. A formulação extremamente geral que lhe dá poderia ser considerada um abuso ou uma generalização precipitada, tendo em vista que outra psicologia, ou seja, outro tipo de pessoa, pudesse abordar o mesmo problema de modo bem diferente. Mas isto não seria correto, pois existe, na verdade, uma classe inteira de pessoas às quais o problema das funções separadas se coloca exatamente assim como para Schiller. Se, portanto, no correr de minha exposição, eu sublinhar a unilateralidade e o subjetivismo de Schiller, não pretendo, com isso, diminuir em nada a validade e importância do problema por ele levantado, mas, antes, criar espaço para outras formulações. Minhas críticas ocasionais significam, portanto, mais uma *transcrição* para uma forma de expressão, que tirará da formulação de Schiller as conotações subjetivas. Minha exposição seguirá bem de perto a de Schiller, de modo que não abordará tanto a questão geral da introversão e extroversão, que nos ocupou exclusivamente no capítulo I, mas bem mais o *conflito típico do tipo pensamento introvertido*.

100 Em primeiro lugar, Schiller aborda a questão da causa e origem da separação das duas funções. Com muita segurança, afirma que o motivo básico é a diferenciação dos indivíduos. "Foi a própria cultura que produziu esta ferida na humanidade mais recente"[2]. Só esta frase já mostra a compreensão abrangente que Schiller tinha do nosso

---

2. SCHILLER, F. *Über die ästhetische Erziehung des Menschen*. Vol. 18. Stuttgart/Tubinga: Cotta, 1826, carta 6.

problema. A desagregação da harmoniosa colaboração das forças espirituais na vida instintiva é como uma ferida sempre aberta e nunca sarada, uma verdadeira ferida de Amfortas, porque a diferenciação de uma função traz consigo inevitavelmente a hipertrofia de uma e o esquecimento e atrofia de outra.

101 "Não desconheço as vantagens – diz Schiller – que a geração de hoje, considerada em sua unidade, na balança da razão, possa ter em relação à melhor do mundo antigo; mas deve iniciar a luta com fileiras cerradas e deixar o todo competir com o todo. Qual dos novos sairia sozinho das fileiras para lutar, homem a homem, contra um ateniense pelo prêmio da humanidade? Donde provém esta relação desvantajosa dos indivíduos, apesar da vantagem da espécie?"

102 Schiller atribui a culpa dessa inferioridade dos novos à cultura, isto é, à diferenciação das funções. Mostra, de início, como, na arte e na ciência, o entendimento intuitivo e especulativo se separaram a delimitaram ciosamente entre si os campos de aplicação. "E, com a esfera à qual limitamos nossa atividade, impusemo-nos também um senhor que, não raro, acaba oprimindo as demais aptidões. Enquanto a luxuriosa imaginação devasta, em algum lugar, a árdua plantação do entendimento, em outro o espírito de abstração consome o fogo junto ao qual poderia aquecer-se o coração e acender-se a fantasia"[3].

103 E mais: "Quando a entidade social faz da função o critério do homem, ao honrar num cidadão somente a memória, num outro apenas o entendimento de tabelas, e num terceiro a habilidade mecânica; quando aqui exige apenas conhecimento, não importa se contra o caráter, e acolá releva a um espírito ordeiro e de comportamento legal a mais crassa obscuridade do intelecto – quando, ao mesmo tempo, exige que as habilidades isoladas sejam exercidas com intensidade igual à extensão que concede ao sujeito – não se pode admirar que as restantes disposições do espírito sejam preteridas para se voltar todos os cuidados para uma única, que traz honra e proveito"[4].

104 Há muita coisa de peso nesses pensamentos de Schiller. É compreensível que, ao tempo dele, devido a um conhecimento imperfei-

3. Ibid.

4. Ibid.

to do mundo grego, só se valorizasse os gregos pela importância das obras que legaram à posteridade e, assim, foram também sobrestimados além da medida, pois a beleza peculiar dos gregos deve sua existência sobretudo ao contraste com o meio do qual se originou. A vantagem do homem grego estava em ser ele menos diferenciado do que o homem moderno, se é que isto representa uma vantagem; pois as desvantagens dessa condição devem ser ao menos igualmente óbvias. A diferenciação das funções não resultou, certamente, da malícia, mas, como sempre e em toda parte na natureza, surgiu da *necessidade*. Se um desses admiradores posteriores do céu helênico e da beatitude acádica tivesse vindo àquele mundo na condição de hilota ático, teria olhado as belezas da Grécia com olhos bem diferentes. Se é verdade que o indivíduo tinha, mesmo sob as condições primitivas do século V aC, maior possibilidade de desenvolver amplamente suas qualidades e capacidades, isto se deve unicamente ao fato de que milhares de seus semelhantes foram cerceados e esmagados por circunstâncias tanto mais miseráveis. Algumas personalidades exemplares alcançaram, sem dúvida, alto grau de cultura individual, mas uma cultura coletiva era praticamente desconhecida no mundo antigo. Esta conquista estava reservada ao cristianismo. Daí provém que os modernos, enquanto massa, não apenas se podem medir com os gregos, mas facilmente superá-los no que se refere à cultura coletiva. Por outro lado, Schiller tem razão ao afirmar que nossa cultura individual não acompanhou nossa cultura coletiva e, certamente, não melhorou nesses cento e vinte anos que já transcorreram desde esta afirmação. Ao contrário, se não tivéssemos avançado ainda mais na esfera coletiva, em detrimento do desenvolvimento individual, não se justificariam as reações violentas que se personificaram no espírito de um Stirner ou de Niestzsche. As palavras de Schiller conservam sua validade até hoje.

105 A Antiguidade, atendendo a uma exigência da classe superior, promoveu o desenvolvimento individual, suprimindo totalmente a grande maioria do povo comum (hilotas e escravos); a época cristã, que se seguiu, alcançou a condição de uma cultura coletiva, transferindo, enquanto possível, este mesmo processo para o indivíduo (elevou-o ao plano subjetivo, como se poderia dizer). O dogma cristão proclamava que o valor do indivíduo estava na alma imortal, por isso não poderia a maioria inferior do povo estar sujeita, na realidade, à

liberdade de uma minoria superior, mas a função superior no indivíduo devia ser privilegiada sobre as funções inferiores. Dessa forma, houve um deslocamento do valor principal para a única função importante, em detrimento de todas as outras funções. E assim foi transferida, psicologicamente, para o sujeito, a forma social externa da cultura antiga; foi criada no indivíduo uma condição interna que correspondia, na Antiguidade, a uma condição externa, ou seja, uma função dominadora e privilegiada que se desenvolvia e diferenciava às custas de uma maioria inferiorizada. Por meio desse processo psicológico foi surgindo aos poucos uma cultura coletiva que garantia ao indivíduo os "direitos do homem", em maior grau do que na Antiguidade, mas com a desvantagem de basear-se numa cultura subjetiva escrava, isto é, no deslocamento da escravização antiga da maioria para o campo psicológico, onde se privilegia a cultura coletiva, mas se deprecia a cultura individual. A escravização das massas foi a ferida exposta da Antiguidade, mas a escravização das funções inferiores é uma ferida sempre sangrando na psique do homem moderno.

106 "A unilateralidade no exercício das forças conduz o indivíduo inevitavelmente ao erro, a espécie, porém, leva à verdade", diz Schiller[5]. Privilegiar a função mais importante reverte em vantagem para a sociedade, mas em detrimento da individualidade. Este detrimento é tão grande que as grandes organizações de nossa cultura atual lutam pela extinção total do indivíduo, uma vez que se baseiam integralmente no emprego maquinal das funções privilegiadas da pessoa humana. Não são as pessoas que importam, mas uma de suas funções diferenciadas. A pessoa já não está presente na cultura coletiva como pessoa, mas é representada por uma função, e ela se identifica exclusivamente com esta função e nega que lhe pertençam as outras funções inferiores. Assim, o indivíduo moderno resvala para dentro de uma simples função, pois somente ela representa um valor coletivo e garante uma possibilidade de vida. Mas Schiller também vê que não poderia ter ocorrido de outra forma uma diferenciação da função: "Para desenvolver as múltiplas virtualidades do homem não houve outro meio do que à confrontação entre elas. Este antagonismo das

5. Ibid.

forças é o grande instrumento da cultura, mas apenas instrumento; pois, enquanto ele persiste, estamos apenas a caminho dela"[6].

107 Segundo esta concepção, o estado atual de antagonismo das forças não seria ainda um estado de cultura, mas estaríamos apenas a caminho da cultura. As opiniões divergem quanto a isso; alguns entenderão como cultura exatamente o estado da cultura coletiva, enquanto outros entenderão este estado apenas como *civilização* e querem ver na cultura a premente exigência do desenvolvimento individual. Nisto Schiller se equivoca ao tomar partido exclusivamente pelo segundo ponto de vista e ao contrapor à nossa cultura coletiva a cultura individual dos gregos, pois esquece a imperfeição da civilização daquela época, o que torna duvidosa a validade ilimitada daquela cultura. Nenhuma cultura é propriamente perfeita; sempre estará mais ou menos de um lado ou de outro, isto é, uma vez o ideal da cultura será um ideal extrovertido e o valor principal estará no *objeto* e em sua relação com ele, outra vez o ideal é introvertido e o valor principal reside no indivíduo ou *sujeito* e nas relações com a ideia. No primeiro caso, a cultura assume a forma coletiva, no segundo, uma forma individual. É compreensível, pois, que, exatamente sob a influência da esfera cristã, cujo princípio é o amor cristão (e, por contraste, também seu oposto, isto é, a violentação da individualidade), tenha surgido uma cultura coletiva onde existe uma ameaça de o indivíduo desaparecer porque os valores individuais já sofrem, por princípio, uma subvalorização. Daí procede também a grande saudade que, na época dos clássicos alemães, foi sentida pela Antiguidade que, para eles, era um símbolo da cultura individual e que, por isso mesmo, foi superestimada e superidealizada. Tentativas também se fizeram para imitar e, por assim dizer, recapturar o espírito grego; essas tentativas nos parecem hoje um tanto quanto absurdas, mas querem ser consideradas como precursoras de uma cultura individual. Nos 120 anos [sic] que já se passaram desde a elaboração da obra de Schiller, as condições de uma cultura individual não melhoraram; ao contrário, pioraram. O interesse do indivíduo foi absorvido em grau bem maior do que antigamente pelas ocupações coletivas, restando ao indivíduo

6. Ibid.

bem menos lazer para desenvolvimento de uma cultura individual; por isso temos, hoje, ainda, uma cultura coletiva altamente desenvolvida que supera de longe em organização tudo o que a antecedeu, mas que prejudicou também, de forma crescente, a cultura individual.

108 Persiste, hoje, um grande abismo entre o que alguém é e o que apresenta ser, isto é, entre o que ele é como indivíduo e o que representa como ser coletivo. Sua função é desenvolvida, mas não sua individualidade. Se for adequado, ele se identificará com sua função coletiva; se for o contrário, será valorizado, sim, como função na sociedade, mas como individualidade ficará totalmente do lado de suas funções inferiores e não desenvolvidas; em consequência disso, ele é um bárbaro, enquanto que o primeiro se iludiu prazerosamente sobre o seu real barbarismo. Certamente esta unilateralidade com referência à sociedade trouxe vantagens nada desprezíveis e houve conquistas impossíveis de obter de outro modo, como diz muito bem Schiller: "Somente quando concentrarmos toda a energia de nosso espírito num único foco e reunirmos todo o nosso ser em uma única força, daremos asas a esta força isolada e a conduziremos, artificialmente, para além dos limites que a natureza parece ter-lhe imposto"[7].

109 Mas este desenvolvimento unilateral levará inevitavelmente a uma reação, pois as funções inferiores suprimidas não podem ser excluídas indefinidamente de participar de nossa vida e desenvolvimento. Chegará a hora em que deve "ser abolida a divisão interior do homem" para garantir ao não desenvolvido uma oportunidade de vida. Já disse que a diferenciação no desenvolvimento cultural cria, em última análise, uma dissociação das funções básicas da vida psíquica, ultrapassando, de certa forma, a diferenciação das capacidades e estendendo-se para o campo da atitude psicológica em geral que governa a maneira de utilização das capacidades. Ao mesmo tempo provoca a cultura uma diferenciação daquela função que já goza, por nascença, de melhor capacidade de aperfeiçoamento. Assim pode acontecer que numa pessoa a faculdade de pensar seja mais propícia a um desenvolvimento ulterior, em outra, o sentimento; e, por isso, sob a pressão das exigências culturais, há de ocupar-se cada um em desen-

7. Ibid.

volver aquela faculdade para a qual está favoravelmente predisposto pela natureza. A capacidade de aperfeiçoamento não significa que a função tenha *a priori* direito a uma competência especial, mas pressupõe – poderíamos dizer, ao contrário – uma certa delicadeza, labilidade e plasticidade da função; por isso não se há de procurar ou encontrar sempre nesta função o maior valor individual, mas talvez apenas o maior valor coletivo, uma vez que esta função evoluiu para um valor coletivo. Poderá facilmente acontecer que, entre as funções desprezadas, permaneçam escondidos valores individuais bem maiores que, apesar da pequena importância para a vida coletiva, são da maior importância para a vida individual e, portanto, são valores vitais, capazes de proporcionar à vida do indivíduo uma intensidade e beleza que ele procurará, em vão, em sua função coletiva. A função diferenciada procura criar-lhe a possibilidade de uma existência coletiva, mas não aquela satisfação e alegria de viver que apenas o desenvolvimento dos valores individuais pode proporcionar. Sua ausência é sentida muitas vezes como profunda carência e sua renúncia provoca uma dilaceração interna que poderíamos, segundo Schiller, comparar a uma ferida dolorosa.

110 "Não importa o quanto se possa ganhar para o mundo como um todo, através desse aperfeiçoamento em separado das forças humanas, é inegável que os indivíduos atingidos por ele sofrem sob a maldição deste objetivo do mundo. O exercício ginástico forma corpos atléticos, mas somente o livre e uniforme jogo dos membros conduz à beleza. Assim também a tensão de forças espirituais isoladas pode gerar homens extraordinários, mas apenas a temperatura uniforme delas pode torná-los felizes e perfeitos. Em que relação estaríamos com as épocas passada e futura, se a formação da natureza humana tornasse necessário um tal sacrifício? Teríamos sido os servos da humanidade, teríamos feito *trabalho escravo* para ela durante milênios e teríamos impresso em nossa natureza mutilada a marca vergonhosa dessa servidão – para que a geração futura pudesse velar, numa ociosidade beatífica, por sua saúde moral e desenvolver o livre crescimento de sua humanidade. Será que o homem está destinado a perder-se por amor de outra finalidade qualquer? Poderia a natureza, através de seus fins, roubar-nos uma perfeição que a razão nos prescreve através de seus próprios fins? Deve ser falso, portanto, que o desenvolvimen-

to das forças individuais exige o sacrifício de sua totalidade; e mesmo que a lei da natureza aspirasse a isso, *deve estar em nós restabelecer aquela totalidade em nossa natureza que foi destruída pela arte, através de uma arte mais alta*"[8].

111 É evidente que Schiller teve, em sua vida pessoal, um profundo senso desse conflito e foi exatamente este antagonismo que gerou nele a saudade pela coerência ou homogeneidade que haveriam de salvar as funções oprimidas e escravizadas e trazê-las novamente a uma vida harmoniosa. Esta ideia também preocupa Wagner, em seu *Parsifal*, onde recebe uma expressão simbólica na restituição da lança perdida e na cura da ferida. O que Wagner tenta dizer em forma artístico-simbólica, Schiller se esforça por expressar em sua reflexão filosófica. Não o diz em voz alta, mas fica bem claro implicitamente que seu problema está numa *retomada do estilo e concepção de vida dos antigos*, donde se conclui que passou por cima da solução cristã ou a ignorou de propósito. De qualquer forma, sua visão espiritual estava voltada mais para a beleza da Antiguidade do que para a doutrina cristã da redenção que também visava ao mesmo objetivo perseguido por Schiller, ou seja, uma *libertação do mal*. Juliano, o apóstata, ao dizer, em seu discurso sobre o rei Hélios[9], que o coração do homem "está cheio de lutas furiosas", caracterizou não apenas a si mesmo, mas toda a sua época, ou seja, a dilaceração interna da Antiguidade tardia que se traduzia externamente numa confusão ímpar e caótica de corações e mentes da qual a doutrina cristã prometia livrar o homem. Mas o que o cristianismo trouxe não foi uma *solução*, mas uma *redenção*; desprendeu uma função valiosa de todas as outras funções que, na época, reivindicavam igualmente o poder. O cristianismo deu *uma* determinada orientação, excluindo todas as demais orientações possíveis. Esta circunstância colaborou decisivamente para que Schiller passasse em silêncio por cima da possibilidade de salvação oferecida pelo cristianismo.

112 A íntima relação da Antiguidade com a natureza parecia prometer aquela possibilidade que o cristianismo não garantia. "A natureza

8. O grifo neste parágrafo é meu.

9. "Oratio IV, In regem solem". JULIANI. *Opera omnia*. Lipsiae: [s.e.], 1696.

nos prescreve, em sua criação física, o caminho a ser percorrido na criação moral. Somente depois de apaziguar a luta das forças elementares nas organizações inferiores, ela se ergue para a nobre formação do homem físico. Também precisa estar acalmada, no homem ético, primeiramente, a luta dos elementos, o conflito dos impulsos cegos, e deve ter cessado dentro dele o antagonismo grosseiro antes que se possa ousar fomentar a multiplicidade. Por outro lado, é preciso que a independência de seu caráter esteja assegurada e que a submissão a formas estranhas e despóticas tenha dado lugar a uma liberdade decente, antes que se possa submeter à unidade do ideal a multiplicidade dentro dele".[10]

113 Não se trata de desprender ou redimir a função inferior, mas que seja levada em conta; que haja, por assim dizer, um entendimento com ela para se chegar, de modo natural, a uma conciliação dos opostos. Mas Schiller adverte que a aceitação de funções inferiores poderia levar a um "conflito de cegos instintos", assim como, por sua vez, a unidade do ideal poderia restabelecer a supremacia da função valiosa sobre as funções menos importantes, voltando-se, então, ao antigo estado de coisas. As funções inferiores se contrapõem à função superior, não em sua essência mais profunda, mas devido à sua forma momentânea. Foram originalmente desprezadas e reprimidas porque eram um obstáculo para o homem culto atingir os seus fins. Estes consistiam em interesses unilaterais, não condizentes com uma perfeição da individualidade humana. Para isso, no entanto, seriam indispensáveis essas funções não reconhecidas; e elas também não estão essencialmente em conflito com o fim visado. Enquanto o fim da cultura não coincidir com o ideal de perfeição do ser humano, estas funções serão submetidas a uma depreciação e a uma relativa repressão. A aceitação das funções reprimidas equivale a uma guerra civil interna, com um desencadeamento dos opostos antes refreados, ficando anulada, sem mais, a "independência do caráter". Só é possível chegar a esta independência apaziguando-se esta luta, o que parece impossível sem um domínio despótico sobre as forças em conflito. Com isso, compromete-se a liberdade e, sem ela, não se pode construir

---

10. SCHILLER, F. *Über die ästhetische Erziehung des Menschen*. Op. cit., carta 7.

uma personalidade moralmente livre. Mas, ao garantir a liberdade, cai-se no conflito dos instintos.

114 "O temor da liberdade que, em suas primeiras tentativas, sempre se anuncia como inimiga, fará com que, de um lado, os homens se lancem nos braços de uma cômoda servidão e, de outro, levados ao desespero por uma tutela pedante, escapem para o libertinismo selvagem do estado natural. A usurpação vai alegar a debilidade da natureza humana e a insurreição sua dignidade, até que, finalmente, a grande dominadora de todas as coisas humanas, a força cega, interfira e resolva o pretenso conflito de princípios como um vulgar pugilato"[11].

115 A Revolução Francesa, contemporânea de Schiller, deu a estas palavras um pano de fundo tão vivo quanto sangrento; iniciou sob o signo da filosofia e da razão, com alto impulso idealista, e terminou no caos cruento de que surgiu o gênio despótico de Napoleão. A Deusa Razão demonstrou sua impotência diante da violência da besta solta. Schiller sente a inferioridade da razão e da verdade e postula que a própria verdade se torne uma força. "Se até agora ela comprovou tão pouco sua força vitoriosa, a culpa não é do entendimento que não soube desvelá-la, mas do coração que a ela se fechou e do impulso que por ela não agiu. De onde vem, pois, este domínio ainda tão geral dos preconceitos e este obscurantismo das mentes apesar de toda luz que a filosofia e a experiência irradiaram? *Nossa época é esclarecida* – vale dizer que foram encontrados e tornados públicos os conhecimentos que seriam suficientes, ao menos, para a correção de nossos princípios práticos; o espírito da livre investigação destruiu os conceitos fantasiosos que, por muito tempo, impediram o acesso à verdade, e minou o solo sobre o qual erguiam seu trono a impostura e o fanatismo; a razão purificou-se das ilusões dos sentidos e da sofística enganosa, e a própria filosofia, que a princípio nos rebelara contra a natureza, chama-nos de volta para seu seio com voz forte e urgente – onde a causa, pois, de ainda assim continuarmos bárbaros?"[12]

116 Sentimos nestas palavras de Schiller a proximidade do iluminismo francês e do fantástico intelectualismo da Revolução. "Nossa

---

11. Ibid.

12. Ibid., carta 8.

época é esclarecida". – Que superestima do intelecto! "O espírito da livre investigação destruiu os conceitos fantasiosos". – Que racionalismo! Isto lembra imediatamente as palavras do proctofantasmista "Desaparecei! Nós já vos explicamos". Se, por um lado, era próprio do espírito da época superestimar a importância e eficácia da razão, esquecendo-se completamente de que, se a razão tivesse realmente esse poder, já teria tido a mais ampla oportunidade de demonstrá-lo, não se deve esquecer, por outro lado, que nem todas as cabeças competentes pensavam dessa forma e que este ímpeto de intelectualismo racionalista se baseia no forte desenvolvimento subjetivo desse mesmo elemento em Schiller. Temos que reconhecer nele uma predominância do intelecto, não sobre sua intuição poética, mas sobre sua faculdade de sentir. Parecia ao próprio Schiller que havia dentro dele um constante conflito entre imaginação e abstração, isto é, entre intuição e pensamento. Ele escreve a Goethe[13]: 'Era isto que me dava, sobretudo nos primeiros anos, um certo ar esquisito, tanto no campo da especulação como na arte poética; via de regra era tomado pelo poeta quando devia filosofar e pelo espírito filosófico quando queria poetar. Ainda agora é frequente que o poder da imaginação perturbe minha abstração e o frio raciocínio, minha poesia".

117 Sua extraordinária admiração pelo espírito de Goethe e sua empatia e simpatia, quase femininas, pela intuição de seu amigo e que ele externa muitas vezes em suas cartas, provêm de uma consciência aguda desse conflito, sentido duplamente por ele em vista da natureza sintética, quase perfeita, de Goethe. Este conflito deve sua existência ao fato psicológico de que a energia do sentimento se coloca à disposição, em igual medida, tanto do intelecto quanto da imaginação criadora. Parece que Schiller tinha conhecimento disso, pois, na mesma carta a Goethe, observa que, após ter começado a "conhecer e utilizar" suas forças morais, que deviam indicar os justos limites para a imaginação e o intelecto, uma doença psíquica ameaçava destruí-los. É característico de uma função imperfeitamente desenvolvida subtrair-se da disposição consciente e, por impulso próprio, isto é, com certa autonomia, misturar-se inconscientemente com outras fun-

13. Em 31 de agosto de 1794.

ções. Comporta-se então de modo puramente dinâmico, sem escolha diferenciada, como um ímpeto ou um simples reforço que empresta à função diferenciada consciente o caráter de arrebatamento ou coerção. Em um caso, a função consciente é levada para além de seus limites fixados pela intenção e decisão; no outro caso, porém, é refreada antes de alcançar seu objetivo e desviada para um caminho lateral; e, finalmente, num terceiro caso, é conduzida para um conflito com as outras funções conscientes, conflito esse que permanecerá sem solução enquanto a força instintiva, misturada inconscientemente, não for diferenciada em si e por si e, assim, submetida a uma determinada disposição consciente. Não estaremos errados ao supor que a exclamação interrogativa: "Onde a causa, pois, de ainda assim continuarmos bárbaros?" não tinha seu fundamento apenas no espírito da época, mas também na psicologia subjetiva de Schiller. Como sua época, também ele procura a raiz do mal no lugar errado; pois o barbarismo não consiste e jamais consistirá na pouca eficácia da razão ou da verdade, mas consiste em esperarmos delas esta eficácia ou em atribuirmos à razão esta eficácia a partir de uma supervalorização supersticiosa da "verdade". O barbarismo consiste na unilateralidade, na falta de medida e na errônea proporção em geral.

118 No exemplo impressionante da Revolução Francesa que, exatamente naquela época, alcançaria o auge do terror, pôde Schiller ver até onde ia o poder da Deusa Razão e até onde triunfava no homem a besta irracional. Foram, sem dúvida, estes acontecimentos que forçaram sobre Schiller o problema, dando lugar ao que é frequente: um problema pessoal, no fundo, e portanto aparentemente subjetivo, ao tropeçar com acontecimentos exteriores, cuja psicologia contém os mesmos elementos do conflito, se agiganta e se transforma em questão geral que atinge a sociedade inteira. Com isto se atribui também ao problema pessoal uma dignidade que não possuía antes, pois na discordância consigo mesmo há sempre algo de depressivo e vergonhoso, sentindo-se a pessoa, tanto para fora como para dentro, na situação de um país desonrado pela guerra civil. Por isso se evita a confissão em público de um problema puramente pessoal, a menos que se padeça de uma sobrestima altamente temerária. Se for possível encontrar e reconhecer a conexão entre o problema pessoal e os grandes acontecimentos contemporâneos, haverá uma libertação da solidão puramente pes-

soal, adquirindo o problema subjetivo a amplitude de uma questão geral da nossa sociedade toda. A vantagem disso não é pequena quando se pensa na possibilidade de uma solução. Enquanto o problema pessoal só dispõe das parcas energias do interesse consciente pela própria pessoa, concorrem, agora, as forças instintivas da coletividade, somando-se aos interesses do eu e dando lugar a uma situação nova, garantia de novas possibilidades de solução. O que não poderia ser conseguido pela força pessoal da vontade ou da coragem, pode consegui-lo a força instintiva coletiva, possibilitando ao homem vencer obstáculos que antes não podia, com sua força pessoal.

119 E, assim, podemos supor também que a impressão dos acontecimentos contemporâneos deram a Schiller a coragem de tentar uma solução para o conflito entre o indivíduo e a função social. Este antagonismo também Rousseau o havia percebido profundamente; tornou-se inclusive o ponto de partida de sua obra *Émile ou de l'Education*. Encontramos nela algumas passagens relevantes para o nosso problema: "O homem civil é uma unidade fracionária que depende do denominador e cujo valor, portanto, está em sua relação com o todo, que é o corpo social. As boas instituições são aquelas que sabem melhor desnaturar o homem, tirar-lhe sua existência absoluta e dar-lhe uma relativa, e transportar o eu para a unidade comum".

120 "Aquele que, na ordem civil, quer conservar o primado dos sentimentos da natureza não sabe o que quer. Sempre em contradição consigo mesmo, sempre oscilando entre suas tendências e deveres, não será nunca homem e nem cidadão; não será bom para si mesmo, nem para os outros"[14].

121 Rousseau começa a obra com a célebre frase: "Tudo está bem ao sair das mãos do Autor das coisas; tudo degenera nas mãos do homem". Esta sentença caracteriza Rousseau e toda a época. Também

---

14. "L'homme civil n'est qu'une unité fractionnaire qui tient au dénominateur, et dont la valeur est dans son rapport avec l'entier, qui est le corps social. Les bonnes institutions sociales sont celles qui savent le mieux dénaturer l'homme, lui ôter son existence absolue pour lui en donner une relative, et transporter le moi dans l'unité commune". "Celui qui dans l'ordre civil veut conserver la primauté des sentiments de la nature ne sait ce qu'il veut. Toujours en contradiction avec lui-même, toujours flottant entre ses penchants et ses devoirs, il ne sera jamais ni homme ni citoyen; il ne sera bon ni pour lui ni pour les autres". ROUSSEAU, J.J. *Émile*. Vol. I. Paris: [s.e.], 1851, p. 9.

Schiller olha para trás, não evidentemente para o homem natural de Rousseau – e aqui está a diferença fundamental –, mas para o homem que vivia “sob o céu da Grécia”. Esta *orientação retrospectiva* é comum a ambos e a ela inseparavelmente ligada está a idealização e supervalorização do passado. Maravilhado com a beleza da Antiguidade, Schiller esquece o real quotidiano grego; e Rousseau se excede na frase “o homem natural é tudo em si; é a unidade numérica, o absoluto inteiro” e esquece que o homem natural é totalmente coletivo, isto é, tanto em si quanto nos outros, e que todos os outros são mais do que uma unidade. Em certa passagem diz Rousseau: “Nós nos apegamos e agarramos a tudo; os tempos, os lugares, os homens, as coisas, tudo o que é e será, diz respeito a cada um de nós: nossa individualidade nada mais é do que a mínima parte de nós mesmos. Cada um se estende, por assim dizer, sobre a terra inteira e se torna sensível sobre toda esta grande superfície [...] É a natureza que leva, pois, os homens para tão longe de si mesmos?”[15]

122 Rousseau se deixa enganar: ele acredita que esta situação é coisa recente. Pois não é. Apenas tomamos consciência dela recentemente. Ela sempre existiu e com maior realidade quanto mais retrocedermos para os inícios. O que Rousseau descreve nada mais é do que a mentalidade coletiva primitiva que Lévy-Bruhl acertadamente chamou de “participação mística”. Esta situação de opressão da individualidade não é uma conquista nova, é um resíduo da época arcaica quando nem havia ainda individualidade. Não se trata, portanto, de opressão moderna da individualidade, mas de uma tomada de consciência e de um sentir a força esmagadora do coletivo. Projetamos naturalmente esta força para as instituições estatais e eclesiásticas, como se cada um já não tivesse encontrado meios e caminhos de esquivar-se de obrigações morais, quando conveniente. Estas instituições não possuem aquele poder absoluto que lhes foi atribuído e em virtude do qual foram combatidas, de tempos em tempos, por inovadores de toda espécie; mas esta força opressora reside inconscientemente em nós e so-

15. “Nous tenons à tout, nous nous accrochons à tout; les temps, les lieux, les hommes, les choses, tout ce qui est, tout ce qui sera, importe à chacun de nous: notre individu n’est plus que la moindre partie de nous-mêmes. Chacun s’étend, pour ainsi dire, sur la terre entière, et devient sensible sur toute cette grande surface [...]. Est-ce la nature qui porte ainsi les hommes si loin d’eux-mêmes?” Ibid., vol. II, p. 65.

bretudo na mentalidade coletiva do bárbaro que ainda persiste em larga escala. A psique coletiva odeia, de certa forma, qualquer desenvolvimento individual que não sirva diretamente aos fins da coletividade. Ainda que a diferenciação de uma função, de que falamos acima, seja o desenvolvimento de um valor individual, ela é tão determinada pelo ângulo visual do coletivo que reverte em prejuízo do próprio indivíduo. Ambos os autores devem ao desconhecimento das antigas condições da psicologia humana o falso julgamento que fizeram sobre os valores do passado. Como resultado desse falso julgamento temos uma fixação na imagem ilusória de um homem anterior, mais perfeito, que decaiu de sua posição superior. A própria orientação retrospectiva é um resíduo do pensamento pagão; é uma característica bem conhecida da mentalidade arcaica e bárbara imaginar uma idade de ouro paradisíaca que precedeu os tempos ruins da atualidade. Foi a grande obra social e espiritual do cristianismo que, por primeiro, deu ao homem uma esperança no futuro e lhe prometeu alguma possibilidade de realizar os seus ideais[16]. A ênfase dada a esta orientação retrospectiva no desenvolvimento mais recente do espírito pode estar ligada ao surgimento daquela regressão generalizada ao paganismo que se tornou mais acentuada na Renascença.

123 Parece-me que esta orientação retrospectiva deve ter influência na escolha dos métodos da educação humana. O espírito assim orientado procura apoio em fantasmagorias do passado. Poderíamos passar por cima disso se o conhecimento do conflito entre os tipos e os mecanismos típicos não nos forçasse a procurar também aquilo que possa trazer sua harmonia. Isto era preocupação de Schiller, como podemos ver no texto a seguir. Seu pensamento básico vem expresso nestas palavras que resumem o que dissemos até agora: “Uma divindade benfazeja arranque, em tempo, do seio materno o recém-nascido, alimente-o com o leite de uma época melhor e deixe-o atingir a maturidade sob o céu distante da Grécia. Quando se tiver formado homem, volte, qual figura estranha, para seu tempo; não para alegrá-lo com sua presença, mas, terrível como o filho de Agamêmnon, para purificá-lo”[17]. A predileção pelo protótipo grego dificilmente poderia ser

16. Indicações disso já encontramos nos mistérios gregos.

17. SCHILLER, F. *Über die ästhetische Erziehung des Menschen*. Op. cit., carta 9.

expressa de maneira mais clara. Mas nesta formulação estreita é possível vislumbrar também uma limitação que leva Schiller a um alargamento de perspectiva bastante essencial; ele continua assim: "A matéria ele a tomará do presente, mas a forma irá buscá-la numa época mais nobre, *inclusive para além de todo tempo, na unidade absoluta e imutável de seu ser*". Schiller sentiu nitidamente que deveria retroceder mais ainda para uma época primitiva de heroísmo divino onde os homens eram semideuses. E então prossegue: "É aqui, do puro éter de sua natureza demoníaca, que emana a fonte da beleza, não contaminada pela corrupção das gerações e dos tempos, que se retorcem em turbilhões sombrios bem abaixo dela". Aqui temos a bela ilusão de uma idade áurea quando os homens ainda eram deuses e se extasiavam na contemplação da eterna beleza. Mas também aqui o poeta se sobrepôs ao pensador Schiller. Algumas páginas adiante, o pensador assume novamente o comando. "Na verdade, é preocupante que em quase todos os períodos da história em que floresceram as artes e imperou o gosto encontrássemos a humanidade decaída; e, *num mesmo povo, não temos um exemplo sequer* onde um alto grau e uma ampla generalização da cultura estética andassem lado a lado com a liberdade política ou a virtude cívica, onde os belos costumes andassem com os bons costumes, e a polidez de comportamento com a respectiva sinceridade"[18].

124

De acordo com esse fato bem conhecido e que não pode ser negado, nem sob o aspecto individual, nem no geral, os heróis dos tempos primitivos não levaram uma vida normalmente escrupulosa, o que, aliás, nenhum mito, seja grego ou de outra origem, jamais afirmou. Na verdade, toda aquela beleza só podia gozar a vida porque não havia lei penal e nem polícia dos costumes. Reconhecendo este fato psicológico de que a beleza viva só esparge luminosidade áurea quando se erige sobre uma realidade de trevas, padecimento e feiura, Schiller tira o chão de sua própria tese. Havia tencionado demonstrar que o dividido seria unido pela visão, gozo e criação do belo. A beleza seria o mediador capaz de restaurar a unidade primeva da natureza humana. Ocorre, porém, o contrário; toda a experiência mostra que a beleza precisa de seu oposto para existir.

---

18. Ibid., carta 10.

125 Antes foi o poeta, agora é o pensador que perpassa Schiller: *desconfia* da beleza e, com base na experiência, acha mesmo possível que ela exerça influência deletéria: "Para qualquer ponto do passado que se dirija nosso olhar, verá sempre gosto e liberdade se evitando e verá que *a beleza funda seu domínio unicamente sobre o ocaso das virtudes heroicas*"[19].

126 Esta visão, obtida pela experiência, dificilmente suportará o que Schiller exige da beleza. Prosseguindo em sua dissertação, chega mesmo a construir o reverso da beleza, com toda a clareza que seria de desejar: "Se nos limitarmos, pois, somente ao que a experiência nos ensinou até agora sobre a influência do belo, não poderemos estar muito entusiasmados em *desenvolver sentimentos que parecem tão perigosos para a verdadeira cultura da humanidade*; seria preferível abdicar da força dissolvente do belo, mesmo com o risco de rudeza e austeridade, do que ver-nos entregues, apesar de todas as vantagens do refinamento, à sua influência entorpecente"[20].

127 A luta entre o poeta e o pensador poderia ter sido contornada se o pensador não tomasse as palavras do poeta literalmente, mas *simbolicamente* – e é dessa forma que a linguagem do poeta quer ser entendida. Será que Schiller se enganou a respeito de si mesmo? Parece que sim, pois, caso contrário, não teria argumentado dessa forma contra si mesmo. O poeta fala de uma fonte de beleza pura que está além de qualquer idade ou geração e flui constantemente no coração de toda pessoa. Não é o grego da Antiguidade que o poeta tinha em mente, mas o velho pagão que habita em nós, aquela parcela de natureza eternamente inocente e de beleza natural, inconsciente, mas viva em nós, cujo reflexo transfigura as formas do passado, fazendo-nos supor erroneamente que aquelas pessoas tinham o que nós procuramos. É o homem arcaico em nós, rejeitado pela nossa consciência orientada coletivamente, que nos parece tão feio e inaceitável, mas que é o depositário daquela beleza que, em vão, buscamos alhures. É deste homem que fala o poeta Schiller, mas o pensador Schiller confunde-o com o protótipo grego. O que o pensador não pode deduzir lo-

---

19. Ibid.

20. Ibid.

gicamente de seu material demonstrativo, mas pelo que se esforça inutilmente, isto lhe promete o poeta em linguagem simbólica.

128 De tudo que ficou dito até agora, resulta bem claro que toda tentativa de compensar o ser humano unilateralmente diferenciado de nossa época tem que levar em conta seriamente a aceitação de uma função inferior, porque não diferenciada. Nenhuma tentativa de intermediação será profícua se não pretender soltar as energias das funções inferiores e, então, conduzi-las à diferenciação. Este processo só pode ocorrer de acordo com as leis da energética, isto é, precisa-se criar uma diferença de nível que forneça às energias latentes uma possibilidade de atuação. Seria tarefa totalmente frustrada – já várias vezes tentada e tantas vezes malograda – querer transformar uma função inferior diretamente numa superior. Seria o mesmo que pretender um *perpetuum mobile*. Nenhuma forma inferior de energia pode ser transformada simplesmente numa superior, a não ser que uma fonte de valor superior empreste seu apoio; isto é, a transformação só se opera às custas da função superior, mas em hipótese alguma pode o valor inicial da forma superior de energia ser alcançado pelas formas inferiores, nem mesmo ser realcançado pela função superior, mas a compensação haverá de se realizar num nível intermédio. Mas, para todo indivíduo que se identifica com sua única função diferenciada, isto significa uma descida, ainda que equilibrada, para um estado de valor inferior, comparado com o valor inicial. Isto é inevitável. Toda educação do homem que aspira à unidade e harmonia de seu ser tem que levar em conta este fato. A seu modo, Schiller chega à mesma conclusão, mas reluta em aceitar suas consequências, mesmo correndo o risco de ter que renunciar à beleza.

129 Mas tão logo o pensador tenha pronunciado sua inexorável conclusão, o poeta retoma a palavra: "Talvez a *experiência* não seja o tribunal adequado para resolver esta questão e, antes de aceitarmos a autoridade de seu testemunho, deve ficar bem claro se a beleza de que falamos é a mesma contra a qual testemunham aqueles exemplos"[21]. É evidente que Schiller aqui está tentando colocar-se acima da experiência; ou, em outras palavras, dar à beleza uma qualidade que a expe-

21. Ibid.

riência não lhe garante. Acredita que "*a beleza deveria ser exibida como condição necessária da humanidade*", isto é, como categoria necessária e compulsiva; por isso fala também de um conceito puramente racional da beleza e de um "caminho transcendental" que nos afasta do "ciclo das aparências e da presença viva das coisas". "Quem não se aventura para além da realidade nunca alcançará a verdade"[22]. Sua resistência subjetiva ao que a experiência demonstrou ser o inevitável caminho para baixo impele Schiller a colocar o intelecto lógico a serviço do sentimento, constrangendo-o a uma fórmula que permite, apesar de tudo, realizar o objetivo original, ainda que sua impossibilidade tenha sido demonstrada claramente. Ato de violência semelhante pratica Rousseau ao pressupor que depender da natureza não envolve vício algum, mas depender dos homens, sim; e chega à seguinte conclusão: "Se as leis das nações pudessem ter, como as da natureza, uma inflexibilidade impossível de ser superada por qualquer força humana em tempo algum, a dependência dos homens voltaria a ser a das coisas; na república, todas as vantagens do estado natural seriam reunidas às do estado civil; juntar-se-ia à liberdade que mantém o homem isento de vícios a moralidade que o eleva à virtude".

130 Com base nesta reflexão, dá o seguinte conselho: "Conservai a criança na dependência exclusiva das coisas; assim tereis seguido a ordem da natureza no progresso de sua educação". "Contudo, não é preciso forçar a criança a permanecer quieta quando quer andar, nem a andar quando quer ficar quieta. Quando a vontade das crianças não é mimada por nossa culpa, elas não querem nada inutilmente"[23].

131 A desgraça é que as leis das nações nunca e em circunstância alguma estão em tal concordância com as da natureza que o estado civilizado seja, ao mesmo tempo, o estado natural. Se fosse possível

---

22. Ibid.

23. "Si les lois des nations pouvaient avoir, comme celles de la nature, une inflexibilité que jamais aucune force humaine ne pût vaincre, la dépendance des hommes redeviendrait alors celle des choses; on réunirait dans la république tous les avantages de l'état naturel à ceux de l'état civil; on joindrait à la liberté qui maintient l'homme exempt de vice, la moralité qui l'élève à la vertu"... "Maintenez l'enfant dans la seule dépendance des choses, vous aurez suivi l'ordre de la nature dans le progrès de son éducation"... "Il ne faut point contraindre un enfant de rester quand il veut aller, ni d'aller quand il veut rester en place. Quand la volonté des enfants n'est point gâtée par notre faute, ils ne veulent rien inutilement". *Émile*. Vol. II, op. cit., p. 68s.

imaginar tal concordância, só o seria como um compromisso em que nenhum dos estados alcançaria seu ideal, mas ficaria bem abaixo dele. Quem quiser atingir um ou outro dos ideais deve contentar-se com a formulação do próprio Rousseau: "É preciso optar entre fazer um homem ou um cidadão; pois não se pode fazer, ao mesmo tempo, um e outro".

132 Existem em nós essas duas necessidades: natureza e cultura. Não podemos ser apenas nós mesmos, devemos estar relacionados também aos outros. Por isso, há que encontrar um caminho que não seja um compromisso puramente racional; deve ser um estado ou processo plenamente compatível com o ser vivo, "um caminho e um caminho santo", como diz o Profeta, "um caminho reto, e os insensatos não errarão nele"[24]. Inclino-me, pois, a dar certa razão ao poeta em Schiller, ainda que neste caso ele se tenha sobreposto, algo violentamente, ao pensador, pois as verdades racionais não são a última palavra; há também verdades irracionais. Na verdade, todas as maiores transformações que sobrevieram à humanidade não chegaram por via do cálculo intelectual, mas por vias que os intelectuais contemporâneos ignoraram ou rejeitaram como absurdas, e que, só bem mais tarde, foram reconhecidas por causa de sua necessidade intrínseca. E, mais frequentemente, nunca foram reconhecidas, pois as leis mais importantes da evolução mental são ainda um livro trancado a sete chaves.

133 Bem entendido, não estou disposto a atribuir valor especial ao comportamento filosófico do poeta, pois, em suas mãos, o intelecto é um instrumento enganoso. O que o intelecto podia conseguir já o conseguiu neste caso: desvendou a contradição entre desejo e experiência. É, pois, inútil continuar exigindo do pensar filosófico uma solução para esta contradição. E se, afinal, for possível imaginar uma solução, persistirá o obstáculo real, pois a solução não está na possibilidade de pensá-la ou na descoberta de uma verdade racional, mas na descoberta de um caminho que a vida real pode aceitar. Nunca faltaram sugestões ou sábias doutrinas. Se fosse apenas este o caso, a humanidade já teria tido a melhor oportunidade de chegar aos píncaros, sob todos os aspectos, no tempo de Pitágoras. É por isso que não

---

24. Is 35,8.

se deve tomar em sentido literal o que Schiller propõe, mas como um símbolo que, de acordo com a inclinação filosófica de Schiller, vem envolto num conceito filosófico. Da mesma forma o "caminho transcendental" que Schiller se propõe a trilhar não deve ser entendido como um raciocínio de crítica epistemológica, mas, simbolicamente, como o caminho que o homem sempre segue ao defrontar-se com um obstáculo impossível de ser superado pela razão, ou quando se depara com uma tarefa insolúvel. Mas para achar e seguir este caminho, deve, antes, deter-se longo tempo entre os opostos em cuja direção se bifurcou o caminho original. O obstáculo represa o rio de sua vida. Sempre que ocorre um represamento da libido, os opostos, antes unidos no fluxo constante da vida, se dividem e se enfrentam como adversários, sedentos de batalha. Esgotam-se, então, numa luta prolongada cuja direção e desfecho são imprevisíveis; mas, da energia que perdem, constrói-se aquela terceira coisa que é o começo de um caminho novo.

134 De acordo com esta lei, Schiller se dedica agora a um profundo exame da natureza dos opostos em ação. Não importa o obstáculo com que nos defrontamos – contanto que seja grande – a discordância entre nosso próprio intento e o objeto refratário se transforma, logo, em discordância em nós mesmos. Pois, enquanto luto para subordinar o objeto rebelde à minha vontade, todo o meu ser entra, aos poucos, em relação com ele, em virtude do grande investimento de libido que, por assim dizer, transfere uma parte de meu ser diretamente para o objeto. O resultado é uma identificação parcial de certas porções de minha personalidade com qualidades semelhantes do objeto. Logo que se opera esta identificação, o conflito fica transferido para minha própria psique. Esta "introjeção" do conflito com o objeto cria uma discordância dentro de mim, tornando-me impotente com relação ao objeto e liberando afetos, sempre sintomáticos de desarmonia interior. Os afetos, porém, provam que me percebo a mim mesmo e que estou, portanto, em condições – se não for cego – de prestar atenção em mim mesmo e de seguir em mim o jogo dos opostos.

135 Este é o caminho seguido por Schiller. Não coloca a discordância entre estado e indivíduo, mas, no início da XI Carta, ele a concebe como a dualidade de "pessoa e estado", ou seja, como o eu e seu ser afetado variável. Enquanto o eu é relativamente constante, seu relacio-

nar-se ou o ser afetado é variável. Schiller tenta, pois, agarrar a discordância pela raiz. E, de fato, um dos lados dela é a função consciente do eu, o outro é a relação do eu com o coletivo. Ambas as determinantes são inerentes à psicologia humana. Mas cada um dos diversos tipos há de ver esses fatos básicos sob uma luz diferente. Para o introvertido, a ideia do eu é a nota contínua dominante da consciência, ao passo que o estar relacionado ou afetado é o contrário. Para o extrovertido, porém, o acento recai mais na continuidade de sua relação com o objeto e não tanto na ideia do eu. Assim, o problema é diferente para ele. Ao seguir as reflexões ulteriores de Schiller, temos que ter isto em mente. Quando diz, por exemplo, que a pessoa se revela "na eterna constância do eu, e apenas nela", isto se afirma a partir do ponto de vista do introvertido. Do ponto de vista do extrovertido, dever-se-ia dizer que a pessoa se revela apenas e simplesmente em seu relacionar-se, na função de relação com o objeto. Pois apenas no introvertido é que a "pessoa" é exclusivamente o eu; no extrovertido, a pessoa consiste no ser afetada e não no eu afetado. O eu dele, pode-se dizer, está sujeito à sua afetação, isto é, ao seu relacionamento. O extrovertido se descobre no flutuante e mutável; o introvertido, no constante. O eu não é "eternamente constante", e muito menos para o extrovertido que lhe dá pouca importância. Mas para o introvertido é muito importante e, por isso, evita qualquer mudança que atinja seu eu. Para ele, o ser afetado pode ser algo positivamente doloroso, enquanto que para o extrovertido ele não deve ser perdido de forma alguma. A seguinte passagem deixa entrever claramente o introvertido: "A prescrição que sua natureza racional lhe dá é que permaneça sempre o mesmo em qualquer mudança, que transforme percepção em experiência, isto é, na unidade do conhecimento e que faça de cada manifestação no tempo a lei para todos os tempos"[25]. É evidente a atitude abstrativa e autoconsciente; e inclusive dela se faz a suprema norma de conduta. Qualquer evento deve ser elevado, de imediato, ao nível da experiência, e da soma dessas experiências deve emergir logo uma lei para todos os tempos; ainda que a outra atitude, onde nenhum evento deve transformar-se em experiência, para que não produza leis que possam estorvar o futuro, seja também humana.

---

25. SCHILLER, F. *Über die ästhetische Erziehung des Menschen*. Op. cit., carta 11.

Está de acordo com a atitude de Schiller que ele não possa conceber Deus como *devir*, mas apenas como *eternamente ser*; e é com intuição segura que reconhece a "semelhança de Deus" no estado ideal introvertido: "O homem, considerado em sua perfeição, seria pois a unidade constante que, em meio às vicissitudes das mudanças, continuaria eternamente o mesmo". – Inquestionavelmente, "o homem traz dentro de si a potencialidade para a divindade".

136 Esta concepção da natureza de Deus combina mal com sua encarnação cristã e as opiniões análogas dos neoplatônicos sobre a mãe dos deuses e de seu filho que, como demiurgo, desce para dentro do devir[26]. Mas fica bem claro qual a função a que Schiller atribui o valor mais alto, a divindade: é a constância da ideia do eu. O eu que se abstrai de ser afetado é para ele a coisa mais importante e, por isso, é esta a ideia que mais diferenciou, como acontece com todo introvertido. Seu Deus, seu valor mais alto, é a abstração e conservação do eu. Para o extrovertido, contudo, o Deus é a experiência do objeto, imersão total na realidade; por isso um Deus que se tornou homem lhe é mais simpático do que um legislador eterno e imutável. Quero antecipar aqui que estes pontos de vista são válidos apenas para a psicologia consciente dos tipos. No inconsciente, as relações são inversas. Schiller parece ter-se apercebido disso: seu intelecto consciente acredita num Deus de existência imutável, mas o caminho para a divindade lhe é revelado pelos sentidos, portanto no ser afetado, no processo vivo e na mudança. Mas para ele isto é uma função de importância secundária e, na medida em que se identifica com seu eu e se abstrai do mutável, sua disposição consciente se torna também totalmente abstrata, enquanto que o ser afetado, a relação com o objeto, vai cair sempre mais dentro da zona inconsciente. Disso resultam consequências importantes:

137 A atitude abstrativa do consciente que, perseguindo seu ideal, faz de cada evento uma experiência e transforma as experiências em lei desemboca em certa limitação e empobrecimento, características do introvertido. Schiller experimentou isso claramente em sua relação com Goethe; percebeu a natureza mais extrovertida de Goethe como

26. Cf. o discurso de Juliano sobre a mãe dos deuses ["Oratio V. In: Matrem deorum"].

algo objetivamente oposto a ele[27]. De si mesmo fala Goethe o seguinte: "Como homem observador sou um realista inveterado, de modo que não sei desejar nada das coisas que se me apresentam nem que se lhes acrescente algo, e entre os objetos não sei fazer outra diferença do que se me interessam ou não"[28]. A respeito da influência exercida por Schiller sobre ele, diz Goethe de modo bem característico: "Se lhe servi de representante de certos objetos, você me levou, *da observação muito rigorosa das coisas externas e de suas relações, de volta para mim mesmo. Você me ensinou a observar com mais equidade a multiplicidade do homem interior*"[29]. Por outro lado, Schiller encontrou em Goethe, conforme o disse várias vezes, um complemento e um aperfeiçoamento de sua própria natureza e, ao mesmo tempo, sentiu a diferença que expressa da seguinte forma: "Não espere de mim uma grande riqueza material de ideias; é isto o que eu encontro em você. Preciso e me esforço por fazer muito com pouco e, uma vez que você conhece melhor minha pobreza naquilo que chamam de conhecimentos adquiridos, talvez perceba que algumas vezes fui bem-sucedido. Sendo menor meu círculo de ideias, percorro-o mais depressa e mais vezes e consigo, assim, utilizar melhor meu pouco haver, e produzir, pela forma, a multiplicidade que falta ao conteúdo. Você procura simplificar o vasto mundo de suas ideias, enquanto eu procuro variar minhas pequenas posses. Você tem um reino para administrar, eu apenas uma numerosa família de conceitos que gostaria de ampliar para um pequeno mundo"[30].

138 Subtraindo a manifestação de certos sentimentos de inferioridade, característicos do introvertido, e acrescentando que o "grande mundo das ideias" é menos regido pelo extrovertido, mas ele próprio está mais submetido a ele, então a exposição de Schiller dá uma imagem bem adequada daquela indigência que procura desenvolver-se a partir de uma atitude essencialmente abstrativa.

139 Outra consequência dessa atitude abstrativa da consciência e que se mostrará importante no decorrer de nossa exposição é a circuns-

27. Carta a Goethe, 5 de janeiro de 1798.

28. Carta a Schiller, 27 de abril de 1798.

29. Carta a Schiller, 6 de janeiro de 1798.

30. Carta a Goethe, 31 de agosto de 1794.

tância de que o inconsciente desenvolve nesse caso uma atitude de compensação. Quanto mais a abstração consciente restringe a relação com o objeto (porque se fazem "experiências" e "leis" em demasia), tanto mais surge no inconsciente um desejo pelo objeto que se manifesta, enfim, na consciência, como uma *fixação sensorial compulsiva no objeto*. A relação sensorial assume então o lugar de uma relação *de sentimento* com o objeto, por falta dessa ou porque foi suprimida pela abstração. Por isso Schiller considera os *sentidos* e não os *sentimentos* como o caminho para a divindade. O seu eu serve-se do pensamento, mas seus afetos, seus sentimentos usam a sensualidade*. A dissociação está, para ele, entre espiritualidade como pensamento e sensualidade como afetividade ou sentimento. No extrovertido, porém, a situação é inversa: sua relação com o objeto está desenvolvida, mas seu mundo de ideias é sensual, concreto e pessoal.

140 O sentimento sensual ou, melhor, o sentimento encontrado no estado de sensualidade é *coletivo*, isto é, produz um tipo de relação ou afeição que coloca o homem sempre também no estado de "participação mística", e portanto no estado de identidade parcial com o objeto sentido. Esta identidade se manifesta numa dependência compulsiva do objeto sentido e é isto que, a modo de círculo vicioso, causa no introvertido um fortalecimento da abstração para assim abolir a relação incômoda e a compulsão que dela provém. Schiller reconheceu esta peculiaridade do sentimento sensual: "Enquanto apenas sente, apenas deseja e age por mero apetite, *ele nada mais é que mundo*"[31]. Mas como o introvertido não pode abstrair indefinidamente, para escapar de ser afetado, vê-se finalmente compelido a modelar o exterior. "Para não ser apenas mundo, precisa dar forma à matéria", diz Schiller[32], "deve exteriorizar todo o interior e dar forma a todo o exterior. Ambas as tarefas, consideradas em sua realização máxima, reconduzem ao conceito da divindade do qual parti".

141 Esta conexão é importante. Suponhamos que o objeto sentido sensualmente seja uma pessoa humana – aceitará ela esta receita? Ou

---

* Os termos sensualidade e sensual são empregados aqui no sentido de receptividade a sensações e de percepção através dos órgãos dos sentidos [N.T.].

31. SCHILLER, F. *Über die ästhetische Erziehung des Menschen*. Op. cit., carta 11.

32. Ibid

seja, deixará ela modelar-se como se aquele ao qual está relacionada fosse seu criador? O homem é chamado a fazer o papel de Deus em pequena escala, mas também as coisas inanimadas têm um direito divino sobre o seu próprio ser, e o mundo já não era um caos, desde que os primatas começaram a afiar pedras. Seria um fato assaz preocupante se todo introvertido quisesse exteriorizar seu mundo limitado de conceitos e modelar o exterior de acordo com isso. Isso acontece quase diariamente, mas o homem também sofre, e com toda razão, sob essa semelhança com Deus. Para o extrovertido essa fórmula soaria assim: "Internalizar todo o externo e modelar todo o interno". Esta reação, como vimos acima, Schiller a produziu também em Goethe. E Goethe fornece ainda um paralelo bem próprio ao escrever a Schiller: "Por outro lado, em toda espécie de atividade, sou, por assim dizer, totalmente *idealista: não pergunto pelos objetos, mas exijo que tudo se conforme às minhas concepções*" (27 de abril de 1798). Isto significa que quando o extrovertido pensa, tudo acontece tão despoticamente como quando o introvertido age no mundo externo[33]. Essa fórmula só pode reclamar validade onde já foi atingido um estado quase perfeito e, portanto, no introvertido, um mundo conceitual tão rico, tão flexível e tão exprimível que não mais force o objeto para dentro de um leito de Procusto e, no extrovertido, um conhecimento e respeito pelo objeto tão completo que não mais possa dele emanar qualquer caricatura quando o seguimos em seu pensar. Vemos que Schiller baseia sua fórmula no critério mais alto possível e coloca, assim, exigências quase proibitivas ao desenvolvimento psicológico do indivíduo – supondo que tenha plena clareza em todos os detalhes sobre o que significa sua fórmula.

142 Seja como for, está perfeitamente claro que a fórmula "exteriorizar todo o interior e modelar todo o exterior" é o ideal da atitude consciente do introvertido. Repousa, de um lado, na suposição de um espaço ideal em seu mundo conceitual interno, do princípio for-

33. Gostaria de sublinhar que todas as minhas observações neste capítulo sobre o extrovertido e introvertido só se aplicam aos tipos aqui abordados, ou seja, ao tipo sentimento intuitivo e extrovertido que Goethe representa e ao tipo pensamento intuitivo e introvertido representado por Schiller.

mal e, de outro, na suposição da possibilidade de um emprego ideal do princípio sensório que, neste caso, já não se apresenta como ser afetado, mas como potência ativa. Enquanto o homem for "sensual", ele "nada mais é do que mundo" e, para "não ser apenas mundo, precisa dar forma à matéria". Aqui há uma inversão no princípio sensual, passivo e receptivo. Mas como pode acontecer esta inversão? Eis o nó da questão. É difícil supor que um homem possa dar a seu mundo de ideias aquela amplitude extraordinária que seria necessária para dar ao mundo material uma forma condizente e, ao mesmo tempo, fazer passar seu ser afetado, sua sensualidade, do estado passivo para o ativo e, assim, elevá-la ao nível de seu mundo de ideias. Em algum lugar o homem deve estar relacionado, sucumbir, por assim dizer, caso contrário seria realmente semelhante a Deus. Teria que acontecer então que Schiller permitisse a violência contra o objeto. Mas isto seria conceder um ilimitado direito de existir à função arcaica inferior, como o fez Nietzsche mais tarde, ao menos em teoria. Esta suposição não se aplica de forma nenhuma a Schiller pois, ao que eu saiba, ele nunca se pronunciou conscientemente a este respeito. Sua fórmula tem, antes, um caráter eminentemente ingênuo-idealista, bem conforme ao espírito de sua época, ainda não afetada por aquela desconfiança profunda do ser e da verdade humanos, como foi a época do criticismo psicológico, inaugurada por Nietzsche.

143 A fórmula de Schiller só pode ser levada a efeito com o emprego de um ponto de vista de violência que não liga para a justiça ou equidade com referência ao objeto ou para um exame consciente da própria competência. Somente neste caso, que Schiller certamente nunca observou, poderia a função inferior participar da vida. Foi desse modo que o arcaico, ingênuo e inconsciente e ainda coberto pelo brilho de grandes palavras e belos gestos, se fez presente e nos ajudou a construir a "civilização" atual, sobre cuja essência a humanidade está agora em certo desacordo. O instinto arcaico de poder que até então se mantivera oculto atrás dos gestos culturais, manifestou-se agora como tal e demonstrou cabalmente que "ainda somos bárbaros". É preciso não esquecer, por exemplo, que, da mesma forma como a atitude consciente pode orgulhar-se de certa semelhança com Deus devido a seu alto e absoluto ponto de vista, desenvolve-se uma atitude inconsciente cuja semelhança com Deus está orientada para baixo,

ou seja, para um deus arcaico, de natureza sensual e violenta. A enantiodromia de Heráclito cuida para que chegue o tempo em que também esse *deus absconditus* se aproxime da superfície e coloque na parede o deus de nosso ideal. É como se as pessoas do final do século XVIII não tivessem visto exatamente o que aconteceu em Paris e tivessem persistido numa atitude de bom ânimo, entusiasta e lúdica, a fim de enganar-se a respeito do espetáculo das baixezas do ser humano.

> "Mas lá embaixo há terror,
> e que o homem não tente os deuses,
> nem queira jamais contemplar
> o que, benignos, encobrem com noite e horror".
> (SCHILLER, *O mergulhador*)

144 Na época em que Schiller viveu ainda não era chegado o tempo de confrontar-se com o mundo inferior. Nietzsche estava, também interiormente, mais próximo a este tempo e por isso tinha certeza de que nos avizinhávamos de uma época de grandes lutas. Por isso também rasgou, como o único verdadeiro discípulo de Schopenhauer, o véu da ingenuidade e revelou, em seu *Zaratustra*, algo do que deveria ser o conteúdo vivo de uma época vindoura.

b) Sobre os instintos fundamentais

145 Na 12ª carta Schiller aborda os dois instintos básicos com uma descrição em detalhes. O instinto "sensual" trata de "inserir o homem dentro das limitações do tempo e fazê-lo matéria". Este instinto exige que haja "mudança e que o tempo tenha conteúdo. Este estado de tempo meramente preenchido chama-se *sensação*"[34]. "Nesse estado, o homem nada mais é do que uma unidade de magnitude, uma fração de tempo preenchida – ou melhor, não é nada, pois sua personalidade fica supressa enquanto é dominado pela sensação e enquanto o tempo o arrebata consigo". "Com laços inquebráveis ele (este instinto) prende ao mundo dos sentidos o espírito que procura as alturas e reconduz para os limites do presente a abstração em sua franca peregrinação rumo ao infinito"[35].

---

34. SCHILLER, F. *Über die ästhetische Erziehung des Menschen*. Op. cit., carta 12.
35. Ibid.

146 É bem típico da psicologia de Schiller que ele entenda a manifestação desse instinto como "sensação" e não como *desejo* sensual ativo. Isto mostra que a sensualidade tem para ele o caráter de *reativo*, de ser afetado, o que é próprio do introvertido. Um extrovertido dará maior ênfase ao caráter do *desejo*. É característico, além do mais, que seja este instinto a exigir mudança. A ideia quer o inalterável, a eternidade. Quem está sob o primado da ideia luta pelo invariável e, por isso, tudo o que tende à mudança está impreterivelmente no lado oposto; no caso de Schiller, são o sentimento e a sensação que, via de regra, estão fundidos devido ao seu estado de não desenvolvidos. Schiller não faz suficiente distinção entre *sentimento* e *sensação*, conforme o demonstra a passagem seguinte: "O sentimento pode apenas dizer: isto é verdadeiro para este sujeito e neste dado momento; outro momento e outro sujeito podem vir e revogar a afirmação da atual sensação".

147 Esta passagem mostra claramente que, para Schiller, sentimento e sensação são termos intercambiáveis também no linguajar comum. O conteúdo da passagem mostra uma valoração e diferenciação insuficientes do sentimento em confronto com a sensação. O sentimento diferenciado pode estabelecer também *valores gerais* e não apenas casuísticos. É verdade, porém, que a *sensação-sentimento* do tipo pensamento introvertido, devido a seu caráter passivo e reativo, é puramente casuística; não consegue elevar-se acima do caso individual, pois somente ele a provocou, e fazer uma comparação abstrata de todos os casos, uma vez que no tipo pensamento introvertido esta função não é exercida pela função do sentimento, mas pela função do pensamento. O contrário acontece com o tipo sentimento introvertido onde o sentimento alcança caráter abstrato e universal, podendo estabelecer valores universais e permanentes.

148 Percebe-se também na descrição de Schiller que a "sensação-sentimento" (termo pelo qual designei a fusão característica dos dois no tipo pensamento introvertido) é aquela função com a qual o eu se declara não identificado. Ela tem o caráter de resistência e de estrangeiro que "suprime" a personalidade, que a arrasta consigo, coloca a pessoa fora de si mesma, alienando-a de si. Por isso Schiller a coloca em paralelo com o *afeto* que põe a pessoa "fora de si mesma"[36]. Quando, de-

---

36. Isto é, "extroverte".

pois, se volta novamente ao normal, chama-se isto de "propriamente *entrar em* si[37], isto é, voltar a seu eu, recompor sua pessoa". Segue disso obviamente que, para Schiller, a "sensação-sentimento" parece não pertencer à pessoa, mas ser um estado acessório, mais ou menos desagradável, ao qual oportunamente "se oporá, vitoriosa, uma vontade mais forte". Ao extrovertido, no entanto, parece ser exatamente este o lado que constitui sua verdadeira natureza, que só é plenamente ele mesmo quando afetado pelo objeto – o que é compreensível se considerarmos que, para ele, a relação com o objeto é a função diferenciada mais importante e para quem o pensar abstrato e o sentir são tão contrários quanto são essenciais para o introvertido. O pensar do tipo sentimento extrovertido é atingido pelo preconceito da sensualidade tanto quanto o sentimento do tipo pensamento introvertido. Para ambos significa extrema "limitação" ao material e casuístico. Também a vivência do objeto conhece "a mais livre peregrinação para o infinito" e não só a abstração, como em Schiller.

149 Devido a esta exclusão da sensualidade do conceito e âmbito da pessoa, pôde Schiller chegar à afirmação que a pessoa é "unidade absoluta e indivisível" e que "nunca pode estar em contradição consigo mesma". Esta unidade é um desejo do intelecto que gostaria de manter seu sujeito na integridade mais ideal e que, portanto, como função mais importante, exclui a função da sensualidade que lhe parece inferior. O resultado é a mutilação do ser humano que constitui precisamente o motivo e o ponto de partida do estudo de Schiller.

150 Já que o sentimento tem para Schiller a qualidade de sensação-sentimento e, portanto, só é casuístico, o valor mais alto, um valor realmente eterno, só é atribuído ao pensamento formador, isto é, ao "instinto formal", como o denomina Schiller[38]: "Mas quando o pensamento diz: *isto é, então decide para sempre e eternamente*, e a validade de sua afirmação é garantida pela própria *personalidade que desafia qualquer mudança*"[39]. Contudo, há que perguntar: o sentido e valor da personalidade estarão apenas no pensamento? Não pode-

---

37. Isto é, "introverte".

38. "Instinto formal" e "força do pensamento" são análogos em Schiller. Cf. SCHILLER, F. *Über die ästhetische Erziehung des Menschen*. Op. cit., carta 13.

39. Ibid., carta 12.

riam a mudança, o vir-a-ser, a evolução representar valores mais altos do que o mero "desafio" contra a mudança?[40]

151 "Onde o instinto formal domina e age em nós o objeto puro, aí se encontra a máxima amplitude do ser, aí desaparecem todas as limitações, e o homem se eleva da unidade quantitativa à qual o restringia o sentido carente, para uma unidade de ideias que abarca o reino todo dos fenômenos". – "Já não somos indivíduos, mas espécie; o juízo de todos os espíritos é pronunciado pelo nosso, a escolha de todos os corações está representada em nossa ação".

152 É indubitável que o pensamento do introvertido aspira a este empíreo, mas pena é que a unidade de ideias seja o ideal de uma classe limitada de pessoas. O pensar é apenas uma função que, plenamente desenvolvida e obedecendo exclusivamente a suas próprias leis, pretende naturalmente validade universal. Portanto, apenas uma parte do mundo pode ser abarcada pelo pensar, outra parte unicamente pelo sentir, outra pela sensação etc. É por isso também que existem funções psíquicas diversas, pois o sistema psíquico só pode ser entendido biologicamente como um sistema de adaptação, assim como presumimos haver olhos porque existe a luz. Em todos os casos, o pensar só tem uma terça ou quarta parte de importância, ainda que tenha validade exclusiva em sua própria esfera, assim como o enxergar é a função de validade exclusiva para perceber as ondas luminosas, o ouvir para as ondas sonoras. Quem coloca, portanto, no cume a "unidade de ideias" e vê na sensação-sentimento um oposto à sua personalidade pode ser comparado a alguém que tenha bons olhos, mas seja completamente surdo e anestesiado.

153 "Já não somos indivíduos, mas espécie": certamente, se nos identificarmos com o pensar ou exclusivamente com *uma* função, então somos seres coletivos de valor geral, mas somos totalmente estranhos a nós mesmos. Afora essa quarta parte da psique, as outras três quartas partes ficam no escuro, na repressão e inferioridade. "É a natureza que leva os homens tão longe de si mesmos?" podemos perguntar com Rousseau – jamais a natureza em primeiro lugar, mas nossa própria psicologia que, de maneira bárbara, sobrestima uma única fun-

---

40. Mais adiante o próprio Schiller critica este ponto.

ção e por ela se deixa arrastar. Este ímpeto é, sem dúvida, um pedaço da natureza, ou seja, aquela energia instintiva indomada que assusta o tipo diferenciado quando ela se manifesta "por acaso" não na função ideal, onde é honrada e venerada com entusiasmo divino, mas numa função inferior, como o diz Schiller com muita clareza: "Mas teu ser individual e tua necessidade atual *serão carregados pela mudança e o que desejas agora com ardor será, depois, objeto de tua repugnância*"[41].

154 Quer o indomado, o desmesurado e desproporcionado se manifeste na sensualidade – *in abiectissimo loco* – ou na função mais desenvolvida, sob a forma de sobrestima e deificação, é basicamente a mesma coisa: *barbárie*. Mas isto não se pode notar enquanto estivermos ainda hipnotizados pelo *objeto* do agir e desconsiderarmos, por isso, o *como* proceder.

155 Ser idêntico a uma função significa ser coletivo; não mais *coletivo idêntico*, como os primitivos, mas *coletivo adaptado*; é verdade que "o juízo de todos os espíritos é pronunciado através do nosso" enquanto pensarmos e falarmos exatamente como é de se esperar daqueles cujo pensar está diferenciado e adaptado na mesma proporção. Também "a escolha de todos os corações está representada em nossa ação" enquanto pensarmos e agirmos exatamente como todos desejam que seja pensado e agido. Todos acreditam e desejam que o melhor e o mais ambicionado seja conseguir, tanto quanto possível, uma identidade com uma função diferenciada, pois isso trará as vantagens sociais mais evidentes; mas trará os maiores prejuízos para os aspectos menos desenvolvidos do homem que constituem às vezes grande parte da individualidade. Diz Schiller: "Assim que se afirmar um antagonismo originário e também necessário entre os dois instintos, não há outro recurso para manter a unidade no homem do que *subordinar incondicionalmente* o instinto sensual ao racional. Daí só pode resultar uniformidade, mas nenhuma harmonia, e o homem continua eternamente dividido"[42]. "Por ser difícil permanecer fiel aos princípios do sentimento com todo o seu dinamismo, apelamos

---

41. SCHILLER, F. *Über die ästhetische Erziehung des Menschen*. Op. cit., carta 12.

42. Ibid., carta 13, nota.

para o meio mais cômodo: *assegurar o caráter pelo embotamento dos sentimentos*; pois é bem mais fácil obter a paz de um adversário desarmado do que vencer um inimigo valente e troncudo. Nesta operação está contido, em sua maior parte, o que denominamos formar um homem; e isto no melhor sentido da palavra, ao significar um trabalho sobre o interior e não apenas sobre o exterior. Um homem assim formado estará evidentemente a coberto de tornar-se crua natureza e de aparecer como tal; também estará escudado, por seus princípios, contra qualquer sensação da natureza, impermeável, interior e exteriormente, a qualquer humanidade"[43].

156 Schiller também estava consciente de que as duas funções, pensamento e ser afetado (sensação-sentimento), podiam ser *substituídas uma pela outra* (o que acontece, como já vimos, quando se privilegia uma das funções): "Pode atribuir à função passiva (ser afetado) a intensidade a que aspira a força ativa, antecipando o instinto formal através do instinto material e tornando determinante a faculdade receptiva. Pode *atribuir* à força ativa (ao pensamento positivo) a *extensão* que compete à força passiva, antecipando o instinto material através do instinto formal e substituindo a faculdade determinante pela receptiva. No primeiro caso, nunca será ele mesmo; no segundo, nunca será outra coisa"[44].

157 Nesta passagem importantíssima está contida muita coisa do que falamos acima. Quando a força do pensamento positivo acorre para a sensação-sentimento, o que significaria uma inversão do tipo, as qualidades da sensação-sentimento não diferenciada e arcaica assumem a predominância, isto é, o indivíduo cai em poder de uma relação muito intensa, uma identidade com o objeto sentido. Este estado corresponde à assim chamada *extroversão inferior*, isto é, uma extroversão que, por assim dizer, desliga completamente a pessoa de seu eu e a dissolve em laços e identidades arcaicas e coletivas. E então já não é "ele mesmo", mas apenas relação, idêntico a seu objeto e, portanto, sem apoio. Contra este estado, o introvertido sente instintivamente a maior resistência, mas isto não o impede de nele incorrer muitas ve-

---

43. Ibid.

44. Ibid., carta 13.

zes inconscientemente. Este estado não deve ser confundido, em hipótese alguma, com a extroversão de um tipo extrovertido, ainda que o introvertido sempre esteja inclinado a fazer esta confusão e dar a esta extroversão o mesmo desprezo que, no fundo, ele sempre vota à sua própria relação[45]. Por outro lado, o segundo caso significa a representação pura e simples do tipo pensamento introvertido que, amputando as sensações-sentimentos inferiores, se condena à esterilidade, isto é, àquele estado em que fica "impermeável, interior e exteriormente, a qualquer humanidade".

158 Também aqui fica patente que Schiller escreve sempre e unicamente a partir do ponto de vista do introvertido. O extrovertido, por exemplo, que tem seu eu na relação-sentimento com o objeto e não no pensamento, encontra-se a si mesmo no objeto, ao passo que o introvertido nele se perde. Mas quando o extrovertido introverte, ele chega a uma relação inferior com as ideias coletivas e a uma identidade com um pensar coletivo de natureza arcaica e concretista que poderíamos denominar *representação-sensação*. Nessa função inferior ele também se perde, como o introvertido em sua extroversão. Por isso, o extrovertido tem a mesma aversão, medo ou desprezo silencioso pela introversão, como o introvertido pela extroversão.

159 Schiller sente como *insuperável* a oposição entre os dois mecanismos – em seu caso, entre sensação e pensar, ou, como ele também diz, "matéria e forma" ou "passividade e atividade" (ser afetado e pensamento ativo)[46]. "A distância entre sensação e pensar" é "infinda" e não pode "ser mediada por nada". Os dois "estados são opostos e jamais poderão unificar-se"[47]. Mas ambos os instintos querem existir e, sendo "energias" – como Schiller os pensa de forma bem moderna –, querem e precisam de uma "despotencialização"[48]. "O instinto material bem como o instinto formal são sérios em suas exigências porque, no conhecimento, um se refere à *realidade* e o outro à

45. Para evitar mal-entendidos, gostaria de observar que este desprezo não atinge o objeto, ao menos não via de regra, mas apenas a relação com ele.

46. Em oposição ao pensamento *reativo*, acima mencionado.

47. SCHILLER, F. *Über die ästhetische Erziehung des Menschen*. Op. cit., carta 18.

48. Ibid., carta 13.

necessidade das coisas"[49]. "Contudo, a despotencialização do instinto sensual não deve ser em absoluto consequência de uma incapacidade física e de um embotamento da sensação que só merecem desprezo; deve ser um ato de liberdade, uma atividade da pessoa que modera o sensual por meio de sua intensidade moral [...] Somente ao espírito devem render-se os sentidos"[50]. Analogamente, é forçoso concluir que o espírito somente deve render-se aos sentidos. Schiller não o diz diretamente, mas certamente o pensou ao afirmar: "Também essa despotencialização do instinto formal não deve ser a consequência de uma incapacidade espiritual ou de uma dormência das forças do pensar e da vontade que degradariam a humanidade. A plenitude das sensações deve ser sua fonte gloriosa; a própria sensualidade deve afirmar seu território com força vencedora e resistir à violência que o espírito gostaria de impor-lhe através de sua atividade usurpadora"[51].

160 Com essas palavras Schiller reconhece os direitos iguais da "sensualidade" e da espiritualidade. Concede à sensação o direito à sua própria existência. Mas, ao mesmo tempo, podemos ver nessa passagem o contorno de um pensamento ainda mais profundo: a ideia de uma "reciprocidade" entre os dois instintos, uma comunhão de interesses ou, em linguagem moderna, uma *simbiose* em que o produto residual de uma poderia ser o alimento da outra. Schiller diz que "a reciprocidade dos dois instintos consiste em que a ação de um *fundamenta* e *limita*, ao mesmo tempo, a ação do outro" e que "cada um deles chega à mais alta manifestação de si pelo fato de o outro estar ativo". Segundo esta concepção, seu oposto não deveria ser visto como algo a ser destruído, mas, ao contrário, como algo útil e vivificador que se deve conservar e fortalecer. Este ponto de vista ataca diretamente a predominância de uma das funções diferenciadas e socialmente valiosas, pois é ela, em primeiro lugar, que oprime e destitui as funções inferiores. Seria uma espécie de revolta de escravos contra o ideal heroico que nos força a sacrificar *todo o resto por causa de um*. Se fosse quebrado este princípio que, como vimos, foi desenvolvido em grau elevado pelo cristianismo para a espiritualização do ho-

---

49. Ibid., carta 15.

50. Ibid., carta 13.

51. Ibid.

mem e que logo se mostrou também eficaz na consecução de seus fins materiais, as funções inferiores encontrariam uma libertação natural e exigiriam, com ou sem razão, o reconhecimento dos mesmos direitos que os da função diferenciada. Com isso se revela abertamente a total oposição entre sensualidade e espiritualidade, ou entre sensação-sentimento e pensamento no tipo pensamento introvertido. Mas, como diz Schiller, essa oposição total também acarreta uma limitação recíproca que psicologicamente equivale a uma abolição do princípio do poder, isto é, a uma renúncia à validade geral em virtude da função coletiva diferenciada e adaptada em geral.

161 Disso resulta diretamente o *individualismo*, isto é, a necessidade de um reconhecimento da individualidade do homem como *ele é*. Mas vejamos como Schiller aborda o problema: "Esta relação de reciprocidade entre os dois instintos é simplesmente uma tarefa da razão que o homem só realiza plenamente na perfeição de sua existência. No sentido mais pleno da palavra, é a ideia de sua humanidade e, consequentemente, algo infinito do qual pode aproximar-se cada vez mais no decorrer do tempo, mas sem alcançá-lo jamais"[52]. Aqui Schiller se mostra unilateralmente determinado pelo seu tipo, caso contrário nunca lhe ocorreria ver a cooperação entre os dois instintos como uma "tarefa da razão", pois os opostos não se conciliam pela razão – *tertium non datur* – e é por isso mesmo que se chamam opostos. Só pode ser que tenha entendido por razão outra coisa que *ratio*, talvez uma faculdade superior, quase mística. Os opostos só se deixam conciliar, praticamente, por um compromisso ou *irracionalmente* se surgir entre eles um *novum* (um elemento novo) que seja diferente de ambos e, no entanto, capaz de absorver de forma igual as energias deles, sendo expressão de ambos e de nenhum. Algo assim é impossível de imaginar, só a vida o pode criar. Esta última possibilidade também Schiller a considera de fato, como veremos em suas palavras a seguir: "Se houvesse casos em que ela (a pessoa humana) fizesse simultaneamente essa dupla experiência, onde estivesse consciente de sua liberdade e sentisse sua existência, onde se percebesse como matéria e se conhecesse como espírito, teria, nestes casos e apenas neles, uma intuição plena de sua humanidade e o objeto que lhe

52. Ibid., carta 14.

proporcionara essa intuição viria a ser para ele um símbolo de seu destino realizado"[53].

162 Se fosse possível ao homem vivenciar simultaneamente ambas as forças ou instintos, isto é, sentir pensando e pensar sentindo, nasceria nele, a partir do que vivenciou (o que Schiller chama de objeto), um *símbolo* que exprimiria seu destino realizado, isto é, seu caminho no qual se conciliariam o sim e o não. Antes de considerarmos mais de perto a psicologia dessa ideia, vamos certificar-nos de como Schiller concebe a natureza e origem do símbolo: "O objeto do instinto sensual [...] chama-se *vida*, no sentido mais amplo; um conceito que engloba todo ser material e tudo o que é diretamente presente aos sentidos. O objeto do instinto formal [...] chama-se *forma* [...]; um conceito que abrange todas as qualidades formais das coisas e todas as suas relações com as forças do pensamento". O objeto da função mediadora chama-se, conforme Schiller, "forma viva" que seria exatamente o símbolo no qual se conciliariam os opostos, "um conceito que serve para expressar todas as qualidades estéticas dos fenômenos e, numa palavra, tudo o que denominamos beleza, no mais amplo sentido"[54]. Mas o símbolo também pressupõe uma função que cria símbolos e uma outra função que entende o símbolo. Esta última não está compreendida na criação do símbolo; ela é, ao contrário, uma função em si que poderíamos chamar de pensar simbólico ou de compreensão do símbolo. A essência do símbolo consiste em apresentar uma situação que não é totalmente compreensível em si e só aponta intuitivamente para seu possível significado. A criação de um símbolo não é um processo racional, pois este não poderia gerar uma imagem que apresentasse um conteúdo, no fundo, incompreensível. A compreensão do símbolo exige uma certa intuição que capta, aproximadamente, o sentido desse símbolo criado e o incorpora na consciência.

163 Esta função Schiller a denomina de um terceiro instinto, o *instinto lúdico*, que não é semelhante a nenhuma das duas funções opostas, mas está entre elas e faz justiça à natureza de ambas, pressuposto naturalmente (o que Schiller não menciona) que sensação e pensamen-

---

53. Ibid.

54. Ibid., carta 15.

to seriam as funções *sérias*. Mas não são poucos os que não levam bem a sério nem a sensação e nem o pensamento; para eles a seriedade deveria ocupar o lugar central e não o lúdico. Ainda que em outras passagens Schiller negue a existência de um terceiro instinto mediador básico[55], temos que admitir que sua conclusão é algo deficiente, mas sua intuição muito correta. Pois entre os opostos há, realmente, algo, mas que se tornou invisível no tipo puramente diferenciado. No introvertido é aquilo que chamei sensação-sentimento. Devido à sua relativa repressão, a função inferior só adere parcialmente à consciência, a outra parte fica presa ao inconsciente. A função diferenciada está adaptada, o máximo possível, à realidade externa; ela é propriamente a função-realidade e por isso fica dela excluído ao máximo o elemento fantástico. Este se associou, portanto, às funções inferiores que são igualmente reprimidas. E é por isso que a sensação do introvertido, que normalmente é sentimental, tem forte matiz de fantasia inconsciente. O terceiro elemento onde confluem os opostos é a *atividade da fantasia* que é criativa, por um lado, e receptiva, por outro. Esta função é a que Schiller chama de instinto lúdico, significando com isso muito mais do que diz. Ele exclama: "Para dizê-lo de uma vez por todas, o homem só brinca quando é homem no pleno sentido da palavra, e só é plenamente homem quando brinca". Para ele o objeto do instinto lúdico é a beleza. "O homem, ao lidar com a beleza, só deve brincar; e só deve brincar com a beleza"[56].

164 Schiller estava consciente do que poderia significar conceder ao "instinto lúdico" de certa forma o primeiro lugar. Como vimos anteriormente, suspender a repressão ocasiona uma colisão dos opostos e um nivelamento que termina forçosamente numa derrubada dos valores até então mais elevados. É uma catástrofe para a cultura, como a entendemos ainda hoje, quando o lado bárbaro do europeu toma a palavra; pois quem garante que o homem dessa espécie, quando começa a brincar, fixa como seu objetivo a dimensão estética e o gozo do verdadeiramente belo? Seria uma antecipação totalmente injustificada. É de se esperar bem outra coisa do necessário rebaixamento da produ-

55. Ibid., carta 13.

56. Ibid., carta 15.

ção cultural. Por isso dizia Schiller com razão: "o instinto lúdico-estético quase não será reconhecido em suas primeiras tentativas já que o instinto sensual interfere constantemente com seu capricho obstinado e seu apetite selvagem. É por isso que o gosto rudimentar apreende primeiro o novo e o surpreendente, o multicolorido, o aventureiro, o bizarro, o violento e selvagem e foge antes de mais nada da simplicidade e da calma"[57]. Disso se conclui que Schiller estava consciente do perigo dessa transformação. Segue também que não podia satisfazer-se com a solução encontrada, mas sentia necessidade de dar ao homem um fundamento mais seguro para sua humanidade do que a base insegura de uma atitude lúdico-estética poderia oferecer. E isto realmente deve ser assim. Pois a oposição entre ambas as funções ou grupos de funções é tão grande e séria que o jogo mal poderia bastar para contrabalançar toda a gravidade e seriedade desse conflito. *Similia similibus curantur* (os semelhantes se curam pelos semelhantes = princípio da homeopatia) – há necessidade de um terceiro elemento que possa, ao menos, equivaler aos outros dois em seriedade. Na atitude lúdica, toda a seriedade deve desaparecer e, com isso, abre-se a possibilidade de uma determinabilidade absoluta. Às vezes agrada ao instinto ser aliciado pela sensação; às vezes, pelo pensamento; e às vezes brincar com objetos, outras vezes com ideias. Em qualquer caso, não brinca exclusivamente com a beleza, pois para isso o homem já não deveria ser bárbaro e, sim, educado esteticamente, mas ainda estamos na questão de como pode ele sair do estado barbaresco. Portanto, é preciso estabelecer antes de mais nada onde o homem está posicionado em seu ser mais íntimo. Ele é *a priori* tanto sensação quanto pensamento; está em oposição consigo mesmo e precisa estar, de certa forma, entre ambos, e precisa ser no mais profundo um ente essencial propriamente dito que participa de ambos os instintos, mas que também pode ser distinguido de ambos, de tal maneira que, se for o caso, deve suportá-los ou curvar-se a eles ou possa utilizá-los, mas ao mesmo tempo se distingue deles, como acontece com as forças da natureza, às quais está sujeito, mas não se declara identificado com elas. A respeito disso Schiller declara: "A inabitação de dois instintos

57. Ibid., carta 27.

básicos não contradiz, de forma alguma, a unidade absoluta do espírito, contanto que o distingamos deles. É claro que ambos os instintos existem e agem nele, mas ele mesmo não é nem matéria nem forma, nem sensualidade nem razão"[58].

165 Parece-me que Schiller quer indicar aqui algo muito importante, isto é, *a separabilidade de um núcleo individual* que ora pode ser sujeito, ora objeto, das funções opostas, mas sempre distinto delas. A própria distinção é um juízo tanto intelectual quanto moral. Em um caso, ocorre pelo pensar; no outro, pelo sentir. Se a distinção não obtiver êxito ou não se realizar de forma nenhuma, segue inevitavelmente uma dissolução da individualidade em pares opostos, havendo uma identificação com eles. Outra consequência é a discordância consigo mesmo, ou uma decisão arbitrária em favor de um ou outro lado, com violenta supressão dos contrários. Esta linha de pensamento é muito antiga, cuja formulação psicológica mais interessante foi dada por Sinésio, bispo cristão de Tolemaida e discípulo de Hipatia. Em seu livro *De Somniis*[59], atribui ao *spiritus phantasticus* praticamente o mesmo lugar na psicologia que Schiller dá ao instinto lúdico e eu à fantasia criadora, apenas que ele se expressa *metafisicamente* em vez de psicologicamente, um linguajar antigo que pouco importa para o nosso objetivo. Sinésio diz: "O espírito fantástico é um ponto intermédio entre as coisas eternas e as temporais e nele vivemos ao máximo"[60]. O espírito fantástico harmoniza em si os opostos e por isso ele desce à natureza instintiva até o animal, onde se transforma em instinto e provocador de apetites demoníacos: "Este espírito reivindica para si algo que lhe é próprio, venha ele do que está perto ou dos dois extremos, e o que está bem separado se une numa mesma natureza. Por outro lado, esta amplitude da essência fantástica, a natureza a estende a toda espécie de coisas, descendo até os animais que, no entanto, não têm inteligência. E é esta a razão do próprio animal; por esta essência fantástica sabe de muitas coisas etc. – Todos os gêneros de demônios recebem sua essência de uma vida dessa espé-

58. Ibid., carta 19.

59. Minha citação se baseia na tradução latina de Marsílio Ficino, de 1497.

60. "Spiritus phantasticus inter aeterna et temporalia medius est, quo et plurimum vivimus."

cie. Pois os demônios são, em todo o seu ser, imaginários e imaginados no íntimo daqueles que os engendram"[61].

166 Psicologicamente os demônios nada mais são do que interferendas do inconsciente, isto é, irrupções espontâneas na continuidade do processo consciente por parte de complexos inconscientes. Os complexos são comparáveis a demônios que perturbam caprichosamente nosso pensar e agir, razão por que a idade antiga e média consideravam possessão do demônio as graves perturbações neuróticas. Quando o indivíduo se colocava consequentemente em um lado, o inconsciente se colocava no outro e se rebelava, o que evidentemente mais admirava os filósofos neoplatônicos ou cristãos que defendiam o ponto de vista de uma exclusiva espiritualização. Particularmente valiosa é a referência à natureza imaginária dos demônios. Como sublinhei antes, é exatamente o elemento fantástico que está associado, no inconsciente, com as funções reprimidas. Pelo fato de o indivíduo (como podemos denominar abreviadamente o núcleo individual) não se distinguir dos opostos, torna-se idêntico a eles e, por isso, é dilacerado internamente, isto é, surge uma desunião dolorosa. Isto o exprime Sinésio assim: "Por isso este espírito animal, que alguns homens piedosos também chamaram de alma, torna-se deus e demônio multiforme e ídolo. E nisto a alma sofre o tormento"[62].

167 Pela participação no instintivo, torna-se o espírito "um deus e demônio multiforme". Esta estranha concepção se torna imediatamente compreensível se lembrarmos que sensação e pensamento são, em si, funções coletivas nas quais o indivíduo (o espírito, em Schiller) se dissolveu pela não diferenciação. E se tornou, então, um ser coletivo, isto é, semelhante a Deus porque Deus é uma ideia coletiva que pervade todos os seres. "Neste estado – diz Sinésio – a alma sofre o

---

61. "Vindicat enim sibi spiritus hic aliquid velut proprium, tanquam ex vicinis quibusdam ab extremis utrisque, et quae tam longe disjuncta sunt, occurrunt in una natura. Atqui essentiae phantasticae latitudinem natura per multas rerum sortes extendit, descendit utique usque ad animalia, quibus non adest ulterius intellectus. – Atque est animalis ipsius ratio, multaque per phantasticam hanc essentiam sapit animal... Tota genera daemonum ex ejusmodi vita suam sortiuntur essentiam. Illa enim ex toto suo esse imaginaria sunt, et iis quae fiunt intus, imaginata."

62. "Proinde spiritus hic animalis, quem beati spiritualem quoque animam vocaverunt, fit deus et daemon omniformis et idolum. In hoc etiam anima poenas exhibet."

tormento". Mas a salvação acontece pela distinção, quando o espírito, tornado "úmido e entumescido" (*humidus et crassus*), desce para as profundezas, ou seja, envolve-se no objeto; mas quando purificado pelo sofrimento, ergue-se novamente "seco e quente", pois é exatamente esta qualidade inflamada que o diferencia da natureza úmida de seu abrigo subterrâneo.

168 Naturalmente surge a questão: graças a qual força pode o indivisível, isto é, o indivíduo, defender-se contra os instintos divisores? Que isto possa acontecer por via do instinto lúdico, nem Schiller o acredita nesta altura, pois aqui é preciso algo sério, uma força importante, que possa livrar efetivamente o indivíduo dos opostos. De um lado, clama o valor mais alto, o ideal mais elevado; de outro, alicia o prazer mais forte. Diz Schiller: "Cada um desses instintos básicos, tão logo se tenha desenvolvido, busca natural e necessariamente a satisfação; e por serem ambos necessários e por procurarem objetos opostos, esta dupla compulsão nega a si mesma, e a *vontade* afirma uma liberdade perfeita entre os dois. É a vontade portanto que se coloca para os dois instintos como um poder [...] mas nenhum dos dois pode, por si só, comportar-se em face do outro como poder [...] Não existe no homem nenhum outro poder que sua vontade, e somente o que nega o homem, como a morte ou algo que lhe roube a consciência, pode acabar com a liberdade interior"[63].

169 É certo que, *logicamente*, os opostos se anulem, mas *na prática* isto não ocorre, pois os instintos estão em oposição mútua e ativa e causam um conflito insolúvel em princípio. A vontade poderia decidir, mas só quando anteciparmos aquele estado de coisas que ainda é necessário atingir. Mas ainda não se resolveu o problema de como o homem pode sair do barbarismo, e não se estabeleceu a condição que poderia emprestar à vontade aquela direção satisfatória para ambos os instintos e que pudesse uni-los. É, na verdade, sinal do estado barbaresco que a vontade seja determinada unilateralmente por uma das funções, pois a vontade deve ter um conteúdo, um objetivo. E como se dá esse objetivo? Não será tão somente por um processo psíquico antecedente que, através de um juízo intelectual ou emocional, ou um desejo sensual, dá à vontade o conteúdo e o objetivo? Se conce-

---

63. SCHILLER, F. *Über die ästhetische Erziehung des Menschen*. Op. cit., carta 19.

dermos ao desejo sensual ser um motivo da vontade, agiremos de acordo com um instinto contra nosso juízo racional. Se, ao contrário, deixarmos ao juízo racional resolver a disputa, a consideração distributiva mais justa se baseará sempre na razão e dará ao outro instinto prioridade sobre a sensualidade. Em qualquer caso, a vontade é determinada mais por um ou mais por outro lado, enquanto depender, pelo seu conteúdo, de um ou de outro. Mas, para ser capaz de resolver o conflito, precisa estar fundada num estado ou processo intermediário que lhe dará um conteúdo não muito perto nem muito longe de ambos os lados. Segundo Schiller, isto deve ser um conteúdo *simbólico*, uma vez que a posição mediadora entre os opostos só pode ser alcançada pelo símbolo. A realidade pressuposta por um dos instintos é diferente da realidade do outro. Para o outro será totalmente *irreal* e *aparente*, e vice-versa. Esse caráter dualista de real e irreal é inerente ao símbolo. Se fosse apenas real, não seria símbolo; seria então um fenômeno real e, portanto, já não poderia ser símbolo. Simbólico só pode ser aquilo que encerra no um também o outro. Se fosse irreal, nada mais seria do que uma imaginação vazia que não se referiria a nada real e, dessa forma, também não seria símbolo.

170 As funções racionais são, de acordo com sua natureza, incapazes de criar símbolos, pois só produzem o racional que está uniformemente determinado e que não inclui, ao mesmo tempo, o outro, o oposto. As funções da sensualidade também são incapazes de criar símbolos, pois também elas são uniformemente determinadas pelo objeto e contêm apenas a si mesmas e não o outro. Para encontrar, portanto, aquela base imparcial para a vontade, deveríamos voltar-nos para outra instância na qual os opostos ainda não estão nitidamente separados, mas conservam sua unidade original. Obviamente, este não é o caso em se tratando da consciência, pois sua essência toda é discriminação, distinção de eu e não eu, sujeito e objeto, sim e não etc. A separação dos pares opostos deve-se totalmente à diferenciação consciente, pois só a consciência pode reconhecer o conveniente e distingui-lo do inconveniente ou inútil. Só ela pode declarar esta função útil e aquela inútil e, assim, emprestar a esta a força da vontade e suprimir os anseios daquela. Mas onde não há consciência, onde o instintivo predomina inconscientemente, ali não há reflexão, não há pró e contra, não há desunião, mas simples acontecer, impul-

sividade ordenada dos instintos, proporção de vida. (Isto, porém, se o instinto não encontrar situações às quais não esteja adaptado. Neste caso surge o bloqueio, o afeto, a confusão e o pânico.)

171 Seria inútil apelarmos para a consciência a fim de resolver o conflito entre os instintos. Uma solução consciente seria mera arbitrariedade e jamais poderia emprestar à vontade aquele conteúdo simbólico, único capaz de mediar irracionalmente uma oposição lógica. Para tanto temos que ir mais fundo, temos que descer aos fundamentos da consciência que ainda preservaram sua instintividade primordial, ou seja, ao inconsciente onde todas as funções psíquicas confluem indistintamente para a atividade primordial e fundamental do psíquico. A falta de diferenciação no inconsciente provém, em primeiro lugar, da associação quase direta de todos os centros cerebrais entre si e, em segundo lugar, do valor energético relativamente fraco dos elementos inconscientes[64]. O fato de possuírem relativamente pouca energia se manifesta em que um elemento inconsciente, ao adquirir um acento de valor mais forte, imediatamente deixa de ser subliminal; eleva-se então por sobre o limiar da consciência e isto ele só pode fazer graças a uma energia especial que está dentro dele. Sobrevêm então a "ideia repentina", a "representação de livre surgimento" (Herbart). Os valores energéticos fortes dos conteúdos da consciência atuam como uma iluminação intensa pela qual se tornam perfeitamente reconhecíveis suas diferenças e fica excluída qualquer confusão. No inconsciente, porém, são permutáveis os elementos mais heterogêneos na medida em que possuírem apenas uma vaga analogia, e isto graças à sua pouca luminosidade e ao fraco valor energético. Até mesmo impressões sensuais heterogêneas se fundem, como ocorre nos "fotismas" (Bleuler) ou na audição colorida. Também a linguagem contém muito dessas fusões inconscientes, conforme o demonstrei, por exemplo, no caso do som, luz e estados de ânimo[65].

172 O inconsciente poderia ser aquela instância psíquica em que tudo o que é separado e oposto na consciência conflui em grupamen-

---

64. Cf. NUNBERG, H. "Über körperliche Begleiterscheinungen assoziativer Vorgänge". In: JUNG, C.G. *Diagnostische Assoziationsstudien*. Leipzig: [s.e.], 1910, p. 196s. [OC, 2].

65. *Wandlungen und Symbole der Libido*, p. 155s. [Nova edição: *Symbole der Wandlung (símbolos da transformação)*. Petrópolis: Vozes. OC, 5].

tos e conformações e que, ao serem elevados como tais à luz da consciência, apresentam uma natureza que revela partes integrantes tanto de um como de outro lado, sem pertencer a este ou aquele, mas assumindo uma posição intermédia autônoma. Esta posição intermédia constitui seu mérito e demérito para a consciência; um demérito enquanto não se pode perceber algo claramente distinguível em seus grupamentos, deixando a consciência perplexa e sem saber o que fazer; um mérito enquanto esta sua indiferenciabilidade produz aquele caráter simbólico que o conteúdo de uma vontade intermediadora precisa ter. Além da vontade que depende totalmente de seu conteúdo, foi dado ao homem, à guisa de auxílio, aquele seio materno da fantasia criadora: o inconsciente. Ele é capaz de produzir, a qualquer tempo, símbolos por via do processo natural da atividade psíquica elementar, símbolos que podem servir para determinar a vontade intermediadora. Digo "podem" porque o símbolo não entra logo na brecha, mas fica no inconsciente até que os valores energéticos dos conteúdos da consciência superem o valor do símbolo inconsciente. Em condições normais, este é sempre o caso; mas, em condições anormais, trata-se de uma inversão da distribuição de valores onde o inconsciente adquire maior valor do que a consciência. Neste caso, o símbolo sai para a superfície da consciência, mas sem encontrar aceitação por parte da vontade consciente e das funções executivas conscientes, uma vez que estas, por causa da inversão de valores, se tornaram *subliminais*. O inconsciente se tornou *supraliminal*, e, por isso, surgiu um estado espiritual anormal, uma perturbação psíquica.

173 Sob condições normais, portanto, é necessário ministrar *artificialmente* energia ao símbolo inconsciente para dar-lhe mais valor e, assim, aproximá-lo da consciência. Isto acontece – e assim voltamos à ideia da diferenciação, levantada por Schiller – por uma diferenciação do *si-mesmo* em face dos opostos. A diferenciação equivale a um retrair-se da libido de ambos os lados, enquanto *a libido está disponível*. A libido investida nos instintos está apenas em parte livremente disponível, exatamente até onde alcança a força de vontade que oferece aquela quantidade de energia que o eu tem "livremente" à disposição. Neste caso, a vontade tem como objetivo possível o si-mesmo. Este objetivo é tanto mais possível quanto mais o desenvolvimento ulterior for paralisado pelo conflito. A vontade não decide, neste caso,

entre os opostos, *mas só em favor do si-mesmo*, isto é, a energia disponível é recolhida para o si-mesmo ou, em outras palavras, é *introvertida*. A introversão significa apenas que a libido é retida pelo si-mesmo e lhe é vedado participar nos opostos em luta. Pelo fato de lhe estar fechado o caminho para fora, volta-se naturalmente para o pensamento; mas também aqui está a perigo de entrar no conflito. Cabe ao ato de diferenciação e introversão que a libido disponível seja liberta não só pelo objeto exterior, mas também pelo objeto interior, isto é, o pensamento. Assim, torna-se completamente sem objeto, já não está relacionada com mais nada que pudesse ser conteúdo da consciência e afunda no inconsciente onde se apodera automaticamente do material da fantasia que está à disposição e o traz à superfície.

174 A expressão de Schiller para designar o símbolo, ou seja, "forma viva", foi bem escolhida, pois o material da fantasia trazido à tona contém imagens do desenvolvimento psicológico do indivíduo em seus estados seguintes, uma espécie de esboço ou representação do caminho futuro entre os opostos. Mesmo que a atividade discriminante da consciência não encontre frequentemente muita coisa a ser entendida de imediato nas imagens, essas intuições contêm, no entanto, uma força viva que pode atuar com determinação sobre a vontade. A determinação da vontade repercute sobre os dois lados e, por isso, os opostos se tornam mais fortes após certo tempo. Mas o conflito renovado precisa sempre do mesmo processo há pouco mencionado pelo qual um outro passo é novamente possível. Denominei essa função de mediação dos opostos de *função transcendente*. Com isso não entendo nada de misterioso, mas apenas uma função de elementos conscientes e inconscientes ou, como na matemática, uma função comum de grandezas reais e imaginárias[66].

175 Além da vontade – cuja importância não deve ser, por isso, negada – temos ainda a fantasia criadora como função instintiva irracional, única capaz de dar à vontade um conteúdo tal a ponto de unir os

---

66. Devo assinalar que só apresento aqui esta função em princípio. Maiores explanações sobre este problema assaz complexo, onde é de suma importância a maneira de assumir os materiais inconscientes na consciência, encontram-se em minhas obras *O eu e o inconsciente* (OC 7/2) e *Psicologia do inconsciente* [OC, 7/1], *Psicologia e alquimia* [OC, 12], "A função transcendente" [OC, 8/2].

opostos. A fantasia criadora é aquilo que Schiller concebeu como fonte do símbolo, mas denominou "instinto lúdico" e, por isso, não pôde fazer maior uso dela na motivação da vontade. Para chegar ao conteúdo da vontade recorreu à razão e, assim, descambou para um dos lados. Mas chegou bem próximo ao nosso problema quando diz: "Deve ser destruída aquela força da emoção, antes que a lei" – isto é, a vontade racional – "possa ser elevada ao lugar daquela. Não é suficiente, portanto, que algo comece que até então não era; é preciso que antes cesse algo que vinha sendo. O homem não pode passar imediatamente da sensação ao pensamento; *precisa retroceder um passo*, pois somente quando uma determinação é removida pode entrar a oposta. Precisa pois [...] estar livre, por um momento, de qualquer determinação, atravessando um estado de pura determinabilidade. É necessário, de certo modo, retroceder àquele estado negativo de pura indeterminação, no qual se encontrava antes que qualquer coisa causasse uma impressão em seus sentidos. Aquele estado, porém, era completamente vazio de conteúdo, mas, agora, o importante é combinar uma igual indeterminação e uma igual determinabilidade ilimitada com o máximo possível de conteúdo, pois deste estado deve resultar imediatamente algo de positivo. A determinação que ele recebe da sensação deve ser retida, pois não pode perder a realidade; mas, na medida em que é limitação, ela precisa ser igualmente removida, pois deve instalar-se uma determinabilidade ilimitada"[67].

176 Esta passagem difícil pode ser entendida facilmente levando-se em conta o que ficou dito acima, se tivermos presente que Schiller está continuamente inclinado a procurar a solução na vontade racional. Este momento precisa ser afastado. Então, o que diz fica totalmente claro. O passo atrás é a diferenciação dos instintos opostos, a soltura e retraimento da libido dos objetos interiores e exteriores. Schiller tem aqui em mente em primeiro lugar o objeto sensual, pois, como dissemos, está sempre interessado em atingir o lado do pensar racional, o que lhe parece imprescindível para a determinação da vontade. Mas, apesar disso, impõe-se-lhe a necessidade de abolir qualquer determinação. E com isso está implícita também a soltura em relação ao objeto interior, a ideia, caso contrário seria impossível

---

67. SCHILLER, F. *Über die ästhetische Erziehung des Menschen*. Op. cit., carta 20.

chegar a uma plena ausência de conteúdo e determinação, portanto àquele estado primordial da inconsciência onde nenhuma consciência discriminadora ainda estabeleceu sujeito e objeto. Com isso Schiller entendeu certamente o mesmo que poderíamos formular como *introversão no inconsciente*.

177 A "determinabilidade ilimitada" significa obviamente algo semelhante ao estado inconsciente no qual tudo pode atuar sobre tudo indistintamente. Este estado vazio da consciência deve ser "combinado com o máximo de conteúdo possível". Este conteúdo, como a parte contrária do vazio da consciência, só pode ser o conteúdo inconsciente, pois nenhum outro conteúdo qualquer é dado. E assim é expressa claramente a união do consciente e inconsciente e "desse estado deve resultar algo positivo". Este "positivo" é, para nós, a *determinação simbólica da vontade*. Para Schiller é um "estado intermédio" pelo qual se processa a união da sensação e do pensar. Ele o chama de "disposição intermédia" em que sensualidade e razão agem ao mesmo tempo e, por isso mesmo, anulam o poder determinante um do outro, e, através de uma oposição, provocam uma negação.

178 A supressão dos opostos gera um vazio que chamamos precisamente de inconsciente. E por não ser determinado pelos opostos, este estado é acessível a qualquer determinação. Schiller o denomina estado "estético". É impressionante que desconsidere que sensualidade e razão não podem estar "em ação" ao mesmo tempo neste estado, pois, como ele mesmo diz, eles são anulados por negação mútua. Mas, como alguma coisa deve estar em ação e Schiller não dispõe de nenhuma outra função, os pares de opostos devem entrar novamente em ação. Sua atividade está, sem dúvida, disponível, mas, como a consciência está "vazia", então deve estar necessariamente no inconsciente[68]. Este conceito, porém, Schiller não o conhece e por isso ele se contradiz neste ponto. A função estética intermédia equivaleria, pois, à nossa atividade formadora de símbolos, à fantasia criadora. Schiller define a "condição estética" como a relação de uma coisa "com o todo de nossas diferentes forças (potências da alma) sem ser um objeto determinado para qualquer uma delas". Em vez dessa vaga definição,

---

68. Como diz muito bem Schiller: no estado estético, o homem é nada. Ibid., carta 21.

melhor fora se tivesse voltado a seu conceito primitivo de símbolo, pois o símbolo tem a qualidade de relacionar-se com todas as funções psíquicas, sem ser o objeto determinado de nenhuma delas. Tendo alcançado esta "condição intermédia", Schiller vê como consequência que "se tornou possível ao homem, graças à sua natureza, fazer de si mesmo o que desejar – foi-lhe devolvida totalmente a liberdade de ser o que deveria ser". E porque Schiller procede, preferentemente, de modo intelectual e racional, torna-se vítima de seu julgamento. Isto já o demonstra a escolha da expressão "estético". Se fosse familiarizado com a literatura hindu, teria percebido que a *imagem primordial* que flutuava em seu interior tinha bem outro sentido do que "estético". Sua intuição encontrou o modelo inconsciente que, desde tempos imemoriais, habita nosso espírito. Mas ele o interpretou como "estético", ainda que tenha enfatizado, inicialmente, o simbólico. A imagem primordial de que falo é aquela configuração de ideias, típica do Oriente, que, na Índia, se condensou na *doutrina de brama-átmã*, mas, na China, teve Lao-Tsé como seu representante filosófico.

179 A concepção hindu prega a libertação em relação aos opostos; estes são todos os estados afetivos e laços emocionais ligados ao objeto. A libertação segue após a retração da libido de todos os conteúdos e, assim, nasce uma total introversão. Este processo psicológico é designado, de modo bem característico, como *tapas* que, na melhor tradução, seria autoincubação. Esta expressão descreve muito bem o estado da meditação sem conteúdo, em que a libido é fornecida ao próprio si-mesmo como uma espécie de calor de incubação. Pela total subtração de qualquer participação no objeto surge necessariamente no interior um equivalente da realidade objetiva, ou uma total identidade do interior e do exterior que, tecnicamente, pode ser denominada *tat twam asi* (isto é você). Pela fusão do si-mesmo com as relações com o objeto, nasce a identidade do si-mesmo (átmã) com a essência do mundo (isto é, com as relações do sujeito com o objeto), de modo que a identidade do átmã interno e externo se torna conhecida. O conceito de brama é apenas levemente distinto do conceito de átmã; no brama não é dado explicitamente o conceito do si-mesmo, mas só um estado indefinido, por assim dizer genérico, da identidade do interior e exterior.

180 Um conceito, de certa forma paralelo ao de *tapas*, é *ioga* pela qual se entende, não tanto um estado de meditação, mas uma técnica consciente de alcançar o estado-tapas. Ioga é um método pelo qual a libido é "recolhida" sistematicamente e, então, libertada das amarras dos opostos. A finalidade do tapas e da ioga é a apresentação de um estado intermédio donde surge o criativo e o redentor. O resultado psicológico para o indivíduo é alcançar brama, a "luz suprema", ou "ananda" (delícia). Esta é a finalidade última do exercício redentor. O mesmo processo também pode ser concebido como cosmogônico, nascendo de brama-átmã, como fundamento do mundo, a criação toda. Como todo mito, também o mito cosmogônico é uma projeção de processos inconscientes. A existência desse mito demonstra, portanto, que no inconsciente do aprendiz do tapas há processos criativos que devem ser entendidos como novos ajustamentos em relação ao objeto. Schiller diz: "Quando se faz *luz* no homem, também fora dele já não há noite; quando há calma nele, cessa a tempestade no mundo todo e as forças conflitivas da natureza encontram repouso em limites duradouros. Não é de admirar, pois, se os poemas mais antigos falam desse grande acontecimento no interior do homem como de uma revolução no mundo externo"[69]. Pela ioga, são introvertidas as relações com o objeto e, pelo despojamento do valor, são submersas no inconsciente onde, como dissemos antes, podem fazer novas associações com outros conteúdos inconscientes e, assim, após completado o exercício do tapas, voltam, mudadas, novamente para o objeto. Com a mudança da relação com o objeto, recebeu este nova aparência. É como se houvesse sido criado de novo; por isso o mito cosmogônico é um símbolo adequado para o resultado do exercício do tapas. Na linha, por assim dizer exclusivamente introversiva, do exercício religioso hindu, a nova adaptação ao objeto não tem quase importância, mas persiste como mito cosmogônico doutrinário, inconscientemente projetado, sem atingir uma forma nova prática. Aqui a atitude religiosa hindu se coloca em posição, por assim dizer, diametralmente oposta à do cristianismo ocidental, uma vez que o princípio cristão do amor é extrovertido e exige necessariamente um ob-

69. SCHILLER, F. *Über die ästhetische Erziehung des Menschen*. Op. cit., carta 25.

jeto externo. O primeiro princípio traz a riqueza do conhecimento, o último a plenitude das obras.

181 No conceito de brama está contido também o conceito de *rita* (via certa), a ordem mundial. No brama, como essência criadora do mundo e fundamento do mundo, as coisas chegam pela via certa, pois nela são eternamente dissolvidas e criadas de novo; do brama resulta todo desenvolvimento para um caminho ordenado. O conceito de rita nos leva para o conceito de *tao* em Lao-Tsé. Tao é o "caminho certo", o império da lei, um caminho intermédio entre os opostos, separado deles, mas unindo-os nele. O sentido da vida está em trilhar esse caminho do meio e nunca desviar-se para os opostos. O momento extático falta completamente em Lao-Tsé; é substituído por uma clareza filosófica superior, por uma sabedoria intelectual e intuitiva não turvada por qualquer névoa mística e que representa provavelmente o mais alto degrau atingível da superioridade espiritual, tão distante do caos quanto as estrelas da desordem do mundo real. Ela amansa tudo o que é selvagem, sem forçá-lo à purificação e sem transformá-lo em algo superior.

182 Pode-se objetar facilmente que a analogia entre a linha de pensamento de Schiller e essas ideias aparentemente remotas foi levada longe demais. Contudo, não se deve esquecer que, logo após Schiller, essas mesmas ideias irromperam com força no genial Schopenhauer e se casaram profundamente com o espírito germânico ocidental e, até agora, não mais desapareceram. Na minha opinião, pouco importa que a tradução latina dos *Upanixades* feita por Anquetil du Perron[70] tenha sido conhecida por Schopenhauer; o fato é que Schiller não tomou conhecimento das informações bem escassas em sua época. Em minha experiência constatei com suficiência que não é preciso haver uma transmissão direta para criar afinidades dessa espécie. Vemos algo bem semelhante nas ideias fundamentais do Mestre Eckhart e, de certa forma, também nas de Kant que mantêm uma semelhança impressionante com as ideias dos *Upanixades*, sem que tenha havido a menor influência, seja direta ou indireta, sobre eles. O mesmo acontece com os mitos e símbolos que podem surgir autóctones em

---

70. Oupnek'hat (id est, Secretum tegendum). Estrasburgo: [s.e.], 1801/1802.

qualquer canto do mundo e, apesar disso, são idênticos porque são gerados pelo mesmo inconsciente humano, difundido em toda parte, e cujos conteúdos são infinitamente menos diferentes do que as raças e os indivíduos.

183 Também acho necessário traçar um paralelo entre as ideias de Schiller e as do Oriente, para que, dessa forma, as ideias de Schiller fiquem livres do estreito manto do estetismo[71]. O estetismo é inadequado para cumprir a séria e difícil tarefa da educação humana, uma vez que sempre pressupõe o que deveria produzir, isto é, a capacidade de amar a beleza. Ele impede um aprofundamento do problema ao desviar os olhos do mau, do feio e do difícil e voltar-se para o gozo, mesmo que nobre. Por isso falta também ao estetismo aquela força motivadora moral, pois, no mais fundo de seu ser, é apenas hedonismo refinado. Mas Schiller se esforça por introduzir um motivo moral absoluto, porém sem êxito convincente, pois, devido à sua atitude estética, é-lhe impossível ver as consequências que acarreta o reconhecimento do outro lado da natureza humana. O conflito daí oriundo significa tal confusão e sofrimento para o indivíduo que ele, pela contemplação do belo, pode reprimir, no melhor dos casos, novamente o oposto, sem no entanto libertar-se disso e, assim, o antigo estado – na melhor das hipóteses – é restabelecido. Para ajudar o homem a sair desse conflito é preciso outra atitude que não a estética. Isto mostra exatamente o paralelo com as ideias do Oriente. A filosofia hindu da religião compreendeu esse problema em sua profundidade plena e mostrou qual a categoria de meios necessários para solucionar o conflito. São necessários o esforço moral supremo, a maior autonegação e autossacrifício, a maior seriedade religiosa, a santidade autêntica. Como é sabido, foi Schopenhauer que, apesar de seu reconhecimento do estético, levantou com maior ênfase este lado do problema.

184 Não devemos incidir no erro de que para Schiller as palavras "estético", "beleza" etc., tenham soado do mesmo modo que para nós. Não estou afirmando demais se disser que a "beleza" era um *ideal religioso* para Schiller. A beleza era a sua religião. Seu "senso estético"

71. Emprego a palavra "estetismo" como abreviatura de "concepção estética do mundo". Não penso naquele estetismo ligado ao fazer estético e cheio de sensibilidades, o que poderia ser denominado talvez de esteticismo.

poderia ser chamado também "piedade religiosa". Sem nada dizer a este respeito, e sem caracterizar explicitamente seu problema central como de cunho religioso, a intuição de Schiller, no entanto, chegou ao problema religioso, ainda que ao problema religioso do primitivo que ele aborda longamente em seus estudos, sem, contudo, levar esta linha de pensamento até o final.

185 Vale notar que, no curso de suas reflexões, o problema do instinto lúdico assume um plano secundário em favor da disposição estética que parece ter adquirido um valor quase místico. Parece-me que não é por acaso, mas tem uma causa bem precisa. Muitas vezes são as melhores e mais profundas ideias na obra de um homem que resistem obstinadamente a uma formulação clara, ainda que apareçam cá e lá insinuadas e, portanto, suficientemente aptas a uma expressão diáfana de sua síntese. Acho que temos este tipo de dificuldade aqui. Para o conceito de disposição (de ânimo) estética, como estado criativo intermédio, Schiller traz pensamentos que mostram a profundidade e seriedade desse conceito. Por outro lado, concebeu com a mesma evidência o instinto lúdico como a atividade intermédia de há muito procurada. Não se pode negar que esses dois conceitos são, de certa forma, opostos, pois jogo e seriedade dificilmente se compatibilizam. A seriedade provém de uma necessidade interna profunda, o jogo, porém, é sua expressão externa, a face que mostra para a consciência. Não se trata, evidentemente, de *querer* brincar, mas de *ter que* brincar; uma manifestação lúdica da fantasia, oriunda de necessidade *interna*, sem a compulsão das circunstâncias e sem imposição da vontade. *É brincadeira séria*[72]. E, no entanto, é brincadeira, visto de fora, pela consciência, isto é, do ponto de vista do juízo coletivo. Esta é a qualidade ambígua que adere a todo ser criativo. Se a brincadeira se esgota em si mesma, sem nada criar que seja duradouro e vital, é mera brincadeira; mas, em caso contrário, é chamada obra criadora.

---

72. Cf. sobre isso SCHILLER, F. *Über die notwendigen Grenzen beim Gebrauch schöner Formen*. Vol. 18. Stuttgart/Tübingen: Cotta, 1826, p. 195. "Para que no homem esteticamente refinado a fantasia, em seu livre jogo, se oriente por leis e para que os sentidos também consintam no gozo, não sem a concordância da razão, exige-se da razão facilmente a contraprestação de que, em sua seriedade de estabelecer as leis, se oriente pelo interesse da fantasia e não governe a vontade sem a concordância dos impulsos dos sentidos."

A partir de um movimento lúdico de elementos cujas inter-relações não são imediatamente perceptíveis surgem os agrupamentos que um intelecto observador e crítico só avalia mais tarde. Não é o intelecto que realiza a criação de algo novo, mas o instinto lúdico agindo por necessidade interna. O espírito criador brinca com o objeto que ele ama. Por isso é fácil considerar toda a atividade criativa como brincadeira cujas possibilidades ficam ocultas à multidão. Há bem poucas pessoas criativas que não foram acusadas de brincarem. Tem-se vontade de creditar esta acusação ao homem genial que foi Schiller. Mas ele quis ir além do homem excepcional e de sua natureza e atingir o homem comum para também fazê-lo participante daquela ação estimulante e redentora que o homem criativo, por força da necessidade interna, não pode evitar. Mas a possibilidade de estender este ponto de vista à educação do homem em geral não é garantida de imediato, parece mesmo que não seja possível.

186 Para resolver esta questão precisamos, como sempre em casos semelhantes, avocar o testemunho da história do espírito humano. Antes, porém, devemos ter presente a base da qual partiremos para abordar a questão. Vimos que Schiller exige uma desvinculação dos opostos até um total vazio da consciência onde não desempenhem qualquer papel as emoções, os sentimentos, os pensamentos e as intenções. Este estado visado é o de uma consciência indiferenciada, ou de uma consciência onde todos os conteúdos perderam sua diferenciação por causa de uma despotenciação dos valores energéticos. Mas uma consciência real só é possível quando os valores operam uma diferenciação dos conteúdos. Onde falta a diferenciação não pode haver consciência real. Consequentemente, só podemos chamar tal estado de "inconsciente", ainda que a possibilidade da consciência esteja disponível a qualquer momento. Trata-se, portanto, de um *abaissement du niveau mental* (Janet) de natureza artificial e por isso a semelhança com a ioga e os estados do *engourdissement* hipnótico. Ao que sei, Schiller nunca se pronunciou sobre como imaginava a técnica – para usar o termo – de criar o estado estético. O exemplo de Juno Ludovisi que ele menciona, de passagem, em suas cartas[73], mostra-nos o estado de uma "devoção estética" cujo caráter

73. SCHILLER, F. *Über die ästhetische Erziehung des Menschen*. Op. cit., carta 15.

consiste numa total empatia e entrega ao objeto contemplado. Falta, porém, ao estado dessa devoção o característico de estar sem conteúdo e sem determinação. Contudo, o exemplo mostra, em conexão com outras passagens, que Schiller alimentava a ideia da "devoção"[74]. E assim entramos outra vez no campo do fenômeno religioso, mas também se pode vislumbrar uma possibilidade real de estender este ponto de vista ao homem comum. *O estado de devoção religiosa é um fenômeno coletivo que não está ligado a qualquer dom individual.*

187 Mas existem ainda outras possibilidades. Vimos acima que o vazio da consciência ou o estado inconsciente é produzido pela submersão da libido no inconsciente. No inconsciente jazem conteúdos relativamente marcantes, por exemplo, os complexos de reminiscências do passado individual, sobretudo o complexo parental que é idêntico ao complexo da infância em geral. Pela devoção, isto é, pela submersão da libido no inconsciente, é reativado o complexo da infância de modo que as reminiscências infantis como, por exemplo, as relações com os pais são revividas. As fantasias oriundas dessa reativação ocasionam o surgimento das divindades paterna e materna e o despertar de um relacionamento religioso infantil para com Deus e dos sentimentos infantis correspondentes. É típico que sejam símbolos dos pais que se tornam conscientes e nem sempre as imagens dos pais reais; este fato Freud o explica pela repressão da imagem dos pais devido à resistência ao incesto. Concordo com essa explicação, mas sou de opinião que não é exaustiva porque desconhece o *significado extraordinário dessa substituição simbólica*. A simbolização na imagem de Deus significa um avanço enorme sobre o concretismo, sobre a sensualidade das reminiscências, visto que a regressão se transforma, pela aceitação do "símbolo" como um verdadeiro símbolo, imediatamente numa progressão, ao passo que permaneceria regressão se o símbolo fosse interpretado apenas como *sinal* dos verdadeiros pais, ficando, assim, privado de seu caráter independente[75].

188 Aceitando a realidade do símbolo, chegou a humanidade a seus deuses, isto é, à *realidade do pensamento* que fez do homem o senhor

74. Ibid.: "Enquanto o deus feminino exige nossa adoração" etc.

75. Tratei longamente desse ponto em *Símbolos da transformação* [OC, 5].

da terra. A devoção, como Schiller também a considera, é um movimento regressivo da libido para o originário, uma submersão na fonte do início. Disso resulta, como uma imagem do movimento inicial progressivo, o *símbolo* que é uma resultante condensadora de todos os fatores inconscientes, a 'forma viva" como Schiller denomina o símbolo, uma imagem de Deus como o mostra a história. Não foi por acaso que nosso autor escolheu como paradigma uma figura divina, Juno Ludovisi. Goethe faz surgir do tripé das mães as figuras divinas de Páris e Helena, o casal rejuvenescido, por um lado, e, de outro, o símbolo de um processo de união íntima que Fausto deseja apaixonadamente para si como reconciliação interna suprema; isto mostram as cenas subsequentes e o desenrolar da segunda parte. Podemos ver precisamente no exemplo de Fausto que a visão do símbolo significa uma pista para o curso a seguir na vida, um aliciamento da libido para um objetivo ainda longínquo, mas que, a partir de então, age nele de forma indelével, de modo que sua vida, atiçada como uma chama, marcha avante em busca de outros objetivos. Este é também o sentido específico e fomentador de vida do símbolo. Este também é o valor e sentido do símbolo religioso. Não penso em símbolos dogmaticamente mumificados, mortos, mas em símbolos que se originam no inconsciente criador do homem vivo. A tremenda importância desses símbolos só pode negá-la quem pretende começar a história universal a partir do dia de hoje. Deveria ser supérfluo falar da importância dos símbolos, mas infelizmente não é assim, pois o espírito de nossa época crê estar acima de sua própria psicologia. O ponto de vista moralista-higienista de nossa época quer sempre saber se determinado objeto é prejudicial ou útil, certo ou errado. Uma verdadeira psicologia não pode preocupar-se com isso; basta-lhe saber como as coisas são em si mesmas.

189 A formação dos símbolos, consequência do estado de "devoção", é novamente um daqueles fenômenos religiosos coletivos que não depende da aptidão pessoal. Assim, devemos admitir, também neste caso, a possibilidade de estender o ponto de vista de Schiller para o homem comum. Creio que, então, fica suficientemente demonstrada a possibilidade teórica de aplicar este ponto de vista à psicologia humana em geral. Para maior clareza e perfeição, gostaria de acrescentar que, desde longa data, preocupa-me o problema da relação da consciência e da conduta consciente de vida com o símbolo.

Cheguei à conclusão que não se pode atribuir ao símbolo um valor muito pequeno, dada sua grande importância como um dos representantes do inconsciente. Em nossa experiência diária, no tratamento de doentes nervosos, constatamos a grande importância prática das interferências inconscientes. Quanto maior a dissociação, isto é, o distanciamento da atitude consciente dos conteúdos individuais e coletivos do inconsciente, tanto mais prejudicialmente o inconsciente inibe ou intensifica os conteúdos conscientes. Por razões práticas, portanto, não se deve atribuir ao símbolo um valor insignificante. Mas, ao atribuirmos ao símbolo um valor, seja grande ou pequeno, adquire um valor consciente de motivo, isto é, ele é percebido e é dada à carga inconsciente de libido ocasião de expressar-se na conduta consciente da vida. Ganhamos assim – segundo penso – uma vantagem prática essencial: *a colaboração do inconsciente*, sua junção com o trabalho psíquico consciente e, com isso, a eliminação de influências perturbadoras do inconsciente. Esta função comum, a relação com o símbolo, eu a denominei – como já ficou dito – de *função transcendente*. Não posso, agora, explicar totalmente o problema. Para isso seria necessário reunir todos aqueles materiais que se apresentam como resultado da atividade inconsciente. As fantasias descritas até agora pela literatura científica não dão ideia das criações simbólicas de que tratamos aqui. Na literatura beletrística não são poucos os exemplos dessas fantasias, mas não são observadas e apresentadas em estado "puro" e, sim, passaram por uma elaboração "estética" intensa. Entre esses exemplos, gostaria sobretudo de mencionar as duas obras de Meyrink *Der Golem* e *Das grüne Gesicht*. Devo reservar a abordagem desse ângulo do problema a um estudo posterior.

190 Ainda que tenhamos sido motivados por Schiller, estas considerações sobre o estado intermédio nos levaram muito além de suas concepções. Mesmo abordando com acuidade e profundidade os opostos na natureza humana, fica restrito, na tentativa de solução, a um estágio inicial. Quer-me parecer que o termo "estado estético" tem culpa nisso. Schiller coloca o "estado estético" por assim dizer em condição de identidade com o *belo* que transfere o *sentimento* para este estado[76]. Reúne assim não só causa e efeito, mas também dá

76. SCHILLER, F. *Über die ästhetische Erziehung des Menschen*. Op. cit., carta 21.

ao estado da "ausência de determinação" – absolutamente contra sua própria definição – uma determinação inequívoca ao identificá-lo com o belo. Desse modo também a função intermédia é privada de sua ação, pois, na qualidade de beleza, relega, sem mais, a feiura que também precisa ser considerada. Schiller define como "estética" uma coisa que se relaciona com "o todo de nossas diferentes forças". Por isso não podem coincidir "belo" e "estético", pois nossas diferentes forças também são esteticamente diversas; são belas ou feias e só um idealista e otimista incurável poderia imaginar que o "todo" da natureza humana fosse simplesmente "belo". Para ser justo, ele é simplesmente real e tem um lado claro e outro escuro. A soma de todas as cores é o cinza, claro sobre um fundo escuro e escuro sobre um fundo claro.

191 Este inacabamento e esta insuficiência conceitual explicam por que fica totalmente no escuro a maneira como se poderia estabelecer este estado intermediário. Há inúmeras passagens donde sobressai claramente que é o "gozo da verdadeira beleza" que provoca o estado intermediário. Assim diz Schiller: "O que seduz nossos sentidos, na sensação imediata, abre nosso espírito sensível e movediço a qualquer impressão, mas também nos torna, na mesma medida, menos capazes de esforço. O que enrijece nossas forças de pensamento e convida a conceitos abstratos fortalece nosso espírito para toda espécie de resistência, mas endurece-o na mesma proporção, roubando-nos tanto a receptividade quanto nos auxilia em maior espontaneidade. Por isso mesmo, ao final, tanto um como outro conduzem necessariamente ao esgotamento [...] Se, porém, nos entregamos ao gozo da beleza autêntica, somos senhores, a um tempo e em grau idêntico, de nossas forças passivas e ativas, e com a mesma facilidade nos voltaremos para o sério e para o lúdico, para o repouso e para o movimento, para a condescendência e para a resistência, para o pensamento abstrato e para a intuição"[77].

192 Esta exposição está em flagrante contradição com as primitivas definições do "estado estético" no qual o homem deveria ser "zero", indeterminado; ao passo que, aqui, é determinado ("sacrificado a"), em grau máximo, pela beleza. Não adianta continuar na pesquisa dessa questão em Schiller. Ele chegou a um limite, seu e de seu tem-

77. Ibid., carta 22.

po, que lhe foi impossível transpor, pois em toda parte se defrontava com o "homem mais feio" invisível, cuja descoberta ficou reservada à nossa época e a Nietzsche.

193 Schiller gostaria de transformar o ser sensual em ser racional, fazendo-o primeiro um ser estético, como ele mesmo diz. É preciso mudar a natureza do homem sensual, é preciso "subordinar à forma" a vida física, o homem precisa realizar sua "determinação física... segundo as leis da beleza"; "o homem deve começar sua vida moral no campo indiferente da vida física", deve "começar sua liberdade racional ainda nos limites de sua sensualidade. Deve impor às suas inclinações a lei de sua vontade [...] precisa aprender a desejar com nobreza"[78].

194 O "ser necessário" (*müssen*) de que fala nosso autor é o nosso bem conhecido "estar obrigado a" (*sollen*) que é postulado sempre que não temos outra saída. Também aqui nos defrontamos com os inevitáveis limites. Seria injusto esperar de um único espírito, por maior que fosse, a superação desse problema gigantesco, um problema que somente épocas e povos – e também estes só por destino e não conscientemente – podem resolver.

195 A grandeza das ideias de Schiller está na observação psicológica e percepção intuitiva do observado. Gostaria de trazer ainda uma de suas linhas de pensamento que merecem ênfase. Vimos acima que o estado intermediário se caracteriza pela produção de um "positivo", ou seja, de um *símbolo*. O símbolo unifica, em sua natureza, o oposto; e assim unifica também a oposição real-irreal porque é, de um lado, uma realidade psicológica (devido à sua *eficácia*), mas, de outro, não corresponde a nenhuma realidade física. E uma realidade e, também, uma *aparência*. Schiller aponta claramente esta circunstância[79] para nela acrescentar uma apologia da aparência que, de qualquer forma, é importante.

196 "A mais alta estupidez e a mais alta inteligência têm certa afinidade entre si, pois ambas buscam exclusivamente o *real*, e são completamente insensíveis a tudo que seja mera aparência. Somente pela presença imediata de um objeto nos sentidos é que a estupidez é arrancada de seu repouso, e somente pela recondução de seus concei-

78. Ibid., carta 23.

79. Ibid., carta 22.

tos a fatos da experiência é que a inteligência vem a repousar; em poucas palavras, a imbecilidade não pode erguer-se por sobre a realidade e o entendimento não pode ficar debaixo da verdade. Na medida, pois, em que a necessidade da realidade e a dependência do real são meros efeitos da carência, a indiferença para com a realidade e o interesse na aparência representam uma verdadeira expansão da humanidade e um passo decisivo em direção à cultura"[80].

197 Falando, acima, do valor atribuído ao símbolo, frisei a vantagem prática da valorização do inconsciente. Excluímos a perturbação inconsciente das funções conscientes se levarmos em conta, de antemão, o inconsciente através da consideração do símbolo. O inconsciente, quando não se realiza, está sempre em ação, espalhando sobre tudo uma falsa aparência: *ele nos aparece sempre nos objetos*, pois todo o inconsciente é projetado. Se pudermos apreender o inconsciente em si, tiraremos do objeto a falsa aparência, o que só pode aproveitar à verdade. Schiller diz: "Este direito humano de domínio ele (o homem) o exerce na *arte da aparência* e quanto mais severo for no distinguir entre o "meu" e o "teu", quanto mais cuidadoso for em separar a forma do ser e quanto mais autonomia souber dar a ela (à forma), tanto mais ampliará não só o reino da beleza, mas preservará também os limites da verdade; pois é impossível purificar a aparência dos resíduos de realidade sem libertar, ao mesmo tempo, a realidade dos resíduos da aparência"[81]. Aspirar a uma aparência autônoma exige maior faculdade de abstração, mais liberdade do coração, mais energia da vontade do que necessita o homem para restringir-se à realidade, e é preciso que esta já tenha sido superada para então aspirar àquela"[82].

2. Sobre a poesia ingênua e sentimental

198 Durante muito tempo pareceu-me que a divisão de Schiller dos poetas em *ingênuos* e *sentimentais*[83] fosse conforme aos pontos de vista aqui expostos. Mas, após madura reflexão, concluí que não é as-

80. Ibid., carta 26.

81. Ibid., carta 26.

82. Ibid., carta 27.

83. SCHILLER, F. *Über naive und sentimentalische Dichtung*. Vol. 18, op. cit., p. 205.

sim. A definição de Schiller é simples: o *poeta ingênuo é natureza*, o *poeta sentimental está à procura dela*. Esta fórmula tão simples é enganosa na medida em que estabelece duas espécies diferentes de relação com o objeto. Poderíamos dizer mais ou menos o seguinte: Aquele que procura ou deseja a natureza como objeto não a possui e seria, pois, introvertido; e aquele que já é natureza em si e, portanto, está em relação íntima com o objeto, seria um extrovertido. Mas semelhante interpretação, algo forçada, teria pouco a ver com o ponto de vista de Schiller. Sua divisão em ingênuo e sentimental está em contraposição com nossa divisão de tipos e não considera a mentalidade individual do poeta, mas apenas o caráter de sua atividade criadora, ou seja, sua produção. O mesmo poeta pode ser sentimental numa poesia e ingênuo em outra. Homero é, sem dúvida, ingênuo, mas quantos dos novos não são, na maior parte, sentimentais? Schiller sentiu esta dificuldade e, por isso, falou que o poeta é condicionado por sua época, não como indivíduo, mas como poeta. Assim diz ele: "Todos os poetas, realmente poetas, pertencerão aos ingênuos ou sentimentais, dependendo da constituição da época em que floresceram ou das circunstâncias ocasionais que influenciaram sua formação geral e seu estado de espírito momentâneo"[84]. Trata-se, portanto, também para Schiller, não de tipos fundamentais, mas de certas características ou qualidades de produtos individuais. Está claro, pois, que um poeta introvertido pode escrever, às vezes, poesia tanto ingênua quanto sentimental. E assim cai fora de qualquer consideração uma identidade de ingênuo e sentimental, de um lado, com extrovertido e introvertido, de outro, ao se tratar da questão dos *tipos*. Outra é a situação quando se trata dos *mecanismos típicos*.

a) A atitude ingênua

199 Inicialmente apresento as definições que Schiller deu dessa atitude. Já lembramos que o ingênuo é "natureza". Ele "segue a pura natureza e as sensações, e se limita a copiar a realidade"[85]. "Alegramo-nos, na apresentação ingênua, com a presença viva do objeto em

---

84. Ibid., p. 236.

85. Ibid., p. 248.

nossa força imaginativa"[86]. "A poesia ingênua é um dom da natureza. É um golpe de sorte, não precisando de aperfeiçoamento quando bem aproveitado, mas incapaz de qualquer aperfeiçoamento quando desperdiçado". "O temperamento ingênuo tem que fazer tudo através de sua natureza, através de sua liberdade consegue pouco e só realiza sua ideia quando a natureza atua nele por uma necessidade interna". A poesia ingênua "é a filha da vida e reconduz para a vida". O temperamento ingênuo depende totalmente da "experiência", do mundo, daquilo por que é "atingido diretamente". Precisa de "um auxílio externo"[87]. A "natureza comum" de seu mundo-ambiente pode tornar-se perigosa para o poeta ingênuo, pois "a receptividade depende sempre mais ou menos da impressão externa e só uma atividade contínua da faculdade produtiva, que não se pode esperar da natureza humana, poderia impedir que a matéria exercesse às vezes uma força cega sobre a receptividade. Mas sempre que isto acontece, o sentimento poético se torna comum"[88]. "O temperamento ingênuo deixa que a natureza atue livremente nele"[89]. Nessas definições vemos claramente que o ingênuo depende do objeto. Sua relação com o objeto tem um caráter coercitivo, na medida em que introjeta o objeto, isto é, se identifica inconscientemente com ele ou, por assim dizer, é *a priori* idêntico a ele. Levy-Bruhl denomina esta relação com o objeto de *participation mystique*. Esta identidade se estabelece sempre por uma analogia entre o objeto e um conteúdo inconsciente. Poderíamos dizer também: a identidade se realiza pela projeção de uma associação inconsciente de analogia sobre o objeto. Uma identidade dessa espécie tem sempre caráter coercitivo, porque se trata de uma determinada soma de libido que, à semelhança de toda quantidade de libido que atua a partir do inconsciente, tem caráter coercitivo sobre o consciente, isto é, não está disponível à consciência. A pessoa de atitude ingênua é por isso determinada em grande parte pelo objeto; o objeto opera, por assim dizer, independentemente dela; realiza-se nela, já que ela é idêntica ao objeto. O ingênuo empresta sua

---

86. Ibid., p. 250, nota.

87. Ibid., p. 303s.

88. Ibid., p. 307s.

89. Ibid., p. 314.

função expressiva ao objeto e o representa de certa forma, não ativa ou intencionalmente, mas ele se representa no objeto. Ele mesmo é natureza, a natureza cria nele o produto. Ele permite que a natureza atue livremente nele. Ao objeto cabe o primado. Até aí a atitude ingênua é extrovertida.

b) A atitude sentimental

200 Dissemos acima que o sentimental *procura* a natureza. Ele "reflete sobre a impressão que lhe causam os objetos e só nesta reflexão se baseia a comoção que o desloca, e desloca também a nós. O objeto é aqui relacionado com uma ideia e só neste relacionamento repousa sua força poética"[90]. Ele "está sempre envolvido com duas ideias e sensações conflitantes, com a realidade enquanto limite e com sua ideia enquanto ilimitada, e a mistura de sentimento que ele produz testemunhará sempre essa dupla fonte"[91]. "O estado sentimental é o resultado do esforço de reproduzir a sensação ingênua, de acordo com o conteúdo, mesmo *sob as condições da reflexão*"[92]. "A poesia sentimental é o fruto da abstração"[93]. "Por causa de seu esforço de afastar dela (da natureza humana) todas as barreiras, o temperamento sentimental está exposto ao perigo de abolir totalmente a natureza humana e não apenas elevar-se, como deve e pode, acima de toda realidade fixa e limitada para uma possibilidade absoluta – ou idealizar e mesmo ultrapassar a possibilidade – ou *delirar*". "O temperamento sentimental abandona a realidade para subir às ideias e dominar, com livre autonomia, sua matéria"[94].

201 É fácil ver que o sentimental, ao contrário do ingênuo, se caracteriza por uma atitude reflexiva e abstrativa quanto ao objeto. Ele "reflete" sobre o objeto, enquanto é dele "afastado". É, por assim dizer, separado *a priori* do objeto quando inicia sua produção; não é o objeto que atua nele, mas ele próprio age. Não age dentro em si mes-

90. Ibid., p. 249.

91. Ibid, p. 250.

92. Ibid., p. 301, nota.

93. Ibid., p. 303.

94. Ibid., p. 314.

mo, mas por sobre o objeto, para fora. É distinto do objeto e não idêntico a ele, procura estabelecer sua relação com ele, "dominar seu material". Dessa sua separação do objeto nasce a impressão, mencionada por Schiller, de dualidade, haurindo o sentimental de duas fontes: do objeto, respectivamente de sua percepção, e de si mesmo. A impressão externa do objeto não lhe é imprescindível, mas apenas material que ele manipula segundo seus próprios conteúdos. Está acima do objeto, mas tem certa relação com ele; não a relação de receptividade, mas é ele que empresta, arbitrariamente, ao objeto seu valor ou sua qualidade. Sua atitude é, portanto, a do introvertido.

202 Com a caracterização dessas duas atitudes como introvertida e extrovertida, não esgotamos o pensamento de Schiller. Nossos dois mecanismos significam apenas fenômenos básicos de natureza bastante geral que só indicam de modo vago o específico de cada um. Para compreender o ingênuo e o sentimental temos que apelar para outros dois princípios: os elementos da *sensação* e da *intuição*. Voltarei a falar mais longamente dessas funções num estágio posterior de nosso estudo. Agora só desejo mencionar que o ingênuo se caracteriza pela preponderância do elemento sensual e o sentimental, pela preponderância do elemento intuitivo. A sensação vincula ao objeto, puxa mesmo o sujeito para dentro do objeto, daí que o "perigo" para o ingênuo está em afundar-se no objeto. A intuição como percepção dos próprios processos inconscientes puxa para longe do objeto, eleva-se acima do objeto, procura sempre dominar a matéria e formá-la de acordo com pontos de vista subjetivos, usando inclusive a força, sem ter consciência deles. O "perigo" do sentimental está, pois, num desligamento total da realidade e numa submersão na fantasia que flui do inconsciente ("delírio").

c) O idealista e o realista

203 No mesmo ensaio, as reflexões de Schiller levam a uma postulação de dois tipos psicológicos de pessoas. Ele diz: "Isto me leva a um antagonismo psicológico bem marcante entre os homens num século que se culturaliza: um antagonismo que, por ser radical e estar fundado na forma íntima do espírito, provoca separação pior entre os homens do que poderia ocasionar o eventual conflito de interesses que

tira do artista e do poeta toda esperança de agradar e tocar a todos – o que, no entanto, é tarefa deles; que impede o filósofo, mesmo que faça todo o possível, de persuadir a todos – o que, no entanto, o conceito de filosofia traz consigo; que jamais permitirá ao homem, em sua vida prática, ver seu modo de agir aprovado por todos; resumindo, um antagonismo que tem a culpa de que nenhuma obra do espírito e nenhuma ação do coração possa fazer a felicidade plena de uma classe, sem incorrer, por isso, na condenação por parte das outras classes. Este antagonismo é, sem dúvida, tão antigo quanto o início da cultura, e até o fim pouca diferença haverá, salvo em casos individuais muito raros, mas que, felizmente, sempre existiram e hão de existir; ainda que faça parte de suas operações que também frustre toda tentativa de composição, porque nenhuma parte pode ser levada a admitir uma falta em seu lado e uma realidade no outro, sempre é vantagem seguir uma separação tão importante até sua fonte última e, assim, ao menos, reduzir o ponto essencial da disputa a uma fórmula mais simples"[95].

204 Dessa passagem resulta claramente que Schiller, mediante a observação dos mecanismos opostos, chegou à postulação de dois tipos psicológicos que têm, em sua concepção, aquela importância que eu atribuo ao introvertido e ao extrovertido. Com referência à relação recíproca dos dois tipos estabelecidos por mim, posso confirmar palavra por palavra o que Schiller diz dos seus tipos. Em concordância com o que falei acima, Schiller vai do mecanismo para o tipo, "separando, tanto do caráter ingênuo quanto do sentimental, o que eles têm de poético"[96]. Para completar esta operação, temos que abstrair o genial, o criativo; sobra, então, no ingênuo a ligação com o objeto e a autonomia dele no sujeito; no sentimental, porém, a preponderância sobre o objeto que se manifestará numa forma mais ou menos arbitrária de julgar ou manipular o objeto. Schiller diz: "Do ponto de vista teórico, não sobra do primeiro (ingênuo) nada mais do que um espírito de observação sóbrio e uma firme dependência do testemunho uniforme dos sentidos; do ponto de vista prático, uma resignada submissão à necessidade da natureza [...] Nada mais resta do caráter

---

95. Ibid., p. 329s.

96. Ibid., p. 331.

sentimental do que (na teoria) um espírito irrequieto de especulação que insiste no absoluto em todos os conhecimentos e, na prática, um rigorismo moral que consiste no absoluto em todas as ações da vontade. Quem pertence ao primeiro grupo pode ser chamado de *realista* e quem pertence ao outro, de *idealista*"[97].

205 As outras observações de Schiller sobre os dois tipos referem-se quase exclusivamente aos fenômenos conhecidos da atitude realista e idealista e não interessam, portanto, ao nosso estudo.

97. Ibid.

III

O apolíneo e o dionisíaco

206 O problema percebido por Schiller e parcialmente elaborado por ele foi retomado de forma nova e original por Nietzsche em seu escrito, datado de 1871, *O nascimento da tragédia*[1]. Esta obra da juventude está mais relacionada com Schopenhauer e Goethe e não com Schiller. Mas parece que tem algo a ver com o estetismo e helenismo de Schiller, com o pessimismo e o *motivo redentor* de Schopenhauer, e tem muito em comum com o *Fausto* de Goethe. Entre essas correlações, as mais importantes para nós são obviamente as que se referem a Schiller. Não podemos, contudo, passar por Schopenhauer sem ressaltar o modo como deu realidade àquelas ideias da sabedoria oriental que, em Schiller, só figuram como pálidos esquemas. Se não considerarmos o seu pessimismo que brota do contraste com o gozo cristão da fé e com a certeza da redenção, pode-se considerar como essencialmente budista a doutrina da salvação de Schopenhauer. Ele foi cativado pelo Oriente. Foi, sem dúvida, uma reação contra nossa atmosfera ocidental. Como sabemos, essa reação ainda persiste hoje em dia em grau não desprezível em vários movimentos voltados quase totalmente para a Índia. Em Nietzsche este impulso para o Oriente para na Grécia. Achava que a Grécia era a escala intermédia entre o Oriente e o Ocidente. Até aqui ele empata com Schiller, mas quão diferente é sua concepção do caráter grego! Ele vê a tela preta sobre a qual está pintado o mundo sereno e áureo do Olimpo. "Para tornar a vida possível, os gregos tiveram que criar esses deuses por pura necessidade". – "O grego conhecia e sentia o terror e o horror da exis-

---

1. NIETZSCHE, F. "Die Geburt der Tragödie". *Nietzsches Werke*. Vol. I, 1899.

tência; para poder viver, apesar de tudo, teve que interpor, entre ele e esta ameaça, o mundo numinoso e sonhado do Olimpo. Aquela desconfiança tremenda das titânicas forças da natureza, aquela moira que reina sem piedade sobre todos os conhecimentos, aquele abutre de Prometeu – o grande amigo do homem –, aquele terrível destino do sábio Édipo, aquela maldição familiar dos atridas que levou Orestes ao matricídio [...] tudo foi sendo superado pelos gregos com a ajuda daquele mundo artificial e intermediário do Olimpo, ou ao menos foi encoberto e afastado dos olhos"[2]. Esta "serenidade" grega, este céu risonho da Hélade qual ilusão fulgurante sobre um fundo sombrio – isto estava reservado aos modernos e é um argumento forte contra o estetismo moral. Aqui Nietzsche toma uma posição bastante diversa da de Schiller. Se por acaso supusermos que as *Cartas sobre a educação estética*, de Schiller, eram também uma tentativa de abordar os seus próprios problemas, esta suposição torna-se plena certeza nesta obra de Nietzsche: é um livro "profundamente pessoal". E enquanto Schiller começa a pintar, diríamos acanhadamente, luz e sombra com pálidas cores, e a entender o conflito experimentado em sua própria psique como "ingênuo" contra "sentimental", excluindo tudo o que está por detrás e no profundo da natureza humana, a concepção de Nietzsche vai mais fundo e apresenta uma oposição que, por um lado, nada fica devendo à beleza fulgurante da visão de Schiller, mas, por outro, encontra tons infinitamente mais sombrios que realçam, sim, a força da luz, mas deixam supor que haverá uma noite bem mais escura por trás deles.

207 Nietzsche denomina seu par básico de opostos *apolíneo* e *dionisíaco*. Tentemos, agora, desvendar a natureza desse par de opostos. Para isso coloco uma série de citações de textos por meio dos quais o leitor – mesmo sem ter lido os escritos de Nietzsche – estará em condições de emitir seu julgamento e avaliar a minha posição.

208 "Teremos logrado muito em prol da ciência estética se chegarmos à concepção, não só pela compreensão lógica, mas também pela certeza imediata, de que o progresso da arte está ligado à duplicidade do apolíneo e do dionisíaco; à semelhança da geração que depende

2. Ibid., p. 31.

da dualidade dos sexos, envolvendo luta constante e reconciliações apenas periódicas."

209 "A essas duas divindades da arte, Apolo e Dioniso, está ligado nosso conhecimento de que no mundo grego havia uma *oposição tremenda*, tanto em sua origem quanto em seu objetivo, entre a arte do plasmador de formas do apolíneo e a arte informal da música, de Dioniso: esses dois instintos tão diversos andam juntos, a maior parte das vezes em discrepância aberta, provocando-se mutuamente para sempre novos e mais fortes nascimentos, para neles perpetuar a luta daquela oposição que apenas a palavra comum a eles, 'arte', pode aparentemente superar; até que, finalmente, por um milagre metafísico da 'vontade' helênica, formam *par um com o outro* e nesta parceria geram a obra de arte, a um tempo dionisíaca e apolínea, da tragédia ática"[3].

210 Para melhor caracterizar ambos os instintos, Nietzsche compara os estados psicológicos específicos que engendram aos do *sonho* e *embriaguez*. O instinto apolíneo produz o estado comparável ao *sonho*, o dionisíaco, o estado comparável à *embriaguez*. Nietzsche entende por "sonho", como ele mesmo afirma, essencialmente uma "visão interna", a "bela aparência dos mundos oníricos". Apolo "governa a bela aparência do mundo interno da fantasia", ele é "o deus de todas as forças plasmadoras de formas". Ele é medida, número, limitação e subjugação de todo selvagem e indomada. "Gostaríamos [...] de apresentar Apolo como a imagem gloriosa e divina do princípio da individuação"[4]. O dionisíaco, porém, é a libertação do instinto sem limites, a irrupção da *dynamis* (força dinâmica) desenfreada de natureza animal e divina, por isso o homem aparece no coro dionisíaco como *sátiro*, deus na parte superior e bode na parte inferior[5]. É o horror à destruição do princípio da individuação e, ao mesmo tempo, o "feliz êxtase" de que seja destruído. Por isso, o dionisíaco é comparável à embriaguez que dissolve o individual nos instintos e conteúdos coletivos, uma explosão do enclausurado eu por influência do mundo. Por isso, no dionisíaco, o homem se encontra com o

---

3. Ibid., p. 19s.

4. Ibid., p. 22s.

5. Ibid., p. 57s.

homem e "também a natureza alienada, hostil e subjugada celebra novamente sua festa de reconciliação com seu filho perdido: o homem"[6]. Cada qual se sente "um" com o próximo ("não apenas unificado, reconciliado e fusionado"). Sua individualidade deve estar, então, completamente abolida. "O homem já não é artista, tornou-se a obra de arte: a força artística de toda a natureza [...] revela-se aqui sob o frêmito da embriaguez"[7]. Isto significa que a *dynamis* criadora, a libido sob a forma de instinto, se apodera do indivíduo como de um objeto e o utiliza como instrumento ou manifestação. Se é lícito conceber o ser natural como "obra de arte", então, no estado dionisíaco, o homem tornou-se uma obra de arte natural; mas o ser natural não é uma obra de arte no sentido que costumamos atribuir à "obra de arte", também não é simples natureza, nem um animal fechado em si e no seu ser, indomado e, de forma nenhuma, um rio caudaloso. Devo salientar esse ponto por causa da clareza e da discussão a seguir, pois Nietzsche, por certas razões, deixou de salientá-lo e, por isso, cobriu o problema com um véu estético enganoso que, no entanto, teve que levantar involuntariamente em certas ocasiões. Assim, por exemplo, quando fala das origens dionisíacas: "Quase sempre o centro dessa festa está numa licenciosidade sexual desvairada, cujas ondas varrem qualquer senso de família e suas veneráveis tradições; aqui são libertadas exatamente as bestas mais selvagens até a horrenda mistura de prazer e crueldade"[8].

211 Nietzsche considerou a reconciliação do Apolo délfico com Dioniso como símbolo da reconciliação desses opostos no peito do grego civilizado. Esquece, porém, sua própria fórmula compensadora segundo a qual os deuses do Olimpo devem sua luz à escuridão da alma grega: portanto, a reconciliação de Apolo com Dioniso seria bela aparência, um desiderato, trazido à terra pela necessidade que a metade civilizada dos gregos encontrou na luta contra seu lado bárbaro que, no estado dionisíaco, sempre teve trânsito livre. Entre a religião de um povo e seu modo de vida real há sempre uma relação compensadora, caso contrário a religião não teria nenhum sentido prático.

---

6. Ibid., p. 24.
7. Ibid., p. 24s.
8. Ibid., p. 27.

Começando com a religião altamente moral dos persas e a dubiedade moral, já célebre na Antiguidade, de seus costumes, até a nossa época "cristã" em que a religião do amor assistiu ao maior banho de sangue da história do mundo, esta regra se confirma. Por isso devemos concluir do símbolo da reconciliação délfica para uma divisão particularmente violenta no caráter grego. Isto explica também o anseio de reconciliação que deu aos mistérios aquela grande importância para a vida social dos gregos e que foi completamente desconsiderada pelos antigos admiradores dos gregos. Contentavam-se em ver, ingenuamente, nos gregos, tudo aquilo que faltava a eles próprios.

212 No estado dionisíaco, o homem grego nunca foi obra de arte; foi arrebatado pela sua própria natureza bárbara, roubado de sua individualidade, dissolvido em todos os seus componentes coletivos, feito um com o inconsciente coletivo (abandonando seus objetivos individuais) e um com "o espírito da raça, em suma, da natureza". Para a domesticação apolínea já alcançada, este estado de embriaguez, que fazia o homem esquecer a si mesmo e a sua condição humana e o transformava num ser puramente instintivo, devia ser algo desprezível e, portanto, era imperioso surgir entre os dois instintos um acirrado combate. Libertem-se os instintos do homem civilizado! O apaixonado pela cultura acredita que daí flua autêntica beleza. Este erro se baseia numa falta profunda de conhecimento psicológico. As forças instintivas, represadas no homem civilizado, são altamente destrutivas e, de longe, bem mais perigosas do que os instintos do primitivo que vive sempre modestamente seus instintos negativos. Por isso nenhuma guerra do passado histórico pode rivalizar em atrocidade com a guerra das nações civilizadas. Não devia ter sido diferente entre os gregos. Foi exatamente a sensação viva do horror que os levou gradualmente a uma reconciliação do dionisíaco com o apolíneo – "por um milagre metafísico", como diz Nietzsche logo de saída. Devemos reter esta expressão como também a outra de que a oposição da qual tratamos "só pode aparentemente ser superada pela palavra comum 'arte'". Devemos guardar estas afirmações porque tanto Nietzsche como Schiller têm a manifesta tendência de atribuir à arte o papel intermediador e reconciliador. E, assim, o problema fica embutido no estético – o feio também é "belo"; o abominável, o próprio mal brilha convidativo na luminosidade enganadora do belo-estético. A

natureza artística em Schiller e também em Nietzsche reivindica para si e para suas possibilidades específicas de criação e expressão um sentido redentor.

213 Esquece, porém, Nietzsche que, na luta de Apolo contra Dioniso e em sua reconciliação final, para os gregos não se tratava de um problema estético, mas de uma *questão religiosa*. As festas dionisíacas dos sátiros eram, segundo todas as analogias, uma espécie de festas de totem, havendo uma identificação regressiva com os ancestrais míticos ou diretamente com o animal totem. O culto de Dioniso teve, em muitos lugares, uma tendência místico-especulativa e exerceu, de qualquer forma, uma influência religiosa bastante forte. Pelo fato de a tragédia provir de cerimônias religiosas primitivas – o que significa tanto quanto a conexão de nosso teatro moderno com as representações medievais da Paixão e seu fundo exclusivamente religioso – não nos autoriza a julgar o problema sob o ponto de vista apenas estético. O estetismo é uma lente moderna pela qual enxergamos os mistérios psicológicos do culto de Dioniso numa luz sob a qual os antigos certamente nunca os viram ou vivenciaram. Tanto Schiller como Nietzsche ignoram totalmente o aspecto religioso e o substituem pelo estético. É certo que tudo isto tem seu lado estético que não podemos desprezar[9]. Mas se considerarmos o cristianismo medieval apenas esteticamente, falsificamos e trivializamos seu verdadeiro caráter, da mesma forma como se o considerássemos apenas do ponto de vista histórico. Uma verdadeira compreensão só é possível tendo base comum, pois ninguém pretende afirmar que a estrutura de uma ponte ferroviária é suficientemente compreendida por seu lado estético. Defender o ponto de vista de que o antagonismo entre Apolo e Dioniso é mera questão de conflito de impulsos artísticos, significa transportar o problema para a esfera estética, o que não se justifica historica ou materialmente e nem faz justiça a seu conteúdo real, pois é apenas uma consideração parcial.

---

9. O estetismo pode, naturalmente, substituir as funções religiosas. Mas quantas coisas existem que não podem fazer o mesmo? Quantas coisas aprendemos em substituição a uma religião que faltava? Mesmo que o estetismo seja um sucedâneo bem nobre, é apenas substituto do autêntico que falta. A "conversão" posterior de Nietzsche a Dioniso mostra de sobejo que o substituto estético não conseguiu resistir por muito tempo.

214 Esse deslocamento do problema deve ter sua razão e intenção Psicológicas. Não é difícil descobrir a vantagem desse procedimento: a abordagem estética converte de imediato, o problema numa imagem que o espectador contempla à vontade admirando a beleza e a feiura, percebendo, a uma distância segura, a paixão nela expressa, sem o perigo de envolver-se emocional ou participativamente. A atitude estética resguarda de qualquer participação e de qualquer envolvimento pessoal, o que é suposto pela compreensão religiosa do problema. A mesma vantagem garante a abordagem histórica – uma abordagem que o próprio Nietzsche critica numa série de ensaios muito preciosos[10]. A possibilidade de considerar esse magno problema – "um problema chifrudo" como o denomina – apenas esteticamente é, sem dúvida, tentador, pois sua compreensão religiosa, a única adequada nesse caso, pressupõe certa vivência atual ou passada da qual o homem moderno não pode vangloriar-se. Mas parece que Dioniso se vingou de Nietzsche... Confira seu *Ensaio de autocrítica*, de 1886, que fez preceder como introdução a *O nascimento da tragédia:* "Ora, o que é *o* dionisíaco? Neste livro há uma resposta. Um 'conhecedor' fala aqui, *o iniciado e discípulo de seu deus*"[11]. Mas este não era o Nietzsche que escreveu *O nascimento da tragédia*; naquele tempo ele era um iniciado no estetismo e só se tornou um dionisíaco ao tempo em que escreveu *Zaratustra* e aquela notável passagem com que encerra o *Ensaio de autocrítica:* "Ao alto os corações, meus irmãos, ao alto, mais alto! E não esqueçais as pernas! Ao alto também as pernas, bravos dançarinos, e melhor ainda se vos mantiverdes de cabeça para baixo e pernas para cima"[12].

215 A profundidade com que Nietzsche compreendeu o problema, apesar de sua convicção estética, estava tão próxima da realidade que sua experiência dionisíaca posterior foi, por assim dizer, consequência inevitável. Seu ataque a Sócrates, em *O nascimento da tragédia*, vale para o racionalista, insensível às orgias dionisíacas. Este afeto é

---

10. NIETZSCHE, F. *Vom Nutzen und Nachteil der Historie für das Leben.* 2ª Parte de *Unzeitgemässen Betrachtungen.*

11. NIETZSCHE, F. "Versuch einer Selbstkritik". In: *Die Geburt der Tragödie* [Nietzsches Werke, vol. I, 1899, p. 6].

12. Ibid., p. 14.

análogo ao erro em que incide o estetista: *conserva-se à distância do problema*. Mas, apesar de seu estetismo, Nietzsche entrevia, já naquela época, a verdadeira solução ao escrever que o antagonismo não fora superado pela arte, mas por "um milagre metafísico da 'vontade' helênica". Escreve *vontade* entre aspas e, considerando a grande influência que sofria naquele tempo por parte de Schopenhauer, deve-se interpretar isso como referência ao conceito de vontade metafísica. "Metafísica" tem para nós aqui a conotação psicológica de "inconsciente". Se substituirmos, na fórmula de Nietzsche, "metafísico" por "inconsciente", a chave buscada do problema seria um "milagre" inconsciente. "Milagre" é algo irracional, por isso o ato é um evento irracional inconsciente, nascido de si mesmo, sem o concurso da razão ou da intenção consciente. Acontece por si mesmo, um fenômeno de crescimento da natureza criadora, não oriundo da invenção do engenho humano, mas fruto da expectativa, da fé e da esperança.

216 Deixemos, por ora, de lado este problema, pois teremos ocasião de voltar a ele com mais detalhes. Voltemos a examinar melhor os caracteres psicológicos dos conceitos apolíneo e dionisíaco. Em primeiro lugar, o dionisíaco. Pela descrição de Nietzsche vemos imediatamente que se trata de um desdobramento, de um fluir para cima e para fora, de uma *diástole*, como a chama Goethe, e um movimento que abarca o mundo todo, como Schiller o descreve em sua "Ode à alegria":

> Atingidos sejais, milhões,
> pelo ósculo do mundo inteiro.
> ....
> Nutrem-se de alegria todos os seres
> nos peitos da natureza.
> Bons e maus, todos eles
> seguem no traçado de rosas.
> Nos dá beijos e nos dá uvas
> um amigo fiel até a morte;
> agraciado foi o verme com a volúpia
> e o querubim perante Deus está.

217 É uma expansão dionisíaca, uma corrente de sentimento universal muito forte que surge irresistível e, qual vinho generoso, embriaga os sentidos. É embriaguez no sentido mais elevado.

218 Participa desse estado em grau máximo o elemento psicológico da *sensação*, seja dos sentidos, seja afetiva. Trata-se, pois, de uma extroversão de sentimentos, ligados indistintamente ao elemento da sensação, e por isso os chamamos de sensações-sentimentos. O que mais se manifesta neste estado são afetos, portanto o instintivo, o coagir cego, que se expressa numa afetação da esfera corporal.

219 Em contrapartida, o apolíneo é uma percepção das imagens internas da beleza, da medida e dos sentimentos mantidos dentro das proporções. A comparação com o sonho traduz muito bem o caráter do estado apolíneo: é um estado de introspecção, de contemplação voltada para dentro, para o mundo onírico das ideias eternas, portanto, um estado de *introversão*.

220 Até aqui a analogia com nossos mecanismos é indubitável. Mas se nos contentarmos com a analogia, não chegaremos a entender plenamente os conceitos de Nietzsche.

221 Vimos no decorrer de nosso estudo que o estado de introversão, assim que se transforma em hábito, traz consigo sempre uma diferenciação da relação com o mundo das ideias; e a extroversão habitual também o faz na relação com o objeto. Nada encontramos dessa diferenciação nos conceitos de Nietzsche. O sentimento dionisíaco tem o caráter eminentemente arcaico da sensação afetiva. Não é, portanto, puro nem diferenciado do instintivo para tornar-se aquele elemento móvel que, no tipo extrovertido, obedece aos ditames da razão e se coloca inteiramente à disposição dela. Também em Nietzsche o conceito de introversão não alcança uma relação pura e diferenciada com as ideias que se tivesse libertado da intuição, seja da sensivelmente condicionada, seja da criativamente gerada, para atingir formas abstratas e puras. O modo apolíneo é uma percepção interna, uma intuição do mundo das ideias. A comparação com o sonho mostra claramente que Nietzsche considera este estado, por um lado, como puramente perceptivo e, por outro, como simples imagem.

222 Essas características são algo específico que não podemos acrescentar ao nosso conceito de atitude introvertida ou extrovertida. Para uma pessoa de atitude predominantemente reflexiva, o estado apolíneo de contemplação das imagens internas provoca uma elaboração do observado análoga ao caráter do pensar intelectual. Daí surgem as ideias. Numa pessoa de atitude principalmente sentimental, o

processo é semelhante: as imagens são penetradas pelo sentimento e aparece uma ideia sentimental que, em sua essência, pode coincidir com a ideia produzida pelo pensamento. As ideias são, pois, tanto sentimentos quanto pensamentos, como, por exemplo, as ideias de pátria, liberdade, Deus, imortalidade etc. O princípio de ambas as elaborações é racional e lógico. Mas há também outro ponto de vista bem diferente, segundo o qual a elaboração lógico-racional não é válida: é o *ponto de vista estético*. Na introversão, ele se fixa na *percepção* das ideias, desenvolve a intuição, a visão íntima; na extroversão, se fixa na *sensação*, desenvolve os sentidos, o instinto, a afetabilidade. Segundo este ponto de vista, o pensar não é o princípio da percepção íntima das ideias, nem tampouco o sentimento; ao invés, pensamento e sentimento são meros derivativos da percepção íntima ou da sensação dos sentidos.

223 Os conceitos de Nietzsche nos levam, pois, aos princípios de um terceiro e quarto tipos psicológicos que poderíamos chamar de tipos estéticos, em oposição aos tipos racionais (pensamento e sentimento). São os tipos intuição e sensação. Ambos têm em comum com os tipos racionais os mecanismos da introversão e extroversão, mas sem, por um lado, como o tipo pensamento, diferenciar a percepção e a contemplação das imagens íntimas com referência ao pensamento e, por outro, como o tipo sentimento, diferenciar a experiência afetiva das imagens íntimas com referência ao sentimento. O intuitivo, ao contrário, ergue a percepção inconsciente ao nível de função diferenciada, pela qual também consegue sua adaptação ao mundo. Ele se adapta graças a diretivas inconscientes que recebe por uma percepção fina e penetrante e pela interpretação de estímulos obscuramente conscientes. Devido a seu caráter irracional e, por assim dizer, inconsciente, fica difícil descrever como se parece uma função dessas. Poderíamos compará-la de certa forma ao *daimonion* (demônio) de Sócrates, mas com a diferença de que a atitude racionalista incomum de Sócrates reprimia ao máximo a função intuitiva, só podendo apresentar-se de forma concreto-alucinatória porque não tinha acesso psicológico direto à consciência. E este é exatamente o caso que ocorre com o intuitivo.

224 O tipo sensação é, em todos os aspectos, o oposto ao tipo intuição. Está baseado quase exclusivamente no elemento da sensação. Sua psicologia orienta-se pelo instinto e pela sensação. Depende, pois, totalmente dos estímulos externos.

225 O fato de Nietzsche enfatizar, por um lado, a função psicológica da intuição e, por outro, a função da sensação e do instinto, é característico de sua própria psicologia pessoal. Deve-se reconhecê-lo como tipo intuitivo, com tendência para o lado introvertido. Em favor da primeira, fala sua arte de produção eminentemente intuitivo-artística, da qual é característica a obra *O nascimento da tragédia* e ainda mais característica sua obra principal *Assim falou Zaratustra*. Seu lado intelectual-introvertido é comprovado pelos escritos aforísticos que, apesar da forte conotação sentimental, mostram o acentuado intelectualismo crítico à moda dos intelectuais franceses do século XVIII. Sua falta de moderação racional e concisão apontam-no como tipo intuitivo em geral. Nestas circunstâncias, não surpreende que, em sua primeira obra, dê proeminência inconsciente à sua psicologia pessoal. Isto é bem próprio da atitude intuitiva que percebe o exterior através do interior, mesmo às custas da realidade. Graças a esta atitude ele adquiriu profundo conhecimento das qualidades dionisíacas de seu inconsciente, cujas formas brutais, enquanto o sabemos, só atingiram a superfície de sua consciência após a manifestação de sua doença, ainda que se tivessem apresentado em seus escritos através de várias alusões eróticas. É muito lamentável, pois, do ponto de vista psicológico, que fragmentos de escritos – tão significativos neste particular – encontrados em Turim, após o surgimento de sua doença, tenham sido destruídos por escrúpulos morais e estéticos.

IV
O problema dos tipos no conhecimento das pessoas

1. Considerações gerais sobre os tipos em Jordan

226 Na sequência cronológica dos trabalhos preliminares sobre este interessante problema dos tipos psicológicos cheguei a uma obra pequena e original, cujo conhecimento devo à minha prezada colega Dra. Constance E. Long, em Londres. Trata-se do livro de Furneaux Jordan, F.R.C.S., *Character As Seen In Body And Parentage*[1].

227 Jordan descreve em seu pequeno livro de 126 páginas sobretudo dois tipos caracterológicos, cuja definição representa mais do que uma simples pista, ainda que o autor – para dizê-lo logo – só se preocupa com a metade de nossos tipos; quanto à outra metade, porém, introduz o ponto de vista do tipo intuição e sensação e confunde um com o outro. Quero dar, logo de saída, a palavra ao autor para ouvirmos sua definição introdutória. Diz ele: "Há dois caracteres fundamentalmente diversos, dois tipos conspícuos de caráter (com um terceiro, um intermediário): um no qual a tendência para a ação é extrema e a tendência para a reflexão é pequena, e outro no qual a queda para a reflexão predomina grandemente e o impulso para a ação é mais fraco. Entre os dois extremos há inúmeras gradações; é suficiente apenas apontar para um terceiro tipo [...] no qual as forças da reflexão e ação tendem a encontrar-se em grau mais ou menos igual [...] Em classe intermediária podem ser colocados também os caracteres que tendem à ex-

1. JORDAN, F. *Character as Seen in Body and Parentage*. 3. ed. Londres: [s.e.], 1896.

centricidade ou em que predominem sobre o emocional e não emocional outras tendências possivelmente anormais"[2].

228 Fica patente nesta definição que Jordan contrapõe à reflexão e ao pensar a ação ou a atividade. É perfeitamente compreensível que, ao observador de pessoas, não muito profundo em suas pesquisas, chame a atenção, em primeiro lugar, a natureza reflexiva em contraste com a natureza ativa, e assim esteja inclinado a definir sob este ponto de vista o contraste observado. Mas a simples consideração que a natureza ativa não procede necessariamente apenas de impulsos, mas também pode provir do pensamento, parece obrigar a um aprofundamento da definição. O próprio Jordan chega a esta conclusão ao inserir nas considerações um outro elemento, para nós de grande valor, o elemento do sentimento[3]. Afirma que o tipo ativo é menos apaixonado, ao passo que o temperamento reflexivo se distingue por seu caráter apaixonado. Por isso Jordan denomina seus tipos "menos apaixonado" e "mais apaixonado". E, assim, o elemento que desdenhou na definição introdutória adquire, depois, a posição de termo constante. O que mais diferencia, porém, sua concepção da nossa é que o tipo "menos apaixonado" ele o faz sempre também "ativo" e o outro, o faz "inativo". Parece-me pouco feliz esta combinação, pois existem naturezas muito apaixonadas e profundas que são também de grande energia e atividade; e existem, por sua vez, naturezas menos apaixonadas e superficiais que, de forma alguma, primam pela atividade, nem pela forma inferior de atividade. A meu ver, sua concepção, valiosa alhures, teria ganho muito em clareza se tivesse prescindido dos fatores da atividade e inatividade, como um ponto de vista bem distinto, ainda que sejam determinantes caracterológicos importantes. Veremos, a seguir, que Jordan descreve com seu tipo "menos apaixonado e mais ativo" o extrovertido, e com seu tipo "mais apaixonado e menos ativo" o introvertido. Ambos podem ser ativos ou inativos, sem que mudem seu tipo e por isso acho que o fator atividade deve ser excluído como característica principal. Como determinante de segunda categoria pode desempenhar um papel, uma vez que a natureza do extrovertido parece mais ágil, mais cheia

2. Ibid., p. 5.

3. Ibid., p. 6.

de vida e atividade do que a do introvertido. Mas esta qualidade depende inteiramente da fase em que se encontra o indivíduo perante o mundo externo. Um introvertido, numa fase de extroversão, parece ativo, ao passo que um extrovertido, numa fase de introversão, parece passivo. A própria atividade, como traço fundamental de caráter, pode às vezes ser introvertida, isto é, orientada completamente para o interior, desenvolvendo intensa atividade de pensamento ou sentimento, enquanto no exterior reina profunda calma. Ou pode ser extrovertida, apresentando-se com grande vivacidade de ação, enquanto por detrás há um pensamento ou sentimentos firmes e imóveis.

229 Antes de examinarmos de perto as considerações de Jordan, devo frisar, para maior clareza dos conceitos, outra circunstância que, se não levada em consideração, pode gerar confusão. Comentei, logo de início, que nas minhas primeiras publicações identifiquei o introvertido com o tipo pensamento e o extrovertido com o tipo sentimento. Só mais tarde percebi que a introversão e a extroversão, como atitudes básicas em geral, devem ser distinguidas dos tipos de função. As duas atitudes podem ser facilmente identificadas, ao passo que se exige considerável experiência para distinguir também os tipos de função. Às vezes é muito difícil saber qual função tem a primazia. É enganoso o fato de o introvertido – devido à sua atitude abstrativa – causar, por natureza, uma impressão reflexiva e ponderativa. Somos levados facilmente a supor nele o primado do pensar. Por sua vez, o extrovertido apresenta, por natureza, muitas reações que fazem pressupor a primazia do elemento sentimento. Estas suposições são, no entanto, enganosas, pois tanto o extrovertido pode ser facilmente um tipo pensamento quanto o introvertido pode ser um tipo sentimento. Jordan descreve em geral apenas o introvertido e o extrovertido. Quando entra em detalhes, sua descrição fica equívoca, pois se misturam traços de tipos diversos de função que, devido à falta de um trabalho mais profundo do material, não foram mantidos separados. Mas, em traços gerais, a imagem da atitude introvertida apareceu de forma inequívoca, a ponto de as naturezas das duas atitudes básicas serem perfeitamente identificáveis.

230 A caracterização dos tipos a partir da afetividade parece-me o ponto realmente importante do escrito de Jordan. Já vimos que a natureza "reflexiva" e ponderativa do introvertido é compensada por

uma vida instintiva e sensual de caráter inconsciente e arcaico. Poderíamos dizer mesmo que é exatamente por isso que ele é introvertido; porque deve superar uma natureza arcaico-impulsiva e elevar-se para a segura altitude da abstração para daí dominar seus afetos insubordinados e de força selvagem. Este ponto de vista até que vai bem em muitos casos. Por sua vez, é possível dizer também que a vida afetiva do extrovertido, com raízes menos profundas, se presta melhor à diferenciação e domesticação do que o pensamento e sentimento arcaicos e inconscientes, o fantasiar que pode ter influência nefasta sobre sua personalidade. Por isso é sempre alguém que busca viver e experimentar tudo com um máximo de agitação e sofreguidão, para não ter que voltar-se sobre si mesmo, sobre seus maus pensamentos e sentimentos. Com essas observações bem simples esclarecemos uma passagem de Jordan (p. 6), tida como paradoxal, em que afirma que no temperamento "menos apaixonado" (extrovertido) predomina o intelecto que tem uma parte muito grande na formação da vida, ao passo que no temperamento reflexivo são exatamente os afetos que têm a maior importância.

231 À primeira vista, parece que esta concepção atinge frontalmente minha afirmação que o tipo "menos apaixonado" corresponde ao meu tipo extrovertido. Mas, observando melhor, não é o caso, pois a natureza reflexiva *tenta* controlar seus afetos rebeldes, mas, na verdade, é influenciada ainda mais pela paixão do que aquele que tomou como parâmetro consciente de sua vida orientar seus desejos pelo objeto. Este último, o extrovertido, procura arranjar-se em tudo assim, mas precisa aprender que são seus pensamentos e sentimentos subjetivos que, em toda parte, lhe perturbam o caminho. É influenciado por seu mundo psíquico interno em grau maior do que imagina. Ele mesmo não o percebe, mas os circunstantes atentos percebem a *intencionalidade* pessoal de sua luta. Por isso deve ter sempre como regra básica a pergunta: "O que realmente quero? Qual é minha intenção secreta?" O outro, o introvertido, com suas intenções conscientes e amadurecidas, desconsidera sempre aquilo que para os circunstantes é absolutamente claro, ou seja, que suas intenções servem a instintos bem fortes, aos quais falta, porém, objetivo e objeto, e que são largamente influenciadas por estes. Quem observa e avalia o extrovertido tende a considerar o pensamento e o sentimento que ele

manifesta como véu bem fino que encobre parcialmente apenas a intenção fria e calculista. Quem procura compreender o introvertido conclui logo que uma paixão violenta é contida com dificuldade por uma aparente racionalização.

232 Ambos os julgamentos são verdadeiros e falsos. É *falso* o julgamento quando o ponto de vista consciente, ou a própria consciência, é suficientemente forte para resistir ao inconsciente; mas é *verdadeiro* quando um ponto de vista consciente mais fraco encontra um inconsciente forte e, às vezes, deve ceder lugar a ele. Então, o que era mantido no fundo aparece com evidência; num caso, o propósito egoísta, no outro, a paixão desenfreada, o afeto elementar, que inviabiliza qualquer raciocínio. Estas reflexões nos permitem entrar no modo de ver de Jordan que evidentemente está preocupado com a afetividade do tipo observado e, daí, sua nomenclatura: "menos emocional" e "mais apaixonado". Quando concebe, pois, do ponto de vista do afeto, o introvertido como mais apaixonado e o extrovertido como menos apaixonado e até mesmo como o intelectual, revela um modo peculiar de discernimento que poderíamos qualificar de *intuitivo*. Já referi que Jordan mistura os pontos de vista racional e estético. Quando caracteriza, pois, o introvertido como apaixonado e o extrovertido como intelectual, é óbvio que está vendo os dois tipos pela ótica do *inconsciente*, isto é, *percebe-os por intermédio de seu próprio inconsciente*. Ele observa e conhece *intuitivamente*, o que é quase sempre o caso do observador prático de pessoas. Por mais verdadeira e profunda que seja, às vezes, tal compreensão, sofre de uma limitação muito importante: passa por alto a realidade viva da pessoa observada já que a julga sempre por sua imagem refletida pelo inconsciente e não por sua aparência real. Este erro é inerente à intuição e por isso a razão sempre esteve às turras com ela, apenas suportando seu direito à existência, ainda que em muitos casos não se possa negar o direito objetivo da intuição. E, assim, as formulações de Jordan concordam, em tudo, com a realidade, mas não com a realidade como a entendem os tipos racionais e, sim, com a realidade para eles inconsciente. Naturalmente essas condições são próprias a confundir todo julgamento sobre o observado e dificultar qualquer acordo com referência a ele. Não se deve, pois, discutir a nomenclatura, mas ater-se exclusivamente às diferenças observáveis. Ainda que eu,

de acordo com minha natureza, me expresse de forma bem diferente da de Jordan – devido a certas divergências – estamos de acordo em nossa classificação do material observado.

233 Antes de tratar da tipificação do material observado por Jordan, gostaria de voltar brevemente ao terceiro tipo por ele postulado, o "intermediário". Como vimos, Jordan coloca, sob esta denominação, por um lado, os totalmente equilibrados e, por outro, os não equilibrados. Não é fora de propósito lembrar, aqui, a classificação da escola valentiniana: o homem *hílico* ao qual estão subordinados o psíquico e o pneumático. O hílico, de acordo com sua definição, corresponde ao tipo sensação, isto é, cujas determinantes prevalentes são dadas pelos e nos sentidos, na percepção sensível. O tipo sensação não tem um pensamento diferenciado e nem um sentimento diferenciado, mas sua sensibilidade é bem desenvolvida. Como se sabe, este é também o caso do homem primitivo. A sensualidade instintiva do primitivo conta, porém, com uma contrapartida, a saber, a espontaneidade do psíquico. O espiritual, as ideias, lhe aparecem, por assim dizer. Não é ele que as produz ou as pensa – falta-lhe para tanto a capacidade –, mas são elas que se produzem e o acometem e, inclusive, se manifestam como alucinações. Esta mentalidade devemos designá-la como intuitiva, pois intuição é percepção instintiva de um dado conteúdo psíquico. Enquanto, via de regra, a sensação é a função psicológica mais importante do primitivo, a intuição é a função que se manifesta como menos compensadora. Em grau mais elevado de civilização, onde alguns têm mais diferenciado o pensamento e outros o sentimento, também há muitos que têm uma intuição altamente desenvolvida e a utilizam como função essencialmente determinante. Daí resulta o tipo intuitivo. Creio, pois, que o grupo intermédio de Jordan pode ser reduzido aos tipos sensação e intuição.

2. Apresentação específica e crítica dos tipos de Jordan

234 No que se refere ao aspecto geral dos dois tipos, Jordan frisa (p. 17) que o tipo menos emocional apresenta personalidades bem mais destacadas e marcantes do que o tipo emocional. Esta afirmação se deve ao fato de Jordan identificar o tipo ativo com o menos emocio-

nal, o que, a meu ver, é inadmissível. Abstraindo desse erro, é bem verdade que o menos emocional ou extrovertido, como podemos dizer, chama mais atenção pelo seu comportamento do que o emocional ou introvertido.

a) A mulher introvertida (The More Impassioned Woman)

235 Jordan trata em primeiro lugar do caráter da *mulher introvertida*. Lembro resumidamente os principais pontos de sua descrição: modo de proceder tranquilo, caráter não fácil de decifrar, ocasionalmente crítica e até mesmo sarcástica e ainda que o mau humor às vezes transpareça com força, não é caprichosa, nem indócil, nem fofoqueira, nem *censorious* (que, pelo sentido, deveria ser traduzido como "dada a censuras") e nem resmungona. Irradia um ar de sossego e, inconscientemente, consola e cura. Mas sob esta aparência dormitam afeto e paixão. Sua natureza sentimental amadurece lentamente. Com a idade, seu caráter ganha em sedução. Ela é "simpática", isto é, compartilha os sentimentos e vivências dos outros... Os piores caracteres femininos incluem-se neste tipo. São as mais horríveis madrastas. São também as mães e esposas mais amorosas, mas suas paixões e afetos são de tal ordem que arrebatam consigo a razão. Amam demais, mas também odeiam demais. O ciúme pode convertê-las em feras. Os enteados, se por elas odiados, podem ser mortos fisicamente.

236 Onde o mal não impera, a própria moralidade é um sentimento profundo que trilha seu caminho próprio e independente e nem sempre se conforma com pontos de vista convencionais. Este caminho não é seguido por imitação ou submissão e muito menos por causa de uma retribuição, aqui ou no além. Só manifesta as qualidades e defeitos num relacionamento íntimo; aqui mostra a riqueza de seu coração, suas preocupações e alegrias, mas também suas fraquezas e faltas, sua intransigência, obstinação, raiva, ciúme e até desregramento. É dominada pela influência do momento e pouco capaz de pensar no bem-estar dos ausentes. Esquece com facilidade os outros e o tempo. Quando dominada por um afeto, não se pauta por imitação alguma, mas demonstra alteração de comportamento e linguajar, de acordo com a mudança de ideias e sentimentos. No plano social, mantém a postura de sempre, em qualquer situação. Na vida familiar e social,

não faz grandes exigências e se contenta com pouco. Manifesta espontaneamente seus julgamentos de concordância e louvor. Sabe acalmar e animar. Possui empatia com todos os fracos, sejam eles de duas ou quatro pernas. "Eleva-se ao alto e inclina-se ao inferior, é irmã e companheira de toda a natureza". Seu julgamento é humilde e tolerante. Quando lê, procura assimilar as ideias e os sentimentos mais profundos do livro; por isso sublinha grande parte do livro, faz notas à margem e o lê outra vez[4].

237 Não é difícil reconhecer, nesta descrição, o caráter introvertido. Mas, em certo sentido, a descrição é unilateral ao colocar o acento principal no sentimento, sem frisar a característica à qual dou valor especial: *a vida consciente íntima*. Jordan menciona, de passagem, que a mulher introvertida é "contemplativa" (p. 18), mas não entra em maiores detalhes. Sua descrição parece confirmar as minhas considerações sobre seu modo de observar. Vê sobretudo o comportamento exterior, constelado pelo sentimento, e as manifestações da paixão, mas não penetra na natureza da consciência desse tipo. Nunca menciona que a vida íntima desempenha papel decisivo, sob todos os aspectos, na psicologia consciente do introvertido. Por que, por exemplo, a mulher introvertida lê com tanta atenção? Porque, acima de tudo, gosta de entender e aprender ideias. Por que é tranquila e tranquilizadora? Porque normalmente guarda seus sentimentos para si e os faz atuar em seus pensamentos em vez de descarregá-los sobre os outros. Sua moralidade não convencional se baseia em reflexão profunda e em sentimentos íntimos convincentes. O encanto de seu caráter tranquilo e compreensivo não está apenas numa atitude serena, mas também no fato que se pode conversar com ela razoável e coerentemente, e que é capaz de valorizar a argumentação de seu interlocutor. Não o interrompe com exclamações impulsivas, mas acompanha as opiniões dele com seus pensamentos e sentimentos que se mantêm firmes e não se rendem aos argumentos contrários.

238 A este ordenamento seguro e bem desenvolvido dos conteúdos psíquicos conscientes se opõe uma vida afetiva caótico-apaixonada, da qual a introvertida está muitas vezes consciente, ao menos em seu

---

4. Ibid., p. 17s.

aspecto pessoal, e a teme porque a conhece. Ela pensa sobre si mesma e, por isso, é comedida em relação ao exterior; pode conhecer e reconhecer outras coisas sem cobri-las de louvor ou censuras. E porque sua vida afetiva prejudica suas boas qualidades, renuncia, o mais possível, a seus instintos e afetos, mas sem dominá-los por completo. Na mesma proporção em que sua consciência é lógica e firmemente estruturada, seu afeto é elementar, confuso e ingovernável. Falta-lhe a verdadeira característica humana, é desproporcional, irracional, é um *fenômeno da natureza* que transgride a ordem humana. Falta-lhe qualquer ideia retroativa palpável, qualquer propósito e por isso é, em certos casos, simplesmente destrutivo, uma torrente avassaladora que não busca nem evita a destruição, implacável e necessário, obedecendo apenas às próprias leis, um processo que a si mesmo se basta. Suas boas qualidades provêm do fato de o pensamento, por uma concepção tolerante e benevolente, ter conseguido influenciar e retrair parte da vida instintiva, mas sem abranger ou mudar o instinto todo. A afetividade da mulher introvertida lhe é bem menos consciente, em seu aspecto global, do que seus pensamentos racionais e sentimentos. É incapaz de abarcar toda a sua afetividade enquanto tiver concepções utilizáveis. Sua afetividade é bem menos movediça do que seus conteúdos mentais; é, de certa forma, viscosa, de grande inércia e, por isso, difícil de mudar; é perseverante e, daí, sua firmeza e regularidade conscientes, mas também sua teimosia e inflexibilidade às vezes irracionais nas coisas que dizem respeito à afetividade.

239 Essas reflexões podem explicar por que um juízo sobre a mulher introvertida exclusivamente pelo lado da afetividade é incompleto e injusto, tanto no sentido positivo quanto negativo. Se Jordan encontra os piores caracteres femininos entre as introvertidas, é porque, a meu ver, dá importância demasiada à afetividade, como se a paixão fosse a única mãe do mal. Pode-se torturar crianças até a morte também de outro modo que não fisicamente. E aquela riqueza de amor que aparece na mulher introvertida nem sempre é domínio dela, mas ela é, muitas vezes, dominada pelo amor e não consegue agir de outra forma até que ocorra uma situação favorável quando, para surpresa de seu consorte, mostra repentinamente uma frieza inesperada. Nem sempre é verdade que a vida afetiva da introvertida seja em geral seu lado fraco. Engana-se a si mesma a este respeito e outros se enganam

e se decepcionam com ela quando se fiam exclusivamente em sua afetividade. Sua mente é mais confiável porque é mais adaptada. Seu afeto é de natureza por demais indomada.

b) A mulher extrovertida (The Less Impassioned Woman)

240 Vejamos, agora, a descrição de Jordan da mulher menos apaixonada. Também aqui preciso eliminar o que o autor confundiu no tocante à atividade, pois esta confusão só serve para compreendermos menos o caráter típico. Quando se fala, pois, de certa rapidez do extrovertido, não se pensa no elemento do resoluto ou do ativo, mas apenas na mobilidade de processos ativos.

241 Jordan diz a respeito da mulher extrovertida: certa rapidez e certo oportunismo em vez de persistência e consequência. Via de regra, sua vida é preenchida com pequenas coisas. Sobrepuja mesmo Lord Beaconsfield que afirmou que as coisas insignificantes não são muito insignificantes e as coisas importantes não são muito importantes. Gosta de demorar-se – como o fez sua avó e como o farão seus netos – na deterioração geral das pessoas e coisas. Está convencida de que nada acontece se ela não tomar a iniciativa. É muitas vezes de extraordinária serventia nos movimentos sociais. Gasta suas energias na limpeza da casa, único objetivo na vida de muitas. Na maioria das vezes, nenhuma ideia, nenhuma paixão, nenhum descanso e nenhum erro. Seu desenvolvimento afetivo cedo se completa. É tão sabida aos 18 quanto aos 48 anos. Sua visão intelectual não é profunda nem ampla, mas é sempre clara. Sendo bem-dotada, assume posição de liderança. Na sociedade mostra sentimentos de bondade, é generosa e hospitaleira com todos. Julga a todos e esquece que também será julgada. É prestativa. Nenhuma paixão profunda. Amar para ela é preferir. Ódio é apenas antipatia, ciúme é apenas vaidade doentia. Seu entusiasmo não dura. Aprecia a beleza da arte poética mais do que a paixão. Sua crença ou descrença é antes plena do que forte. Não tem convicções certas, mas também não tem más intenções. Não crê, mas aceita; não é descrente, mas não tem certeza. Não pesquisa e não duvida. Em assuntos importantes confia nas autoridades; em coisas menores tira conclusões apressadas. Em seu pequeno mundo, tudo é

como não deveria ser; no grande mundo, tudo está certo. Resiste instintivamente a colocar em prática conclusões racionais.

242 Em casa mostra um caráter bem diferente do que em sociedade. Seu casamento é fortemente influenciado pela ambição, prazer de mudança ou obediência a hábitos tradicionais ou pelo desejo de firmar a vida em "base sólida" ou alcançar maior raio de ação. Se o marido dela for do tipo "apaixonado", amará as crianças mais do que ela. No círculo familiar, tudo o que é desagradável lhe acontece. Aqui se desmancha em comentários desairosos. Impossível prever quando haverá sol por um momento que seja. Não se observa e nem se critica a si mesma. Se alguém a recrimina por suas constantes críticas e comentários desabonadores, admira-se, ofende-se e garante que só visa ao bem, "mas há pessoas que não sabem o que é bom para elas". A maneira como deseja fazer o bem a seus familiares é bem diferente daquela com que deseja servir aos outros. A casa sempre deve estar preparada para ser vista pelos outros. A sociedade deve ser ajudada e fomentada. É preciso fazer boa figura diante das classes altas, as classes mais baixas devem ser mantidas em seu lugar. Sua própria casa é seu inverno, a sociedade seu verão. A mudança começa logo que chega uma visita.

243 Nenhuma tendência à ascese, sua respeitabilidade não precisa disso. Gosta de mudanças, movimento e distração. Pode começar o dia com uma oração e terminá-lo com uma ópera cômica. Relações sociais fazem sua delícia. Aí encontra tudo, trabalho e satisfação. Acredita na sociedade e a sociedade acredita nela. Seus sentimentos pouco são influenciados por preconceitos e é habitualmente "bem educada". Gosta de imitar e seleciona para isso os melhores modelos, mas não se dá conta disso. Os livros que lê devem ter vida e personagens ativos[5].

244 "Este tipo bem conhecido de mulher que Jordan designa como *less impassioned*" (menos apaixonada) é, sem dúvida, extrovertido. Indica isso todo o seu comportamento que, por sua própria natureza, deve ser qualificado de extrovertido. O contínuo julgar que nunca se baseia em autêntica reflexão é extroversão de impressões vagas que

5. Ibid., p. 9s.

nada têm a ver com um pensamento real. Lembro-me de um aforismo engraçado que li em algum lugar: "Pensar é tão difícil que a maioria prefere *julgar*". A reflexão exige sobretudo tempo, por isso aquele que reflete não tem ocasião para emitir continuamente julgamentos. A incoerência e inconsequência do julgamento, sua dependência da tradição e da autoridade revelam a ausência de uma reflexão autônoma; também a falta de autocrítica e de autonomia das ideias indica um defeito da função julgadora. A ausência de vida interior nesse tipo aparece mais claramente do que sua presença no tipo introvertido, conforme descrito acima. A partir dessa descrição, estaríamos propensos a concluir para uma deficiência tão grande ou maior ainda de afetividade, o que seria evidentemente superficial, pouco sólido, espúrio, visto que o propósito a ela vinculado ou perceptível atrás dela torna o esforço afetivo praticamente inútil. Inclino-me a supor que o autor aqui subestima assim como, no caso anterior, sobrestima. Apesar do reconhecimento ocasional de boas qualidades, o tipo se dá bem mal no conjunto.

245 Creio que neste caso temos certa prevenção do autor. Basta termos tido más experiências com um ou mais representantes do mesmo tipo para formarmos uma prevenção contra todos eles. Não se pode esquecer que o bom-senso da mulher introvertida depende de uma cuidadosa adaptação de seus conteúdos mentais ao pensar geral, ao passo que a afetividade da mulher extrovertida possui certa mobilidade e superficialidade em vista de sua adaptação à vida ordinária da sociedade humana. Trata-se então de uma afetividade socialmente diferenciada, de validade incontestável, que contrasta vantajosamente com o afeto denso, obstinado e apaixonado do introvertido. Esta afetividade diferenciada apagou todo o caótico da paixão (*pathos*) e tornou-se uma função disponível de adaptação ainda que às custas da vida espiritual interna que transparece por sua ausência. Mas nem por isso deixa de existir no inconsciente e sobretudo numa forma que corresponda à paixão do introvertido, isto é, em estado não desenvolvido. Este estado é caracterizado pelo infantilismo e arcaísmo. A partir do inconsciente, a mentalidade não desenvolvida fornece à tendência afetiva conteúdos e motivos secretos que impressionam mal o observador crítico e que passam despercebidos ao olhar não crítico. A impressão desagradável que a percepção constante de mo-

tivos egoístas mal camuflados tem sobre o observador fazem-no esquecer facilmente a realidade e a utilidade adaptada das tendências apresentadas. Tudo que é fácil, não obrigatório, comedido, inocente e superficial na vida desapareceria se não houvesse afetos diferenciados. A gente se asfixiaria na paixão (*pathos*) perpétua ou no vazio da paixão reprimida. Se a função social do introvertido se concentra principalmente nos indivíduos, é quase sempre verdade que o extrovertido promove a vida da comunidade que também tem direito à existência. Por isso tem que haver extrovertidos, pois, são eles os primeiros e mais importantes a formarem a ponte para o próximo.

246 Como sabemos, a expressão do afeto atua por sugestão enquanto que a mente só pode operar indiretamente após árdua transposição. Os afetos necessários à função social não devem ser profundos, caso contrário suscitam paixão nos outros. E a paixão perturba a vida e o progresso da sociedade. Assim, a mentalidade adaptada e diferenciada do introvertido é mais extensa do que profunda, e por isso não perturba ou excita, mas é tranquilizadora e razoável. Mas, como o introvertido perturba pela violência de suas paixões, o extrovertido irrita por seus pensamentos e sentimentos semiconstantes que aplica incoerente e abruptamente a seu próximo, muitas vezes em forma de julgamentos sem consideração e sem tato. Se fôssemos reunir todos esses julgamentos e construir uma psicologia a partir deles, obteríamos um quadro brutal que rivaliza em selvageria, crueza e estupidez com a afetividade mortífera do introvertido. Por isso não posso endossar o ponto de vista de Jordan de que os piores caracteres são encontrados nas naturezas apaixonadas e introvertidas. Não há menos maldade e perversidade radical entre os extrovertidos. Enquanto a paixão introvertida se manifesta em ações brutais, a malvadeza do pensar e sentir inconscientes do extrovertido comete infâmias contra a alma da vítima. Não sei o que é pior. A desvantagem no primeiro caso é que o fato é visível, ao passo que a maldade intencional do segundo se esconde por trás de um comportamento aceitável. Gostaria de sublinhar a preocupação social desse tipo, seu empenho pelo bem-estar dos outros e também sua tendência manifesta de proporcionar alegria aos outros. O introvertido, via de regra, só tem essas qualidades na fantasia.

247 Os afetos diferenciados têm, além disso, a vantagem do charme e elegância. Irradiam um ar estético e beneficente. Um número surpreendente de extrovertidos pratica uma arte (em geral, a música), não tanto por dotes pessoais, mas porque assim pode colaborar com fins sociais. E nem sempre seu espírito crítico tem caráter impróprio ou inútil. Muitas vezes é apenas uma tendência educativa adaptada que produz muita coisa boa. Também a dependência do julgamento não é um mal em todas as circunstâncias, mas contribui muito para reprimir extravagâncias e excessos prejudiciais que em nada colaboram para a vida e bem-estar da sociedade. Seria totalmente injusto afirmar que uma das partes seja mais valiosa do que a outra. Os tipos se complementam mutuamente e sua diferença produz aquele grau de tensão de que necessitam tanto o indivíduo quanto a sociedade para a conservação da vida.

c) O homem extrovertido (The Less Impassioned Man)

248 A respeito do homem extrovertido diz Jordan: volúvel e indeterminado em seu comportamento, tendência a caprichos, cenas de irritação, insatisfeito e sentencioso, julga todos e tudo de maneira desfavorável, mas está sempre contente consigo mesmo. Ainda que falsos a maioria de seus juízos e fracassados os seus projetos, tem irrestrita confiança neles. É como Sydney Smith dizia de um célebre estadista de sua época: estava pronto, a qualquer hora, a assumir o comando da esquadra do canal ou a amputar uma perna. Tinha uma fórmula para tudo: ou a coisa não era verdadeira, ou já era conhecida de há muito. No céu dele não há lugar para dois sóis. Mas se houver outro além dele, então ele é um mártir.

249 É precoce. Gosta de administração e muitas vezes é de grande valia para a sociedade. Quando participa de uma comissão beneficente, interessa-se tanto pela seleção da lavadeira quanto pela eleição do presidente. Participa de corpo e alma da sociedade. Apresenta-se na sociedade com autoconfiança e persistência. Está sempre disposto a fazer experiências porque a experiência o auxilia. Prefere ser o presidente *bem conhecido* de uma comissão de três membros do que o benfeitor *desconhecido* de todo um povo. Menor aptidão em nada prejudica sua importância. Está muito ocupado? Acredita ser enérgico. É falador? Acredita ter talento oratório.

250 Raramente tem ideias novas ou abre caminhos novos, mas é rápido em imitar, assimilar, aplicar e executar. Por inclinação, acata o estabelecido e aceito geralmente no que se refere a convicções políticas e religiosas. Em certas ocasiões, até se admira da coragem de suas ideias heréticas. Não é raro que seu ideal seja tão elevado e vigoroso que nada pode impedir uma larga e justa concepção de vida. Sua vida caracteriza-se geralmente pela moralidade, veracidade e nobres princípios, mas, às vezes, o desejo do efeito imediato lhe causa problemas.

251 Quando, numa assembleia pública, está ocioso, isto é, não tem nada a propor, apoiar, pedir contas ou contestar, é capaz de levantar-se e pedir que fechem a janela por causa de uma corrente de ar, ou antes, que abram a janela porque falta arejamento. Necessita tanto de ar quanto de atenção. Está sempre disposto a fazer o que ninguém lhe pediu. Está convencido de que as pessoas o consideram como deseja ser considerado, isto é, como alguém devotado ao bem do próximo. Faz com que os outros lhe sejam gratos, mas sempre de olho numa possível recompensa. Pretende inflamar os outros pelo discurso, mas ele mesmo não se inflama. Descobre rapidamente os desejos e opiniões dos outros. Previne-se contra alguma desgraça ameaçadora e trata jeitosamente com os adversários. Sempre tem projetos e mostra uma operosidade sensacional. Se possível, a sociedade deve ser agradada; se não puder ser agradada, ao menos deve ficar maravilhada e, se nenhum dos casos for possível, deve ser importunada e chocada. É um salvador por vocação; e agrada-lhe ser reconhecido como tal. Nós não sabemos fazer nada direito, mas podemos confiar nele, sonhar com ele, agradecer a Deus por causa dele e implorar-lhe que nos dirija a palavra.

252 É infeliz quando quieto e não consegue repousar direito. Após um dia cheio de trabalhos, precisa de uma noite agitada no teatro, na casa de concertos, na igreja, no bar, no clube, ou em todos eles ao mesmo tempo. Se não compareceu a uma reunião, no mínimo se fez presente por um telegrama de desculpas altissonante[6].

253 Também esta descrição permite que se reconheça claramente o tipo. Ainda mais do que na descrição da mulher extrovertida aparece

6. Ibid., p. 26s.

o propósito de uma desvalorização caricatural, apesar de algumas afirmações aceitáveis. Isto se deve em parte ao fato de que este método de descrição não seja adequado à natureza extrovertida, uma vez que é impossível, por assim dizer, enfocar corretamente o valor específico do extrovertido através de meios intelectuais; ao passo que no introvertido isto é bem mais fácil, pois sua racionalidade consciente e sua motivação consciente podem ser expressas por meios intelectuais, bem como o fato de sua paixão e as ações daí resultantes. No extrovertido, porém, o valor principal está na relação com o objeto. Parece-me que só a própria vida pode conseguir para o extrovertido aquele direito que a crítica intelectual não lhe pode dar. Só a vida mostra seus valores e os reconhece. Pode-se constatar que o extrovertido seja socialmente útil, que tenha grande mérito no progresso da sociedade humana etc. Mas uma análise de seus meios e motivações sempre dará resultado negativo, pois o valor principal do extrovertido não está nele mesmo, mas na relação recíproca com o objeto. A relação com o objeto pertence àqueles imponderáveis que a formulação intelectual não consegue apreender nunca.

254 A crítica intelectual não pode deixar de prosseguir analisando e trazer à plena clareza o observado, através da apresentação de motivações e objetivos. Mas disso resulta uma imagem que, para a psicologia do extrovertido, é nada mais que uma caricatura e, quem acreditar ter encontrado a verdadeira atitude de um extrovertido, com base nesta descrição, perceberá, para seu espanto, que a verdadeira personalidade caçoou de sua descrição. Uma concepção tão unilateral prejudica enormemente a adaptação do extrovertido. Para fazer-lhe justiça, deve ser excluído totalmente qualquer pensar sobre ele, e também para que o extrovertido se adapte bem ao introvertido é preciso que se disponha a aceitar os conteúdos mentais dele como são, abstraindo de sua possível utilidade prática. A análise intelectual não pode fazer outra coisa senão atribuir ao extrovertido todo tipo de ideias espúrias, segundas intenções, interesses e semelhantes que na realidade não existem, e, no máximo, concorrem como efeitos sombrios do fundo inconsciente. É certo que o extrovertido, quando nada tem a dizer, manda fechar ou abrir, ao menos, uma janela. Mas quem o percebeu? A quem isto tocou profundamente? Somente quem procura certificar-se dos possíveis fundamentos e intenções

desse agir, portanto, quem reflete, disseca e reconstrói, enquanto que para os outros esse pequeno incidente some no tumulto geral da vida, sem que encontrem qualquer motivo para ver isto ou aquilo. Mas é exatamente dessa forma que se manifesta a psicologia do extrovertido: faz parte dos acontecimentos da vida humana diária e nada tem de especial. Só quem raciocina, enxerga mais longe e também torto – no que se refere à vida –, mas está correto no que se refere ao fundo inconsciente do pensamento do extrovertido. Não enxerga o homem positivo, mas apenas sua *sombra*. E a sombra dá razão ao julgamento em detrimento do homem positivo consciente. Em vista da compreensão, acho que agimos certo separando o homem de sua sombra, do inconsciente, caso contrário a discussão ficaria ameaçada por uma confusão muito grande de conceitos. Observamos muita coisa nos outros que não faz parte de sua psicologia consciente, mas brota de seu inconsciente, e somos levados a atribuir erroneamente a qualidade observada ao seu eu consciente. A vida e o destino procedem assim, mas o psicólogo que toma a peito o conhecimento da estrutura da psique e a possibilidade de melhor compreensão das pessoas, não deve agir assim; deve distinguir nitidamente o homem consciente do inconsciente, pois somente a assimilação de pontos de vista conscientes pode trazer clareza e compreensão, jamais a redução a fundos inconscientes, luzes indiretas e quartos de tom.

d) O homem introvertido (The More Impassioned Man)

255 Sobre o caráter do homem introvertido (the more impassioned and reflective man) diz Jordan: Suas diversões não mudam de hora em hora; seu amor a um divertimento é de natureza genuína, não procura a diversão por mero desassossego. Quando ocupa cargo público, está aí por alguma competência determinada, ou porque tem algo em vista para realizar. Quando realizou sua obra, retira-se de boa vontade; sabe reconhecer os outros e prefere que sua obra prospere nas mãos de outros do que vê-la sucumbir nas suas. Valoriza demais os méritos de seus colaboradores. Não é nem pode ser um criticador habitual. Desenvolve-se lentamente, é irresoluto, não é líder religioso, nunca tem certeza suficiente para saber do erro que poderia levar seu próximo à fogueira. Ainda que não lhe falte destemor,

não acredita tanto em sua verdade infalível, a ponto de deixar-se queimar por ela. Quando bem-dotado, é exaltado pelos que o rodeiam, ao passo que o outro tipo constrói seu próprio cenário[7].

256 Parece-me significativo que o autor, no capítulo sobre o homem introvertido, do qual se trata aqui, nada realmente diga mais do que já esbocei. O que mais faltou foi uma descrição da paixão, e mesmo assim o introvertido é chamado *impassioned*. É claro que devemos ser prudentes nas conjecturas diagnósticas, mas, no caso presente, é tentadora a suposição de que o capítulo sobre o homem introvertido é tão pobre por razões subjetivas. Era de se esperar, após uma descrição detalhada e injusta do tipo extrovertido, uma descrição igualmente rigorosa do tipo introvertido. Por que isto não aconteceu?

257 Suponhamos que o próprio Jordan estivesse no lado introvertido; seria compreensível então que descrição semelhante à de seu tipo oposto, feita com rigor impiedoso, não lhe conviria. Não diria que foi por falta de objetividade, mas por falta de conhecimento de sua própria sombra. O introvertido jamais pode saber ou imaginar como ele parece a seu tipo oposto, a não ser que permita ao extrovertido lhe contar, correndo o risco de ter que desafiá-lo a um duelo. Assim como o extrovertido não está disposto, sem mais, a aceitar as características acima como imagem bem-intencionada e adequada de seu caráter, o introvertido não se dispõe a receber sua caracterização de um observador e crítico extrovertido. Seria igualmente desabonadora. Pois, de mesma forma que o introvertido procura compreender o extrovertido e se engana redondamente, assim o extrovertido procura entender a vida espiritual íntima do outro, a partir da exterioridade, enganando-se igualmente. O introvertido sempre comete o erro de querer derivar a ação da psicologia subjetiva do extrovertido; mas o extrovertido só pode entender a vida espiritual íntima como consequência de circunstâncias externas. Quando não é perceptível uma relação objetiva, a linha abstrata de pensamento é necessariamente uma fantasia, uma espécie de fantasma cerebral para o extrovertido. E, realmente, os fantasmas cerebrais introvertidos são nada mais do que isso. De qualquer forma, muito se poderia dizer do introvertido;

7. Ibid., p. 35s.

seria possível dar-lhe uma imagem tão completa quanto desfavorável como Jordan o fez no capítulo anterior com relação ao extrovertido.

258 Importante é, a meu ver, a observação de Jordan de que a diversão do introvertido seja de "natureza genuína". Parece até que é uma peculiaridade do sentir introvertido: ele é genuíno, e o é porque está aí por si mesmo, se enraíza na natureza mais profunda do homem, irrompe de certa forma de si mesmo como seu próprio objetivo; não quer servir a outros objetivos, também não se empresta a nenhum e se satisfaz em bastar-se a si mesmo. Isto condiz com a espontaneidade do fenômeno arcaico e natural que ainda não se curvou aos desígnios utilitaristas da civilização. Com razão ou sem razão, mas sem preocupação com o certo ou errado, com a conveniência ou inconveniência, o estado afetivo se manifesta, impõe-se ao sujeito, mesmo contra sua vontade e sua expectativa. Nada possui em si que permita concluir para uma motivação premeditada.

259 Não pretendo entrar nos outros capítulos do livro de Jordan. Ele cita como exemplos personalidades históricas de onde provêm muitos pontos de vista equívocos, baseados na falácia já demonstrada de que o autor introduz o critério do ativo e passivo e o mistura com os outros critérios. Daí se conclui muitas vezes que uma personalidade ativa é contada entre o tipo não apaixonado e, por sua vez, uma natureza apaixonada deveria ser sempre passiva. Minha concepção procura evitar este erro ao excluir o momento da atividade como ponto de vista em geral.

260 Cabe, no entanto, a Jordan o mérito de haver dado pela vez primeira (ao que me consta) uma caracterização relativamente apropriada dos tipos emocionais.

V

O problema dos tipos na arte poética

Prometeu e Epimeteu, de Carl Spitteler

1. Notas introdutórias à tipificação de Spitteler

261 Se ao lado dos temas que a complicação da vida afetiva apresenta ao poeta não tivesse papel importante também o problema dos tipos, isto seria quase uma prova de que ele não existe. Mas já vimos em Schiller como este problema apaixona tanto o poeta quanto o pensador. Neste capítulo, voltamos nosso olhar para uma criação poética que se funda quase exclusivamente no motivo da problemática dos tipos. Refiro-me a *Prometeu e Epimeteu*, de Carl Spitteler, publicado pela primeira vez em 1881*.

262 Não pretendo dizer de antemão que Prometeu representa o tipo que pensa antes, o introvertido, e Epimeteu, o ativo e que pensa depois, o extrovertido. Trata-se, antes, neste conflito das duas figuras, da luta entre a linha evolutiva do introvertido e do extrovertido num único e mesmo indivíduo, mas que a exposição poética materializou em duas figuras autônomas e em seus destinos típicos.

263 É inegável que Prometeu evidencia traços introvertidos de caráter. Apresenta-nos a imagem de um introvertido, fiel a seu mundo interior, à sua alma. Expressa muito bem sua natureza, nas palavras com que responde ao anjo[1]: "Todavia não me cabe julgar a face de

---

* Os textos de Spitteler foram tirados do livro *Prometeu e Epimeteu*, traduzido por Manuel Bandeira e editado pela Editora Opera Mundi, em 1971 [N.T.].

1. SPITTELER, C. *Prometheus und Epimetheus*. Jena: [s.e.], 1911, p. 9.

minha alma, pois minha senhora ela é, meu Deus na boa e má fortuna, tudo aquilo que sou, é a ela que devo.

264 E por isso quero com ela partilhar a minha glória; a não ser assim, prefiro desistir de toda glória".

265 Assim Prometeu se entrega completamente à sua alma, isto é, à função da relação com o mundo interior. Por isso a alma tem também um caráter misterioso, metafísico, exatamente por causa da relação com o inconsciente. Prometeu lhe empresta a importância absoluta de senhora e guia, de maneira tão irrestrita como Epimeteu se entrega ao mundo. Sacrifica o eu individual à alma, à relação com o inconsciente, como geradora das imagens e significados eternos, perdendo assim seu meio-termo, pois lhe foge a contrapartida da *persona*[2], da relação com o objeto exterior. Com esta entrega à sua alma, Prometeu descamba para fora de qualquer conexão com o mundo ambiente e perde, então, a necessária correção que advém da realidade externa. Esta perda, no entanto, se dá mal com a natureza deste mundo. Por isso aparece a Prometeu um anjo, com certeza um representante do governo do mundo; traduzido para o psicológico: a imagem projetada de uma tendência orientada para a adaptação real. A propósito diz o anjo a Prometeu:

266 "Se não tomas tento, se não te libertas da disposição injusta de tua alma, perderás a recompensa dos muitos anos de trabalho, e a dita do teu coração e todos os frutos de teu espírito tão variamente dotado", e em outro lugar: "Repelido hás de ser no dia da glória por causa de tua alma que não conhece nenhum deus nem observa nenhuma lei, e para o seu orgulho nada é sagrado, tanto no céu como na terra".

267 Estando Prometeu unilateralmente do lado da alma, todas as tendências de adaptação ao mundo externo são reprimidas e somem no inconsciente. E, assim, quando percebidas, aparecem como não pertencendo à própria personalidade, mas como projetadas. Temos aí certa contradição, pois também a alma em cujo lado se posicionou Prometeu e que ele, por assim dizer, assumiu plenamente na cons-

2. JUNG, C.G. "O eu e o inconsciente". In: *Estudos sobre psicologia analítica*. Petrópolis: Vozes, 1981 [OC, 7/2].

ciência, aparece projetada. Dado que a alma é uma função de relação, como a *persona*, consiste de certo modo de duas partes: uma que pertence ao indivíduo e outra que corresponde ao objeto da relação, e, neste caso, ao inconsciente. Temos uma inclinação normal – se não formos adeptos da filosofia de Hartmann – de atribuir ao inconsciente apenas a existência relativa de um fator psicológico. Com base na teoria do conhecimento não estamos em condições de dizer algo válido sobre uma realidade objetiva do complexo psicológico do fenômeno que denominamos inconsciente, e nem estamos em condições de dizer algo válido sobre a natureza das coisas reais que está além de nossa capacidade psicológica[3]. Mas, com base na experiência, devo assinalar que os conteúdos do inconsciente, relacionados com a atividade de nossa consciência, manifestam o mesmo direito à realidade, graças à sua obstinação e persistência, que as coisas reais do mundo externo, mesmo que este direito pareça inconcebível a uma mentalidade sobretudo voltada para o exterior. Não se esqueça que sempre houve muitas pessoas que deram mais valor real aos conteúdos do inconsciente do que às coisas do mundo exterior. A história do pensamento humano testemunha em favor de ambas as realidades. Um exame mais profundo da psique humana também mostra, sem mais, uma influência igualmente forte em geral da atividade consciente, de ambos os lados, de forma que, psicologicamente, temos o direito, por razões puramente empíricas, de tratar os conteúdos do inconsciente de modo tão *real* como as coisas do mundo externo, mesmo que essas duas realidades se contradigam e, de conformidade com sua natureza, pareçam totalmente diferentes. Seria, porém, presunção totalmente injustificada se quiséssemos subordinar uma realidade à outra. Teosofia e espiritualismo são transgressões tão violentas quanto o materialismo. Bem ou mal, temos que manter-nos na esfera de nossa capacidade psicológica. Por causa da realidade específica dos conteúdos inconscientes podemos designá-los como objetos com o mesmo direito com que designamos as coisas externas como objetos. Assim como a *persona*, enquanto relação, está sempre condicionada pelo objeto exterior e, portanto, está presa tanto ao objeto exterior quanto ao sujeito, assim também a alma, enquanto relação com o ob-

---

3. SPITTELER, C. *Prometheus und Epimetheus*. Op. cit., p. 9.

jeto interior, é representada pelo objeto interior; e por isso também é sempre distinta do sujeito, em certo sentido, e percebida como algo diferente. Aparece, portanto, a Prometeu como algo totalmente distinto de seu eu individual. Mesmo que alguém se possa entregar totalmente ao mundo exterior, ainda assim o mundo se apresenta como um objeto distinto dele; de igual modo o mundo inconsciente das imagens se comporta como objeto distinto do sujeito, mesmo que a pessoa se entregue totalmente a ele.

268 Da mesma forma como o mundo inconsciente das imagens mitológicas fala indiretamente, através da experiência da coisa externa, para aquele que se entrega totalmente ao mundo exterior, assim também o mundo externo real e seu desafio falam indiretamente àquele que se entrega totalmente à alma, pois ninguém pode fugir de ambas as realidades. Se alguém se voltar só para fora, tem que viver seu mito; se for para dentro, tem que sonhar sua vida exterior, a vida real. Assim fala a alma a Prometeu:

269 "Sou um deus do pecado, que te transvia por caminhos não trilhados. Mas tu não ouviste e a minha palavra se cumpriu e te roubaram a glória do teu nome e a felicidade de tua vida, por minha causa"[4].

270 Prometeu recusa o reinado que o anjo lhe oferece, isto quer dizer, reprova a adaptação ao dado existente, porque ele assim o solicita à sua alma. Enquanto o sujeito Prometeu é de natureza essencialmente humana, a alma é de espécie bem diferente. Ela é demoníaca, porque o objeto interior, ao qual está presa como relação, nela transparece, ou seja, o inconsciente suprapessoal, coletivo. O inconsciente, considerado como o fundo histórico da psique, contém de modo concentrado toda a sucessão de engramas que determinaram desde tempos imemoriais a estrutura psíquica atual. Os engramas nada mais são do que vestígios de função que indicam de que forma, em média, a psique humana funcionou com mais frequência e de modo mais intenso. Esses engramas funcionais se apresentam como motivos e imagens mitológicos, tal como aparecem, às vezes idênticos e às vezes bem semelhantes, em todos os povos; também podem ser facilmente identificados nos materiais inconscientes do homem moder-

4. Ibid., p. 24s.

no. É compreensível, pois, que surjam sob os conteúdos inconscientes traços ou elementos tipicamente animais ao lado daquelas figuras sublimes que sempre acompanharam o homem em seu caminhar. Trata-se de todo um mundo de imagens cuja ausência de limites em nada perde para a ilimitação do mundo das coisas "reais". Assim como o mundo exterior vai ao encontro do homem que se entrega pessoalmente todo a ele, na forma de um ser próximo e amado, pelo qual, suposto que seu destino seja a dedicação máxima ao objeto pessoal, experimentará a ambivalência do mundo e de sua própria natureza, assim vai ao encontro do outro uma personificação demoníaca do inconsciente que corporifica a totalidade, a maior oposição e ambivalência do mundo das imagens. Isto são fenômenos limítrofes que ultrapassam a medida normal e, por isso, a média dos homens não toma conhecimento desse enigma cruel. Isto não existe para ele. São poucos os que alcançam aquela beirada do mundo onde começa sua imagem em espelho. Para quem sempre fica no meio, a alma tem caráter humano e não dúbio ou demoníaco, nem seus semelhantes lhe parecem problemáticos. Só a dedicação plena a um ou a outro gera sua ambivalência. A intuição de Spitteler captou aquela imagem da alma que uma natureza inocente jamais poderia sonhar.

271 Assim lemos: "E enquanto ele assim se agitava no tumulto de seu ardor, um ricto estranho movia a boca e as faces da deusa, e as suas pálpebras piscavam incessantemente abrindo-se e fechando-se rápidas, e atrás dos seus cílios macios e finos o olhar espreitava, ameaçava, girava, *semelhante ao incêndio* que, insidioso, lavra numa casa, e *semelhante ao tigre* que se esgueira na moita, e entre as folhas escuras reluz, aparecendo e desaparecendo, o seu corpo mole e mosqueado"[5].

272 A linha de vida que Prometeu escolhe é, sem dúvida, introvertida. Ele sacrifica o presente e sua relação com ele para criar, premeditadamente, um futuro longínquo.

273 Bem diferente é Epimeteu: reconhece que sua aspiração é o mundo e o que interessa ao mundo. Por isso diz ao anjo: "Mas neste momento o meu desejo é de verdade, e vê, minha alma está em tuas mãos, e se assim te apraz, dá-me uma consciência que me ensine "eza" e

5. Ibid., p. 25.

"ade" e tudo o que é reto e justo"[6]. Epimeteu não consegue resistir à tentação de realizar seu próprio destino e submeter-se ao ponto de vista "sem alma". Esta aliança com o mundo é logo recompensada:

274 "E aconteceu, quando Epimeteu se levantou, sentir maior sua estatura e mais firme a sua coragem, e todo o seu ser estava unificado e tudo em seu corpo acusava saúde e vigoroso bem-estar. E assim atravessou com passo seguro o vale, em linha reta, como quem não se intimida diante de ninguém, e desassombrado o olhar, como aquele a quem estimula o sentimento de sua retidão".

275 Como diz Prometeu, ele "trocou sua alma livre por -eza e -ade". Perdeu a alma (em favor de seu irmão). Foi após sua extroversão e porque esta se orienta pelo objeto externo, que se abriu para os desejos e expectativas do mundo, aparentemente para seu maior benefício. Tornou-se extrovertido, após ter vivido longo tempo na solidão imitando seu irmão, como um *extrovertido falsificado* imitando um introvertido. Esta *simulation dans le caractere* (Paulhan) espontânea não é rara. Sua evolução para um verdadeiro extrovertido é, portanto, um passo para a "verdade" e merece a recompensa a que faz jus.

276 Enquanto Prometeu fica privado, por causa das exigências tirânicas de sua alma, de qualquer relação com o objeto externo, e tem que fazer os maiores sacrifícios nesta servidão à alma, Epimeteu recebe uma proteção eficaz contra o perigo que ameaça o extrovertido de perder-se completamente no objeto exterior. Esta proteção consiste na consciência que se apoia nos "conceitos corretos" tradicionais, isto é, naquele tesouro não desprezível da sabedoria antiga de viver, da qual a opinião pública faz o mesmo uso que o juiz, do código penal. Com isso Epimeteu recebeu a limitação que o impede de entregar-se ao objeto na mesma medida que Prometeu se entrega à sua alma. Proíbe-o a consciência que está em lugar de sua alma. Já que Prometeu volta as costas ao mundo dos homens e à sua consciência codificada, sucumbe à cruel senhora alma e a seu aparente arbítrio, e pagará com atrozes sofrimentos sua negligência do mundo. Mas a sábia limitação por meio de uma consciência irrepreensível venda de tal forma os olhos de Epimeteu que é obrigado a viver cegamente seu

6. Ibid., p. 10s.

mito, sempre achando que procede bem porque está sempre em consonância com a expectativa geral, sempre com êxito porque satisfaz todos os desejos. Assim os homens querem ver o rei e é assim que Epimeteu o representa até o fim inglório, nunca abandonado pelo aplauso geral animador. Sua autossegurança, sua autojustificação, a confiança inabalável em seu valor geral, seu "agir correto" incontestável e sua boa consciência permitem distinguir sem dificuldade aquele caráter que Jordan descreveu. Vamos conferir a visita de Epimeteu a Prometeu doente, onde o rei Epimeteu quer curar seu irmão sofredor: "E depois de terem bem realizado tudo isso, adiantou-se o rei e apoiado em dois amigos, um à direita e outro à esquerda, saudou com estas palavras *bem-intencionadas*:

277 'De coração lastimo a tua sorte, Prometeu, meu querido irmão! Mas, agora, cria coragem; pois olha, trago aqui um unguento, garantido para todos os padecimentos, maravilhosamente eficaz, quer no calor quer no frio, e tu o podes empregar tanto para aliviar como para castigar'.

278 E assim dizendo, tomou de um bastão, atou bem o unguento nele e estendeu-lhe cautelosamente com *gestos de importância*. Mal, porém, sentiu Prometeu o cheiro do unguento e lhe viu o aspecto, desviou a cabeça com repugnância. E então o rei mudou o tom de sua voz e gritou e vaticinou com ardente zelo:

279 'Em verdade, pareces necessitado de maior punição, pois não te basta a presente lição de teu destino'.

280 E assim falando, sacou do bolso um espelho e tornou-lhe tudo claro desde as origens e foi muito eloquente e soube de todos os erros dele"[7].

281 Esta cena é uma ilustração bem apropriada das palavras de Jordan: "Se possível, a sociedade deve ser agradada; se não puder ser agradada, ao menos deve ficar maravilhada; e, se nenhum dos casos for possível, deve ser importunada e chocada " ("Society must be pleased if possible; if it will not be pleased, it must be astonished; if it will neither be pleased nor astonished, it must be pestered and shocked")[8]. Encontramos nesta cena o mesmo clímax. No Oriente, um

---

7. Ibid., p. 102s.

8. JORDAN, F. *Character as seen in Body and Parentage*. Op. cit., p. 31.

homem rico proclama sua posição nunca aparecendo em público sem estar arrimado em dois escravos. Epimeteu aproveita esta postura para impressionar. Com o agir bem devem estar ligados a advertência e o ensinamento moral. Se isto não produzir efeito, o outro deve ao menos ficar assustado com a imagem de sua própria vilania. Pois tudo depende de causar impressão. Segundo um dito americano, têm êxito, na América, dois tipos de pessoas: quem sabe fazer e quem sabe blefar. O que significa que a aparência é às vezes tão vantajosa quanto a performance real. O extrovertido dessa espécie utiliza sobretudo a *aparência*. O introvertido quer *forçá-la* e com isso *desperdiça* seu trabalho. Se juntarmos Prometeu e Epimeteu numa só personalidade, teremos uma pessoa que será Epimeteu por fora e Prometeu por dentro, onde as duas tendências se hostilizarão mutuamente e cada uma procurará atrair o eu definitivamente para o seu lado.

2. Comparação do Prometeu de Spitteler com o de Goethe

282 É de grande interesse comparar esta concepção de Prometeu com a de Goethe. Creio ter base suficiente para dizer que Goethe pertence mais ao tipo extrovertido do que introvertido, enquanto vinculo a arte de Spitteler ao último tipo. Prova cabal dessa suposição só é possível depois de uma pesquisa e análise exaustiva e pormenorizada da biografia de Goethe. Minha suposição funda-se em várias impressões que não desejo mencionar por falta de certeza.

283 A atitude introvertida não precisa necessariamente coincidir com a figura de Prometeu, o que significa que a figura tradicional de Prometeu também pode ser interpretada de outro modo. Esta outra versão encontra-se, por exemplo, no *Protágoras* de Platão, onde o distribuidor das forças vitais aos seres formados pelos deuses com terra e fogo não é Prometeu, mas Epimeteu. Nesta passagem, como no mito em geral, Prometeu (conforme o gosto clássico) é principalmente o pródigo em astúcia e invenções. Em Goethe temos duas versões. No *Prometheus fragment*, de 1773, Prometeu é teimoso, autossuficiente, semelhante aos deuses, criador e artista que despreza os deuses. Sua alma é Minerva, a filha de Zeus. A relação de Prometeu

com Minerva é muito semelhante à relação do Prometeu de Spitteler com a alma. Assim diz Prometeu a Minerva:

> Desde o princípio tuas palavras foram para mim luz celeste!
> *Sempre, como se minh'alma falasse a si mesma,*
> se abrisse a si mesma
> e surgindo de dentro dela
> o som de inatas harmonias.
> E quando supunha que era eu mesmo,
> uma divindade falava.
> E quando supunha que falava uma divindade,
> era eu mesmo.
> E, assim, contigo e comigo
> tão uno e tão íntimo
> eterno é meu amor por ti!

E mais:

> Como o doce crepúsculo do sol já posto
> desliza por cima do Cáucaso tenebroso,
> envolvendo com paz minh'alma deliciada,
> mesmo longe, sempre perto de mim,
> minhas forças cresceram rijas
> a cada sopro de teu ar celeste[9].

284 Também o Prometeu de Goethe depende de sua alma. É grande a semelhança com a relação do Prometeu de Spitteler com a alma. Assim diz o Prometeu de Spitteler à sua alma: "E muito embora me tenham roubado tudo, continuo rico além de toda medida, enquanto ficares, tu só, comigo e me chamares 'meu amigo' e inclinares sobre mim o rosto senhoril rico de graças"[10]. Apesar da semelhança entre as duas figuras e entre sua relação com a alma, há uma grande diferença: o Prometeu de Goethe é um criador e artista, e Minerva dá vida às suas figuras de barro. O Prometeu de Spitteler não é criativo, mas sofredor, apenas sua alma é criativa, mas seu trabalho é secreto e misterioso. Ao despedir-se diz a ele: "Eu agora vou despedir-me de ti, pois sabes, uma grande tarefa me reclama, obra cheia de árduo trabalho, e

---

9. GOETHE, J.W. von. *Prometheus fragment*. Vol. VII. Stuttgart: Cotta, p. 201 [Goethes sämtliche Werke in 30 Bänden].

10. SPITTELER, C. *Prometheus und Epimetheus*. Op. cit., p. 25.

faz-se mister muita pressa para eu a realizar"[11]. Parece que, em Spitteler, o trabalho criativo de Prometeu cabe à alma, enquanto Prometeu mesmo apenas suporta o tormento de uma alma criativa. O Prometeu de Goethe, porém, é autoativo e criadoramente ativo em primeiro lugar e com exclusividade, desafiando os deuses por causa de sua própria força criadora:

> "Quem ajudou-me
> contra a petulância dos titãs?
> Quem libertou-me da morte,
> da escravidão?
> Não foste tu e sozinho,
> santo e ardente coração?[12]

285 Neste fragmento, Epimeteu é caracterizado precariamente, em tudo inferior a Prometeu, um advogado do sentimento coletivo, que só entende o serviço da alma como "teimosia". Assim fala Epimeteu a Prometeu:

> Sozinho estás!
> Tua teimosia desconhece a delícia,
> quando os deuses, tu,
> os teus, o mundo e o céu todo
> se sentirem um todo íntimo[13].

286 As indicações contidas no *Fragmento de Prometeu* são muito poucas para delas inferirmos a natureza de Epimeteu. Mas a caracterização do Prometeu de Goethe nos dá a conhecer uma diferença típica em relação ao Prometeu de Spitteler. O Prometeu de Goethe cria e atua no mundo de dentro para fora, posiciona no espaço as figuras por ele modeladas e vivificadas por sua alma, enche a terra com as obras de sua criação, é docente e educador dos homens. No Prometeu de Spitteler, porém, tudo se encaminha para dentro, tudo some nas profundezas obscuras da alma, como ele mesmo desaparece do mundo, vagando nos estreitos limites de sua pátria, a fim de se fazer ainda mais invisível. Segundo o princípio de compensação de

---

11. Ibid., p. 28.

12. GOETHE, J.W. von. *Prometheus fragment*. Op. cit., p. 213.

13. Ibid., p. 200.

nossa psicologia analítica, a alma, a personificação do inconsciente, deve ser bem ativa preparando uma obra ainda não visível. Além das passagens já citadas, Spitteler dá uma descrição completa desse processo indispensável de compensação no *Interlúdio de Pandora*.

287 Pandora, esta enigmática figura do mito de Prometeu, é, na versão de Spitteler, a filha de deus que, à exceção de uma relação profundíssima, carece de qualquer outra relação com Prometeu. Esta concepção se baseia num relato do mito onde a mulher que entra em contato com Prometeu é Pandora ou Atená. O Prometeu mitológico tem sua relação anímica com Pandora ou Atená como em Goethe. Mas em Spitteler ocorre uma notável cisão que já consta também no mito histórico em que Prometeu-Pandora se contaminam com a analogia Hefesto-Atená. Goethe preferiu a versão Prometeu-Atená. Em Spitteler, no entanto, Prometeu é removido da esfera celeste e recebe uma alma própria. Mas sua divindade e sua relação mítica primitiva com Pandora foram conservadas como contrapartida cósmica do além celestial e com atividade própria. As coisas que acontecem no além são as coisas que acontecem no além de nossa consciência, isto é, no inconsciente. Assim, o *Interlúdio de Pandora é* uma representação daquilo que acontece no inconsciente durante o sofrimento de Prometeu. Enquanto Prometeu desaparece do mundo e destrói a última ponte com a humanidade, mergulha nas profundezas do si-mesmo e seu único ambiente, seu único objeto, é ele mesmo. E, assim, é "semelhante a Deus", pois Deus é, por definição, o ser que em toda parte repousa em si mesmo e, devido à sua onipresença, tem sempre e em toda parte a si mesmo como objeto. Obviamente, Prometeu não se sente de forma alguma semelhante a Deus, mas miserável ao extremo. E depois da chegada de Epimeteu para cuspir em sua miséria, começa o interlúdio no além, naturalmente na hora em que foi supressa em Prometeu toda relação com o mundo até a extinção. Segundo a experiência, estes são os momentos em que os conteúdos do inconsciente têm a melhor possibilidade de alcançar autonomia e vida, de modo a dominarem inclusive a consciência[14]. O estado de Prometeu se reflete no inconsciente da seguinte forma: "E naquele dia, ao amanhe-

---

14. Cf. para isso JUNG, C.G. "O conteúdo da psicose" [OC, 3]. *Símbolos da transformação* [OC, 5]. *O eu e o inconsciente* [OC, 7/2].

cer, caminhava pela pradaria mais silenciosa, acima de todos os mundos, o Deus criador de toda vida, percorrendo o círculo maldito, conforme a estranha natureza de sua maligna, enigmática enfermidade.

288 Pois, em virtude dela, não podia pôr um fim à sua caminhada, não achava repouso no itinerário traçado pela sua marcha, e com passo eternamente igual fazia e refazia diariamente, anualmente, o giro em torno da pradaria silenciosa, e pesado era o seu andar, curvada a sua cabeça, enrugada a sua fronte, desfigurado o seu rosto, e sempre para o centro do círculo se dirigiam os seus olhares velados.

289 E quando hoje, como todos os dias, cumpria ele o inelutável fado, e inclinava mais baixo a cabeça em seu desgosto profundo, e arrastava mais o passo em sua fadiga, e após a má noite de insônia parecia esgotada a fonte de sua vida, eis que apareceu nas sombras da noite Pandora, sua filha mais moça, e, aproximando-se com passo incerto e modesto do lugar sagrado, postou-se humildemente de parte, saudando-o com olhar tímido, interrogativa em seu silêncio respeitoso"[15].

290 É claro que Deus está com a doença de Prometeu. Pois como Prometeu deixa fluir para o mais íntimo toda a sua paixão, toda a libido de sua alma e se consagrou única e exclusivamente ao serviço de sua alma, também seu Deus percorre o "caminho em círculo" em volta do centro do mundo e se esgota nisso, exatamente como Prometeu que está próximo a se findar. Isto significa que sua libido passou totalmente para o inconsciente onde é necessário que se prepare um equivalente, pois a libido é energia que não pode desaparecer sem deixar vestígio, mas precisa sempre gerar um equivalente. O equivalente é Pandora e aquilo que ela traz para o pai: uma joia preciosa que gostaria de entregar aos homens para abrandar seus sofrimentos.

291 Traduzindo este processo para a esfera humana de Prometeu, teremos o seguinte: enquanto Prometeu sofre na condição de "semelhante a Deus", sua alma prepara uma obra para aliviar os sofrimentos da humanidade. Sua alma quer ir ao encontro dos homens. Mas a obra que sua alma planeja e cria realmente não é idêntica à obra de Pandora. A joia de Pandora é uma imagem inconsciente espelhada que apresenta de *modo simbólico* a obra real da alma de Prometeu.

---

15. SPITTELER, C. *Prometheus und Epimetheus*. Op. cit., p. 107.

Infere-se claramente do texto o que é esta joia: é um Deus salvador, uma renovação do sol[16]. Esta saudade se exprime na doença de Deus, ele aspira a um renascimento e por isso toda a sua força vital reflui para o centro do si-mesmo, isto é, para a profundeza do inconsciente, donde ressurge vida nova. Por isso o aparecimento da joia no mundo é descrito como se ressoassem aqui as imagens do nascimento de Buda no *Lalita-vistara:* Pandora deposita sua joia debaixo de uma nogueira, como Maya dá à luz o seu filho debaixo de uma figueira.

292 "Mas embaixo, na ladeira abrupta, na sombra da árvore e dentro de sua noite negra, o fulgor continuava, ardendo, cintilando, e, como a estrela da manhã, irradiava à distância os seus lampejos de diamante.

293 E também abelhas e borboletas, cujas danças flutuavam no jardim das flores, acorriam, cercavam de seus brincos endiabrados a *criatura-prodígio*, acolhendo-a com múltiplas perguntas... e do alto do ar as cotovias se deixavam cair como chumbo, ávidas de prestar homenagem a essa *nova beleza*, *a essa face do sol*, e logo que contemplavam de perto a irradiação daquela brancura, eram tomadas de vertigem... E sobre tudo isso troneava, doce e paternal, a *árvore escolhida entre todas*, com a sua copa enorme, o seu pesado manto verde, estendendo as mãos régias e protetoras por cima do rosto de seus filhos.

294 E os ramos inumeráveis inclinavam-se com amor, curvavam-se até o chão, para formar uma como que cerca contra a intrusão de olhares estranhos, ciosos de desfrutarem eles só a graça imerecida daquele presente; e os milhares de folhas suavemente animadas tremiam e fremiam de volúpia, e sussurravam em sua jovial emoção um coro de vozes nobres e puras, com acordes murmurantes: 'Quem poderia saber o que se esconde sob teto tão modesto? Quem poderia pressentir a joia que repousa entre nós?'"[17]

295 Tendo chegado a hora de Maya dar à luz, deu à luz seu filho debaixo da figueira Plaksa que curvou sua fronde protetora até a terra. Do Bodhisattva encarnado espalhou-se um incomensurável brilho de luz pelo mundo; os deuses e a natureza participaram do nascimento.

---

16. Com relação ao motivo da joia e do renascimento, cf. JUNG, C.G. *Símbolos da transformação* [OC, 5]. Cf. tb. *Psicologia e alquimia* [OC, 12].

17. SPITTELER, C. *Prometheus und Epimetheus*. Op. cit., p. 126s.

Ao Bodhisattva pisar a terra, nasceu sob seus pés um grande lótus e estando dentro do lótus olhou o mundo. Daí provém a fórmula tibetana de oração: Oh! a joia no lótus! (om mani padme hum). O instante do renascimento encontra o Bodhisattva sob a árvore escolhida de Bodhi, quando se torna o Buda, o iluminado. Este renascimento ou renovação é acompanhado do mesmo brilho de luz, dos mesmos prodígios da natureza e aparições divinas que o nascimento.

296 Mas no reino de Epimeteu, onde impera só a consciência e não a alma, perde-se a inestimável joia. O anjo, irado com a estupidez de Epimeteu, interpela-o: "E não tinhas uma alma, eras tu semelhante a um bruto, a um animal sem razão, para te esquivares assim diante da *divindade maravilhosa?*"[18]

297 Vê-se que a joia de Pandora é uma renovação de Deus, um novo Deus; isto acontece, porém, na esfera divina, isto é, no inconsciente. Os pressentimentos do ocorrido que transbordam para a consciência não são percebidos pelo elemento epimeteico que governa a relação com o mundo. Isto é apresentado exaustivamente por Spitteler nas secções seguintes[19], onde veremos como o mundo, isto é, a consciência e sua atitude racional, orientada para os objetos externos, são incapazes de apreciar devidamente o valor e importância da joia. E, assim, a joia se perde irreparavelmente.

298 O Deus renovado significa uma atitude renovada, ou seja, a possibilidade renovada de vida intensa, uma nova consecução de vida porque psicologicamente Deus significa sempre o valor maior, a maior quantidade de libido, a maior intensidade de vida, o ótimo da vitalidade psicológica. Em Spitteler mostram-se insuficientes tanto a atitude prometeica quanto a epimeteica. As duas tendências se dissociam; a atitude epimeteica se harmoniza com a situação existente no mundo, mas não assim a prometeica que, por isso, deve trabalhar por uma renovação da vida. Produz também uma nova atitude para com o mundo (a joia presenteada ao mundo), mas sem encontrar ressonância em Epimeteu. Apesar disso é fácil reconhecer no presente de Pan-

18. Ibid., p. 160. O autor apresenta a famosa consciência de Epimeteu como pequeno animal. Corresponde também ao instinto oportunista do animal.

19. Ibid., p. 132s.

dora, em Spitteler, uma tentativa simbólica de resolver o problema, já apresentado quando falamos das cartas de Schiller, o problema da harmonização da função diferenciada e não diferenciada.

299 Antes de prosseguirmos neste problema, temos que voltar ao Prometeu de Goethe. Como já vimos, persistem diferenças óbvias entre o Prometeu criador de Goethe e a figura sofredora trazida por Spitteler. Outra diferença importante é a relação com Pandora. Em Spitteler, Pandora é uma duplicata da alma de Prometeu que pertence ao além, à esfera divina; em Goethe, porém, é mera criatura e filha do titã, portanto, com uma relação de dependência absoluta dele. A relação do Prometeu de Goethe com Minerva coloca-o no lugar de Vulcano e o fato de Pandora ser totalmente criatura sua e não constar como tendo origem divina faz dele um deus criador e o retira da esfera humana. Por isso diz Prometeu:

> E quando supunha que era eu mesmo,
> uma divindade falava.
> E quando supunha que falava uma divindade,
> era eu mesmo.

300 Em Spitteler, no entanto, Prometeu é despido de qualquer divindade; até mesmo sua alma é um demônio não oficial. A divindade é algo em si, separado do humano. A versão de Goethe é clássica na medida em que sublinha a divindade do titã. Por isso também Epimeteu teve que sofrer forte diminuição, enquanto que em Spitteler ele aparece de modo bem mais positivo. Felizmente encontramos em *Pandora* de Goethe uma passagem que nos dá uma caracterização mais completa de Epimeteu do que o fragmento que citamos até agora. Eis como se apresenta Epimeteu:

> Dia e noite não bem se distinguem para mim,
> E continuo a trazer a antiga desgraça de meu nome:
> Epimeteu, chamaram-me os genitores,
> Refletir no passado, no acontecimento rápido
> Voltar atrás, jogo árduo do pensamento,
> Ao reino melancólico das formas feitas possibilidade.
> Esforço tão amargo foi imposto ao jovem
> Que, impaciente, voltado para a vida,

Agarrei, sem pensar, o presente
E ganhei nova aflição, tormento mais pesado[20].

Com essas palavras, define Epimeteu sua natureza: fica remoendo o passado e não consegue livrar-se de Pandora que (segundo a saga clássica) tomou por esposa; isto é, não consegue mais livrar-se de sua lembrança, pois ela mesma já o abandonara de há muito, deixando-lhe a filha Epimeleia, a preocupação, e levando consigo Elpora, a esperança. Aqui Epimeteu é descrito de forma tão clara que podemos reconhecer a função psicológica que ele representa. Enquanto Prometeu, também em *Pandora*, é o mesmo criador e artista que levanta cedo todo dia, com o mesmo impulso irresistível para criar e atuar no mundo, Epimeteu se entrega totalmente às fantasias, sonhos e lembranças, cheio de preocupações angustiantes e reflexões apreensivas. Pandora aparece como criatura de Hefesto, rejeitada por Prometeu, mas escolhida como esposa por Epimeteu. Diz sobre ela: 301

"As próprias dores *por uma joia dessa espécie* são prazer". Pandora é para ele uma joia preciosa e, inclusive, o bem supremo: 302

Ela me pertence eternamente, a gloriosa!
A plenitude da felicidade, eu a senti!
Possuí a beleza, ela me prendeu;
Em cortejo primaveril, aproximou-se de mim.
Conheci e agarrei-a, e tudo aconteceu!
Sumiu qual névoa, melancólica ilusão;
Tirou-me da terra, pousou-me no céu.
Procuras palavras que a louvem bastante,
Tu queres exaltá-la, já paira no alto.
A melhor comparação parece medíocre.
Ao falar, te recordas, tinha sempre razão.
Se a ela te opunhas, levava a melhor.
Vacilavas em servir-lhe, já eras escravo.
O bem, o amor gostava de retribuir.
Alta estima não adianta, ela rebaixará.
Coloca-se na meta, acelera o percurso;
Se barra teu caminho, consegue deter-te.
Se queres cumprir um preceito, a isso te impulsionará,

---

20. GOETHE, J.W. *Pandora*. Vol. 10. Stuttgart: Cotta, 1858, p. 210.

Darás riqueza, sabedoria e tudo em troca.
Apresenta-se na terra de formas diversas,
Desliza nas águas, passeia nos campos,
Brilha e ressoa em santas proporções,
E só nela a forma sublima o contido,
E lhe empresta e se empresta o poder maior,
Apareceu-me como juventude em forma de mulher[21].

303 Como esses versos dizem claramente, Pandora tem para Epimeteu o significado de uma imagem da alma, representa a alma; por isso, sua força divina, sua inquebrantável supremacia. Sempre que esses atributos são referidos a certas personalidades, podemos concluir com certeza que elas são *portadoras de símbolos*, respectivamente imagens (imagines) de conteúdos projetados do inconsciente. Pois são os conteúdos do inconsciente que atuam com aquela superforça descrita acima e, sobretudo, daquele modo como Goethe o designa magistralmente no verso:

"Se queres cumprir um preceito, a isso te impulsionará".

304 Estas palavras descrevem muito bem o fortalecimento tipicamente afetivo de certos conteúdos da consciência pela associação com conteúdos análogos do inconsciente. Este fortalecimento tem em si algo de compulsivo-demoníaco e, portanto, um efeito "divino" ou "diabólico".

305 Dissemos acima que a figura goetiana de Prometeu era extrovertida. Permanece assim em *Pandora*, mas falta aqui a relação de Prometeu com a alma, com o feminino inconsciente. Para isso é que surge Epimeteu como aquele que está voltado para dentro, o introvertido. Ele medita e rumina, extrai as lembranças do túmulo do passado, ele "pensa". É totalmente diverso do Epimeteu de Spitteler. Podemos dizer, pois, que se verifica aqui (em *Pandora*, de Goethe) realmente o caso acima referido, em que Prometeu é a atitude extrovertida e ativa e Epimeteu é a atitude introvertida e pensativa.

306 Este Prometeu é de certa forma o mesmo, em forma extrovertida, que o de Spitteler, em forma introvertida. Mas em *Pandora*, Prometeu só cria para fins coletivos, mantém em sua montanha verdadei-

---

21. Ibid., p. 233s.

ra atividade fabril onde são produzidos os artigos de necessidade para todo o mundo. Está, pois, afastado de seu mundo interno cuja relação cabe dessa vez a Epimeteu, isto é, aquele pensar e sentir secundários e puramente reativos do extrovertido que possui todas as características da função menos diferenciada. Por isso é que Epimeteu está totalmente submisso a Pandora; ela lhe é superior em tudo. Isto significa psicologicamente que a função epimeteica inconsciente do extrovertido, ou seja, aquela representação fantástica, meditativa e ruminativa é fortalecida pela intervenção da alma. Quando a alma está em união com a função menos diferenciada, é preciso concluir que a função mais valiosa, respectivamente, diferenciada, é coletiva demais, isto é, está a serviço da consciência coletiva[22] e não a serviço da liberdade. Sempre que ocorrer este caso – e é frequente – a função menos diferenciada, isto é, o "outro lado", é fortalecida por um egocentrismo patológico, ou seja, o extrovertido preenche o tempo livre com meditações melancólicas ou hipocondríacas, quando não com fantasias histéricas e outros sintomas[23]; o introvertido, porém, luta contra sentimentos de inferioridade que o acometem compulsivamente e o tornam não menos melancólico[24].

307 O Prometeu de *Pandora* já não corresponde ao de Spitteler. Ele é mera aspiração à atividade, o que significa, em sua unilateralidade, uma repressão do erotismo. Seu filho Fileros[25] é uma paixão erótica; pois como filho de seu pai deve recuperar, sob compulsão inconsciente, o que foi pouco vivido pelos pais, como acontece frequentes vezes com todos os filhos. A filha de Epimeteu – aquele que só pensa depois, o irrefletido – é bem a propósito Epimeleia, ou seja, a preocupação. Fileros ama Epimeleia, a filha de Pandora, e assim fica expiada a culpa de Prometeu que rejeitou Pandora. Ao mesmo tempo, Prometeu e Epimeteu se reconciliam ao ficar patente que a atividade de Prometeu se apresenta como erotismo não reconhecido e a constante meditação sobre o passado de Epimeteu, como preocupação razoável

22. O "eza" e "ade", de Spitteler.

23. Em seu lugar pode surgir também, compensadoramente, maior sociabilidade, uma atividade social mais intensa, em cuja apressada mutação se procura o esquecimento.

24. Como compensação, pode surgir para isso uma atividade laboral intensa e doentia, igualmente a serviço da repressão.

25. *Phileros* = amigos do Eros.

que poderia bloquear a contínua produção de Prometeu e colocá-la em seus justos limites. Esta tentativa goetiana de solução, que parece ter provindo de uma psicologia extrovertida, nos leva de volta à tentativa de solução de Spitteler que deixamos de lado para nos ocupar da figura goetiana de Prometeu.

308 O Prometeu de Spitteler, a exemplo de seu Deus, afasta-se do mundo, da periferia, e olha para dentro, para o ponto central, aquela "passagem estreita" do renascimento. Esta concentração ou introversão conduz a libido, aos poucos, ao inconsciente. E assim é fortalecida a atividade dos conteúdos inconscientes; a alma começa a "trabalhar" e produz uma obra que gostaria de passar do inconsciente para a consciência. A consciência, no entanto, tem duas atitudes: a prometeica que retira a libido do mundo e introverte sem dar e a epimeteica que dá sem parar, sem alma, guiada pelas exigências do objeto externo. Quando Pandora dá seu presente ao mundo, isto significa psicologicamente que um produto inconsciente de grande valor está a ponto de atingir a consciência extrovertida, isto é, a relação com o mundo real. Mesmo que o lado prometeico, isto é, o artista, capte intuitivamente o grande valor da obra, sua relação pessoal com o mundo está tão subordinada à tirania da tradição que a obra é considerada apenas obra de arte e não o que realmente é, ou seja, um símbolo que significa uma renovação da vida. Para que saia da mera importância estética e chegue à realidade, deveria entrar na vida e aí ser assumida e vivida. Mas se a atitude é principalmente introvertida e só está baseada na abstração, a função da extroversão é inferior, isto é, está no limite da restrição coletiva. Esta restrição impede que o símbolo criado pela alma se torne vivo. E assim a joia se perde; mas não se pode viver realmente se "Deus", isto é, o valor maior da vida, que se manifesta no símbolo, não puder tornar-se vivo. Por isso a perda da joia significa também o início do declínio de Epimeteu.

309 E agora começa a enantiodromia: em vez de aceitar, como todo racionalista e otimista se dispõe a fazê-lo, que um bom estado é seguido por um melhor, porque tudo se move em "evolução ascendente", o homem da consciência perfeita e dos princípios morais aceitos como válidos em geral faz um pacto com Behemoth e sua turma maléfica e negocia com o demônio até mesmo os filhos de Deus que lhe

foram confiados. Isto significa psicologicamente que a atitude coletiva e indiferenciada para com o mundo sufoca os valores mais altos dos homens e se torna uma força destrutiva que aumenta de ação até que o lado prometeico, isto é, a atitude ideal e abstrata, se coloque a serviço da joia da alma e, qual verdadeiro Prometeu, acenda um novo fogo para o mundo. O Prometeu de Spitteler precisa sair de sua solidão e dizer aos homens, mesmo com risco da própria vida, que eles erram e onde erram. Precisa reconhecer a inexorabilidade da verdade, assim como o Prometeu de Goethe precisa experimentar a inexorabilidade do amor em Fileros.

310 A raiva frenética de Epimeteu contra o "cordeirinho" – óbvia caricatura do cristianismo tradicional – mostra que o elemento destrutivo na atitude epimeteica é realmente a restrição tradicional e coletiva. Neste afeto transparece algo que já conhecemos da festa do asno de Zaratustra, praticamente da mesma época. Aí se manifesta uma tendência contemporânea.

311 O homem esquece sempre de novo que alguma coisa que foi boa uma vez, não permanece boa para sempre. Mas percorre ainda por muito tempo os antigos caminhos que já foram bons, mesmo que já tenham ficado ruins, e só com imenso sacrifício e inaudito esforço consegue conformar-se com o fato de que o bom outrora, talvez hoje esteja velho e já não seja bom. Isto acontece tanto nas coisas pequenas como nas grandes. Os caminhos e meios de sua infância que foram bons antigamente dificilmente os abandona, mesmo que fique demonstrada sua perniciosidade. O mesmo acontece, só que em escala gigante, com a mudança histórica de atitudes. Uma atitude geral corresponde a uma religião, e mudança de religião é um dos momentos mais dolorosos da história do mundo. Neste aspecto, nossa época é de cegueira sem igual. Cremos que basta declarar incorreta e inválida uma fórmula de confissão para nos livrarmos de todos os efeitos tradicionais da religião cristã ou judaica. Acreditamos em iluminismo como se uma reorientação intelectual tivesse influência mais profunda sobre os processos emocionais ou mesmo sobre o inconsciente. Esquecemos completamente que a religião dos últimos 2.000 anos é uma atitude psicológica, um determinado modo de adaptação para dentro e para fora, que gerou determinada forma de cultura e criou uma atmosfera que permanece imune a qualquer negação intelectual.

Naturalmente a reorientação intelectual é sintoma importante de possibilidades futuras, mas as camadas mais profundas da psique continuam a atuar ainda por muito tempo na atitude anterior, de acordo com a inércia psíquica. Provém daí que o inconsciente conservou vivo o paganismo. Podemos observar na renascença a facilidade com que o espírito antigo volta à vida. A facilidade com que volta à vida o espírito primitivo bem mais antigo podemos observá-la talvez melhor em nosso tempo do que em qualquer outra época histórica de nós conhecida.

312 Quanto mais enraizada uma atitude, mais violentas devem ser as tentativas de arrancá-la. O brado do Iluminismo *Écrasez l'infâme* introduziu na Revolução Francesa o movimento de subversão religiosa que, psicologicamente, nada mais significou do que uma correção básica de atitude à qual, no entanto, faltou universalidade. O problema de uma mudança geral de atitude não mais adormeceu desde aquela época; reapareceu em muitas cabeças eminentes do século XIX. Já vimos como Schiller tentou resolver o problema. Na abordagem de Goethe do problema Prometeu-Epimeteu temos outra vez a tentativa de unificar de certa forma a função diferenciada superior, que corresponde ao ideal cristão de privilegiar o bem, com a função diferenciada inferior cuja repressão e não reconhecimento corresponde também ao ideal cristão de rejeitar o mal[26]. Com o símbolo de Prometeu e Epimeteu, a dificuldade que Schiller tentou resolver filosófica e esteticamente fica envolta pela veste do mito antigo. Acontece então algo que já denominei outrora de típico e segundo a lei: quando o homem está diante de uma tarefa difícil que não consegue realizar com os meios à sua disposição, surge automaticamente um movimento retrógrado da libido, isto é, uma regressão. A libido se retrai diante do problema, introverte-se e reativa no inconsciente um análogo mais ou menos primitivo da situação consciente juntamente com caminho primitivo de adaptação. Esta lei determina a escolha goetiana do símbolo: Prometeu foi o salvador que trouxe luz e fogo à humanidade mergulhada na escuridão. A ciência de Goethe poderia fazê-lo en-

26. Cf. "Geheimnisse", de Goethe. Ali se tentou a solução rosacruciana, isto é, a união de Dioniso e Cristo, rosa e cruz. A poesia nos deixa frios. Não se pode encher odres velhos com vinho novo.

contrar outro salvador e por isso a determinante acima mencionada não é suficiente como explicação. Certamente tem algo a ver também com o espírito antigo que sentia e julgava exatamente aquela época, a virada do século XVIII, como absolutamente compensatória e também o traduzia em todos os sentidos: estético, filosófico, moral e até mesmo político (filo-helenismo). O paganismo da Antiguidade que foi exaltado como 'liberdade", "ingenuidade", "beleza" etc., veio ao encontro da aspiração daquela época. Esta aspiração nasceu, como o demonstra claramente Schiller, do sentimento de imperfeição, de barbarismo espiritual, de escravidão moral, de ausência do belo. Estes sentimentos provêm, sem exceção, da valorização unilateral e do fato a isso vinculado de que a dissociação psicológica entre a função diferenciada superior e inferior se tornou sensível. A dilaceração cristã do homem em um pedaço precioso e um pedaço desprezível foi insuportável àquela época, bem mais sensível do que épocas anteriores. A pecaminosidade chocou-se com o sentimento da beleza eterna e natural cuja contemplação já era possível naquela época; por isso voltou-se para uma época em que a ideia da pecaminosidade ainda não dilacerara a totalidade do homem, onde o mais nobre e mais profundo da natureza humana ainda podiam coabitar em total ingenuidade, sem ofender o sentimento moral ou estético.

313 Mas a tentativa de uma Renascença regressiva ficou parada nos inícios, assim como o *Fragmento de Prometeu* e *Pandora*. A solução clássica já não funcionava, pois não era possível ignorar os séculos de cristianismo intermediário com sua vivência que revolvia o mais profundo. Por isso a orientação antiquizadora teve que se contentar com um abrandamento que a levou pouco a pouco para a Idade Média. Este processo transparece mais claramente no *Fausto*, de Goethe, em que o problema é agarrado pelos chifres. A aposta divina entre o bem e o mal é aceita. Fausto, o Prometeu medieval, apresenta-se a Mefistófeles, o Epimeteu medieval, e com ele faz o pacto. E aqui o problema já se torna tão agudo que é possível ver que Fausto e Mefisto são a mesma pessoa. O elemento epimeteico que raciocina tudo em cima do passado e remete ao caos inicial "possibilidade de misturar as formas" se acentua no diabo em força maléfica que opõe a todo ser vivente "o punho gelado do demônio" e que gostaria de forçar a luz de volta para dentro da mãe-morte da qual ele nasceu. O demônio tem,

em toda parte, um pensamento tipicamente epimeteico, o pensamento do "nada mais do que" que reduz todo ser vivo ao nada inicial. A paixão ingênua de Epimeteu pela Pandora de Prometeu torna-se intenção diabólica de Mefistófeles para a alma de Fausto. E a sábia prudência de Prometeu, de descartar-se da divina Pandora, será expiada pela tragédia do episódio de Gretchen e pelo anseio, tardiamente realizado, por Helena e pela ascensão interminável para as mães superiores ("O eterno feminino nos atrai para cima").

314 A resistência de Prometeu contra os deuses reconhecidos é representada na figura do feiticeiro medieval. O feiticeiro preservou um pedaço do paganismo antigo[27]; ele mesmo possui em si uma natureza que não foi atingida pela dilaceração cristã; isto é, tem acesso ao inconsciente que ainda é pagão e onde os opostos ainda estão lado a lado em ingenuidade original, e que está além de toda pecaminosidade, mas, quando assumido na vida consciente, está apto a produzir, com a mesma força original e, portanto, demoníaca, tanto o mal quanto o bem. ("Uma parte daquela força que sempre quer o mal, mas sempre faz o bem".) Por isso é um destruidor e também um salvador (*Fausto*, "O Passeio"). Esta figura é, portanto, a mais indicada para se tornar a imagem simbólica de uma tentativa de união. Além disso, o feiticeiro medieval se despojou da ingenuidade antiga que se tornou impossível e assimilou toda a atmosfera cristã por meio da vivência mais forte possível. Aquela parcela de paganismo deve introduzi-lo antes de tudo na autonegação e autodilaceração cristãs, pois sua ânsia de redenção é tão forte que usa qualquer meio. Finalmente falha também a tentativa cristã de solução e então se manifesta que a possibilidade de redenção está exatamente na ânsia de salvação e na teimosia da autoafirmação da parcela pagã, ao revelar o símbolo anticristão uma possibilidade de assumir o mal. A intuição de Goethe captou o problema com a acuidade desejável. É certamente característico que as outras tentativas superficiais de solução, como o *Fragmento de Prometeu*, *Pandora* e o compromisso rosacruz de um sincretismo de alegria dionisíaca com o autossacrifício cristão (nos mistérios) tenham ficado incompletos. A sal-

27. São os representantes de antigos costumes populares que muitas vezes têm poderes mágicos. Na Índia, são os nepaleses; na Europa, os ciganos; nas regiões protestantes são os capuchinhos.

vação de Fausto começa com sua morte. Sua vida conservou o caráter prometeico de divindade que dele se desligou apenas com a morte, isto é, com seu renascimento. Isto significa psicologicamente que a atitude de Fausto tem que cessar para que aconteça a unidade do indivíduo. O que surgiu primeiro como Gretchen e se transformou, em grau mais elevado, em Helena, exalta-se, ao final, na *Mater gloriosa*. Não é minha tarefa aqui esgotar este símbolo de múltiplos sentidos. Apenas quero dizer que se trata daquela imagem primitiva que já preocupara muito a gnose, isto é, a ideia das meretrizes divinas Eva, Helena, Maria e Sofia-Achamoth.

3. O significado do símbolo de união

315 Se lançarmos agora, a partir do ponto de vista alcançado até aqui, um olhar para a elaboração inconsciente do problema em Spitteler, veremos imediatamente que o pacto com o mal não corresponde ao intento de Prometeu, mas à distração de Epimeteu que só possui uma consciência coletiva e nenhuma faculdade diferenciadora das coisas do mundo interior. Deixa-se determinar exclusivamente por valores coletivos e não enxerga o novo e específico, como sempre acontece com o ponto de vista coletivo, orientado para o objeto. Valores coletivos em voga podem ser perfeitamente dimensionados por medidas objetivas, mas não o recém-criado que só pode ser corretamente avaliado por um critério livre – algo ligado ao sentimento vivo. Mas, para isso, é preciso alguém que tenha uma "alma" e não apenas relações com objetos exteriores. O declínio de Epimeteu começa com a perda da imagem divina recém-nascida. Seu pensar, sentir e agir moralmente inatacáveis não impedem que o mal, o destrutivo e o vazio se infiltrem cada vez mais. Esta invasão do mal significa uma transformação do que era bom antes em algo prejudicial. Spitteler exprime dessa forma que o princípio moral anterior era perfeitamente válido, mas perdeu contacto com a vida, já que não pode abranger em si a plenitude dos fenômenos vitais. O racionalmente correto é um conceito por demais estreito para abranger e expressar suficientemente a vida em seu todo e em sua duração. Mas o evento irracional do nascimento de Deus está fora dos parâmetros racionais do acontecer. O nascimento de Deus quer dizer, psicologicamente,

que foi criado um novo símbolo, uma nova expressão da mais alta intensidade de vida. Todo o epimeteico nas pessoas e todas as pessoas epimeteicas mostram-se incapazes de compreender este acontecimento. E a partir desse momento só é possível encontrar a mais alta intensidade de vida nesta nova direção. Qualquer outra direção desaparece aos poucos, isto é, sucumbirá à destruição e dissolução.

316 O novo símbolo, dispensador da vida, nasce do amor de Prometeu à sua alma, qualificada muitas vezes de demoníaca. Por isso é certo que no novo símbolo e em sua beleza viva conflui também o elemento do mal, caso contrário faltar-lhe-ia a vida luminosa, bem como a beleza, pois vida e beleza são, por natureza, moralmente indiferentes. Eis por que a coletividade epimeteica nada encontra de valor nisso. A unilateralidade de sua posição moral a cega completamente. Esta posição é idêntica à do "cordeirinho", isto é, uma posição tradicionalmente cristã. A raiva de Epimeteu contra o cordeirinho não é outra coisa que o *écrasez l'infâme* em forma renovada, uma revolta contra o cristianismo tradicional, incapaz de compreender o novo símbolo e dar à vida um novo rumo.

317 Esta constatação poderia deixar-nos completamente frios se não fossem os poetas, capazes de ler o inconsciente coletivo. São eles os primeiros a adivinhar as correntes misteriosas que fluem subterrâneas e exprimi-las, segundo a capacidade de cada um, em símbolos mais ou menos eloquentes. Anunciam, como verdadeiros profetas, o que acontece no inconsciente, "o que é a vontade de Deus", no dizer do *Antigo Testamento*, e que no futuro se manifestará evidentemente como fenômeno geral. O sentido redentor do ato de Prometeu em Spitteler, o declínio de Epimeteu, sua reconciliação com o irmão que vive para a alma, e a vingança de Epimeteu contra o cordeirinho que, devido a seu horror, nos lembra a cena entre Ugolino e o arcebispo Ruggieri[28], preparam uma solução do conflito que está vinculada a uma revolta sangrenta contra a moral coletiva tradicional.

318 Num poeta de pequena envergadura podemos admitir que o ápice de sua obra não ultrapasse a dimensão de suas alegrias, paixões e desejos pessoais. Em Spitteler, porém, a obra transcende o destino

---

28. DANTE. Inferno XXXII.

pessoal. Por isso, sua solução do problema não está sozinha. Daqui para Zaratustra, o destruidor das tábuas, é apenas um passo. Também Stirner se associa, após Schopenhauer ter sido o primeiro a propor a teoria da negação. Ele fala da negação do mundo. Psicologicamente, "mundo" significa como eu vejo o mundo; minha posição diante do mundo pode ser considerada como "minha vontade" e "minha representação". O mundo em si é indiferente. Meu sim e meu não criam as diferenças. A negação diz respeito, portanto, à posição diante do mundo e, antes de tudo, à posição de Schopenhauer diante do mundo, que, por um lado, é puramente racional-intelectualista e, por outro, um sentimento profundo de identidade mística com o mundo. Esta atitude é introvertida, e sofre, portanto, da oposição tipológica. Mas a obra de Schopenhauer transcende em muito sua personalidade. Manifesta o que milhares pensavam e sentiam sem clareza. Igualmente Nietzsche: seu Zaratustra traz à luz, principalmente, os conteúdos do inconsciente coletivo de nossa época e por isso encontramos também nele as características decisivas: a revolta iconoclasta contra a atmosfera moral tradicional e a aceitação do homem "mais feio" que leva à tragédia comovente e inconsciente, apresentada em *Zaratustra*. Mas o que espíritos criadores extraem do inconsciente coletivo, isto realmente existe lá e, mais cedo ou mais tarde, aparecerá como fenômenos da psicologia de massas. O anarquismo, o regicídio, a formação sempre mais nítida e completa de um elemento niilista na esquerda extremada, com seu programa absolutamente anticultural – estes são os fenômenos da psicologia de massas que, de há muito, já foram expressos por poetas e pensadores criativos. Por isso os poetas não podem deixar-nos indiferentes, pois em suas obras principais e em suas inspirações mais profundas eles recolhem do fundo do inconsciente coletivo e proclamam o que outros apenas sonham. Mas apesar de proclamarem bem alto, só conseguem exprimir o símbolo no qual encontram prazer estético, sem terem consciência de seu verdadeiro significado.

319 Não pretendo negar que os poetas e pensadores exerçam influência educativa sobre o mundo contemporâneo ou futuro; parece-me, contudo, que sua influência está principalmente em dizerem bem alto e claramente algo que todos sabem. E só na medida em que exprimem este "saber" inconsciente geral é que atuam educativa ou deseducativamente. É o poeta que tem a maior e mais imediata ação sugestiva, pois

sabe expressar a camada mais superficial do inconsciente, de forma apropriada. Quanto mais fundo penetra a visão do espírito criativo, mais alheio se torna às massas e maior é a oposição contra aquele que, de certa forma, se distingue da massa. A massa não o compreende, mas vive inconscientemente o que ele diz; não porque o diz, mas porque ela vive do inconsciente coletivo que ele examinou. Os melhores da nação entendem algo do que ele diz, mas pelo fato de o expresso coincidir, por um lado, com processos existentes na massa, e, por outro, antecipar suas próprias aspirações, odeiam o criador dessas ideias, não por maldade, mas por instinto de autoconservação. Quando o conhecimento do inconsciente coletivo atinge tal profundidade que a expressão consciente não mais pode captar-lhe o conteúdo, então já não é possível decidir se se trata de um produto doentio ou de um produto incompreensível, devido à sua extraordinária profundidade. Por isso um conteúdo profundamente significativo, mas imperfeitamente entendido, pode parecer muitas vezes doentio. Mas conteúdos doentios podem também ser significativos. Em ambos os casos, o acesso é difícil. A glória desse criador, se é que terá alguma, será póstuma e se atrasa normalmente por vários séculos. A afirmação de Ostwald que, hoje, um espírito genial permanece desconhecido, no máximo, por uma década, restringe-se ao terreno das descobertas tecnológicas, caso contrário seria absolutamente ridícula tal afirmação.

320 Há um outro ponto que me parece ainda de suma importância: a solução do problema em *Fausto*, no *Parsifal* de Wagner, em Schopenhauer e mesmo no *Zaratustra* de Nietzsche é *religiosa*. Não é de admirar, pois, que também Spitteler seja forçado a uma concepção religiosa. Quando um problema é encarado religiosamente, isto significa psicologicamente: muito importante, de valor extraordinário, atinge o homem todo e, por isso, também o inconsciente (o reino dos deuses, o além etc.). Em Spitteler a forma religiosa é de uma fecundidade tão sufocante que o especificamente religioso perde em profundidade, mas ganha em riqueza mitológica, em arcaísmo e, por isso, também em simbolismo prospectivo. A luxuriante teia mitológica aumenta a obscuridade da intelecção e solução do problema e torna, por isso, a obra de difícil abordagem. O abstruso, grotesco e insosso que sempre aderem à proliferação mitológica, impedem a empatia, isolam o sentido da obra e dão ao todo uma espécie de gosto desagra-

dável daquela originalidade que só é possível distinguir da anormalidade psíquica graças a uma adaptação meticulosa a outro ponto.

321 A proliferação mitológica, por mais cansativa e insípida que seja, tem uma vantagem: o símbolo pode desdobrar-se nela, mas de forma tão inconsciente que o espírito consciente do poeta não sabe ajudar em nada à expressão do sentido, mas apenas se cansa no serviço da proliferação mitológica e de seu aperfeiçoamento plástico. O poema de Spitteler se distingue de *Fausto* e de *Zaratustra* pelo seguinte: nestes últimos, a participação consciente do poeta no sentido do símbolo é maior e, por isso, a proliferação mitológica em *Fausto* e a proliferação de ideias em *Zaratustra* foi reprimida em prol da solução procurada. E, neste sentido, *Fausto* e *Zaratustra* são mais belos do que o *Prometeu* de Spitteler, mas este é mais *verdadeiro* como imagem relativamente fiel dos processos reais do inconsciente coletivo.

322 *Fausto* e *Zaratustra* são de grande ajuda na superação individual do problema em questão, enquanto que *Prometeu e Epimeteu*, de Spitteler, possibilita um conhecimento geral do problema e de seu modo coletivo de manifestação, graças às proliferações mitológicas sustentadas por todos os meios. O que a demonstração dos conteúdos religiosos inconscientes de Spitteler deixa transparecer antes de tudo é o *símbolo da renovação de Deus*, o que será mais amplamente tratado em *Primavera olímpica*. Este símbolo parece intimamente ligado com a oposição dos tipos e funções e é, sem dúvida, uma tentativa de solução em forma de uma renovação da atitude geral, o que é expresso, no linguajar do inconsciente, como renovação de Deus. A renovação de Deus é uma imagem primitiva bem conhecida, encontrada praticamente em toda parte; lembro apenas o complexo total do Deus que morre e ressuscita, e todos os seus preâmbulos, até a renovação da carga de fetiches e curingas com força mágica. A imagem exprime que a atitude mudou e, assim, entrou uma nova tensão de energia, nova possibilidade de manifestação da vida, nova fecundidade. Esta última analogia explica a conexão fartamente demonstrada entre a renovação de Deus e os fenômenos sazonais e do crescimento. Temos a natural tendência de concluir a partir dessas analogias para mitos sazonais, vegetativos, astrais ou lunares. Esquecemo-nos completamente que um mito, bem como todo o psíquico, não podem ser determinados apenas por acontecimentos exteriores. O psíquico se faz acompanhar de suas próprias condições internas, de modo que

podemos afirmar, com igual razão, que o mito é puramente psicológico e usa os dados dos fenômenos meteorológicos ou astronômicos apenas como forma de expressão. A arbitrariedade e o absurdo de muitas afirmações míticas primitivas dão a entender que esta versão explicativa é mais adequada do que qualquer outra.

323 O ponto de partida psicológico para a renovação de Deus é uma crescente cisão no modo de utilizar a energia psíquica, a libido. Metade se compromete com o modo de utilização prometeico, outra metade com o modo epimeteico. Naturalmente, esses opostos colidem não apenas na sociedade, mas também no indivíduo. Por isso o ótimo vital se retrai sempre mais dos extremos opostos e procura uma posição intermédia que necessariamente deve ser irracional e inconsciente, porque apenas os opostos são racionais e conscientes. Uma vez que a posição intermédia – na qualidade de união dos opostos – tem um caráter irracional e também é inconsciente, aparece projetada como Deus mediador, Messias, intermediário. Em nossas formas ocidentais de religião, bastante primitivas epistemologicamente, a nova possibilidade de vida se manifesta como Deus ou salvador que, por amor ou solicitude paternal, mas também por decisão dele próprio, acaba com a divisão, como e quando o quer, estando as razões ocultas a nós. Salta aos olhos a infantilidade dessa concepção. O Oriente já conhece há milênios este processo e formulou, de acordo com isso, sua doutrina psicológica da salvação que coloca o caminho da salvação no campo da intenção humana. Por isso as religiões hindu e chinesa e o budismo que combina as esferas de ambas têm a concepção de uma *via intermédia*, que salva com eficácia mágica e é atingida por uma atitude consciente. A concepção védica busca conscientemente a libertação dos pares de opostos para alcançar o caminho da salvação.

a) A concepção bramanista do problema dos opostos

324 A expressão sânscrita para o par de opostos, no sentido psicológico, é dvandva. Também significa par (sobretudo de homem e mulher), briga, conflito, duelo, dúvida etc. Os pares de opostos foram feitos pelo próprio criador do mundo:

325 "Além disso, para distinguir as ações, separou o mérito do demérito e fez com que as criaturas fossem afetadas pelos pares (de opostos), como dor e prazer" ("Moreover, in order to distinguish actions,

he separated merit from demerit, and he caused the creatures to be affected by the pairs [of opposites], such as pain and pleasure")[29]. O comentarista Kulluka ainda menciona outros pares de opostos: desejo e raiva, amor e ódio, fome e sede, preocupação e delírio, honra e vergonha. "Este mundo deverá sofrer para sempre sob os pares de opostos"[30]. É tarefa essencialmente ética não se deixar influenciar pelos opostos (nirdvandva = livre, imune aos opostos), mas elevar-se acima deles, porque a libertação dos opostos conduz à salvação. Darei a seguir vários exemplos.

326 Do livro de Manu: "Quando, pela disposição de seu sentimento, ficar indiferente a todos os objetos, alcança a felicidade eterna, tanto nesta terra quanto após a morte. Quem houver abandonado gradualmente todas as amarras e se houver libertado de todos os pares de opostos, repousará apenas em brama"[31].

327 A célebre admoestação de Krishna: "Os vedas se referem aos três gunas;[32] mas você, Arjuna, seja indiferente quanto aos três gunas, indiferente quanto aos opostos (nirdvandva), sempre firme na coragem"[33].

328 Diz-se no Yogasutra de Patanjali: "Então (na mais profunda meditação, samadhi) sobrevêm a impassibilidade perante os opostos"[34].

329 Do iniciado: "Sacode de si tanto as boas como as más obras; assumem então seus parentes, que lhe são amigos, sua obra boa e os que não lhe são amigos, sua obra má; como alguém conduzindo um veículo em velocidade olha para as rodas do carro, assim olha ele para o dia e a noite, para as boas e más obras e para os opostos; mas ele, livre das obras boas e más, como conhecedor de brama, entra em brama"[35].

---

29. *Mânava-Dharmaçâstra*, I, 26. In: MUELLER, M. (org.). *Sacred Books of the East*. Vol. 25. Oxford: [s.e.], 1879/1910, p. 13.

30. *Râmâyana*. II, 84, 20.

31. *Mânava-Dharmaçâstra*, VI, 80s. In: MUELLER, M. (org.). *Sacred Books of the East*. Op. cit., p. 212s.

32. Qualidades, fatores ou componentes do mundo.

33. *Bhagavadgitâ*. II. In: MUELLER, M. (org.). *Sacred Books of the East*. Vol. 8, op. cit., p. 48.

34. DEUSSEN, P. *Allgemeine Geschichte der Philosophie*, I, 3, Leipzig: [s.e.], p. 527. A ioga é naturalmente um sistema de exercícios para alcançar estados mais elevados de desprendimento.

35. *Kaushitaki-Upanishad*, 1,4. In: DEUSSEN, P. (org.). *Sechzig Upanishad's des Veda*. 3. ed. Leipzig: [s.e.], p. 26.

330 (Tem vocação para a meditação) "quem domina a cobiça e a cólera, a dependência do mundo e o prazer dos sentidos; quem se livra dos opostos, quem renuncia ao sentimento do eu (egoísmo) e está aberto à esperança"[36].

331 Pându, que deseja ser eremita, diz: 'Todo coberto de pó, vivendo a céu aberto, quero fazer minha morada na raiz de uma árvore, renunciar a tudo, ao amor e ao desamor, não sentir pesar nem alegria, aceitar com igual disposição censura e elogio, não cultivar a esperança nem prestar veneração, livre dos opostos (nirdvandva), sem nada possuir"[37].

332 "Quem permanece o mesmo na vida e na morte, na felicidade como na infelicidade, ao ganhar ou perder, no amor e no ódio, este será salvo. Quem não aspira a nada e nada deprecia, quem está livre dos opostos (nirdvandva) e cuja alma não conhece a paixão, este está totalmente salvo.

333 Quem não faz justiça nem injustiça, e deixa ao abandono o tesouro de (boas e más) obras, acumulado nas vidas anteriores, e cuja alma se tranquiliza quando os elementos corporais desaparecem, quem se mantém livre dos opostos, este será salvo"[38].

334 "Por mil anos usufruí das coisas sensórias, mas mesmo assim continua o apetite por elas. Por isso quero renunciar a elas e orientar meu espírito para brama; indiferente aos opostos (nirdvandva) e livre do sentimento do eu, quero perambular com os selvagens"[39].

335 "Poupando todos os seres, vagando qual asceta, pela autodisciplina e ausência de desejos, observando votos e por uma vida irrepreensível, pela impassibilidade e suportando os opostos terá o homem parte no gozo de brama que é sem qualidades"[40].

336 "Quem está livre da soberba e do fascínio e que superou o erro de se prender a algo, quem permanece fiel ao átmã supremo e cujos

---

36. *Tejobindu-Upanishad*, 3. In: DEUSSEN, P. (org.). *Sechzig Upanishad's des Veda*. Op. cit., p. 664.

37. *Mahâbhârata*, 1,119, 8s.

38. *Mahâbhârata*, XIV, 19, 4s.

39. *Bhâgavata-Purâna*, IX, 19, 18s. "Depois de ter abolido o não calar e o calar, tornar-se-á um brama". "Brihadâranyaka-Up". 3,5. In: DEUSSEN, P. (org.). *Sechzig Upanishad's des Veda*. Op. cit., p. 436.

40. *Bhâgavata-Purâna*, IV, 22, 24.

desejos estão extintos, quem permanece indiferente aos opostos de prazer e dor, estes que estão libertos do fascínio chegarão àqueles lugares imperecíveis"[41].

337 Como transparece dessas citações[42], deve ser negada a participação psíquica, em primeiro lugar, aos opostos externos, como frio e calor, e depois também a flutuações extremas de afetos, como amor e ódio etc. Naturalmente, as flutuações afetivas acompanham constantemente todos os opostos psíquicos, e, portanto, também todas as concepções opostas, seja no campo da moral ou outro. Prova a experiência que esses afetos são mais intensos quanto mais o elemento excitante mexer com o indivíduo todo. O sentido da intenção hindu é bem claro: quer libertar dos opostos a natureza humana em geral, para que chegue a uma nova vida em brama, que é o estado da salvação e também Deus. Brama deve significar, pois, a união irracional dos opostos e sua definitiva superação. Ainda que brama, enquanto fundamento e criador do mundo, tenha produzido os opostos, eles devem desaparecer nele, caso contrário alguém outro iria significar o estado de salvação. Dou a seguir vários exemplos.

338 Brama é designado como sat e asat, ser e não ser, satyam e asatyam, realidade e não realidade[43].

339 "Na verdade, há duas formas de brama: o que tem forma e o sem-forma, o mortal e o imortal, o imóvel e o que se move, o imanente e o transcendente"[44].

340 "Deus, o criador de todas as coisas, o grande si-mesmo, que mora perenemente no coração do homem, é percebido pelo coração, pela alma, pelo espírito; – quem o sabe, alcança a imortalidade. Quando nasceu a luz, não houve mais dia nem noite, nem ser ou não ser"[45].

---

41. *Garuda-Purâna Pretakalpa,* 16, 110.

42. Agradeço estas citações, em parte impossíveis de obter, à prestimosa ajuda do indólogo, Prof. E. Abegg, de Zurique.

43. DEUSSEN, P. *Geschichte der Philosophie*. I, 2, p. 117.

44. *Brihadâranyaka-Upanishad*, 2, 3. [Tradução inglesa: "... the material and the immaterial, the mortal and the immortal, the solid and the fluid, 'sat' [ser, definido] and 'tya' [aquilo, indefinido]"] In: DEUSSEN, P. (org.). *Sechzig Upanishad's des Veda.* Op. cit., vol.13, p. 107, 413).

45. *Çvetâçvatara-Upanishad* 4, 17s. In: DEUSSEN, P. *Sacred Books*. Op. cit., vol. 15, p. 253.

341 "Duas coisas estão latentes no eterno, infindo e supremo brama: *saber* e *não saber*; o não saber é passageiro, o saber é eterno; mas quem os domina como senhor é o outro"[46].

342 "O si-mesmo, menor do que o pequeno, maior do que o grande, está oculto no coração dessa criatura. Uma pessoa, liberta do apetite e das preocupações, enxerga a majestade do si-mesmo através da graça do criador. Ainda que sentado quieto, ele vai longe; mesmo que jazendo imóvel, ele vai a todos os lugares. Quem, a não ser eu, é capaz de conhecer este Deus que alegra e não alegra?"[47]

343 Um – sem movimento e, assim mesmo, rápido como o pensamento –
Andando, não é alcançado pelos deuses –
Parado, ultrapassa qualquer corredor –
O deus do vento prepara-lhe a água primitiva.
Está em repouso, mas é infatigável,
Está longe e, no entanto, tão próximo!
No interior de tudo ele está,
Mas também do lado externo[48].

344 Mas, como no espaço celeste um falcão ou uma águia, após ter voado de cá para lá, fatigado, recolhe suas asas e volta ao esconderijo, assim também o espírito procura apressado aquele estado em que, adormecido, não mais sente apetite e não mais vê a imagem do sonho...

345 Esta é a verdadeira forma daquele que está acima do desejo, livre do mal e sem medo. "Alguém que foi enleado pela mulher amada já não tem consciência do que está fora ou dentro, assim também o espírito, enleado pelo si-mesmo conhecedor (brama), não tem consciência daquilo que é externo ou interno" (supressão da oposição sujeito-objeto)[49].

---

46. *Çvetâçvatara-Upanishad* 5, 1. In: DEUSSEN, P. *Sacred Books*. Op. cit., vol. 15, p. 304. [Tradução inglesa: "In the imperishable and infinite Highest Brahman, wherein the two, knowledge and ignorance, are hidden, the one, ignorance, perishes, the other, knowledge, is immortal; but he who controls both, knowledge and ignorance, is another", p. 255].

47. *Kâthaka-Upanishad*, 2, 20s. In: DEUSSEN, P. *Sacred Books*. Op. cit., vol. 15, p. 11; 274s.

48. *Içâ-Upanishad* 4 e 5. In: DEUSSEN, P. (org.). *Sechzig Upanishad's des Veda*. Op. cit., vol. 15, p. 525.

49. *Brihadâranyaka-Upanishad* 4, 3, 19, 21. In: DEUSSEN, P. *Sacred Books*. Op. cit., p. 470.

"Para um espectador, este é um oceano sem dualidade; este é o mundo de brama, ó rei. Assim ensinava Yajnavalkya. Este é seu maior objetivo, seu maior sucesso, seu mundo supremo e seu máximo regozijo"[50].

347 O que se move, o que voa e, mesmo assim, está quieto,
O que respira e não respira, o que fecha os olhos.
Isto, "em suas múltiplas formas, sustenta a terra inteira
E, encontrando-se, torna-se unidade[51].

348 Estas citações mostram que brama é a unificação e a supressão dos opostos e, ao mesmo tempo, está acima como grandeza irracional[52]. É um ser divino, ao mesmo tempo o si-mesmo (mas em grau menor do que o seu aparentado conceito de átmã) e um estado psicológico determinado que se caracteriza pelo isolamento contra as flutuações do afeto. Como o sofrimento é um afeto, a libertação dos afetos significa a salvação. A libertação das flutuações dos afetos, isto é, da tensão dos opostos, é sinônimo do caminho da salvação que leva gradualmente ao estado de brama. Em certo sentido, pois, brama não é apenas um estado, mas também um processo, uma "permanência criadora". Não é de admirar, portanto, que seu conceito seja expresso nos *Upanixades* com todos os símbolos que denominei anteriormente símbolos da libido[53]. A seguir os respectivos exemplos.

b) A concepção bramanista do símbolo de união

349 "Quando se diz que brama nasceu primeiro no Oriente, isto quer dizer que brama nasce no Oriente, dia após dia, como o sol".[54]

350 "Aquele homem no sol é parameshtin, brama, átmã"[55].

---

50. *Brihadâranyaka-Upanishad* 4, 3, 32. In: DEUSSEN, P. *Sacred Books*. Op. cit., vol. 15, p. 171.

51. *Atharvaveda* 10, 8,11. DEUSSEN, P. *Geschichte der Philosophie*. I, 1, p. 320.

52. Por isso brama é totalmente incognoscível e incompreensível.

53. JUNG, C.G. *Símbolos da transformação* [OC, 5].

54. *Çatapatha-Brâhmanam* 14, 1, 3, 3. In: DEUSSEN, P. *Geschichte der Philosophie*. Op. cit., p. 250.

55. *Taittirtya-Âranyakam* 10, 63, 15. In: DEUSSEN, P. *Sacred Books*. Op. cit., p. 250.

351 "Aquele homem, que é mostrado no sol, é indra, prajapati, brama"[56].

352 "O brama é uma luz igual à do sol"[57].

353 "O que este brama é, é exatamente aquilo que arde como aquele disco solar"[58].

354 Brama *nasceu primeiro no Oriente*;
o sublime aparece em esplendor no horizonte;
Ilumina as formas desse mundo, as mais profundas, as mais altas,
Ele é o berço do que é e do que não é.
Pai das luminárias, *genitor* dos tesouros,
Entra, multiforme, nos espaços do ar;
Glorificam-no com cantos de louvor,
Fazem o jovem, que é brama, crescer pelo brama (oração).
Brama criou as divindades, brama criou o mundo[59].

355 Grifei certas passagens bem características nas quais se vê que brama não é apenas o produtor, mas também o produzido, o eterno vir-a-ser. O cognome "o sublime" (vena), dado aqui ao sol, é alhures aplicado ao *vidente*, agraciado com a luz divina, pois, como o brama-sol, o espírito do vidente transforma "terra e céu, contemplando brama"[60]. Esta relação íntima ou, mesmo, identidade do ser divino com o si – mesmo (átmã) do homem, é conhecida em geral. Trago o seguinte exemplo do *Atharvaveda:*

O discípulo de brama dá vida aos dois mundos.
Nele todos os deuses são concordes.
Ele contém em si e suporta a terra e o céu,
Sacia com seu tapas"[61] o próprio mestre.

---

56. *Çânkhâyana-Brâhmanam* 8, 3. In: DEUSSEN, P. *Geschichte der Philosophie*. Op. cit., p. 250.

57. *Vâjasaneyi-Samhitâ* 23, 48. In: DEUSSEN, P. *Geschichte der Philosophie*. Op. cit., p. 250.

58. *Çatapatha-Brâhmanam* 8, 5, 3, 7. In: DEUSSEN, P. *Geschichte der Philosophie*. Op. cit., p. 250.

59. *Taittiríya-Brâhmanam* 2, 8, 8, 8s. In: DEUSSEN, P. *Geschichte der Philosophie*. Op. cit., p. 251s.

60. *Atharvaveda* 2,1. 4, 1. 11, 5. In: DEUSSEN, P. *Geschichte der Philosophie*. Op. cit.

61. Exercício, autoincubação. Cf. JUNG, C.G. *Símbolos da transformação* [OC, 5].

> Do discípulo de brama se aproximam, para visitá-lo,
> Pais e deuses, individualmente ou em grupos:
> E sacia todos os deuses com seu tapas[62].

356 O discípulo de brama é uma encarnação de brama, donde resulta que a essência de brama é idêntica a um determinado estado psicológico.

357

> Impulsionado pelos deuses, brilha, insuperável, o *sol*;
> *Dele provém a força de brama*, o brama supremo,
> Todos os deuses e tudo o que os faz imortais.
> O discípulo de brama traz brama esplendorosamente,
> *Nele estão entrelaçados todos os deuses*[63].

358 Brama é também prana, isto é, sopro de vida e princípio cósmico; também é vayu, isto é, vento, o que é descrito no *Brihadaranyaka-Upanixade* (3,7) como o princípio cósmico e psíquico de vida[64].

359 "Ele que é este (brama) no homem e ele que é aquele (brama) no sol, ambos são um"[65].

360 (Oração de um moribundo): "O semblante do verdadeiro (de brama) está coberto por um disco de ouro. Abra-o, ó pushan (savitar, sol), para que possamos ver a natureza do verdadeiro. Ó pushan, único vidente, yama, surya (sol), filho de prajapati, espalha teus raios e recolhe-os. A luz, que é tua forma mais bela, eu a vejo. Sou o que ele é (isto é, o homem no sol)"[66].

361 "E esta luz que brilha sobre este céu, mais alta do que tudo, mais alta do que qualquer coisa no mais alto mundo, além do qual outros mundos não há, esta é a mesma luz que está no íntimo do homem. E para isso temos este exemplo visível: quando percebemos pelo tato o calor aqui no corpo"[67].

---

62. Cf. DEUSSEN, P. *Geschichte der Philosophie*. Op. cit., p. 279.

63. *Atharvaveda* 11, 5,23s. In: DEUSSEN, P. *Geschichte der Philosophie*. Op. cit., p. 282.

64. DEUSSEN, *Geschickte der Philosophie*. Op. cit., vol. I, 2, p. 93s.

65. *Taittirîya-Upanishad* 2, 8, 5. In: DEUSSEN, P. *Sacred Books*. Op. cit., vol. 15, p. 61. • Cf. DEUSSEN, P. *60 Upanishad's*. Op. cit., p. 233.

66. *Brihadâranyaka-Upanishad* 5, 15, 1s. In: DEUSSEN, P. *Sacred Books*. Op. cit., 15, p. 199s. Cf. tb. DEUSSEN, P. *Sechzig Upanishad's des Veda*. Op. cit., p. 499s.

67. *Chândogya-Upanishad* 3, 13, 7s. In: DEUSSEN, P. *Sacred Books*. Op. cit., vol. 1, p. 47. Cf. tb. DEUSSEN, P. *Geschichte der Philosophie*. Op. cit., vol. I, 2, p. 154.

362 "Qual grão de arroz, ou grão de cevada, ou o cerne de um grão de canjiquinha, assim é este espírito no si-mesmo íntimo, dourado como chama sem fumaça; e ele é maior do que o céu, maior do que o espaço, maior do que esta terra, maior do que todos os seres. Ele é a alma da vida, ele é minha alma; daqui partindo, entrarei nele, naquela alma"[68].

363 Brama é concebido no *Atharvaveda* (10,2) como princípio vitalista, como força de vida que cria todos os órgãos e seus respectivos instintos.

364 "Quem plantou nele a semente para que continuasse a fiar o fio da espécie? Quem acumulou sobre ele forças do espírito, deu-lhe voz e expressão facial?"[69]

365 Também a *força* do homem vem de brama. Resulta claramente desses exemplos, cujo número poderia ser multiplicado várias vezes, que o conceito de brama, graças a todos os seus atributos e símbolos, coincide com aquela ideia de uma força dinâmica ou criadora que chamei "libido". A palavra "brama" significa: oração, fórmula mágica, discurso sagrado, saber sagrado (veda), conduta santa, o absoluto, casta sagrada (os brâmanes). Deussen sublinha como característica especial a importância da oração[70]. Brama deriva de *barh*, *farcire*, "a inflação"[71], isto é, a "oração", concebida como "a vontade do homem que procura atingir o sagrado, o divino".

366 Esta derivação aponta para um certo estado psicológico, ou seja, para uma concentração específica da libido que, por meio de inervações transbordantes, provoca um estado geral de tensão que está vinculado ao sentimento de inflação. Por isso usamos, na linguagem comum, quando nos referimos a esse estado, imagens como transbordamento, não aguentar mais, explodir etc. ("A boca fala da abundância do coração").

367 A práxis hindu tenta provocar este estado de represamento ou acumulação da libido, desviando sistematicamente a atenção (da libi-

---

68. *Çatapatha-Brâhmanam* 10,6, 3. In: DEUSSEN, P. *Geschichte der Philosophie*. Op. cit., vol. I,1, p. 264.

69. DEUSSEN, P. *Geschichte der Philosophie*. Op. cit., p. 268.

70. DEUSSEN, P. Ibid., p. 240s.

71. Corrobora isto a relação brama-prâna-mâtariçvan (aquele que incha na mãe). *Atharvaveda* 11, 4, 15. In: DEUSSEN, P. *Geschichte der Philosophie*. Op. cit., p. 304.

do) dos objetos e dos estados psíquicos, dos "opostos". A dissociação da percepção sensível e a eliminação dos conteúdos conscientes levam forçosamente a um rebaixamento da consciência em geral (exatamente como na hipnose) e vivifica assim os conteúdos do inconsciente, isto é, as imagens primitivas que, devido à sua universalidade e à sua indiscutível antiguidade, têm caráter cósmico e sobre-humano. E, dessa forma, aparecem todas aquelas comparações de sol, fogo, chama, vento, sopro etc., usadas, desde então, como símbolos para designar a força geradora, criadora e animadora do mundo. Em outra obra[72] expus detalhadamente essas alegorias da libido, por isso não me deterei nelas agora. A ideia de um princípio criador universal é uma projeção da percepção do ser que vive no homem. É melhor considerar abstratamente este ser como *energia* para afastar desde logo qualquer mal-entendido vitalista. E, por outro lado, é preciso também rejeitar cabalmente a hipóstase do conceito de energia, adotada pelos energeticistas modernos. O conceito de energia implica também o de oponibilidade, pois um escoamento de energia pressupõe necessariamente a existência de um contrário, isto é, dois estados diferentes, sem os quais não pode haver nem mesmo um escoamento. Todo fenômeno energético (e não há fenômeno que não seja energético) apresenta começo e fim, alto e baixo, quente e frio, antes e depois, origem e finalidade etc., isto é, pares de opostos. O conceito de energia é inseparável da ideia de oposição; o mesmo acontece com o conceito de libido. Os símbolos da libido, sejam eles de natureza mitológica ou filosófico-especulativa, apresentam-se diretamente como opostos ou podem ser considerados como tais. Em minha obra, há pouco mencionada, abordei esta divisão interna da libido, o que encontrou forte resistência, injusta, na minha opinião, porque a associação direta entre um símbolo de libido e o conceito de oposição justifica meu ponto de vista. Encontramos esta associação também no conceito ou símbolo de brama. Brama é uma combinação de oração e de força criadora primitiva, resolvendo-se esta numa oposição de sexos; isto está num hino do *Rigveda*.

368

E esta oração do cantor que dele se irradia
Transforma-se em vaca, que era antes do mundo;
Habitando todos juntos este seio divino,

72. JUNG, C.G. *Símbolos da transformação* [OC, 5].

Os deuses quais nascituros recebem os mesmos cuidados.
O que foi a madeira, o que foi a árvore,
Das quais terra e céu foram plasmados,
Ambos sem nunca envelhecer e eternamente prestativos,
Quando os dias findam e antes do arrebol?
Nada, fora dele, é tão grande,
Ele é o touro que suporta o céu e a terra,
Cingiu qual pele o manto de nuvens
Quando, como surya, cavalga o senhor.
Qual flecha solar, ilumina a terra inteira,
Perpassa os seres como faz o vento com a névoa;
Onde vagueia como *mitra* e *varuna*,
Reparte *luz ardente*, como no bosque *agni*.
Quando, levada a ele, a vaca pariu, Criou-a *móvel*,
pastando em liberdade, o *imóvel*,
Pariu o filho, mais velho do que os pais...[73].

369 A oponibilidade ligada diretamente ao criador do mundo vem apresentada, de outra forma, em *Çatapatha-Brâhmanam* (2,2,4): "No princípio, prajapati[74] era sozinho este mundo; ele pensou: 'Como posso propagar-me?' Esforçou-se, praticou o tapas[75], gerou de sua boca, então, agni (o fogo); e porque o gerou de sua boca[76], agni é consumidor de comida [...] Prajapati refletiu: 'Como consumidor de comida gerei de mim este agni; mas *não existe aqui outra coisa que não eu* para ele comer!; pois a terra fora criada toda nua; não havia ervas e nem árvores; isto estava em seu pensamento. *De repente, agni voltou-se contra ele com a fauce escancarada* [...] Falou-lhe então sua própria grandeza: 'Sacrifica'. E prajapati reconheceu: 'Minha própria grandeza falou a mim'; e ele sacrificou [...] Surgiu então aquele que lá brilha (o sol); surgiu então aquele que aqui purifica (o vento)

73. *Rigveda* 10, 31, 6. In: DEUSSEN, P. *Geschichte der Philosophie*. Op. cit., p. 140s.

74. Princípio criador cósmico = libido. *Taittírîya-Samhitâ* 5, 5, 2, 1: "Depois de havê-las criado, impregnou as criaturas de amor". In: DEUSSEN, P. *Geschichte der Philosophie*. Op. cit., p. 191.

75. Autoincubação, ascese, introversão.

76. A geração do fogo na boca tem notória relação com a linguagem. Cf. JUNG, C.G. *Símbolos da transformação* [OC, 5].

[...] E assim prajapati se propagou pelo sacrifício e se salvou da morte que, como agni, queria devorá-lo [...]"[77]

O sacrifício é sempre a renúncia de algo precioso, e assim o sacrificante escapa de ser devorado, isto é, não há uma transformação no oposto, mas um equilíbrio e união, surgindo logo nova forma de libido ou, respectivamente, nova forma de vida, e resultam daí sol e vento. Em outra passagem de *Shatapatha-Brahmanam* diz-se que metade de prajapati é mortal e a outra metade é imortal[78].

371 Assim como prajapati se divide criadoramente em touro e vaca, assim também se divide nos dois princípios: *manas* (inteligência) e vâc (linguagem). "Prajapati era sozinho este mundo; vâc era seu si-mesmo, *vâc* era seu segundo (seu *alter ego*); ele refletiu: 'Vou deixar esta vâc sair para que vá e penetre tudo'; deixou então vâc sair, ela foi e preencheu tudo"[79]. Esta passagem é de especial interesse porque nela a linguagem é considerada como um movimento criador e extrovertido da libido, no sentido goetiano, como uma diástole. Outro paralelo é a passagem seguinte: "Na verdade prajapati era este mundo; vâc era seu segundo; com ela se uniu sexualmente; ela ficou grávida; então saiu dele, fez essas criaturas e voltou novamente para dentro de prajapati"[80]. No *Çatapatha-Brâhmanam*, vâc recebe uma importância extraordinária: "Vâc é deveras o sábio viçvakarman, porque foi através de vâc que se fez este mundo todo"[81]. Mas, em outra passagem, a questão da primazia entre manas e vâc é decidida de forma diferente: "Aconteceu certa vez que a inteligência e a linguagem brigaram por causa da supremacia. A inteligência falou: 'Sou melhor do que você, pois você não fala nada que eu não tenha conhecido antes [...]' Então disse a linguagem: 'Sou melhor do que você, pois aquilo que você conheceu eu divulgo, torno público'. Foram a prajapati para decidir a questão. Prajapati deu razão à inteligência e falou: 'De fato, a inteligência é melhor do que você, pois o que a inte-

---

77. DEUSSEN, P. *Geschichte der Philosophie*. Op. cit., p. 186s.

78. Cf. o tema dos dioscuros em JUNG, C.G. *Símbolos da transformação*, p. 184 [OC, 5].

79. *Pancavinça-Brâhmanam* 20, 14, 2. In: DEUSSEN, P. *Geschichte der Philosophie*. Op. cit., p. 206.

80. WEBER, A. *Indische Studien*, 9, 477. • DEUSSEN, P. *Geschichte der Philosophie*. Op. cit., vol. I, 1, p. 206.

81. 8, 1, 2, 9. In DEUSSEN, P. *Geschichte der Philosophie*. Op. cit., p. 207.

ligência faz você imita e você anda em suas pegadas; convém que o pior imite o que o melhor faz [...]'"[82].

372 Mostram esses textos que o criador do mundo também pode dividir-se em manas e vâc, opostas uma à outra. Conforme assinala Deussen, ambos os princípios permanecem dentro de prajapati, o criador do mundo, conforme indica o texto a seguir: "Prajapati desejou: 'quero ser muitos, quero me propagar!' Meditou então com sua *manas*; o que estava em sua manas, tornou-se brihat[83]; e pensou assim: 'isto está em mim como fruto das entranhas, vou pari-lo através de vâc'. Criou então vâc..."[84].

373 Esta passagem mostra os dois princípios em sua natureza como funções psicológicas; manas como introversão da libido com geração de um produto íntimo, vâc como a função da exteriorização, da extroversão. Assim preparados, podemos entender outro texto referente a brama[85]: Brama criou dois mundos. "Quando entrou naquela metade do (mundo) além, pensou: 'Como posso penetrar nesses mundos?' E *ele penetrou nesses mundos por meio de dois*, por meio da *forma* e por meio do *nome... Esses dois são os dois grandes monstros de brama*; *quem conhece esses dois grandes monstros de brama torna-se também um grande monstro*; *esses dois são as duas grandes manifestações de brama*".

374 Pouco adiante, a "forma" é chamada de manas ("manas é a forma, pois é através da manas que se sabe que ele é esta forma") e o "nome", de vâc ("pois através de vâc entende-se o nome"). Os dois "monstros" de brama se apresentam como manas e vâc e, portanto, como duas funções pelas quais brama pode entrar em dois mundos, significando obviamente "relação". Com a manas "percebe-se" ou "aprende-se", de modo introvertido, a forma das coisas; com vâc são dados, de modo extrovertido, nomes às coisas. Ambas são relações e adaptações ou assimilações das coisas. Os dois monstros também são entendidos como personificações, isto o indica o outro nome "mani-

---

82. *Çatapatha-Brâhmanam* 1, 4, 5, 8-11. In: DEUSSEN, P. *Geschichte der Philosophie*. Op. cit., p. 194.

83. Nome de um Sâman – cântico.

84. *Pancavinça-Brâhmanam* 7, 6. In: DEUSSEN, P. *Geschichte der Philosophie*. Op. cit., p. 205.

85. *Çatapatha-Brâhmanam* 11, 2. 3. Ibid., p. 259s.

festação", que quer dizer yaksha, uma vez que yaksha significa demônio ou ser sobre-humano. Psicologicamente a personificação sempre indica a relativa autonomia do conteúdo personificado, isto é, sua separação da hierarquia psíquica. Esses conteúdos não se reproduzem arbitrariamente, mas espontaneamente, ou se subtraem da consciência também espontaneamente[86]. Ocorre uma dissociação dessa espécie quando, por exemplo, existe incompatibilidade entre o eu e um determinado complexo. Como é sabido, verifica-se essa dissociação frequentes vezes entre o eu e o complexo sexual. Mas também outros complexos podem ser dissociados, como, por exemplo, o complexo de poder, isto é, a soma de todas as aspirações e representações que visam à obtenção de poder pessoal.

375 Mas existe ainda outra espécie de dissociação. *É a do eu consciente junto com uma função escolhida que se dissociam do restante dos componentes da personalidade.* Podemos qualificar essa dissociação de *identificação do eu com determinada função* ou grupo de funções. É muito frequente em pessoas que mergulham bem fundo numa de suas funções psíquicas e a diferenciam como única função consciente de adaptação. Bom exemplo literário desse tipo de pessoa é Fausto, no começo da tragédia. Os outros componentes da personalidade se aproximam dele na forma do cão, e, depois, de Mefistófeles. Ainda que Mefistófeles, como ficou claramente demonstrado por várias associações, represente também o complexo sexual, seria errôneo, a meu ver, considerar Mefistófeles como um complexo dissociado, ou seja, como sexualidade reprimida. Esta explicação é muito limitada, pois Mefistófeles é mais do que mera sexualidade; também é poder e é sobretudo a vida toda de Fausto, na medida em que não é nem pensar e nem pesquisa. Isto o mostra claramente o resultado do pacto com o demônio. Quantas possibilidades não sonhadas se abrem ao Fausto rejuvenescido! A explicação correta me parece ser a de que Fausto se identificou com uma das funções e com ela se dissociou do todo de sua personalidade. Mais tarde se dissocia de Fausto também o pensador, na forma de Wagner.

376 A capacidade consciente para a unilateralidade é um sinal da mais alta cultura. Mas a unilateralidade involuntária, isto é, não poder ser outra coisa do que unilateral, é sinal de barbarismo. Por isso

86. Cf. JUNG, C.G. "A psicologia da *Dementia Praecox*" [OC, 3].

encontramos nos povos bárbaros as diferenciações mais unilaterais, por exemplo, as práticas da ascese cristã que ofendem o bom gosto e práticas semelhantes dos iogues e do budismo tibetano. Para o bárbaro, existe sempre o grande perigo de ser vítima de alguma unilateralidade e de perder, assim, a visão do todo de sua personalidade. A *Epopeia de Gilgamesh*, por exemplo, começa com este conflito. A unilateralidade do movimento se manifesta no bárbaro com uma força demoníaca; há nela algo do furor guerreiro e da corrida de Amok. A unilateralidade bárbara supõe sempre certo grau de atrofia do instinto que falta no primitivo e, por isso, ele ainda está livre da unilateralidade bárbara em geral.

377 A identificação com certa função leva imediatamente a uma tensão de opostos. Quanto mais compulsiva a unilateralidade, isto é, quanto mais indomada a libido que força para um lado, tanto mais demoníaca é a unilateralidade. Quando o homem é levado por sua própria libido indomada, não domesticada, fala então de possessão demoníaca ou de influências mágicas. E, neste aspecto, manas e vâc são realmente grandes demônios, já que podem exercer forte influência sobre o homem. Todas as coisas que exercem grande influência foram consideradas deuses ou demônios. Na gnose, manas foi personificada como o ofídico *nous* e vâc como *logos*. Vâc se comporta em relação a prajapati como o logos em relação a Deus. Experimentamos quase diariamente o tipo de demônios que são a introversão e a extroversão. Vemos em nossos pacientes e em nós mesmos com que força irresistível a libido irrompe para dentro ou para fora e com que firmeza se estabelece uma atitude introvertida ou extrovertida. A descrição de manas e vâc como os monstros de brama está de pleno acordo com o fato psicológico de que, no momento de sua aparição, a libido se divide em duas torrentes que, via de regra, se alternam periodicamente, mas que também podem apresentar-se simultaneamente sob a forma de um conflito, ou seja, de uma torrente que flui para fora e outra para dentro. O demoníaco desses dois movimentos reside em sua ingovernabilidade e superpoder. Mas esta qualidade só é percebida quando o instinto do primitivo já foi limitado em tão alto grau que impede um contramovimento natural e objetivo contra a unilateralidade, e a cultura ainda não progrediu tanto que o homem pudesse domar sua libido, a ponto de poder participar livre e intencionalmente dos movimentos introvertidos e extrovertidos da libido.

c) O símbolo de união como norma dinâmica

378 Nos textos acima, de origem hindu, acompanhamos o desenvolvimento do princípio redentor a partir dos pares de opostos e o surgimento dos pares de opostos a partir do mesmo princípio criador e conseguimos, assim, vislumbrar um acontecimento psicológico nitidamente regular e perfeitamente compatível com os conceitos de nossa psicologia moderna. Esta impressão de ser um acontecimento psicológico regular nos é dada também pelas fontes hindus que identificam brama e rita. Rita significa ordem estabelecida, determinação, direção, decisão, costume sagrado, regra, lei divina, direito, verdade. Etimologicamente, o sentido fundamental é este: encadeamento, andamento (correto), direção, diretiva. Os acontecimentos determinados por rita enchem o mundo todo, mas rita aparece sobretudo nos fenômenos da natureza que permanecem constantes e dão ideia de um retorno cíclico regular. "Segundo rita, brilhou a aurora nascida do céu". Os pais ordenadores do mundo "fizeram subir aos céus, de acordo com rita, o *sol*", que é o "rosto visível e brilhante de rita". Em torno do céu gira a roda de doze raios de rita que não envelhece jamais – o ano. Agni é chamado o rebento de rita. Na vida do homem rita atua como lei moral que exige a verdade e o andar no caminho certo. "Quem segue rita encontra um caminho belo e sem espinhos".

379 Rita aparece também no culto, na medida em que é uma repetição mágica, isto é, a produção de fenômenos cósmicos. Em obediência a rita, os rios correm e a aurora se inflama; também "sob o arnês de rita"[87], o sacrifício arde; seguindo o caminho de rita, agni sacrifica aos deuses. "Limpo de qualquer magia, invoco os deuses; com rita faço minha obra, crio meu pensamento", diz o sacrificante. Rita não aparece personificado no veda, mas, segundo Bergaigne, vem ligado a ele uma espécie de *ser concreto*. Uma vez que rita exprime uma direção do acontecimento, há "caminhos de rita", "cocheiros"[88] e navios de rita e vez por outra os deuses são colocados em situação paralela. Assim, por exemplo, diz-se de rita o mesmo que se diz de varuna.

---

87. Alusão a *cavalo*, o que indica a natureza *dinâmica* do conceito de rita.

88. Agni é chamado cocheiro de rita. *Vedic Hymns*. In: DEUSSEN, P. *Sacred Books*. Op. cit., vol. 46, p. 158, 7; p. 160, 3; p. 229, 8.

Também mitra, o velho deus-sol, é colocado em conexão com rita (como acima). Diz-se de agni: "Serás varuna quando aspirares a rita"[89]. Os deuses são protetores de rita[90]. Lembro ainda algumas associações mais importantes:

380 "Rita é mitra, pois mitra é brama e rita é brama"[91].

381 "Dando aos brâmanes a vaca, adquire-se todos os mundos, pois nela está rita, brama e também tapas"[92].

382 "Prajapati será chamado o primogênito de rita"[93].

383 "Os deuses seguiram as leis de rita"[94].

384 "Ele que viu o escondido (agni), ele que se aproximou da torrente de rita"[95].

385 "Ó conhecedor de rita, conhece rita! Cava muitas torrentes de rita"[96].

386 O cavar se refere ao culto de agni, ao qual é dedicado este hino. (Agni é chamado aqui também de "touro vermelho de rita".) No culto de agni, o fogo é cavado como símbolo mágico da regeração da vida. Aqui são cavadas as torrentes de rita, evidentemente com o mesmo sentido: as torrentes de vida chegam novamente à superfície, a libido é solta de suas amarras[97]. O efeito produzido pelo cavar ritual do fogo ou pela apresentação de hinos é considerado naturalmente pelos fiéis como efeito mágico do objeto, mas, na realidade, é um

---

89. Cf. OLDENBERG, H. *Nachrichten von der Göttinger Gesellschaft der Wissenschaften*. Berlim: [s.e.], 1916, p. 167s. Cf. tb. Id., *Die Religion des Veda*. Berlim: [s.e.], 1894, p. 194s. Devo esta informação à gentileza do prof. Abegg, de Zurique.

90. DEUSSEN, P. *Geschichte der Philosophie*. Op. cit., vol. I, 1, p. 92.

91. *Çatapatha-Brâhmanam* 4, 1, 4, 10. DEUSSEN, P. *Sacred Books*. Op. cit., vol. 26, p. 272.

92. *Atarvaveda* 10, 10, 33. In: Ibid., p. 237.

93. *Atharvaveda* 12, 1, 61. In: Ibid., 42.

94. *Vedic Hymns*. In: DEUSSEN, P. *Sacred Books*. Op. cit., vol. 46, p. 54.

95. Ibid., p. 61.

96. Ibid., p. 393.

97. A libertação da libido acontece por meio de um exercício ritual. A libertação faz com que a libido possa ser usada conscientemente. É domesticada. É transportada de um estado instintivo, não domesticado, para um estado de disponibilidade. Isto é descrito num verso: "Quando os soberanos, os generosos senhores, por sua força, o extraíram (agni) das profundezas, da forma de touro..." (*Vedic Hymns*. In: Ibid., p. 147).

"encantamento" do sujeito, uma intensificação do sentimento vital, uma libertação e multiplicação da força de vida, uma reconstituição do potencial psíquico.

387 Assim está escrito: "Mesmo (agni) se esquivando, a oração vai direto a ele. Elas (as orações) trouxeram à tona as águas correntes de rita"[98].

388 A reaparição do sentimento vital, do sentimento da energia corrente é geralmente comparada com uma fonte ativa, ou com o derreter, na primavera, do gelo acumulado no inverno, ou com a chuva após longo período de seca[99].

389 A passagem a seguir concorda perfeitamente com isso: "As vacas mugidoras de rita [...]estavam transbordando com seus úberes cheios. Os rios que imploravam de longe o favor (dos deuses) quebravam em meio às pedras suas torrentes"[100].

390 Esta imagem sugere nitidamente uma tensão de energia, um represamento de libido que é liberada. Rita aparece aqui como o detentor da bênção das "vacas leiteiras mugidoras", como a autêntica fonte da energia liberada.

391 A seguinte passagem concorda com a imagem da chuva para a libertação da libido: "As névoas voam, as nuvens trovejam. Após terem conduzido ao caminho mais certeiro de rita aquele que está inchado com o leite de rita, então aryamã, mitra e varuna, o que anda ao redor do mundo, enchem o saco de couro (as nuvens) no ventre do inferior (atmosfera)"[101].

392 Agni é aquele que se incha com o leite de rita, comparado aqui com a força do raio que irrompe das nuvens acumuladas e cheias de chuva. Rita aparece aqui novamente como a autêntica fonte de energia, da qual nasceu também agni, como é expressamente mencionado nos *Hinos védicos*[102]. Rita é também caminho, isto é, um escoamento sujeito a uma norma.

---

98. Ibid., p. 147.

99. Cf. o cântico Tishtriya. Cf. JUNG, C.G. *Símbolos da transformação* [OC, 5. Na edição alemã, p. 446 e 494, nota 43].

100. *Vedic Hymns*. In: DEUSSEN, P. *Sacred Books*. Op. cit., p. 88s.

101. Ibid., p. 103.

102. Ibid., p. 161, 7.

393 Saudaram com aclamações as torrentes de rita que estavam ocultas no lugar do nascimento de Deus, em seu lugar de assento. Enquanto morava dividido no seio das águas, bebia ele etc.[103].

394 Esta passagem completa o que ficou dito sobre rita como fonte de libido na qual Deus mora e de onde é trazido para fora nas cerimônias sagradas. Agni é a manifestação positiva da libido até agora latente; ele é o aperfeiçoador ou realizador de rita, seu "cocheiro" (cf. acima); ele arreia as duas éguas vermelhas e de longas crinas, de rita[104]. Sim, ele segura rita pelo cabresto como um cavalo[105]. Ele conduz os deuses aos homens, isto é, sua força e bênção que nada mais são do que estados psicológicos determinados onde o sentimento e a energia vitais fluem mais livres e mais felizes, onde o gelo foi quebrado. Nietzsche captou esse estado nesses admiráveis versos:

> Tu que com lanças de fogo
> partiste o gelo de minh'alma,
> por isso ela, agora, se apressa bramindo
> para o mar de sua esperança maior. (Mote a *São Januário*)

395 Estão de acordo com isto as invocações seguintes: "Que se abram os portões divinos, os multiplicadores de rita [...] os tão almejados portões, para que os deuses possam aparecer! Que a noite e a aurora[...]as jovens mães de rita se assentem juntas sobre a relva do sacrifício etc."[106]

396 É inegável a analogia com o nascer do sol. Rita aparece como o sol, pois o jovem sol nasce da noite e do crepúsculo.

397 "Ó portões divinos, fáceis de transpor, abri-vos para nossa proteção. Enchei de felicidade cada vez mais o sacrifício: nós nos aproximamos (com orações) da noite e da manhã – *os multiplicadores da força vital, as duas jovens mães de rita*"[107].

398 Acho que posso dispensar outros exemplos de que o conceito de rita é um símbolo da libido, como o sol, o vento etc. Apenas que o

---

103. Ibid., p. 160, 2.

104. Ibid., p. 244, 6; p. 316, 3.

105. Ibid., p. 382, 3.

106. Ibid., p. 153; p. 8.

107. Ibid., p. 377.

conceito de rita é menos concreto e contém o elemento abstrato da direção determinada e da conformidade à norma, isto é, do caminho ou escoamento, determinados e conformes à norma. Já é, portanto, um símbolo filosófico da libido, comparável diretamente ao conceito estoico da εἱμαρμένη. Entre os estoicos εἱμαρμένη significava obviamente o primitivo calor criativo e também um certo escoamento segundo a norma (por isso seu significado também como "coação dos astros") – A libido como conceito psicológico de energia tem naturalmente esses atributos: o conceito de energia já contém em si a ideia de um escoamento bem orientado, pois o escoamento sempre acontece da tensão maior para a menor. Assim também acontece com o conceito de libido que outra coisa não significa que a energia do curso da vida. Suas leis são as da energia vital. A libido como conceito energético é uma fórmula quantitativa para os fenômenos da vida que são, reconhecidamente, de intensidade diversa. Assim como a energia física, a libido passa por todas as transformações possíveis, manifestadas pelas fantasias do inconsciente e pelos mitos. Essas fantasias são em primeiro lugar autorrepresentações dos processos energéticos de transformação que têm, naturalmente, suas leis definidas e um "caminho" de escoamento determinado. Este caminho indica a linha ou curva do ótimo de dispêndio energético, e a correspondente produtividade. Este caminho é, portanto, a expressão simples e pura da energia que flui e se manifesta. O caminho é rita, o "caminho certo", a torrente da energia vital, da libido, o *curso* determinado, onde é possível um escoamento sempre renovado. Este caminho é também o destino, na medida em que este depende de nossa psicologia. É o caminho de nossa determinação e de nossa lei.

399 Seria erro fundamental dizer que esta orientação é mero *naturalismo*, entendido como um estado em que o homem se entrega a seus instintos. É pressuposto assim que os instintos sempre puxam para "baixo" e que o naturalismo é um descer não ético para um plano inclinado. Nada tenho contra entender assim o naturalismo, mas devo observar que o homem, abandonado à sua própria sorte, e que teria, pois, todas as ocasiões de descer, como, por exemplo, o primitivo, tem uma legislação e moral tão firmes que às vezes ultrapassam de longe as exigências de nossa moral de civilizados. Não importa, pois, se o primitivo tem uma concepção diferente do que seja bom ou mau.

O importante é que seu "naturalismo" leve a uma legislação. A moralidade não é um mal-entendido que um Moisés ambicioso achou no Sinai, mas pertence às leis da vida que se constroem no decorrer normal da vida, como uma casa, um navio, ou qualquer outro instrumento cultural. O fluxo natural da libido, precisamente este caminho do meio, significa uma obediência plena às leis fundamentais da natureza humana e dificilmente se poderá erigir princípio moral mais elevado do que esta concordância com as leis naturais, cuja harmonia orienta a libido para o ótimo vital. O ótimo vital não está do lado do crasso egoísmo; e o ser humano jamais atingirá seu ótimo vital na linha do egoísmo, pois é constituído fundamentalmente assim: que a alegria do próximo da qual é o causador lhe é algo indispensável. Também não se chega ao ótimo vital por via de uma compulsão indômita para a superioridade individualista, pois o elemento coletivo é tão forte na pessoa que sua ânsia de comunidade destruirá a alegria do nu egoísmo. Só é possível alcançar o ótimo vital pela obediência às leis do fluxo da libido que alterna sístole e diástole, que trazem a alegria e a necessária limitação, que fixam também as tarefas vitais da natureza individual cujo não cumprimento impede se alcance o ótimo vital.

400 Se, para atingir este caminho, bastasse deixar-se levar, como pensa aquele que lamenta o "naturalismo", então a especulação filosófica mais profunda, que conhece a história do espírito em geral, não teria razão de ser. Considerando a filosofia dos *Upanixades*, temos a impressão de que alcançar este caminho pertence a uma das tarefas mais simples. Nossa postura ocidental diante das intuições hindus faz parte de nossa natureza bárbara que ainda está longe de pressentir a profundeza tão especial daquelas ideias e de sua espantosa exatidão psicológica em geral. Somos ainda tão pouco educados que precisamos de leis de fora e um mestre de disciplina, respectivamente um pai, para sabermos o que é bom e para podermos agir corretamente. E por sermos ainda tão bárbaros é que a confiança nas leis da natureza humana e do caminho humano nos parece um naturalismo perigoso e não ético. Por quê? Porque no bárbaro, sob a fina pele cultural, logo aparece a besta da qual tem medo, e com razão. Mas este animal não será vencido pelo fato de o mantermos enjaulado. *Não existe moralidade sem liberdade*. Quando um bárbaro solta sua besta, isto não é liberdade, mas falta de liberdade. Para poder ser livre, é

preciso antes vencer o barbarismo. Isto acontece, em princípio, quando o fundamento e a força motivadora da moralidade são percebidos e sentidos pelo indivíduo como partes constitutivas de sua própria natureza, e não como limitações que vêm de fora. Mas, como pode o homem chegar a esta sensação e concepção, a não ser pelo conflito dos opostos?

d) O símbolo de união na filosofia chinesa

401 O conceito de um caminho intermédio entre os opostos também o encontramos na China, sob a forma do *tao*. Este conceito se apresenta na maior parte dos casos em conexão com o nome do filósofo Lao-Tsé, nascido em 604 aC. Mas o conceito é mais antigo do que a filosofia de Lao-Tsé. Ele se atém a certas concepções da antiga religião popular do tao, do "caminho" do céu. Corresponde este conceito ao de rita, dos vedas. Tao pode ser entendido como: caminho, método, princípio, força da natureza ou força vital, processos naturais regidos por leis, ideia do mundo, causa de todos os fenômenos, o justo, o bom, o ordenamento moral do mundo. Alguns traduzem o tao até mesmo por Deus e não sem razão, pois o tao tem a mesma conotação de substancialidade concreta, exatamente como rita.

402 Trarei inicialmente alguns exemplos do *Tao-te-king*, o livro clássico de Lao-Tsé.

403 "Não sei de quem ele (tao) é filho; podemos considerá-lo como existindo antes da divindade"[108].

404 "É um ser indeterminado em sua perfeição, anterior ao céu e à terra, impassível e imaterial. Quieto e sem forma, não dependendo de nada, imutável, tudo abrangendo, inesgotável! Pode ser considerado *a mãe de todas as coisas*. Não lhe conheço o nome, mas designo-o pela palavra tao"[109].

405 Lao-Tsé compara o tao à água para definir sua natureza: "A bênção da água consiste em fazer bem a todos e, apesar disso, procura,

---

108. LAO-TSÉ. *Tao-te-king*, cap. 4. Todas as citações do *Tao-te-king* tiveram como fonte DEUSSEN, P. *Geschichte der Philosophie*. Leipzig: [s.e.], 1894-1917, p. 692s.

109. Ibid., cap. 25, I, 3, p. 693s.

conformada, sempre o lugar mais baixo que todas as pessoas evitam. Portanto, ela tem em si algo do tao"[110]. A ideia do "declive" não poderia ser melhor expressa.

Alguém desprovido de cobiça vê sua essência
Alguém cheio de cobiça vê sua exterioridade[111].

406 É inegável sua afinidade com a ideia fundamental bramanista, sem que isso implique um contato direto. Lao-Tsé é um pensador absolutamente original e a imagem primordial que está na base do conceito de rita-brama-átmã e tao é humanamente universal e se encontra em toda parte como conceito primitivo de energia, como "força da alma" ou sob outras denominações.

407 "Quem conhece o eterno é abrangente; abrangente e por isso justo; justo e por isso rei; rei e por isso do céu; do céu e por isso do tao; do tao e por isso duradouro; perde o corpo mas sem correr perigo"[112].

408 O conhecimento do tao tem, pois, o mesmo efeito salutar e elevador que o saber de brama; a gente se torna um com o tao, com a infinda "duração criadora" – para colocar este novíssimo conceito filosófico ao lado de seus parentes mais antigos – pois tao é também o curso do tempo.

409 Tao é uma grandeza irracional e, por isso, totalmente inconcebível: "Tao é ser, mas inconcebível, mas incompreensível"[113].

410 Tao é também não ser: 'Todas as coisas debaixo do céu nasceram dele como do ser; mas o ser desse ente nasceu por sua vez dele como do não ser"[114]. "Tao é oculto e sem nome"[115]. Tao é claramente uma união irracional dos opostos, um *símbolo*, portanto, que é e não é.

411 "O espírito do vale é imortal, chama-se o profundo feminino. O portão do profundo feminino chama-se raiz do céu e da terra"[116].

---

110. Ibid., cap. 8, p. 701.

111. Ibid., cap. 1, p. 694.

112. Ibid., cap. 16, p. 694.

113. Ibid., cap. 21, p. 694.

114. Ibid., cap. 40, p. 695.

115. Ibid., cap. 41, p. 695.

116. Ibid., cap. 6, p. 695.

412 Tao é ser criador que fecunda como o pai e dá à luz como a mãe. É o princípio e o fim de todos os seres.

413 "Quem põe seu agir em conformidade com tao, torna-se um com tao"[117]. Por isso o perfeito se liberta dos opostos cuja conexão íntima e surgimento alternativo percebe. Diz o capítulo 9: "Retrair-se, eis o caminho do céu"[118].

414 "Por isso ele (o perfeito) é inacessível a relações afetivas, inacessível a inimizades, inacessível a benefícios, inacessível a prejuízos, inacessível a honras, inacessível a desonras"[119].

415 O ser um com o tao tem semelhança com o estado espiritual de uma *criança*[120].

416 Esta atitude psicológica faz parte, evidentemente, das condições para se alcançar o Reino de Deus cristão que é, no fundo – apesar de todas as interpretações racionais –, a essência central e irracional, imagem e símbolo donde provém o efeito redentor. O símbolo cristão tem apenas um caráter mais social (público) do que os conceitos orientais afins. Estes se vinculam diretamente às ideias *dinamísticas* existentes desde remotas eras, sobretudo à imagem da força mágica que emana das pessoas e das coisas ou, em grau mais alto, dos deuses ou de um princípio.

417 Segundo as concepções da religião taoísta, o tao se divide *num par de opostos fundamental*, *yang* e *yin*. Yang é calor, luz, masculinidade. Yin é frio, escuridão, feminilidade. Yang também é céu, yin é terra. Da força de yang nasce *shen*, a parte celestial da alma humana; e da força de yin nasce *kwei*, a parte terrena. Na qualidade de microcosmo, o ser humano é um reconciliador dos opostos. Céu, ser humano e terra são os três elementos principais do mundo, o *san-tsai*. Esta imagem é uma concepção bem antiga. Encontramos algo semelhante também em outros lugares como, por exemplo, no mito africano-ocidental de Obatala e Odudua, o casal mais antigo (céu e terra), que, juntos, estavam deitados numa calebaça até que um filho, o

117. Ibid., cap. 23, p. 696.

118. Ibid., cap. 9, p. 697.

119. Ibid., cap. 56, p. 699.

120. Ibid., cap. 10, 28, 55, p. 700.

ser humano, nasceu no meio deles. O ser humano, como microcosmo que une em si os opostos do mundo, corresponde ao *símbolo* irracional que une opostos psicológicos. Esta imagem primitiva do ser humano está presente também em Schiller, ao denominar o símbolo "forma viva".

418 A divisão da alma humana em shen ou hwun por um lado, e em kwei ou poh, por outro, traduz uma grande verdade psicológica. Esta concepção chinesa se apresenta de novo na conhecida passagem de *Fausto:*

> Duas almas, ah, moram em meu peito
> Uma da outra quer se separar;
> Uma, com forte paixão amorosa,
> Ao mundo se aferra com força total;
> Outra se levanta vigorosa do pó
> Para as planícies dos grandes ancestrais.

419 A existência de duas tendências mutuamente antagônicas, ambas tentando forçar o homem a atitudes extremas e envolvê-lo no mundo – tanto no lado material quanto no espiritual – e, assim, dividi-lo em si mesmo, exige a existência de um contrapeso que é exatamente a grandeza irracional do tao. Por isso o fiel se esforça ansiosamente por viver de acordo com o tao, a fim de não sucumbir à tensão dos opostos. Sendo tao uma grandeza irracional, não pode ser produzido intencionalmente, o que Lao-Tsé sublinha sempre de novo. A esta circunstância deve seu significado específico um outro conceito, tipicamente chinês, o wu-wei, que quer dizer "não fazer", mas no sentido de "não agir", e não de "não fazer nada". O racional "querer fazer", que constitui a grandeza e o mal de nossa época, não leva ao tao.

420 O objetivo da ética taoísta é resolver a tensão dos opostos, nascida do fundo do universo, pelo retorno ao tao. Neste contexto temos que lembrar também do "sábio do Omi", Nakae e Toju[121], o importante filósofo japonês do século XVII. Baseando-se na doutrina da escola Chu-Hi, proveniente da China, apresentou dois princípios: ri e ki. Ri é a alma do mundo, ki é a matéria do mundo. Mas ri e ki são um e o mesmo, já que são atributos de Deus e, portanto, só existem nele e

---

121. Cf. INOUYE, T. *Die japanische Philosophie.*

por ele. Deus é a sua união. Também a alma engloba ri e ki. De Deus fala Toju assim: "Deus como essência do mundo engloba o universo, mas também está bem próximo de nós e, inclusive, em nosso próprio corpo". Deus é, para ele, um *eu comum*, enquanto o *eu individual* é "céu" em nós, algo suprassensível, divino, chamado *ryochi*. Ryochi é "Deus em nós" e mora em cada indivíduo. É o *verdadeiro eu*. Toju distingue um verdadeiro e um falso eu. O falso eu é uma personalidade adquirida, nascida de concepções errôneas. Poderíamos denominá-lo *persona*, ou seja, aquela ideia geral de nosso ser que formamos a partir da experiência de nossa influência sobre o mundo e da influência deste sobre nós. A **persona** designa isto: como alguém *parece* a si mesmo e ao mundo, mas não significa o que *alguém é*, para usar as palavras de Schopenhauer. O que alguém é, é a sua individualidade, segundo Toju, seu eu "verdadeiro", o ryochi. Ryochi também designa o "estar só", o "conhecer só", certamente porque é um estado relacionado com a essência do si-mesmo, além de todo julgamento pessoal, condicionado pela experiência exterior. Toju entende ryochi como "sumo bem", como "delícia" (brama é ananda = delícia). Ryochi é a luz que perpassa o mundo, paralelo que Inoye estabelece com brama. Ryochi é amor humano, imortal, onisciente, bom. O mal vem do querer (Schopenhauer). Ryochi é a função autorreguladora, o intermediário e unificador dos pares de opostos, ri e ki. É, segundo a concepção hindu, o "velho sábio que mora em teu coração", ou como diz Wang Yang-Ming, o pai chinês da filosofia japonesa: "Em cada coração habita um sejin (sábio). Apenas não acreditamos com força suficiente, por isso o todo permaneceu sepultado".

421 A partir de agora já não é difícil entender qual foi a imagem primordial que colaborou na solução do problema no *Parsifal* de Wagner. O sofrimento está na tensão dos opostos entre o graal e o poder de Klingsor que reside na posse da lança sagrada. Sob o feitiço de Klingsor está Kundry, a força vital instintiva, ainda natural, que falta a Amfortas. Parsifal liberta a libido da condição de permanente instintividade, de um lado, porque não sucumbe ao seu poder e, de outro, porque também está separado do graal. Amfortas está junto ao graal e sofre por isso, isto é, porque não tem a outra parte. Parsifal não tem nenhum dos dois, ele é "nirdvandva", livre dos opostos e, por isso, é também o salvador, o dispensador da cura e da renovada

força vital, o unificador dos opostos, nomeadamente o claro, o celeste, o feminino do graal e o escuro, o terreno, o masculino da lança. A morte de Kundry se explica como a libertação da libido da forma natural e não domesticada (da "forma do touro", cf. acima) que dela se desprende como forma morta, enquanto a força, qual novo fluxo de vida, irrompe ao reluzir do graal. Pela abstenção, em parte involuntária, dos opostos, Parsifal deu origem ao represamento que possibilitou um novo "declive" e, com isso, uma renovada manifestação de energia. A linguagem nitidamente sexual poderia facilmente induzir a se considerar, de modo unilateral, a união entre a lança e o vaso do graal como libertação da sexualidade. O destino de Amfortas mostra, porém, que não se trata de sexualidade; ao contrário, foi sua descida para uma atitude naturalista e animal que causou seu sofrimento e a perda de seu poder. A sedução levada a efeito por Kundry tem o valor de um ato simbólico, indicando que não foi tanto a sexualidade que produziu tais feridas, mas muito mais a atitude da instintividade naturalista, a submissão cega ao prazer biológico. Esta atitude expressa a supremacia da parte animal de nossa psique. Quem for vencido pelo animal, receberá a ferida sacrificial destinada ao animal (em benefício do ulterior desenvolvimento do homem). Conforme já acentuei em meu livro *Símbolos da transformação*, trata-se, no fundo, não do problema sexual, mas da domesticação da libido e da sexualidade apenas na medida em que ela é uma das formas mais importantes e mais perigosas de expressão da libido. Se no caso de Amfortas e na união da lança e do graal víssemos apenas o problema sexual, cairíamos numa contradição insolúvel, pois o que fere seria ao mesmo tempo também o que cura. Um tal paradoxo só seria permitido ou verdadeiro se víssemos a união dos opostos num plano superior, isto é, se entendêssemos que não se trata de sexualidade, nem nessa nem naquela forma, mas única e exclusivamente da atitude à qual está sujeita toda a atividade, inclusive a sexual.

422 Devo repetir sempre que o problema prático da psicologia analítica é mais profundo do que a sexualidade e sua repressão. Este enfoque é, certamente, útil para explicar uma parte infantil e, portanto, doentia da alma, mas é insuficiente como princípio explicativo do todo da alma humana.

423 O que está além da sexualidade ou do instinto de poder é a *atitude para com a sexualidade ou com o poder*. Na medida em que a atitude não é apenas um fenômeno intuitivo, ou seja, inconsciente e espontâneo, mas uma função consciente, ela é principalmente *concepção*. Nossa concepção em todas as coisas problemáticas é altamente influenciada por certas ideias coletivas que configuram nossa atmosfera espiritual, raras vezes de forma consciente e, na maioria dos casos, de forma inconsciente. Essas ideias coletivas estão em íntima relação com a concepção de vida ou cosmovisão dos séculos ou milênios passados. Se esta dependência é consciente ou inconsciente não vem ao caso, pois já somos influenciados por essas ideias através do próprio ar que respiramos. Essas ideias coletivas têm sempre caráter religioso e uma ideia filosófica só chega a ter caráter coletivo quando exprime uma imagem primordial, isto é, uma imagem coletiva primitiva. O caráter religioso dessas ideias provém do fato de exprimirem realidades do inconsciente coletivo e permitirem, com isso, a liberação de energias latentes do inconsciente. Os grandes problemas da vida, aos quais também pertence, entre outros, a sexualidade, estão sempre relacionados com as imagens primordiais do inconsciente coletivo. Essas imagens são até mesmo fatores que contrabalançam e compensam os problemas que a realidade da vida nos coloca. Não é de admirar, pois as imagens são o sedimento da experiência milenar na luta pela adaptação e pela existência. Todas as grandes experiências de vida e todas as maiores tensões tocam, portanto, no tesouro dessas imagens e as transformam em fenômeno íntimo e que, como tal, se torna consciente se houver autorreflexão e força de compreensão suficientes para que o indivíduo também pense no que está vivenciando e não apenas o faça, isto é – sem o saber –, viva concretamente o mito e o símbolo.

4. A relatividade do símbolo

a) Culto à mulher e culto à alma

424 O princípio da união cristã dos opostos é o *culto divino*, no budismo é o *culto do si-mesmo* (autoaperfeiçoamento), em Goethe e em Spitteler encontramos como princípio solucionador o *culto à alma*,

simbolizado pelo *culto à mulher*. Temos aqui, por um lado, o princípio individualista moderno e, por outro, também um princípio polidemonístico primitivo que atribui não só a cada raça, mas também a cada clã, a cada família e a cada indivíduo, seu próprio princípio religioso.

425 O modelo medieval de *Fausto* tem uma importância peculiar porque é, de fato, um elemento medieval que está no berço do individualismo moderno. Começou, ao que me parece, com o culto à mulher, pelo qual a alma do homem foi consideravelmente fortalecida como fator psicológico; pois o culto à mulher significava culto à alma. Em parte alguma isto vem expresso de maneira mais bela e completa do que na *Divina comédia*, de Dante. Dante é o cavaleiro espiritual de sua dama; por ela enfrenta as aventuras do mundo inferior e superior. E, neste trabalho de herói, a imagem dela se eleva até aquela figura transcendente e mística da mãe de Deus, uma figura que se liberou do objeto e, por isso, se transforma em personificação de uma realidade puramente psicológica, ou seja, aquele conteúdo inconsciente cuja personificação chamei de alma. O canto XXXIII do Paraíso contém essa culminância do desenvolvimento psíquico de Dante na oração de Bernardo:

> Virgem mãe, por teu filho procriada
> Humilde e superior à criatura,
> Por conselho eternal predestinada!
> *Por ti se enobreceu tanto a natura*
> Humana, que o Senhor não desdenhou-se
> De se fazer de quem criou, feitura.

426 Ao desenvolvimento de Dante referem-se os versos 22s.

> Este mortal, que da íntima lacuna
> Do mundo até o empíreo, passo a passo,
> Viu quanto a vida espiritual reúna,
> Te exora auxílio ao seu esforço escasso:
> A mente sublunar lhe seja dada
> A Suma Dita no celeste espaço.

Versos 31s.

> Te digna conseguir que o véu espesso
> Da humanidade sua desapareça,
> E assim lhe seja o Sumo Bem concesso.

Versos 37s.

De perversas paixões guarda-o clemente:
Vê Beatriz e o céu inteiro unidos,
Juntando as mãos, ao voto meu fervente*.

427 O fato de Dante expressar-se aqui pela boca de S. Bernardo indica a transformação e exaltação de seu próprio ser. A mesma transformação ocorre em Fausto que sobe de Margarete para Helena e desta para a mãe de Deus; sua natureza é mudada por repetidas mortes figurativas e alcança seu mais alto objetivo como Dr. Marianus. E nesta qualidade é que Fausto dirige sua oração à Virgem Mãe:

Senhora soberana do mundo,
Deixa-me contemplar teu segredo
No vasto azul do céu!
Aceita o que agita séria e
Suavemente o feito humano
E que ele vem trazer-te
Com amor e santa alegria.
Invencível é nossa coragem
Quando, ó venerável, tu ordenas;
Nosso ardor se abranda de repente
Quando nos dás a paz.
Virgem pura, no melhor sentido,
Mãe, digna de louvor,
Rainha por nós escolhida,
Em tudo igual aos deuses.

e ainda:

Contemplai o olhar redentor,
Todos vós arrependidos pacíficos,
Para ao destino bem-aventurado
Serdes levados com gratidão!
Todo gesto bem-intencionado
Se coloque a teu serviço!

---

* Tradução brasileira de José Pedro Xavier Pinheiro, em *A divina comédia*. Rio de Janeiro: Calçadense, 1956, p. 349 [N.T.].

Virgem, mãe, rainha,
Deusa, conserva-te misericordiosa!

428 Neste contexto é preciso lembrar também os expressivos atributos simbólicos da Virgem na Ladainha Lauretana:

"Mater amabilis,	Mãe amável,
Mater admirabilis,	Mãe admirável,
Mater boni consilii,	Mãe do bom conselho
Speculum justitiae,	Espelho da justiça,
Sedes sapientiae	Sede da sabedoria,
Causa, nostrae laetitiae,	Causa de nossa alegria,
Vas spirituale,	Vaso espiritual,
Vas honorabile,	Vaso honorífico,
Vas insigne devotionis,	Vaso insigne de devoção,
Rosa mystica,	Rosa mística,
Turris Davidica,	Torre de Davi,
Turris eburnea,	Torre de marfim,
Domus aurea,	Casa de ouro,
Foederis arca,	Arca da aliança,
Janua coeli,	Porta do céu,
Stella matutina.	Estrela da manhã".

(*Ritual Romano*)

429 Esses atributos mostram a importância funcional da imagem virgem-mãe; mostram como a imagem da alma atua sobre a atitude consciente, como vaso de devoção, forma sólida e fonte da sabedoria e da renovação.

430 Esta passagem característica do culto à mulher para o culto à alma nós a encontramos, em forma bem resumida e clara, num escrito confessional do cristianismo primitivo, o *Pastor* de Hermas, aproximadamente de 140 dC. O livro escrito em grego consiste de uma série de visões e revelações que apresentam a consolidação essencial da nova crença. Por longo tempo foi considerado livro canônico, mas foi recusado pelo Cânon Muratoriano. Começa da seguinte maneira:

431 "Aquele que me criou vendeu-me a uma tal de Rhoda, em Roma. Passados muitos anos, voltei a encontrá-la e comecei a gostar dela

como de uma irmã. Depois de certo tempo, eu a vi banhando-se no Tibre; dei-lhe a mão, ajudando-a a sair da água. Quando vi sua beleza, pensei assim em meu coração: "Seria tão feliz se tivesse como esposa uma mulher tão bela e de tal índole'. Era meu único desejo e nada mais (ετερον δε ονδε έ)". Esta experiência foi o ponto de partida para o episódio visionário a seguir. Parece que Hermas serviu como escravo de Rhoda; foi então, como era frequente, libertado, mas encontrou-a posteriormente; nasceu nele, sem dúvida por gratidão, mas também por agrado, um sentimento de amor que, para sua consciência, só tinha o caráter de amor fraterno. Hermas era cristão e, além disso, como se depreende do texto, já era pai de família naquela ocasião, o que torna facilmente compreensível a repressão do elemento erótico. A situação peculiar que deixa em aberto várias questões era propícia a trazer à consciência o desejo erótico. Realmente passa por sua mente a ideia de que gostaria de ter Rhoda por mulher, e esta ideia aparece bem explícita, mas se limita, conforme Hermas faz notar, a uma simples constatação, pois qualquer coisa mais clara ou direta caiu imediatamente sob a repressão moral. Mas esta libido reprimida, como se vê claramente do texto que se segue, provocou em seu inconsciente uma forte mudança, dando vida à imagem da alma e levando-a a uma atividade espontânea. Vejamos o texto:

432 "Depois de algum tempo, ao dirigir-me para Cumas e louvando a Deus pela grandeza, beleza e poder da criação, comecei a sonhar. Um espírito se apoderou de mim e me levou para um lugar sem caminho onde homem algum poderia chegar. Era cheio de fendas e riachos. Atravessei um rio e cheguei a um lugar plano onde me atirei de joelhos, rezei a Deus e confessei meus pecados. Enquanto rezava, o céu se abriu e pude contemplar a mulher dos meus desejos que me saudou do céu e disse: 'Salve, Hermas!' Voltei os olhos para ela e disse: 'Senhora, que fazes aqui?' E ela respondeu: Fui aqui trazida para acusar-te por teus pecados diante do Senhor'. Disse-lhe então: 'Acusas-me agora?' "Não – disse ela –, mas escuta as palavras que vou dizer-te. O Deus que está nos céus e que fez todas as coisas do nada e tudo aumentou e multiplicou para sua santa Igreja está encolerizado contigo porque pecaste contra mim'. Retruquei e disse: 'Pequei contra ti? Onde e quando falei algo de mal contra ti? Não te considerei sempre e em toda parte como deusa? Não te tratei sempre como

irmã? Por que, mulher, acusas-me falsamente de coisas tão más e impuras?' Ela sorriu e me disse: "Em teu coração se ergueu o apetite do pecado. Ou não te parece fato pecaminoso que se erga num homem justo o apetite do pecado em seu coração? Sim, é um pecado, e grande – acrescentou. Pois o justo aspira ao justo".

433 Como sabemos, passeios solitários são propícios a fantasias. Hermas, na viagem a Cumas, pensava em sua senhora, e a fantasia erótica reprimida levou, aos poucos, sua libido para o inconsciente. Por isso, isto é, por causa da diminuição da intensidade da consciência, tornou-se sonolento e entrou num estado sonambúlico ou extático, que nada mais é do que uma fantasia particularmente intensa que mantém totalmente presa a consciência. É de se notar, pois, que não é uma fantasia erótica que o assalta, mas é transportado de certa forma para uma outra terra que a fantasia apresenta como a travessia de um rio e o andar por lugares sem caminhos. Dessa forma, o inconsciente lhe aparece como um mundo oposto ou superior, em que se desenrolam os acontecimentos e as pessoas se movem como no mundo real. Sua mulher-senhora não lhe aparece numa fantasia erótica, mas sob a forma "divina", como deusa no céu. Esta circunstância mostra que a impressão erótica reprimida no inconsciente reanimou a imagem primordial já existente da deusa, portanto a imagem mais primitiva da alma. A impressão erótica se uniu, pois, claramente, no inconsciente coletivo, àquele resíduo arcaico que preservou, desde tempos imemoriais, os traços de vigorosas impressões sobre a natureza da mulher, impressões sobre a mulher na qualidade de mãe e de virgem desejável. As impressões eram vigorosas porque libertavam forças tanto na criança quanto no homem adulto e que merecem, sem mais, o atributo de divinas, isto é, irresistíveis e absolutamente cogentes. O reconhecimento dessas forças como demoníacas não deve sua origem a uma repressão moral, mas, antes, a uma autorregulação do organismo psíquico que, por esta virada, tenta proteger-se contra a perda de equilíbrio. Pois quando a psique consegue erigir uma posição defensiva contra a força arrebatadora da paixão que lança o homem, sem piedade, na órbita de outro, e quando, no auge da paixão, tira do objeto ilimitadamente apetecido o cunho de ídolo e força o homem a ficar de joelhos diante da imagem divina, então ela o libertou da maldição do objeto. Foi novamente devolvido a si mesmo e acha-se obriga-

do a si mesmo, novamente entre deuses e homens, em sua própria órbita, sujeito a suas próprias leis. O enorme pavor que está no primitivo, aquele pavor de tudo que impressiona, e que ele qualifica logo de feitiço ou carregado de força mágica, protege-o objetivamente contra a perda da alma, tão temida por todos os povos primitivos, e que é consequência da doença e da morte. A perda da alma significa arrancar uma parte do próprio ser, significa o desaparecimento e a emancipação de um complexo que, desse modo, vem a ser o usurpador tirânico da consciência que oprime a totalidade do homem, lança-o fora de sua órbita, força-o a ações cuja cega unilateralidade tem como consequência inevitável a autodestruição. É sabido que os primitivos estão sujeitos a fenômenos como a corrida de Amok, a fúria guerreira, a possessão e outros mais. Reconhecer o caráter demoníaco da violência é uma proteção eficaz, uma vez que retira do objeto seu mais forte encantamento e transfere sua fonte para o mundo dos demônios, isto é, para o inconsciente, onde, na verdade, se origina também a violência da paixão. Esta alocação da libido de volta ao inconsciente também é objetivada pelos ritos do exorcismo que visam reconduzir as almas a seu lugar e desfazer o feitiço.

434 Este mecanismo atuou também no caso de Hermas. A transformação de Rhoda na senhora divina retirou do verdadeiro objeto a força perniciosa e suscitadora das paixões, submetendo Hermas à lei da própria alma e de suas determinações coletivas. Devido a suas qualificações teve, sem dúvida, maior participação nas correntes espirituais de seu tempo. Seu irmão Pio ocupava nesta época a sede episcopal de Roma. Hermas estava, pois, destinado a colaborar com as grandes tarefas de seu tempo em grau maior do que, na qualidade de escravo casado, podia conscientemente supor. Nenhuma cabeça competente daquela época poderia opor-se por muito tempo à tarefa histórica da cristianização, a não ser que as barreiras e peculiaridades da raça lhe apontassem outra função no grande processo de transformação espiritual. Assim como as condições vitais externas obrigam o homem a funções sociais, também a alma contém determinações coletivas que obrigam a uma socialização das opiniões e convicções. Hermas foi mudado pela experiência e pela ferida nele causada pelo dardo da paixão. A tentação levou-o ao culto da alma e foi levado a executar uma tarefa social de natureza espiritual, certamente de grande importância para aquela época.

435 Para torná-lo apto àquela tarefa, foi preciso que a alma destruísse nele a última possibilidade de uma vinculação erótica ao objeto. Esta última possibilidade é a infidelidade a si mesmo. Recusando-se Hermas conscientemente ao desejo erótico, demonstra apenas que teria sido mais cômodo para ele se o desejo erótico não existisse dentro dele; não demonstra, porém, que não tenha tido realmente intenções e fantasias eróticas. Por isso a mulher-senhora, a alma, desvenda-lhe, sem dó, a existência de seus pecados e o liberta, assim, também da vinculação secreta ao objeto. Assume, portanto, como "um vaso de devoção" aquela paixão que estava a ponto de gastar-se inutilmente no objeto. Também era preciso erradicar o último vestígio de sua paixão para então realizar a tarefa histórica que consistia numa separação do homem da vinculação sensual, da primitiva "participação mística". Para o homem daquela época esta vinculação se tornara insuportável. Era necessário introduzir uma diferenciação do espiritual para restabelecer o equilíbrio psíquico. Todas as tentativas filosóficas de estabelecer este equilíbrio, a *aequanimitas* (equanimidade), que se condensaram sobretudo na doutrina estoica, malograram devido a seu racionalismo. A razão só pode fornecer o equilíbrio àquele cuja razão já é um órgão de equilíbrio. Mas para quantas pessoas e em que épocas da história ela foi exatamente isso? O homem, via de regra, precisa ter também o oposto de um de seus estados para então posicionar-se necessariamente no meio. A simples razão não pode fazê-lo abandonar a plenitude da vida e o excitante sensual do estado imediato. Assim, é necessário que nele estejam contra o poder e o prazer do temporal a alegria do eterno, e contra a paixão do sensual a maravilha do suprassensível. Por mais inegavelmente real que isto lhe seja, aquilo deve ter uma eficácia cogente.

436 Pela percepção da existência real de seu desejo erótico, foi possível a Hermas chegar ao reconhecimento da realidade metafísica, isto é, a imagem da alma ganha também aquela libido sensual que até agora estava presa ao objeto concreto e confere à imagem, ao ídolo aquela realidade que o objeto sensível reivindicava, desde então, exclusivamente para si. Assim, pode a alma falar com eficácia e levar a bom termo suas exigências. Após a conversa com Rhoda, acima descrita, desapareceu sua imagem e o céu se fechou novamente. Em seu lugar apareceu uma "mulher velha com vestes brilhantes" que ensina a Her-

mas que seu desejo erótico é um empreendimento pecaminoso e insensato contra um espírito digno de veneração, mas que não era por isso que Deus lhe tinha rancor e, sim, porque ele, Hermas, tolerava os pecados de sua família. Dessa forma, bem conveniente, extrai-se totalmente a libido do desejo erótico, transferindo-a para a tarefa social. Há uma fineza bem especial no fato de a alma descartar a imagem de Rhoda e assumir a aparência de mulher idosa para forçar a um segundo plano o elemento erótico. Mais tarde, Hermas se deu conta, através de uma revelação, de que a senhora idosa era a própria *Igreja*, e assim o concreto-pessoal se resolve na abstração e a ideia adquire uma realidade que antes não possuía. A seguir, a velha senhora se põe a ler para ele um livro misterioso, dirigido contra os pagãos e apóstatas, mas cujo sentido não pôde captar. Mais tarde vamos saber que este livro contém uma missão. A mulher-senhora confia-lhe uma tarefa que ele deverá cumprir como seu cavaleiro. Também não falta a prova da virtude. Pouco após, Hermas tem uma visão em que lhe apareceu a velha senhora prometendo-lhe retornar por volta da quinta hora para explicar-lhe a revelação. Hermas saiu para o campo, para o lugar combinado. Ao chegar lá encontrou um leito de marfim, com uma almofada e um pano de linho finíssimo.

437 "Quando vi aquelas coisas – escreve Hermas – fiquei muito admirado. Apoderou-se de mim, por assim dizer, um tremor, meus cabelos se eriçaram e senti como um terror e pânico, por encontrar-me ali sozinho. Ao recuperar-me e lembrar-me da glória de Deus, adquiri novo ânimo, caí de joelhos e confessei meus pecados ao Senhor, como havia feito na vez anterior. E veio ela com seis homens jovens que eu já havia visto antes, colocou-se junto a mim e ouviu como eu confessava meus pecados ao Senhor. Tocou-me então e falou dessa maneira: 'Hermas, acaba logo com todas essas súplicas por teus pecados. Roga também pela justiça para que possas levar para casa um pedaço'. E estendeu-me a mão para que me levantasse e levou-me até o leito e disse aos homens jovens: Ide e edificai'. E quando os jovens haviam ido, disse-me: "Senta-te aqui!' Eu lhe disse: 'Senhora, permite que se sentem primeiro os velhos'. Ela disse: 'Faze o que digo e senta-te'. Mas, quando, conforme meu desejo, me dispunha a sentar-me à sua direita, indicou-me com um movimento de sua mão que me sentasse à sua esquerda. Como percebesse meu aspecto pensativo e decepcionado porque não deixara

sentar-me a seu lado direito, disse-me: 'Estás triste, Hermas? O lugar da direita é para outros, gratos a Deus, que sofreram por seu nome. Mas a ti falta muito ainda para poderes sentar-te com eles. Mas continua sendo simples como até agora e chegarás a sentar-te junto com eles e assim acontecerá com todos que tenham cumprido sua tarefa e suportado o que eles suportaram'".

438 É de supor que Hermas desconhecesse o aspecto erótico da situação. O encontro pareceu, à primeira vista, um *rendez-vous* num "lugar belo e solitário" (como ele diz). O leito ricamente adornado lembra, de modo fatal, o eros de forma que o terror que sobreveio a Hermas ao contemplá-lo é perfeitamente compreensível. É óbvio que deve combater energicamente a associação erótica para não sucumbir a uma disposição ímpia. Ao que parece, não reconheceu a tentação, a não ser que este reconhecimento tenha sido pressuposto como evidente na descrição de seu pavor, uma honestidade talvez mais encontrável numa pessoa daquela época do que no homem moderno. Sabe-se que o homem daquela época estava em geral ainda mais próximo de sua natureza do que nós, e tinha, portanto, condições de perceber diretamente e reconhecer bem suas reações naturais. No caso de Hermas, a confissão de seus pecados pode ter sido provocada precisamente pela percepção de um sentimento ímpio. De qualquer forma, a questão que veio a seguir – se devia sentar-se do lado direito ou esquerdo – indica uma repreensão moral que recebeu de sua senhora. Se, nos augúrios romanos, os sinais provindos da esquerda eram considerados propícios, entre os gregos e romanos o lado esquerdo era, em geral, o lado desfavorável, o que vem expresso pela palavra de duplo sentido *sinister*. Mas, como o demonstra um texto que vem logo em seguida, a questão aqui proposta, de esquerda ou direita, nada tem a ver, em princípio, com a superstição popular, mas é de proveniência bíblica, referindo-se claramente a Mateus 25,33: "Colocará as ovelhas à sua direita e os bodes à sua esquerda". As ovelhas, graças à sua natureza inocente e dócil, são uma alegoria dos bons, enquanto os bodes, devido à sua selvageria e luxúria, são imagem dos maus. Pelo fato de indicar-lhe o lugar à esquerda, a senhora lhe dá a entender veladamente que conhece sua psicologia.

439 Após Hermas haver tomado assento à esquerda, com bastante tristeza, como ele mesmo diz, a senhora chama sua atenção para uma

visão que se desenrola a seus olhos. Vê como os jovens, assistidos por outros dez mil homens, constroem uma torre bem firme e cujas pedras se encaixam perfeitamente umas nas outras, sem deixar fendas. Esta torre sem fendas e, portanto, especialmente firme, porque indestrutível, significa a Igreja, no sentir de Hermas. *A senhora é a Igreja e a torre também*. Já vimos nos atributos da *Ladainha Lauretana* que Maria é denominada Torre de Davi e Torre de marfim. Parece que temos aqui uma relação igual ou semelhante. Sem dúvida, a torre significa firmeza e segurança, como no Salmo 61,4: "Tu és meu refúgio, uma torre forte diante de meus inimigos". Deve-se excluir, por contrarrazões interiores profundas, qualquer semelhança com a torre de Babel, ainda que haja vestígios disso, pois Hermas, como todas as demais cabeças pensantes daquela esfera, deve ter sofrido muito com o espetáculo deprimente dos contínuos cismas e disputas heréticas da Igreja primitiva. Certamente este espetáculo foi o motivo básico desse escrito confessional, o que se deduz do fato de o livro revelado ser dirigido contra os pagãos e apóstatas. A heteroglossia, a confusão de línguas, que tornou impossível a construção da torre de Babel, dominou praticamente a Igreja cristã dos primeiros séculos e exigiu esforços desesperados dos fiéis para vencer a confusão. Como a cristandade de então estivesse muito longe de ser um rebanho sob um só pastor, era natural que Hermas tentasse encontrar o poderoso "pastor", o *poimén*, bem como aquela forma sólida e segura que unisse num todo inviolável os elementos vindos dos quatro cantos da terra, das montanhas e do mar.

440 O apetite ctônico, a sensualidade em todas as suas mais diversas formas, com sua vinculação aos encantos do mundo ambiente e sua obsessão para dissipar a energia psíquica na infinda multiplicidade do mundo são os principais obstáculos ao aperfeiçoamento de uma atitude de orientação uniforme. Vencer estes obstáculos deve ter sido a principal tarefa daquele tempo. Só assim podemos entender que, no *Poimén* (Pastor) de Hermas, nos seja apresentada primeiramente a realização dessa tarefa. Já vimos como a excitação erótica primitiva e a energia por ela liberada foram canalizadas para a personificação do complexo inconsciente, a figura da *Ecclesia* (Igreja), da mulher velha que, com seu aparecimento visionário, demonstra a espontaneidade do complexo que lhe serve de base. Aprendemos, aqui, ainda, que a

mulher idosa, a Igreja, se transforma por assim dizer em torre, pois a torre é também a Igreja. Esta transposição parece surpreendente, pois a conexão entre a torre e a mulher velha não é evidente. Mas os atributos de Maria na *Ladainha Lauretana* nos levarão à pista certa, pois encontramos lá, como já constatamos, a Virgem-Mãe sendo denominada "torre".

441 Este atributo provém do Cântico dos Cânticos 4,4: 'Teu pescoço é como a torre de Davi, construída com parapeitos" ("Sicut turris David collum tuum, quae aedificata est cum propugnaculis")[122] e 7,5: 'Teu pescoço é como uma torre de marfim" (Collum tuum sicut turris eburnea"). Algo semelhante em 8,10: "Agora já sou uma muralha, e meus seios são como torres" ("Ego murus, et ubera mea sicut turris").

442 Como sabemos, o Cântico dos Cânticos é, na verdade, um poema profano de amor, talvez um canto de casamento, cujo caráter canônico foi recusado até mesmo por sábios judeus de épocas posteriores. Mas a interpretação mística sempre gostou de apresentar Israel como a noiva e Javé como o noivo, obedecendo nisto a um instinto correto: o de transferir o sentimento erótico para o relacionamento de todo o povo com Deus. O cristianismo se apropriou do Cântico dos Cânticos pelo mesmo motivo: apresentar Cristo como o noivo e a Igreja como a noiva. Esta analogia exercia uma atração extraordinária sobre a psicologia da Idade Média e animou o franco erotismo por Jesus, da mística de então, da qual Mectildes de Magdeburgo é o melhor exemplo. Foi desse espírito que brotou a *Ladainha Lauretana*. Derivou alguns atributos da Virgem diretamente do Cântico dos Cânticos, como no caso do símbolo da torre. Também a rosa foi usada como um de seus atributos, já ao tempo dos Padres gregos, juntamente com o lírio que também aparece no Cântico dos Cânticos 2,1s: "Eu sou o narciso de Saron, o lírio dos vales. Como o lírio entre espinhos é, entre as jovens, a minha amada" ("Ego fios campi et lilium convallium. Sicut lilium inter spinas, sic arnica mea inter filias"). Imagem muito empregada nos hinos marianos medievais é a do "jardim fechado" do Cântico dos Cânticos 4,12 ("És um jardim fechado, minha irmã e minha noiva" e a da "fonte selada" (fons signatus). A natureza indiscutivelmente erótica dessas imagens do Cântico dos

---

122. As citações são da *Bíblia Sagrada*. Petrópolis: Vozes [N.T.].

Cânticos foi aceita como tal pelos Padres da Igreja. Assim, por exemplo, Ambrósio interpreta *hortus conclusus* como virgindade[123]. Também compara Maria à cestinha em que foi encontrado Moisés: "A cestinha de junco significa a bem-aventurada Virgem. Portanto, a mãe preparou a cestinha de junco na qual foi colocado Moisés, pois a sabedoria de Deus, que é o Filho de Deus, escolheu a bem-aventurada Virgem Maria em cujo útero formou o homem ao qual se ligaria por unidade de pessoa"[124]. Agostinho emprega, depois, com muita frequência, a figura do tálamo (thalamus) para Maria, e também no sentido expressamente anatômico: "Escolheu para si um tálamo puro, onde se unirá o esposo à esposa"[125]. E "saiu de seu tálamo, isto é, do útero virginal"[126].

443 A interpretação de *vas* (vaso) como útero deve ser tomada como certa quando Ambrósio, em paralelo à citação de Agostinho, acima, diz: "não da terra [...] mas do céu escolheu Cristo para si este vaso pelo qual desceria à terra e *santificou o templo do pudor*"[127]. Também entre os Padres Gregos não é rara a expressão σκεῦος (vaso). Aqui também não é improvável uma alusão à alegoria erótica do Cântico dos Cânticos (7,2), ainda que a expressão *vaso* não apareça no texto da Vulgata, mas encontramos a imagem da taça e do beber: 'Teu umbigo é uma taça redonda: onde jamais falta bebida. Teu ventre é um monte de trigo, cercado de lírios" ("Umbilicus tuus crater tornatilis, nunquam indigens poculis. Venter tuus sicut acervus tritici, vallatus liliis"). Paralela ao sentido da primeira frase está a comparação de Maria com a ânfora de óleo da viúva de Sarepta, nos *Cantos Magistrais*, do manuscrito de Kolmar: "Sarepta, na terra de Sidônia, lá Elias foi enviado a uma viúva que o deveria alimentar, parece ver-

---

123. AMBRÓSIO, *De Institutione Virginis*. Cf. MIGNE, *Patr. Lat.* t. 16, col. 335s.

124. "Per fiscellam scirpeam, beata virgo designara est. Mater ergo fiscellam scirpeam in qua Moyses ponebatur praeparavit, quia sapientia Dei, quae est filius Dei, beatam Mariam Virginem elegit, in cuius utero hominem, cui per unitatem personae conjungeretur, formavit". AMBRÓSIO. *Expositio beati Ambrosii Episcopi super Apocalypsin*. Paris: [s.e.], 1554.

125. "Elegit sibi thalamum castum, ubi conjungeretur sponsus sponsae."

126. "Processit de thalamo suo, id est, de utero virginali". AGOSTINHO, *Sermones*, 192. Cf. MIGNE. *Patr. Lat.* T. 38, col. 1013.

127. "Non de terra... sed de coelo *vas* sibi hoc, per quod descenderet, Christus elegit, et sacravit *templum pudoris*". AMBRÓSIO. *De Institutione Virginis*. Op. cit, t. 16, col. 328.

dadeiramente ao meu corpo onde Deus me enviou o profeta para dar fim a nosso tempo de fome"[128]. Paralelamente à segunda frase, diz Ambrósio: "Germinava no útero da virgem o monte de trigo juntamente com a beleza da flor de lírio: e assim gerava um grão de trigo e um lírio [...]"[129] Nas fontes católicas[130] foram trazidas, para o simbolismo do vaso, passagens bem distantes, por exemplo Cântico dos Cânticos 1,2: "Sua boca me cubra de beijos. São mais suaves do que o vinho tuas carícias" (melhor, 'seios'). ("Osculetur me osculo oris sui: quia meliora sunt ubera tua vino"). E inclusive Êxodo 16,33: "Moisés disse a Aarão: Toma um *vaso*, enche com quatro litros e meio de maná e deposita diante do Senhor, para que seja guardado para as gerações futuras". Essas referências forçadas falam mais contra do que a favor da origem bíblica do simbolismo do vaso. Da possibilidade de uma origem extrabíblica em geral dá prova o fato de os hinos marianos da Idade Média buscarem livremente suas comparações em qualquer parte e relacionarem tudo o que fosse precioso a Maria. O fato de o símbolo do vaso já ser bem antigo – provém dos séculos III e IV – não depõe contra a sua procedência mundana, pois já os Padres da Igreja eram propensos a comparações "pagãs" extrabíblicas, como, por exemplo, Tertuliano[131] e Agostinho[132], e outros que compararam a Virgem com uma terra ainda não profanada, um campo ainda não cultivado, mas sempre tomando em conta o lado do mistério. Essas comparações se formaram sobre modelos pagãos da mesma maneira que se aproveitaram de motivos pagãos as ilustrações de livros da Alta Idade Média, conforme o demonstra Cumont ao referir-se à representação da elevação ao céu, de Elias – que se baseava num modelo antigo de Mitra. Em muitos de seus usos, inclusive fazendo coinci-

---

128. *Meisterlieder der Kolmarer Handschrift*. Cf. BARTSCH, K. (org.). *Bibliothek des Literarischen Vereins von Stuttgart*. Stuttgart: [s.e.], 1862, 68, p. 216.

129. In quo virginis utero simul acervus tritici, et lilii floris gratia germinabat: quoniam et granum tritici generabat, et lilium..." AMBRÓSIO. *De Institutione Virginis*. Op. cit, col. 341.

130. SALZER, A. *Die Sinnbilder und Beiworte Mariens in der deutschen Literatur und lateinischen Hymnen-Poesie des Mittelalters*. Linz: [s.e.], 1886.

131. "Illa terra virgo nondum pluviis rigata nec imbríbus foecundata" etc. (Aquela terra virgem, ainda não regada pelas chuvas nem fecundada pelas torrentes).

132. "Veritas de terra orta est, quia Christus de virgine natus est" (A verdade surgiu da terra porque Cristo nasceu da virgem).

dir o nascimento de Cristo com o *natalis solis invicti* (nascimento do sol invicto), a Igreja seguiu o modelo pagão. Jerônimo compara a Virgem com o *sol*, como sendo a mãe da luz.

444 Essas designações de natureza não bíblica só podem ter sua origem em concepções pagãs em voga naquele tempo. Justifica-se, assim, plenamente que, no tocante ao símbolo do vaso, levemos em conta o bem conhecido e difundido simbolismo gnóstico do vaso. Chegou até nós grande número de gemas da época com o símbolo do vaso na forma de um cântaro com estranhas configurações de alças, que lembram o útero com seus ligamentos laterais. Matter denomina este vaso "vaso de pecado", em oposição aos hinos marianos que exaltam a Virgem como "vaso de virtudes". King[133] recusa esta interpretação como arbitrária e adota a ideia de Köhler segundo a qual a imagem das gemas (principalmente egípcias) representam os cântaros presos às rodas d'água que puxavam a água do Nilo para os campos, o que explica também as estranhas configurações de alças que serviam para prender o cântaro à roda.

445 Como observa King, a atividade fecundante do cântaro pode ser expressa na fraseologia antiga como "fecundação de Ísis pela semente de Osíris". É frequente encontrar uma joeira de cereais pintada nos vasos, alusão sem dúvida à "joeira mística de Iaco" ("mystica vannus Jacchi"), o λῖκνον, o berço figurativo do grão de trigo, símbolo do deus da fecundidade[134]. Fazia parte da cerimônia grega de casamento colocar sobre a cabeça da noiva uma joeira cheia de frutos, gesto mágico evidente da fecundidade. Esta interpretação se coaduna com a concepção egípcia antiga de que tudo provém das águas primitivas, de Nu ou Nut, que também se identifica com o Nilo ou com o oceano. Nu se escreve com três *potes*, três *sinais de água* e o sinal do céu. Num hino a Ptah-Tenen se lê: "Criador do grão do qual procede, em seu nome, Nu, o velho, que fertiliza a massa de águas do céu e faz com que brote água das montanhas para dar vida a homens e mulheres"[135]. Sir Wallis Budge chamou-me a atenção para o fato de que o simbolismo do útero ainda existe hoje no interior do sul do Egito como sortilégio para chuva e fecundidade. Ainda acontece que os

---

133. KING, C.W. *The Gnostics and their Remains*. Londres: [s.e.], 1864, p. 111.

134. Cf. JUNG, C.G. *Símbolos da transformação* [OC, 5. Na edição alemã p. 319].

135. BUDGE, E.A.W. *The Gods of the Egyptians*. Londres: [s.e.], 1904, vol. I, p. 511.

primitivos matem, na selva, alguma mulher, extraindo-lhe o útero para uso em seus ritos de magia[136]. Considerando que os Padres da Igreja eram fortemente influenciados pelos gnósticos, apesar de sua resistência a essas heresias, não é inconcebível que tenhamos exatamente no simbolismo do vaso uma relíquia pagã aproveitável ao cristianismo, e isto é tanto mais provável já que o próprio culto a Maria é um vestígio do paganismo que assegurou à Igreja cristã a herança da grande mãe (*magna mater*), de Ísis e de outras divindades. Também a imagem do vaso de sabedoria (*vas sapientiae*) lembra um modelo gnóstico, a *sophia*, símbolo muito importante na gnose.

446 Demorei-me neste simbolismo do vaso mais do que o leitor esperava. Mas tive uma razão específica: esclarecer psicologicamente a legenda do graal – tão característica da Alta Idade Média – em sua relação com o culto à mulher. A ideia religiosa central desse material legendário, com múltiplas variantes, é o vaso sagrado, imagem absolutamente não cristã – como é fácil a qualquer um perceber – cuja origem deve ser buscada alhures e não nas fontes canônicas[137]. De acordo com o que vimos acima, parece-me um elemento gnóstico que deve sua reaparição a uma tradição secreta que sobreviveu ao aniquilamento das heresias, ou a uma reação inconsciente contra o cristianismo oficial dominante. A persistência ou reaparecimento inconsciente do símbolo do vaso indica um fortalecimento do princípio feminino na psicologia machista daquela época. A simbolização numa imagem enigmática significa uma espiritualização do erotismo pelo culto à mulher. Mas a espiritualização significa também a retenção de uma parcela de libido que, caso contrário, iria desembocar diretamente na sexualidade. Se esta parcela de libido for retida, diz-nos a experiência que uma parte flui para a expressão espiritualizada, a outra tomba no inconsciente e produz ali certa vivificação de imagens

---

136. Cf. TALBOT, P.A. *In the Shadow of the Bush*. Londres: [s.e.], 1912, p. 67 e 74s.

137. Outra prova da origem pagã do simbolismo do vaso encontramos no "vaso mágico" da mitologia celta. Dagda, um dos deuses benévolos da Irlanda antiga, possuía semelhante vaso que dava alimento a todos, segundo sua necessidade e mérito. Também o deus céltico Bran tinha um vaso de renovação. Supõe-se que o nome "Brons" – um dos personagens da legenda do Graal – seja derivado de "Bran". Alfred Nutt acha que "Bran", o senhor do vaso, e "Brons" representam degraus na transição da saga céltica para a busca do santo Graal. Assim, parece que já existiam temas relacionados ao Graal na mitologia celta. Devo estas informações ao Dr. Maurice Nicoll, de Londres.

correspondentes que se traduzem exatamente no símbolo do vaso. O símbolo vive da retenção dessas formas de libido e produz, por sua vez, novamente retenção dessas formas de libido. Resolver o símbolo é o mesmo que soltar a libido num caminho direto ou, ao menos, forçá-la a uma aplicação direta. O símbolo vivo, porém, esconjura este perigo. Um símbolo perde, por assim dizer, sua força mágica, ou, se quisermos, sua força redentora, logo que for conhecida uma solucionabilidade. Por isso, um símbolo ativo tem que ter uma constituição inexpugnável. Deve ser a melhor expressão da cosmovisão de uma época, simplesmente insuperável em seu significado, e estar tão distante da compreensão que faltem ao intelecto crítico todos os meios de solucioná-lo validamente e, finalmente, sua forma estética deve ser tão adequada ao sentimento que nenhum argumento sentimental possa erguer-se contra ele. O símbolo do graal preencheu evidentemente essas exigências por certo tempo e deveu a esta circunstância sua atuação viva que ainda hoje não foi totalmente extinta, como o prova o exemplo de Wagner, mesmo que nossa época e nossa psicologia forcem incessantemente a sua solução.

447 O cristianismo oficial absorveu uma vez mais os elementos gnósticos que se manifestaram na psicologia do culto à mulher e lhes deu um lugar na veneração intensificada de Maria. Selecionei, entre grande número de outros materiais igualmente interessantes, a *Ladainha Lauretana* como exemplo conhecido desse processo de assimilação. Com esta assimilação ao símbolo cristão em geral perdeu-se, inicialmente, uma cultura espiritual do homem que germinava no culto à mulher. Sua alma, que se exprimia na imagem da senhora por ele escolhida, perdeu sua expressão individual nesta transferência para o símbolo em geral. Também perdeu a possibilidade de uma diferenciação individual; foi reprimida por uma expressão coletiva. Tais perdas têm sempre consequências sérias e, neste caso, logo se fizeram sentir. Expressando-se a relação psíquica com a mulher na veneração coletiva de Maria, a imagem da mulher perdeu um valor sobre o qual o ser humano tinha certo direito natural. Este valor que só encontra sua expressão natural na escolha do indivíduo cai no inconsciente quando a expressão individual é substituída pela coletiva. No inconsciente, a imagem da mulher recebe o encargo de reanimar dominantes arcaico-infantis. A relativa desvalorização da mulher se compensa

por aspectos demoníacos, pois todos os conteúdos inconscientes, na medida em que são ativados por parcelas dissociadas de libido, aparecem projetados no objeto. A relativa desvalorização da mulher significa: o homem a ama menos em certo sentido, mas, em compensação, a mulher se apresenta como perseguidora, isto é, como bruxa. Desenvolve-se, então, juntamente com uma veneração intensificada de Maria, e por causa dela, a ideia fixa das bruxas, esta nódoa inapagável e vergonhosa da Idade Média tardia. Mas esta não foi a única consequência. Pela separação e repressão de uma tendência progressiva importante, surgiu uma certa ativação do inconsciente em geral. E esta ativação não encontrou no símbolo cristão em geral uma expressão satisfatória, pois a expressão adequada consistia primeiramente em formas individuais de expressão. Mas esta situação preparou o solo para heresias e cismas. E contra isso a consciência de orientação cristã teve que lutar com fanatismo. O delírio do horror inquisitorial era a dúvida supercompensada que irrompia do inconsciente e que, ao final, originou um dos maiores cismas da Igreja, a Reforma.

448 Dessa longa exposição podemos aproveitar o seguinte: partimos daquela visão de Hermas em que viu uma *torre* sendo construída. A mulher idosa, que se declarara antes como sendo a Igreja, explica agora que a torre é o símbolo da Igreja. A importância dela se transfere, então, para a torre da qual se ocupa, de agora em diante, todo o texto do *Poimén*. Para Hermas importa agora a torre e não mais a mulher velha, menos ainda a verdadeira Rhoda. E assim se completa o desprendimento da libido do objeto real e sua transferência para o símbolo, sua canalização para uma função simbólica. A ideia de uma Igreja universal e una, expressa no símbolo de uma torre inabalável e sem fendas, tornou-se uma realidade espiritual que não permitia volta.

449 Desvinculada do objeto, a libido é colocada no íntimo do sujeito onde ativa as imagens do inconsciente. Essas imagens são formas arcaicas de expressão que se transformam em símbolos que, por sua vez, se apresentam como equivalentes de objetos relativamente desvalorizados. Este processo é tão velho quanto a humanidade, pois símbolos já se encontram entre as relíquias do homem pré-histórico bem como entre os tipos humanos mais primitivos hoje existentes. A formação do símbolo deve ser evidentemente uma função biológica da mais alta importância. Como o símbolo só pode viver graças a

uma desvalorização relativa do objeto, é evidente que servirá à finalidade de desvalorizar o objeto. Se o objeto tivesse um valor absoluto, também seria absolutamente determinante para o sujeito, quando então seria absolutamente abolida a liberdade de ação do sujeito e já não poderia coexistir também uma liberdade relativa com a determinação absoluta pelo objeto. O estado de absoluta relação com o objeto equivale a uma exteriorização total do processo consciente, isto é, a uma identidade de sujeito e objeto, o que torna impossível qualquer conhecimento. Este estado se encontra, em grau mais atenuado, ainda hoje, entre os primitivos. As chamadas *projeções* que encontramos frequentemente nas análises práticas nada mais são do que resíduos de uma identidade primitiva entre sujeito e objeto. A eliminação do conhecimento e a impossibilidade de uma experiência consciente, causadas por este estado, significam considerável perda de capacidade de adaptação, o que, para o homem, desarmado e sem proteção, e para sua prole, por longo tempo indefesa, pesa consideravelmente. O estado de falta de conhecimento significa também uma perigosa inferioridade do ponto de vista da afetividade, pois uma identidade do sentimento com o objeto sentido pode fazer com que, por um lado, algum objeto exerça forte influência sobre o sujeito e, por outro, algum afeto do sujeito absorva e violente, sem mais, o objeto. O que afirmo pode ser ilustrado por um episódio na vida de um bosquímano. Um bosquímano tinha um filho pequeno que ele amava com aquele terno amor de macaco, típico dos primitivos. Já de per si este amor é psicologicamente bem autoerótico, isto é, o sujeito ama a si mesmo no objeto. O objeto serve como uma espécie de espelho erótico. Certo dia, o bosquímano voltou zangado da pesca porque nada apanhara. Como sempre, o pequeno correu a seu encontro. O pai agarrou-o e torceu-lhe o pescoço ali mesmo. Depois chorou o filhinho com a mesma falta de controle com que, antes, o matara.

450 Este caso mostra claramente a identidade do objeto com o afeto momentâneo. É óbvio que este tipo de mentalidade destrói a organização protetora da horda. É, portanto, sob o ponto de vista da propagação e crescimento da espécie, um fator negativo e deve ser reprimida e transformada no seio de uma espécie com forte vitalidade. O símbolo se origina desse objetivo e a ele serve uma vez que retira do objeto certa parcela de libido, desvalorizando-o relativamente e atribuindo ao sujeito um supervalor. Mas este supervalor tem a ver com

o inconsciente do sujeito. E, assim, o sujeito é colocado entre uma determinante exterior e uma interior, surgindo então a possibilidade da escolha e a relativa liberdade do sujeito.

451 O símbolo provém sempre de resíduos arcaicos, de engramas referentes à história do clã; muito se pode especular sobre a idade e origem deles, mas nada de concreto é possível concluir. Também seria incorreto querer derivar os símbolos de fontes pessoais, por exemplo, da sexualidade reprimida do indivíduo. Tal repressão pode fornecer, no máximo, a parcela de libido que ativa o engrama arcaico. Mas o engrama corresponde a um modo de função herdado que deve sua existência não a uma repressão sexual secular, mas ao fato da diferenciação dos instintos em geral. A diferenciação dos instintos foi e é uma medida biológica necessária que não é específica apenas da espécie humana, mas também se manifesta na atrofia sexual da abelha operária. No caso do símbolo do vaso, mostrei que os símbolos se originam de representações arcaicas. Como este símbolo tem sua base na representação primitiva do útero, podemos supor algo semelhante para a origem do símbolo da torre. A torre poderia ser perfeitamente classificada entre os símbolos fálicos, muito frequentes na história dos símbolos. Não é de estranhar que, bem no instante em que Hermas, ao avistar o leito sedutor, deve reprimir a fantasia erótica, surja um símbolo fálico que, parece, corresponde à ereção. Já vimos que também outros atributos simbólicos da Virgem-Igreja têm clara origem erótica, como o atesta sua procedência do Cântico dos Cânticos e como foram expressamente interpretados pelos Padres da Igreja. O símbolo da torre na *Ladainha Lauretana* provém da mesma fonte e teria, portanto, um sentido básico similar. O atributo "de marfim" da torre é, sem dúvida, de natureza erótica, pois se refere à cor e lisura da pele ("seu corpo é marfim lavrado"[138]). Mas também a própria torre nos é apresentada num contexto plausivelmente erótico, em Cântico dos Cânticos 8,10: "Agora já sou uma muralha e meus seios são como torres". Isto se refere à protuberância dos seios e à sua consistência plena e firme, à semelhança do versículo 5,15: "Suas pernas são colunas de alabastro". Correspondem também a isso os versículos 7,5: "Teu pescoço é como uma torre de marfim" e

---

138. Ct 5,14.

"Teu nariz é como a torre do Líbano", com o que se quer significar o esbelto e o proeminente. Esses atributos se originam de sensações táteis e orgânicas que são transferidas para o objeto. O humor triste vê tudo cinza e o humor alegre vê tudo claro e colorido, assim o tato é influenciado por sensações sexuais subjetivas, no caso a sensação da ereção, cujas qualidades são transferidas para o objeto. A psicologia erótica do Cântico dos Cânticos usa as imagens despertadas no sujeito para aumentar o valor do objeto. Mas a psicologia eclesiástica usa as mesmas imagens para dirigir a libido para o objeto figurado, enquanto que a psicologia de Hermas exalta a imagem despertada inconscientemente como fim em si para dar corpo àquelas ideias que eram de especial importância para a mentalidade daquela época, ou seja, a estabilização e organização da cosmovisão e atitude cristãs recém-adquiridas.

b) A relatividade do conceito de Deus em Mestre Eckhart

452 O processo por que passou Hermas representa, em pequena escala, o que aconteceu, em grande escala, na psicologia da alta Idade Média: uma nova descoberta da mulher e a formação do símbolo feminino do graal. Hermas viu Rhoda sob uma nova luz, mas a parcela de libido devido a isso liberada transformou-se em suas mãos na realização de sua tarefa contemporânea.

453 Parece-me ser bem característico para a nossa psicologia que no limiar da nova era estejam dois espíritos aos quais estava reservada forte influência sobre os corações e mentes da nova geração: Wagner e Nietzsche. O primeiro, um defensor do amor, que, em sua música, fez soar toda a escala de tons do sentimento, de Tristão descendo para a paixão incestuosa e de Tristão subindo para o cume da espiritualidade do graal. O segundo, um defensor do poder e da vontade vitoriosa do indivíduo. Wagner, em sua última e mais refinada expressão, reporta-se à lenda do graal e Goethe se reporta a Dante, mas Nietzsche prefere a imagem de uma casta e de uma moral de dominadores que a Idade Média viveu, mais de uma vez, nas figuras heroicas e cavaleirosas de cabelos louros. Wagner rompe os laços que prendiam o amor, Nietzsche destrói as "tábuas de valores" que limitam a individualidade. Ambos visam a objetivos semelhantes, mas criam uma

irremediável divergência; onde existe amor não predomina o poder do indivíduo e onde existe o poder do indivíduo não reina o amor.

454 O fato de três dos maiores gênios alemães se reportarem, em suas maiores obras, à psicologia da alta Idade Média, parece-me demonstrar que sobrou naquela época uma questão que não foi devidamente respondida desde então.

455 Vamos tentar, aqui, aproximar-nos um pouco dessa questão. Tenho a impressão de que aquele *algo* misterioso que inspirou certas ordens de cavaleiros da época (como, por exemplo, os templários), e que parece ter encontrado sua expressão na lenda do graal, tenha sido o germe ou rebento de uma nova possibilidade de orientação, em outras palavras, um novo símbolo. O não cristianismo, respectivamente o caráter gnóstico do símbolo do graal, leva de volta às heresias cristãs primitivas, àqueles enfoques em parte violentos que albergavam em si uma série de ideias audaciosas e brilhantes. A gnose oferece um rico desenvolvimento da psicologia inconsciente, mesmo que numa proliferação perversa; contém aquele elemento que mais resiste à norma da fé (*regula fidei*), o elemento criador e prometeico que se curva apenas à própria alma e não a qualquer diretriz coletiva. Na gnose encontramos, ainda que em forma bruta, aquela fé na força da revelação e conhecimento pessoais que faltou aos séculos posteriores. Esta fé tem origem no sentimento orgulhoso de parentesco pessoal com Deus, parentesco que não se submete a nenhuma lei humana e que, se for o caso, obriga os deuses pela força do conhecimento. Na gnose está o início daquele caminho que leva ao conhecimento, tão importante psicologicamente, da mística alemã que floriu precisamente naquela época de que falamos aqui. Para colocar bem a questão é preciso que nos lembremos do maior pensador daquela época, Mestre Eckhart. Assim como havia sinais de nova orientação na cavalaria, também encontramos novas ideias na Igreja em Mestre Eckhart. Ideias com a mesma orientação *espiritual* que impeliu Dante a seguir a imagem de Beatriz no mundo inferior do inconsciente e inspirou os cantores nas trovas do graal. Infelizmente nada sabemos da vida pessoal de Eckhart que pudesse mostrar o caminho pelo qual ele chegou à alma, mas o modo meditativo com que diz em sua alocução sobre o arrependimento – “e hoje em dia ainda sabemos de pessoas de altas posições que, antes de chegar ao que são, de certa forma

pecaram" – nos leva a concluir que se trata de experiência pessoal. Parece estranho, em relação ao sentimento cristão da pecaminosidade, o sentimento de Eckhart do parentesco íntimo com Deus. Parece que fomos transportados para a atmosfera dos *Upanixades*. Deve ter havido em Eckhart uma exaltação bem extraordinária do valor da alma, isto é, do valor do seu íntimo, de modo a poder elevar-se para uma compreensão, por assim dizer, puramente psicológica e, portanto, relativa de Deus e de sua relação com os homens. A descoberta e formulação detalhada da relatividade de Deus para com o homem e sua alma parece-me um dos passos mais importantes no caminho da compreensão psicológica do fenômeno religioso e, a partir daí, da possibilidade de libertar a função religiosa dos limites opressores da crítica intelectual que, também, tem direito de existir.

456 Chegamos assim ao objetivo propriamente dito desse capítulo, ou seja, estudar a relatividade do símbolo. Por *relatividade de Deus* entendo um ponto de vista segundo o qual Deus não existe como "absoluto", isto é, desvinculado do sujeito humano e além de toda e qualquer condição humana, mas dependente, em certo sentido, do sujeito humano, havendo uma relação recíproca e essencial entre o homem e Deus, de modo que se possa conceber, por um lado, o homem como função de Deus e, por outro, Deus como função do homem. Para nossa psicologia analítica que, como ciência, deve restringir-se ao empírico, a imagem de Deus é a expressão simbólica de um estado psíquico ou de uma função que se caracteriza por ultrapassar absolutamente o querer consciente do sujeito e consegue, assim, impor ou tornar possíveis, ações e resultados inacessíveis ao esforço consciente. Este impulso poderoso – uma vez que a função de Deus se manifesta no agir – ou esta inspiração que transcende o entendimento consciente provém de um represamento de energia no inconsciente. Esta acumulação de libido reanima imagens que o inconsciente coletivo possui como possibilidades latentes, entre as quais a imagem de Deus, aquele cunho que, desde os mais remotos tempos, é a expressão coletiva das influências mais poderosas e mais absolutas exercidas sobre a consciência pela concentração inconsciente de libido. Para nossa psicologia que, como ciência, deve ater-se ao empírico, dentro dos limites traçados pelo nosso conhecimento, Deus não é nem mesmo relativo, mas é uma função do inconsciente, ou seja, a

manifestação de uma parcela dissociada de libido que ativou a imagem de Deus. Do ponto de vista metafísico, Deus é, naturalmente, absoluto, isto é, existente em si. Isto implica também uma completa dissociação do inconsciente, e significa psicologicamente um total desconhecimento de que o agir divino procede do próprio interior do ser. A concepção da relatividade de Deus significa, porém, que uma parte não desprezível dos processos inconscientes é considerada, ao menos indiretamente, como conteúdos psicológicos. Mas esta consideração só é válida quando se deu à alma mais atenção do que usualmente, distinguindo os conteúdos do inconsciente de suas projeções nos objetos para lhes dar certa consciência que os faz parecer como pertencentes ao sujeito e, portanto, também como subjetivamente condicionados. Este foi o caso dos místicos.

457 Mas isto não significa que a ideia da relatividade de Deus tenha surgido pela primeira vez no caso dos místicos. Entre os primitivos está presente de modo natural, e em princípio, uma relatividade de Deus. Em quase toda parte, nos níveis mais baixos, a concepção de Deus é de natureza puramente dinâmica, isto é, Deus é uma *força divina*, uma força da saúde, da alma, da medicina, da riqueza, do chefe etc., que pode ser capturada por certos procedimentos e empregada para gerar coisas necessárias para a vida e saúde das pessoas e, às vezes, também para gerar efeitos mágicos e hostis. Esta força o primitivo a sente tanto interna como externamente, isto é, tanto como sua própria força vital quanto como "remédio" em seu amuleto ou como influência emanada de seu chefe. Esta é a primeira representação demonstrável de uma força espiritual que tudo pervade e tudo preenche. Psicologicamente, a força do fetiche ou o prestígio do curandeiro constituem uma valorização subjetiva inconsciente desses objetos. Trata-se, basicamente, de libido que se encontra no inconsciente do sujeito e é percebida no objeto porque todo o inconsciente ativado aparece projetado. Portanto, a relatividade de Deus que aparece na mística medieval é uma retomada do estado primitivo. As concepções orientais aparentadas do átmã individual e supraindividual não são, contudo, regressões ao primitivo, mas uma constante progressão, própria da natureza oriental, para além do primitivo, mas conservando os princípios neste já presentes. O retorno ao primitivo não é surpreendente, uma vez que toda forma de religião realmente viva, organiza cultual ou eticamente uma ou outra tendência primitiva da

qual lhe emanam as misteriosas forças instintivas que produzem aquele aperfeiçoamento do ser humano no processo religioso[139]. Este retorno ao primitivo ou, como na Índia, a conexão ininterrupta com ele é um contato com a mãe terra, fonte de toda força. Consideradas das alturas de um ponto de vista demasiado racional ou ético, estas forças instintivas são de natureza "impura". Mas a própria vida brota ao mesmo tempo de fontes límpidas e turvas. Por isso falta vida a toda "pureza" demasiada. Toda renovação da vida passa pelo turvo e avança para o límpido. Quanto maior a limpidez e a diferenciação, menor será a intensidade de vida, precisamente porque foram excluídas as substâncias turvas. O processo de desenvolvimento precisa tanto de limpidez quanto da turvação. Isto o grande relativista que foi o Mestre Eckhart percebeu claramente ao dizer: "Por isso Deus suporta prazerosamente os ultrajes dos pecados, como já suportou com frequência e com mais frequência ainda os deixa suportar por aqueles que escolheu para, segundo a sua vontade, realizarem grandes coisas. Constata isto: Com quem o Senhor foi mais amoroso e íntimo do que com os apóstolos? E, entretanto, nenhum deles foi poupado de cair em pecado mortal; todos cometeram pecado mortal. Isso ele também demonstrou com frequência no Antigo e no Novo Testamentos àqueles que eram, não raro, seus prediletos; e hoje em dia ainda sabemos de pessoas de altas posições que, antes de chegarem ao que são, *de certa forma, pecaram*"[140].

458 Graças à sua perspicácia psicológica e a seu elevado sentimento e pensamento religiosos, Mestre Eckhart é o representante mais ilustre daquela corrente crítica da Igreja no final do século XIII. Gostaria de citar dele alguns trechos que ilustram sua concepção relativista de Deus:

459 "Pois o homem é verdadeiramente Deus, e Deus verdadeiramente homem"[141].

460 "Em quem Deus não habita verdadeiramente *ou quem procura Deus nisso e naquilo, mas sempre a partir de fora*, ou quem procura

---

139. Os exemplos são inúmeros. Mencionei alguns em *Símbolos da transformação* [OC, 5].

140. PFEIFFER, F. *Deutsche Mystiker*. Vol. II. Leipzig: [s.e.], 1857, p. 557.

141. *Von den Hindernissen an wahrer Geistlichkeit*. In: BUETTNER, H. *Meister Eckharts Schriften und Predigten*. Vol. II. Jena: [s.e.], 1909, p. 185.

Deus em forma desigual, seja em obras, no meio da multidão ou em lugares determinados, este não possui Deus. Facilmente pode ocorrer qualquer coisa que perturbe tal homem, pois ele não possui Deus, não procura somente Ele, nem ama a Ele unicamente, nem anseia somente por Ele. Por isso não apenas o perturba a má sociedade, mas também a boa, não somente a rua, mas também a igreja, não somente as más palavras e as más obras, mas também as boas palavras e as boas obras. Isso porque a perturbação habita dentro dele e porque Deus não se tornou nele todas as coisas. Se assim fosse, ele se sentiria bem em todas as circunstâncias e no meio de qualquer tipo de pessoas; pois ele possui Deus [...]"[142].

461 Esta passagem é de interesse psicológico especial; ela mostra algo da concepção primitiva de Deus, conforme esboçamos acima. "Procurar Deus sempre a partir de fora" equivale à ideia primitiva de que se pode conseguir o "tondi"[143] a partir de fora. Em Eckhart trata-se, antes, de uma figura de linguagem, mas uma figura que deixa transparecer claramente seu significado primitivo. De qualquer forma, é óbvio que Eckhart entende aqui Deus como um valor psicológico. Isto se percebe na frase: Quem procura Deus a partir de fora será perturbado pelos objetos. Quem, portanto, tem Deus fora, tê-lo-á necessariamente projetado no objeto e, assim, o objeto receberá uma supervalorização. E onde isto acontece, o objeto exerce também uma influência demasiado grande sobre o sujeito e o mantém em certa dependência escravizadora. Eckhart pensa evidentemente nessa conhecida vinculação ao objeto que apresenta o mundo no papel de Deus, isto é, como grandeza absolutamente determinante. Por isso diz que este "Deus não se tornou nele todas as coisas", porque o mundo assume nele o lugar de Deus. Esta pessoa não conseguiu separar do objeto o supervalor e introvertê-lo, fazendo dele uma possessão interior. Se o possuísse internamente, teria Deus (este mesmo valor) sempre como objeto, como mundo, e Deus se teria tornado o mundo para ele. Na mesma passagem diz Eckhart: "Se alguém

---

142. *Geistliche Unterweisung*, 4. In: BUETTNER, H. *Meister Eckharts Schriften und Predigten*. Vol. II, op. cit., p. 8.

143. O conceito de libido dos Batak, em WARNECK, J. *Die Religion der Batak*. Leipzig: [s.e.], 1909. Tondi é o nome da força mágica em torno da qual tudo gira.

está bem, estará bem em todos os lugares e no meio de todo tipo de pessoas. Se está mal, estará mal em todos os lugares e no meio de todo gênero de pessoas. Quem está bem com todas as coisas, traz, verdadeiramente, Deus consigo"[144]. Quem possui em si este valor tem boa disposição em qualquer lugar, não depende dos objetos, isto é, não necessita e não espera do objeto aquilo que lhe falta. Disso tudo parece estar suficientemente claro que, em Eckhart, Deus é um estado psíquico ou, melhor dito, um *estado psicodinâmico*.

462 "Por sua vez, entendemos por Reino de Deus a *alma*, pois *a alma é da mesma natureza que a divindade*. Por isso, tudo que foi dito aqui do Reino de Deus, até onde o próprio Deus é este Reino, o mesmo pode ser dito, na verdade, da alma. São João diz: *'Todas as coisas foram feitas por Ele'. Isto deve ser entendido como referindo-se à alma, pois a alma é todas as coisas*. Ela é isto porque é uma imagem de Deus. Mas, como tal, é também o Reino de Deus[...] Diz um mestre que Deus está de tal modo na alma que toda sua natureza divina depende dela. É um estado mais elevado estar Deus na alma do que a alma estar em Deus. Ela ainda não é bem-aventurada por estar em Deus, mas porque Deus está nela. Estai certos disso: *o próprio Deus é bem-aventurado na alma*"[145].

463 A alma, este conceito que fornece e recebe muitas interpretações, corresponde – historicamente considerada – a um conteúdo que precisa ter certa autonomia dentro das limitações da consciência. Se não fosse assim, jamais teríamos chegado à ideia de atribuir à alma uma existência autônoma, como se fora uma coisa objetivamente perceptível. Deve ser um conteúdo que tem espontaneidade e, por isso, necessariamente também uma parte de inconsciência, como todo complexo autônomo. É sabido que o primitivo tem, via de regra, mais de uma alma, isto é, mais de um complexo autônomo de grande autonomia que se impõe como um ser independente (como acontece com certos doentes mentais). Num nível mais elevado, diminui o número de almas e no grau mais alto de cultura até hoje atingido, a alma se dissolve completamente na consciência de todos os

---

144. In: BUETTNER, H. *Meister Eckharts Schriften und Predigten*. Vol. II, op. cit., p. 6s.

145. *Von Gottesreich*. In: BUETTNER, H. *Meister Eckharts Schriften und Predigten*. Vol. II, op. cit., p. 195.

processos psíquicos e continua a existir apenas como termo de expressão da totalidade dos processos psíquicos. Esta absorção da alma é uma característica não só da cultura ocidental, mas também da oriental. No budismo, tudo se dissolve na consciência e inclusive os samskaras, as forças criativas inconscientes, devem ser adquiridos e transformados pela autoformação religiosa. A concepção da psicologia analítica não concorda com este desenvolvimento histórico bem geral do conceito de alma, uma vez que este apresenta um conceito que não corresponde ao todo das funções psíquicas. Nós definimos a alma, de um lado, como relação com o inconsciente e, por outro, como personificação dos conteúdos inconscientes. Do ponto de vista cultural é, por assim dizer, deplorável que ainda existam personificações de conteúdos inconscientes, assim como, do ponto de vista de uma consciência bem formada e diferenciada, é lamentável que ainda existam conteúdos inconscientes. Mas como a psicologia analítica trata do homem como ele é e não do homem como ele deveria ser, segundo algumas opiniões, devemos admitir que os fenômenos que levaram os primitivos a falar de "almas" ainda acontecem, assim como há, num povo culto da Europa, inúmeras pessoas que acreditam em fantasmas. Se postularmos a doutrina da "unidade do eu", segundo a qual não pode haver nenhum complexo autônomo, a natureza não dará a mínima atenção a essas teorias abstratas.

464 Assim como a "alma" é uma personificação de conteúdos inconscientes, também Deus, como já definimos, é um conteúdo inconsciente, uma personificação – enquanto for pensado como ser pessoal – e uma imagem ou expressão – enquanto for pensado única ou principalmente como ser dinâmico – portanto, essencialmente o mesmo que a alma, enquanto é pensada como personificação de um conteúdo inconsciente. A concepção de Mestre Eckhart é, portanto, puramente psicológica. Enquanto a alma, conforme diz, estiver apenas em Deus, ela não é bem-aventurada. Se entendermos por "bem-aventurança" um estado de vida especialmente sadio e elevado, então, segundo Eckhart, este estado não pode existir enquanto a força dinâmica, designada como Deus, a libido, permanecer oculta nos objetos. Enquanto o valor supremo ou Deus, conforme Eckhart, não estiver na alma, a força estará fora, nos objetos. Deus, isto é, o valor supremo, tem que ser retirado dos objetos e, assim, Deus entra na alma, o que é um "estado mais elevado" e significa "bem-aventurança" para

Deus. Psicologicamente soa assim: se a libido-Deus, isto é, o supervalor projetado for reconhecido como projeção[146], de modo que os objetos percam importância devido ao conhecimento, então este é considerado como pertencente ao indivíduo, surgindo assim um sentimento vital mais intenso, ou seja, uma nova tendência. Deus, a saber, a intensidade suprema de vida, encontra-se então na alma, no inconsciente. Mas não se deve entender isso como se Deus ficasse então completamente inconsciente, no sentido de que sua ideia desaparecesse da consciência. É mais como se o valor supremo fosse colocado em outro lugar e se encontrasse, então, dentro e não fora. Os fatores autônomos já não são os objetos, mas Deus se tornou um complexo psicológico autônomo. Mas um complexo autônomo é sempre apenas em parte *consciente*, pois se associa ao eu apenas condicionalmente, isto é, nunca de forma tal que o eu possa abrangê-lo totalmente, caso contrário já não seria autônomo.

465 A partir dessa visão, portanto, já não é determinante o objeto supervalorizado, mas o inconsciente. As influências determinantes provêm, agora, do inconsciente, isto é, a gente as sente e sabe procedentes do inconsciente, surgindo assim "uma unidade do ser" (Eckhart), uma relação entre consciência e inconsciente na qual predomina em importância o inconsciente. Devemos perguntar, agora, de onde provém esta bem-aventurança ou delícia de amor (ananda, como os hindus denominam o estado de brama)[147]. Neste estado, o valor maior está no inconsciente. Está presente, pois, um declive na consciência, o que significa que o inconsciente se manifesta como grandeza determinante enquanto o eu da consciência do real quase desaparece. Este estado é muito semelhante ao da *criança*, bem como ao do *primitivo* que também é grandemente influenciado pelo inconsciente. Sem medo de errar, poderíamos dizer que a causa dessa bem-aventurança é o restabelecimento do primitivo estado paradisíaco. Resta entender

---

146. Reconhecer algo como projeção não deve ser entendido erroneamente como simples processo intelectual. O conhecimento intelectual só libera uma projeção quando ela está madura para tanto. É impossível extrair, por meio de julgamento intelectual e por meio da vontade, a libido de uma projeção que já não esteja pronta para liberação.

147. William Blake, o místico inglês, diz, em *The Marriage of Heaven and Hell*, "energia é gozo eterno". BLAKE, W. *The Writings of William Blake*. Vol. I. Londres: [s.e.], 1925, p. 182.

por que este estado inicial é tão particularmente delicioso. Este sentimento de bem-aventurança acompanha todos aqueles momentos que são caracterizados pelo sentimento da vida a fluir, portanto, momentos ou estados em que o represado pode fluir livremente, em que não é necessário fazer isto ou aquilo, com esforço consciente, para encontrar um caminho ou para conseguir certo efeito. São situações ou disposições "em que as coisas andam por si", em que não é preciso criar penosamente qualquer condição que prometa suscitar alegria ou prazer. O tempo da infância é o marco inesquecível dessa alegria que, sem se preocupar com o ambiente externo, brota do interior aquecendo tudo. O "ser criança" é um símbolo da condição íntima peculiar mediante a qual penetra a "bem-aventurança". Ser igual a uma criança significa ter uma reserva de libido represada que ainda pode fluir. A libido da criança flui para as coisas; dessa forma conquista o mundo e também se perde aos poucos no mundo, conforme a linguagem religiosa, porque supervaloriza gradualmente as coisas. Aí vem a dependência das coisas. Surge, então, a necessidade do sacrifício, ou seja, a retração da libido, a ruptura dos laços. Desse modo a doutrina intuitiva do sistema religioso procura reunir novamente a energia; ela mesma apresenta esse processo de reunião em seus símbolos. A supervalorização do objeto produz em relação à subvalorização do sujeito um declive pelo qual a libido fluiria naturalmente de volta para o sujeito se não fosse impedida pelas forças da consciência. No primitivo, vemos em toda parte práticas religiosas em harmonia com a natureza, porque consegue acompanhar sem dificuldade o instinto nesta ou naquela direção. Pela prática religiosa recria para si a força mágica necessária ou retoma a alma que ficara perdida durante a noite.

466 A diretriz das grandes religiões é "não ser deste mundo" e, assim, o movimento da libido se dá para o interior do sujeito, isto é, é dirigido para seu inconsciente. A retração em geral e a introversão da libido produz lá uma concentração de libido, simbolizada como "preciosidade", e, nas parábolas, como "pedra preciosa", como "tesouro escondido no campo". A última comparação também é empregada por Eckhart que assim a interpreta: "O Reino dos Céus é semelhante a um tesouro escondido no campo, diz Cristo. Este campo é a alma onde se encontra escondido o Reino de Deus. Por isso Deus e toda

criatura são bem-aventurados na alma"[148]. Esta interpretação concorda plenamente com nossa explicação psicológica. A alma é a personificação do inconsciente. No inconsciente está o tesouro, a saber, a libido enterrada ou submersa na introversão. Esta parcela de libido é chamada "Reino de Deus". O Reino de Deus significa uma constante unidade ou união com Deus, um viver em seu Reino, isto é, na situação em que uma parcela preponderante da libido está no inconsciente e, a partir de lá, determina a vida consciente. A libido concentrada no inconsciente provém do objeto, do mundo, cujo superpoder primitivo ela determinava. Outrora Deus estava "fora", agora age "de dentro", como tesouro escondido, concebido como "Reino de Deus". Isto significa evidentemente que a libido reunida na alma representa uma relação com Deus (Reino de Deus). Se Mestre Eckhart chega à conclusão que a alma é o próprio Reino de Deus, então ela é concebida como relação com Deus e Deus seria a força nela operante e por ela percebida. Eckhart também chama a alma de *imagem de Deus*. As concepções etnológicas e históricas da alma deixam transparecer claramente que ela é um conteúdo que pertence, por um lado, ao sujeito, e, por outro, também ao mundo espiritual, isto é, ao inconsciente. Por isso é que a alma tem sempre algo de terreno e algo de espiritual. O mesmo acontece com a força mágica, a força divina, no primitivo; ao passo que a concepção dos níveis mais elevados da cultura afasta abertamente Deus do homem e o eleva, enfim, às alturas do mais puro idealismo. Porém, a alma não perde jamais sua posição intermédia. É preciso considerá-la, pois, como função entre o sujeito consciente e as profundezas do inconsciente, inacessíveis ao sujeito. A força determinante (Deus) que atua a partir dessas profundezas é refletida pela alma, isto é, ela cria símbolos, imagens, e ela mesma é pura imagem. Por essas imagens ela transfere as forças do inconsciente para a consciência. Dessa forma ela é vaso e transmissor, um órgão de percepção dos conteúdos inconscientes. O que ela percebe são símbolos. Mas símbolos são energias configuradas, forças, isto é, ideias determinantes que têm grande valor tanto espiritual quanto afetivo. Eckhart diz que quando a alma está em Deus ainda não é bem-aventurada, quer dizer, quando esta função de percepção

148. BUETTNER, H. *Meister Eckharts Schriften und Predigten*. Vol. II, op. cit., p. 195.

é completamente inundada pela força dinâmica, isto não é um estado feliz. Mas quando Deus está na alma, ou seja, quando a alma apreende o inconsciente qual vaso e se faz imagem e símbolo dele, isto é um estado feliz. Vemos que o estado feliz é um *estado criativo*.

467 Mestre Eckhart fala estas belas palavras: "Se alguém me pergunta para que rezamos, para que jejuamos, para que praticamos todo gênero de boas obras, para que fomos batizados, para que Deus se fez homem, eu respondo: para que Deus possa nascer na alma e a alma novamente em Deus. Para isso foram redigidas as Escrituras. Para isso Deus criou o mundo todo, a fim de que pudesse nascer na alma e a alma novamente em Deus. *A natureza mais íntima de todo grão é o trigo, de todo metal, o ouro e de todo nascimento, o homem*!"[149]

468 Aqui Eckhart fala claramente que Deus está numa dependência plausível da alma e também que a alma é o lugar de nascimento de Deus. Pelas reflexões acima podemos facilmente entender esta última frase. A função de percepção (alma) apreende os conteúdos do inconsciente e, como função criadora, engendra a força dinâmica de forma simbólica[150]. O que a alma engendra são, psicologicamente falando, imagens que a razão em geral considera inúteis. E são realmente inúteis no sentido de que não é possível aplicá-las com êxito imediato no mundo objetivo. A primeira possibilidade de utilização é a *artística*, quando alguém domina esta forma de expressão[151], uma segunda possibilidade é a especulação filosófica[152], uma terceira é a especulação quase *religiosa* que leva à heresia e à constituição de seitas; uma quarta possibilidade é o emprego das forças imanentes nas imagens para cometer excessos de toda forma. As duas últimas utilizações estiveram bem presentes na orientação encratista (continente, asceta) e antitacta (anarquista) da gnose.

469 A conscientização com referência às imagens tem, contudo, valor indireto para a adaptação à realidade, pois, dessa forma, a relação

---

149. *Von der Erfüllung*. In: BUETTNER, H. *Meister Eckharts Schriften und Predigten*. Vol. I, op. cit., p. 1.

150. Segundo Eckhart, a alma é tanto o que compreende como o compreendido. In: BUETTNER, H. *Meister Eckharts Schriften und Predigten*. Vol. I, op. cit., p. 186.

151. Exemplos literários disso são E.T.A. Hoffmann, Meyrink, Barlach (*Der tote Tag*) e em grau mais elevado: Spitteler, Goethe (*Fausto*), Wagner.

152. Nietzsche, em *Zaratustra*.

com o mundo real fica livre de misturas fantásticas. Mas o valor principal das imagens está em promover o bem-estar e felicidade subjetivos, independentemente das condições externas favoráveis ou desfavoráveis. Estar adaptado é sem dúvida um ideal. Mas nem sempre é possível, pois há situações em que a única adaptação é a resignação paciente. Esta forma de adaptação passiva se torna possível e é facilitada pelo desenvolvimento de imagens da fantasia. Digo "desenvolvimento" porque as fantasias são, em primeiro lugar, apenas matéria-prima de valor duvidoso. Devem ser, antes, submetidas a um tratamento para tomarem aquela forma que renda o máximo em benefício. Este tratamento é questão de técnica que não posso abordar agora. Só posso adiantar, por amor à clareza, que existem duas possibilidades de tratamento: o *método redutivo* e o *método sintético*. O primeiro relaciona tudo com os instintos primitivos; o outro desenvolve, a partir do material dado, um processo de diferenciação da personalidade. Os dois métodos se completam mutuamente, pois a redução ao instinto leva à realidade, à supervalorização da realidade e, assim, à necessidade do sacrifício. O método sintético desenvolve as fantasias simbólicas que resultam da libido introvertida pelo sacrifício. Desse desenvolvimento surge nova atitude para com o mundo que, graças à sua diferença, garante novo declive. Esta passagem para a nova atitude eu a denominei *função transcendente*[153]. Na atitude renovada, a libido submersa no inconsciente reaparece como trabalho positivo. Equivale a uma reconquista de vida nova. É isto que significa o nascimento de Deus. E, ao contrário, quando a libido se retrai do objeto externo e submerge no inconsciente, então é que "a alma nasce em Deus". Este estado, porém, não é feliz (como observa Eckhart muito bem), pois se trata de um ato negativo em relação à vida diurna, de uma descida ao Deus escondido (Deus absconditus) que possui qualidades bem diferentes do que o Deus luminoso do dia[154].

---

153. Cf. § 908 deste volume e meu ensaio "Die transzendente Funktion", em *Geist und Werk* [Escrito comemorativo Daniel Brody – OC, 8, p. 1-23].

154. Eckhart diz: "Por isso volto sempre a mim mesmo; ali encontro o lugar mais profundo, mais profundo que o próprio inferno; pois dele me expulsa minha miséria. Não posso fugir de mim mesmo. Aqui eu me coloco e aqui desejo ficar". *Von dem Zorne der Seele und von ihrer rechten Stätte*. In: BUETTNER, H. *Meister Eckharts Schriften und Predigten*. Vol. I, op. cit., p. 180.

470 Eckhart fala do nascimento de Deus como de um acontecimento que se repete mais vezes. Realmente, o acontecimento de que tratamos aqui é um processo psicológico que se repete quase continuamente no inconsciente, mas dele só tomamos consciência relativa em suas grandes oscilações. O conceito goetiano da sístole e diástole parece que atingiu exatamente o ponto. Talvez se trate de um ritmo do fenômeno vital, de oscilações das forças vitais que, via de regra, se escoam inconscientemente. E talvez seja este também o motivo de a terminologia desse processo ser principalmente religiosa ou mitológica, pois essas expressões ou fórmulas se referem quase sempre a fatos psicológicos inconscientes e não às fases da lua ou a outros fenômenos planetários, como o quer muitas vezes a explicação científica dos mitos. Por tratar-se sobretudo de processos inconscientes, colocamos, cientificamente, o maior empenho para nos enfronharmos na linguagem das imagens, ao menos tanto que possamos atingir o nível dessa linguagem em outras ciências. O respeito diante dos grandes mistérios da natureza que a linguagem religiosa se esforça por traduzir em símbolos santificados pela idade, pelo valor significativo e pela beleza, não sofrerá por causa da expansão da psicologia a este campo, até então vedado à ciência. Apenas fazemos os símbolos retrocederem um pouco mais e colocamos à luz do dia parte de seu domínio, mas sem incorrermos no erro de pensar que criamos algo mais do que apenas novo símbolo para o mesmo enigma que desafiou todos os tempos que nos precederam. Nossa ciência também é linguagem de imagens, mas, na prática, serve melhor do que a velha hipótese mitológica que se expressava em representações concretas, ao passo que nós usamos conceitos.

471 Eckhart diz: “Em sendo criada, a alma criou Deus, pois Ele não existia até que a alma fosse feita. Há tempos atrás declarei: ‘Que Deus seja Deus disso sou uma das causas’. Que seja Deus isto lhe vem da alma, que seja divindade isto lhe vem de si mesmo”[155].

472 “Deus se torna existente e passa”[156].

---

155. *Von Schauen Gottes und von Seligkeit.* Cf. BUETTNER, H. *Meister Eckharts Schriften und Predigten.* Op. cit., I, p. 198.

156. *Von des Geistes Ausgang und Heimkehr.* Cf. BUETTNER, H. *Meister Eckharts Schriften und Predigten.* Vol. I, op. cit., p. 147.

473 "Pelo fato de todas as criaturas o declararem, Deus se torna existente. Enquanto eu ainda habitava no chão e nas profundezas da divindade, em sua torrente e fonte, ninguém me perguntou para onde eu queria ir ou o que gostaria de fazer; não havia ninguém que pudesse fazer esta pergunta. Mas quando fluí para fora, todas as criaturas proclamaram Deus [...] Mas por que não falaram de divindade? Tudo o que está na divindade é *um*, e sobre isso não há nada a declarar. *Somente Deus faz algo*, a divindade não faz nada, não há nada que ela possa fazer e também nunca procurou alguma coisa para fazer. Deus e a divindade são tão diferentes quanto o fazer e o não fazer. Quando voltar novamente para Deus, nada mais farei em mim mesmo, de modo que minha irrupção é bem melhor do que minha primeira saída. Pois fui realmente eu que *trouxe todas as criaturas de sua vida própria para minha mente* e as tornei unas comigo. Quando voltar para o chão e as profundezas da divindade, para sua torrente e fonte, ninguém me perguntará donde vim e onde estivera. Ninguém me perdeu. É isto que significa: *Deus passa*"[157].

474 Como se vê das citações acima, Eckhart distingue entre Deus e divindade, onde a divindade é o tudo que não conhece nem possui a si mesma, enquanto *Deus se apresenta como função da alma*, assim como a alma é função da divindade. A divindade é seguramente a força criadora universal; psicologicamente: o instinto engendrador e criador que não conhece nem possui a si mesmo, à semelhança do conceito de *vontade* de Schopenhauer. Mas Deus aparece como produto da divindade e da alma. Enquanto criatura, a alma o "exprime". E ele existe na medida em que a alma é distinta do inconsciente e na medida em que percebe as forças e o conteúdo do inconsciente, e ele deixa de existir assim que a alma mergulha na "torrente e fonte" da força inconsciente. Em outro lugar diz Eckhart: "Quando saí de Deus, todas as coisas declararam 'Deus existe'. Mas isto não me torna feliz, pois assim me reconheço como criatura. Em minha irrupção, eu estava vazio na vontade de Deus e vazio também da vontade de Deus e de todas as suas obras e *até mesmo do próprio Deus* – então eu sou mais do que todas as criaturas, então não sou nem Deus e nem criatura; sou o que era e o

157. BUETTNER, H. *Meister Eckharts Schriften und Predigten*. Op. cit., p. 148.

que permanecerei sendo, agora e sempre. Então recebi um empurrão que me sobreleva acima de todos os anjos. Por este empurrão tornei-me tão rico que Deus não me pode bastar, apesar de tudo o que ele é como Deus e todas as suas obras divinas; pois nesta irrupção recebi o que Deus e eu somos em comum. Sou o que era, não aumento nem diminuo, pois sou o imóvel que move todas as coisas. Aqui Deus já não encontra lugar no homem, pois o homem, por sua pobreza, ganhou de volta o que foi eternamente e o que sempre continuará sendo. Aqui Deus é assumido para dentro do espírito"[158].

475 O "sair de" significa uma tomada de consciência do conteúdo inconsciente e da força inconsciente na forma de uma *ideia* nascida da alma. Este ato é uma distinção consciente da força dinâmica inconsciente, uma separação do eu como sujeito em relação a Deus (isto é, a força dinâmica inconsciente) como objeto. Dessa forma, Deus "vem a ser". Quando esta separação é novamente anulada pela "irrupção", ou seja, desvinculando o eu do mundo e identificando-o com a força dinâmica ativa do inconsciente, então desaparece Deus como objeto e se torna o sujeito indiferenciável do eu, isto é, o eu, como produto relativamente tardio de diferenciação, é novamente unificado com a totalidade referencial, mística e dinâmica ("participação mística" dos primitivos). Esta é a imersão na "torrente e fonte". As inúmeras analogias com as ideias do Oriente são bem claras. Pessoas mais capazes do que eu já o demonstraram em estudos pormenorizados. Este paralelismo, que não se originou de influência direta, mostra que Eckhart pensa a partir de uma profundidade do espírito coletivo que é comum ao Oriente e ao Ocidente. Este fundamento comum pelo qual não se pode responsabilizar nenhuma história comum é a causa primeira da disposição primitiva do espírito com seu conceito primitivo e energético de Deus, onde a força dinâmica ativa ainda não se cristalizou na ideia abstrata de Deus. Este retorno à natureza primitiva e esta regressão religiosamente organizada às condições psíquicas da pré-história são, no sentido mais profundo, comuns a todas as religiões vivas, começando com a identificação regressiva nas cerimônias

---

158. *Von der Armut am Geiste*. BUETTNER, H. *Meister Eckharts Schriften und Predigten*. Vol. I, op. cit., p. 176s.

fúnebres dos aborígenes australianos[159] até os êxtases dos místicos cristãos de nossa época e cultura. Por este retorno, estabelece-se de novo um estado de começo: a improbabilidade da identidade com Deus e, devido a esta improbabilidade, que, no entanto, veio a constituir vivência muito profunda, surge nova diferença de nível; o mundo é recriado na medida em que a atitude do homem para com o objeto se renovou.

476 É dever da consciência histórica lembrar, neste ponto em que falamos da relatividade do símbolo de Deus, aquele homem solitário em sua época e cujo trágico destino foi não encontrar compreensão para sua própria visão interior: Ângelo Silésio.

477 O que Mestre Eckhart conseguiu expressar com grande esforço de pensamento e muitas vezes em linguagem de difícil compreensão, Silésio consegue dizê-lo em versos curtos e tocantes, mas que exprimem a mesma ideia da relatividade de Deus exposta por Eckhart. Seus versos falam por si:

> Sei que sem mim Deus não pode viver um instante,
> Se eu perecer, deverá necessariamente entregar o espírito.
>
> Sem mim Deus não pode criar um verme sequer:
> Se com ele eu não o compartilhar, destruição será seu fim.
>
> Sou grande como Deus, pequeno Ele é como eu:
> Não pode estar acima de mim e nem eu abaixo dele!
>
> Deus é fogo em mim e eu sou dele a claridade:
> Não estamos nós totalmente unidos no âmago?
>
> Deus me ama acima dele e eu acima de mim o amo,
> Tanto lhe dou eu quanto Ele de si me dá!
>
> Deus é Deus e homem para mim, eu lhe sou homem e Deus.
> Sacio-lhe a sede e Ele me ajuda nas precisões.
>
> Deus se adapta a nós, é para nós o que dele queremos;
> Mas, ai de nós, se não nos tornarmos para Ele o que devemos.

---

159. SPENCER, B. & GILLEN, Fr. J. *The Northern Tribes of Central Australia*. Londres: [s. e.], 1904.

Deus é o que é, eu sou o que sou:
Conhecendo bem um, conhecerás a Ele e a mim.

Não existo fora de Deus, nem Deus fora de mim,
Sou dele brilho e luz e Ele é meu ornamento.

Sou o ramo no Filho que Deus planta e nutre,
O fruto que de mim brota é Deus, o Espírito Santo.

Sou criatura e filho de Deus e Ele é meu filho por sua vez:
Como pode acontecer, porém, que ambos sejamos as duas coisas?

Sol devo ser e devo com meus raios
Pintar o mar sem cor de toda a divindade.

478 Ridículo seria supor que ideias tão brilhantes quanto as de Mestre Eckhart fossem apenas ficções vazias de especulação consciente. Semelhantes ideias são fenômenos historicamente sempre importantes que são levados por correntes inconscientes para a psique coletiva. Milhares de outros, sem nome, estão por detrás, com ideias e sentimentos parecidos, sob o limiar da consciência, prontos a abrirem as portas de uma nova época. Na audácia dessas ideias se manifesta a despreocupação e certeza inabalável do espírito inconsciente que, com a consequência de uma lei natural, trará uma transformação e renovação espirituais. Com a Reforma, atingiu a corrente a superfície da vida cotidiana em geral. A Reforma contribuiu em larga escala para repudiar a Igreja como intermediária da salvação e restabeleceu o relacionamento pessoal com Deus. Com isso foi ultrapassado o cume da máxima objetivação da ideia de Deus e, desde então, o conceito de Deus subjetivou-se cada vez mais. Consequência lógica desse processo de subjetivação foi a multiplicação de seitas. A consequência extrema é o individualismo que representa uma nova forma de "isolamento" e cujo perigo imediato é a submersão na força dinâmica inconsciente. O culto à "besta loira" provém dessa evolução, bem como outras coisas que distinguem nossa época de outras. Tão logo se realize esta submersão no instinto, ergue-se do outro lado sempre a resistência contra o puramente informe e caótico da mera força dinâmica, isto é, a necessidade de forma e lei. Ao mergulhar na corrente, a alma deve também criar o símbolo que recolhe, retém e expressa a força. Este processo na psique coletiva é sentido ou intuído por aqueles poetas e artistas que criam

principalmente a partir das percepções do inconsciente, portanto de conteúdos inconscientes, e cujo horizonte espiritual é amplo o suficiente para compreender os problemas mais importantes da época, ao menos em sua manifestação externa.

479 O *Prometeu* de Spitteler estabelece um ponto de mudança psicológica: descreve a separação dos pares de opostos que, antes, estavam juntos. Prometeu, o artista, o servidor da alma, desaparece do meio dos homens; a própria sociedade humana, obediente a uma rotina moral sem alma, sucumbe a Behemoth, às consequências inimigas e destrutivas de um ideal obsoleto. Em tempo próprio, Pandora (a alma) cria no inconsciente a joia redentora que, no entanto, permanece inacessível à humanidade porque esta não a entende. A mudança para melhor só acontece pela intervenção da tendência prometeica que, graças à intuição e compreensão, leva, inicialmente poucos, mas depois muitos, a uma tomada de consciência. É claro que não poderia deixar de ser que esta obra tivesse suas raízes na vivência íntima de seu criador. Mas se consistisse apenas numa elaboração poética dessa vivência puramente pessoal, faltar-lhe-ia em grande parte a universalidade e durabilidade. Como, no entanto, apresenta e trata de coisas não apenas pessoais, mas de problemas coletivos de nossa época, tem valor universal. Mas, em sua primeira aparição, teve que esbarrar na indiferença dos contemporâneos, pois a grande maioria deles sempre tem a tarefa de manter e louvar o presente imediato e causar, assim, aquele resultado fatal cuja complicação o espírito criativo e previdente tentou resolver.

5. A natureza do símbolo de união em Spitteler

480 Resta abordar ainda a questão de que natureza é a joia e símbolo da vida renovada que o poeta sente como portador de alegria e redenção. Já elencamos uma série de exemplos que demonstram a natureza "divina", a "divindade" da joia. Isto indica claramente que neste símbolo há possibilidade de novo desencadeamento energético, nomeadamente de libertação da libido presa no inconsciente. O símbolo diz sempre: por assim dizer, nesta forma é possível uma nova manifestação de vida, uma libertação das amarras e do tédio. A libido libertada do inconsciente pelo símbolo é apresentada como um deus remoçado

ou mesmo como um deus novo, assim como, por exemplo, no cristianismo, Javé se transforma no pai amoroso e, sobretudo, numa moralidade mais elevada e mais espiritual. O tema da renovação de Deus[160] está difundido em toda parte e pode ser considerado conhecido por todos. A respeito da força redentora da joia diz Pandora:

481 "Olha, um dia ouvi falar de uma raça humana, rica de sofrimentos e digna de misericórdia; então me pus a imaginar um presente que talvez, se me permites, possa aliviar ou consolar tantas e tamanhas dores"[161]. As folhas da árvore que protegem o nascimento cantam: "Porque aqui está a presença, aqui a beatitude, aqui a salvação"[162].

482 A mensagem da "criança-prodígio", do novo símbolo, é amor e alegria, um estado, portanto, paradisíaco. Esta mensagem é um paralelo do nascimento de Cristo, enquanto a saudação da deusa-sol[163] e o milagre do nascimento pelo qual os homens distantes se tornam, neste momento, "bons" e abençoados[164] são atributos do nascimento de Buda. Da "bênção divina" quero destacar apenas uma passagem significativa: "que cada um possa reviver as visões que outrora, ainda criança, contemplou no brilho variegado dos sonhos de porvir"[165]. Afirma-se, pois, claramente, que as fantasias da infância podem realizar-se, isto é, que essas imagens não se perdem, mas que retornam no homem maduro e aí poderão realizar-se. O velho Kule, no livro de Barlach, *Der tote Tag*[166], diz: "Quando, à noite, em meio leito, as almofadas da escuridão me oprimem, uma luz sonora se abate às vezes sobre mim, visível a meus olhos e perceptível a meus ouvidos. E, então, em volta do meu leito se colocam as belas figuras de um futuro melhor. Estáticas ainda, mas de beleza exuberante, ainda adormecidas –, *mas quem as acordar criará para o mundo um semblante melhor. Seria herói quem o conseguisse* [...] Mas que tipo de corações poderiam então bater! Bem outros e que bateriam de forma bem dife-

---

160. Cf. JUNG, C.G. *Símbolos da transformação* [OC, 5].

161. SPITTELER, C. *Prometheus und Epimetheus*. Jena: [s.e.], 1915, p. 108.

162. Ibid., p. 127.

163. Ibid, p. 132.

164. Ibid., p. 129.

165. Ibid., p. 128.

166. BARLACH, E. *Der tote Tag*. Berlim: [s.e.], 1919, p. 30s.

rente do que podem agora". (Sobre as imagens): "Não se encontram ao sol e não são iluminadas por sol algum. *Mas querem e devem sair de vez da noite*. Isto seria arte: trazê-las para o sol e, assim, viveriam". Também Epimeteu aspira à imagem, à joia; diz na conversa sobre a estátua de Héracles (o herói): 'Tal é o sentido desta imagem, e com razão afirma ela que toda a nossa glória consiste em suportar e aproveitar as circunstâncias que permitem *a uma joia preciosa amadurecer acima de nossa cabeça para que nos apoderemos dela*"[167]. Mas quando a joia é recusada por Epimeteu e trazida aos sacerdotes, estes cantam a mesma coisa que Epimeteu cantava quando ainda desejava a joia: "Vem, ó Deus, com tua graça", para, logo em seguida, recusarem e amaldiçoarem a joia celeste que lhes foi oferecida. O início do hino cantado pelos sacerdotes é, sem dúvida, o hino religioso protestante:

> Vem, ó vem, espírito da vida,
> Deus verdadeiro desde a eternidade!
> Tua força não seja em vão,
> Ela nos cubra a qualquer hora:
> Assim haverá espírito, luz e claridade
> Na escuridão do coração.
> Ó tu, espírito da força e do poder,
> Tu, espírito certamente novo,
> Promove em nós tuas obras etc.

483 Este hino é um paralelo perfeito ao que dissemos até aqui. Corresponde exatamente à natureza racionalista das criaturas epimeteicas que os próprios sacerdotes que cantam este hino rejeitem o novo espírito da vida, o novo símbolo. A inteligência procura a solução sempre no caminho racional, consequente e lógico, o que se justifica em todas as situações e problemas de porte médio, mas é insuficiente nas grandes e decisivas questões. É incapaz de criar a imagem, o símbolo; este é irracional. Quando o caminho racional se tornou beco sem saída – o que sempre tende a ser depois de certo tempo – aí a solução surge do lado que não se esperava. ("Pode sair algo bom de Nazaré?") Esta lei psicológica é, por exemplo, o fundamento das profecias messiânicas. As próprias profecias são projeções do inconsciente

---

167. SPITTELER, C. *Prometheus und Epimetheus*. Op. cit., p. 138.

que pressente os acontecimentos futuros. Por ser irracional a solução, o aparecimento do salvador depende de uma condição impossível, isto é, irracional: a gravidez da virgem[168]. Esta profecia, como outras, tem duplo sentido, como, por exemplo, "Macbeth não sucumbirá ao poder de inimigo algum, se não avançar para Dunsinan a floresta hostil de Birnam".

484 O nascimento do salvador, isto é, o aparecimento do símbolo, acontece justamente onde não é esperado e exatamente onde a solução é a mais improvável. Assim diz Isaías (53,1): "Mas quem acredita em nossa pregação, e a quem o braço do Senhor foi revelado?

485 Ele vegetava na sua presença como um rebento, como raiz em terra seca. Não tinha beleza nem formosura que atraísse os nossos olhares, não tinha apresentação para que desejássemos vê-lo.

486 Era desprezado, era o refugo da humanidade, homem das dores e habituado à enfermidade; era como pessoa de quem se desvia o rosto, tão desprezível que não fizemos caso dele".

487 A força redentora não só aparece justamente onde nada se espera, mas também numa forma – como demonstra a citação – nada apreciável ao julgamento epimeteico. Spitteler não se apoiou conscientemente no modelo bíblico ao descrever a rejeição do símbolo, caso contrário suas palavras o demonstrariam. Provavelmente pescou nas mesmas profundezas em que pescaram profetas e criadores para forjar seus símbolos redentores.

488 O aparecimento do salvador significa uma conciliação dos opostos: "O lobo habitará com o cordeiro e o leopardo se deitará com o cabrito. O bezerro, o leãozinho e o animal cevado estarão juntos e um menino os conduzirá.

489 A vaca e o urso pastarão; juntos se deitarão os seus filhotes e o leão comerá palha como o boi.

490 A criança de peito brincará sobre a toca da áspide e sobre a cova da serpente a criança pequena estenderá a sua mão"[169].

---

168. Is 7,14.

169. Is 11,6s.

491 A natureza do símbolo redentor é a de uma criança[170], isto é, a atitude de criança ou atitude não preconcebida faz parte do símbolo e de sua função. A atitude "de criança" faz com que automaticamente surja no lugar do voluntarismo próprio e da intencionalidade racional um outro princípio orientador tão onipotente quanto divino. O princípio orientador é de natureza irracional, razão por que se manifesta sob a capa do maravilhoso. Isto foi muito bem expresso por Isaías (9,5): "Porque nasceu para nós um menino, um filho nos foi dado. Ele tem a soberania sobre seus ombros e será chamado conselheiro admirável, Deus forte, Pai para sempre, Príncipe da paz".

492 Esses atributos indicam as qualidades essenciais do símbolo redentor, de que falamos acima. O critério da ação "divina" é a força irresistível do impulso inconsciente. O herói é sempre aquela figura dotada de força mágica que torna possível o impossível. O símbolo é o caminho intermédio em que se unem os opostos em vista de um movimento novo, uma corrente de água que, após longa seca, faz brotar fertilidade. A tensão que precede a solução é comparada a uma gravidez.

493 "Como a mulher grávida, ao aproximar-se a hora do parto, se contorce e grita em suas dores, assim somos nós diante de ti, Senhor.

494 Concebemos, nos contorcemos, mas é como se tivéssemos gerado vento. Não trouxemos salvação à terra...

495 Teus mortos reviverão, os cadáveres ressurgirão"[171].

496 No ato da redenção revive o que estava sem vida, morto; isto significa psicologicamente: aquelas funções que jaziam incultas e estéreis, inativas, reprimidas, desprezadas, subestimadas etc. irrompem e começam a viver. É exatamente a função menos valorizada que leva avante a vida, ameaçada de extinguir-se na função diferenciada[172]. Este motivo retorna na ideia neotestamentária do ἀποκατάστασις πάντων, a restauração de todas as coisas[173], forma mais desenvolvida daquela versão universal do mito dos heróis, em que o herói, ao sair

---

170. "Menino prodígio". In: SPITTELER, C. *Prometheus und Epimetheus*. Op. cit. Cf. KERÉNYI, K. & JUNG, C.G. *Einführung in das Wesen der Mythologie* [OC, 9/1].

171. Is 26,17s.

172. Cf. minhas considerações acima sobre as cartas de Schiller.

173. Rm 8,19.

do ventre da baleia, traz consigo não só os pais mas todos que foram tragados outrora pelo monstro, o que Frobenius denomina "a saída universal"[174]. A conexão com o mito dos heróis é conservada também por Isaías dois versos adiante (27,1): "Naquele dia o Senhor castigará, com sua espada afiada, grande e forte, o Leviatã, serpente fugidia, o Leviatã, serpente tortuosa, *e matará o Dragão que está no mar*".

497 Com o nascimento do símbolo cessa a regressão da libido ao inconsciente. A regressão se transforma em progressão, o represamento se converte em torrente. Quebra-se, então, a força atrativa do fundamento primitivo. Por isso é que diz Kule: "Em volta do meu leito se colocam as belas figuras de um futuro melhor. Estáticas ainda, mas de beleza exuberante, ainda adormecidas –, mas quem as acordar criará para o mundo um semblante melhor. Seria herói quem o conseguisse.

Mãe: Um heroísmo na desolação e miséria!

Kule: Mas talvez alguém o conseguisse!

Mãe: *Ele deveria antes enterrar sua mãe*!"[175]

498 O motivo do "dragão-mãe" já o expus exaustivamente em outra obra de modo que não vou retomá-lo aqui[176]. Também Isaías descreve o surgimento de nova vida e fertilidade exatamente de onde nada mais se esperava (35,5s.): "Então os olhos dos cegos verão e os ouvidos dos surdos se abrirão.

499 Então o coxo saltará como um cervo e a língua do mudo gritará de alegria. Porque no deserto jorrará água e torrentes na estepe.

500 A terra ardente se transformará em lago e a região seca em fontes de água. No covil dos chacais, a erva se tornará cana e junco.

501 *Lá haverá um caminho*; *chamar-se-á Caminho Santo*. Nenhum impuro passará por ele; os insensatos não errarão nele".

502 O símbolo redentor é um trilho, um caminho sobre o qual a vida pode prosseguir sem tormento e sem coação. Hölderlin diz, em *Patmos:*

Deus está próximo,
mas difícil de apreender.

---

174. FROBENIUS, L. *Das Zeitalter des Sonnengottes*. Berlim: [s.e.] 1904.

175. BARLACH, E. Op. cit., p. 30s.

176. Cf. Símbolos da Transformação. Em Spitteler, a estrangulação do Leviatã é paralela à sujeição de Behemoth.

Onde, porém, há perigo
cresce também a salvação.

503 Isso soa como se a proximidade de Deus fosse um perigo, isto é, como se a concentração da libido no inconsciente fosse um perigo para a vida consciente. E, na verdade, é assim: quanto mais a libido é investida no inconsciente ou, melhor dito, ela se investe, tanto mais cresce a influência, a possibilidade de atuação do inconsciente, ou seja, todas as possibilidades funcionais rejeitadas, relegadas, ultrapassadas e perdidas desde muitas gerações voltam à vida e começam a exercer influência crescente sobre a consciência, apesar da resistência, muitas vezes desesperada, da percepção consciente. A salvação é o símbolo capaz de assimilar e unir dentro de si o consciente e o inconsciente. Enquanto a libido disponível à consciência vai-se esgotando na função diferenciada, ficando cada vez mais difícil e lento reconstituí-la, e enquanto se multiplicam os sintomas da desunião interna, cresce o perigo de inundação e destruição pelos conteúdos inconscientes, mas cresce também o símbolo, destinado a resolver o conflito. Contudo, o símbolo está intimamente ligado ao perigoso e ameaçador, de forma a poder com estes ser confundido, ou poder, com seu aparecimento, provocar o mal e a destruição. De qualquer modo, o aparecimento do redentor está sempre vinculado estreitamente à destruição e devastação. Não estivesse o velho maduro para a morte, não apareceria nada de novo; o velho não poderia nem precisaria ser arrancado se não bloqueasse prejudicialmente o lugar do novo. Esta conexão natural e psicológica dos opostos podemos encontrá-la em Isaías 7,14s., em que se diz que uma virgem dará à luz um filho que se chamará Emanuel. E, bem a propósito, Emanuel significa 'Deus conosco", isto é, união com a *dynamis* latente do inconsciente que é garantida no símbolo redentor. Mas o que significa esta união, mostram-no os versículos subsequentes:

504 "Porque antes que o menino saiba rejeitar o mal e escolher o bem, será abandonada a terra, ante cujos dois reis tu tremes de medo".

505 8,1: "O Senhor me disse: Toma uma tábua grande e escreve sobre ela com um estilete comum: pronto-saque-próxima-pilhagem!"

506 8,3: "Aproximei-me, em seguida, da profetisa; ela concebeu e gerou um filho". O Senhor me disse: Chama-o Pronto-saque-próxima-pilhagem!

507 "Porque, antes que o menino saiba dizer 'papai' e 'mamãe', serão levadas as riquezas de Damasco e os despojos de Samaria diante do rei da Assíria".

508 8,6: "Porque este povo desprezou as águas de Siloé, que correm mansamente"...

509 eis que o Senhor fará subir contra eles as águas poderosas e impetuosas do rio: o rei da Assíria e toda sua glória. Ele transbordará de todos os seus leitos e correrá sobre todas as suas margens,

510 invadirá Judá, inundará tudo e atingirá até o pescoço. A extensão de suas bordas encherá a amplitude de teu país, ó Emanuel".

511 Em meu livro *Símbolos da transformação*[177] já mostrei que o nascimento de Deus é ameaçado pelo dragão, pelo perigo da inundação e pelo infanticídio. Isto significa psicologicamente que a *dynamis* latente pode irromper e inundar a consciência. Para Isaías este perigo é o rei estrangeiro que governa um reino poderoso e hostil. Mas para Isaías este problema não é psicológico e sim, devido à sua plena projeção, concreto. Em Spitteler, porém, o problema é bem psicológico e, portanto, desvinculado do objeto concreto; contudo é expresso de modo bem semelhante ao que ocorre em Isaías, embora não possamos presumir que tenha havido uma apropriação consciente. O nascimento do salvador equivale a uma grande catástrofe porque surge uma nova e poderosa vida de onde era impresumível que houvesse alguma vida, alguma força ou alguma possibilidade de desenvolvimento. Brota do inconsciente, isto é, daquela parte da psique que, por querer ou sem querer, não se torna consciente e, por isso, é tratada por todos os racionalistas como não existindo. Dessas coisas desacreditadas e rejeitadas provém o novo afluxo de energia, a renovação da vida. Mas o que são essas coisas desacreditadas e rejeitadas? São todos aqueles conteúdos psíquicos que, por sua incompatibilidade com os valores conscientes, foram reprimidos: o feio, o imoral, o errado, o inútil, o imprestável etc., isto é, tudo o que se apresentou dessa forma alguma vez ao respectivo indivíduo. O perigo está em que o homem, devido à violência com que essas coisas reaparecem, e devido a seu novo e admirável esplendor, receba tal impacto que repudie ou

177. *Símbolos da transformação* [OC, 5].

esqueça todos os valores primitivos. O que se desprezou anteriormente, torna-se agora o princípio mais elevado, e o que era verdade antes chama-se agora erro. Esta inversão de valores equivale a uma destruição dos valores vitais antes em vigor; é semelhante à devastação da terra pela enchente.

512 Assim, o presente celestial de Pandora traz, em Spitteler, desgraça à terra e aos homens. Na saga clássica, saem da caixinha de Pandora as doenças que inundam e devastam a terra; desgraça semelhante provém da joia. Para compreender isto, temos que examinar a natureza deste símbolo. Os primeiros a encontrar a joia são os camponeses, assim como os pastores foram os primeiros a saudar o salvador. Eles a viram e reviram nas mãos "até ficar completamente abobalhados diante daquela coisa estranha, insólita, fora da lei e fora dos costumes"[178]. Quando a levaram ao rei e este a submeteu ao exame da consciência para que esta a aceitasse ou rejeitasse, a consciência assustada saltou do armário para o chão e escondeu-se debaixo da cama "incapaz de opinar". Qual caranguejo fugidio, "olhar venenoso, mostrando hostilmente as tenazes tortuosas [...] assim a consciência espiava debaixo da cama, e quanto mais Epimeteu aproximava a joia, tanto mais ela se encolhia com gestos de defesa. E assim deixou-se estar, agachada, e não dizia palavra nem sílaba, e embalde o rei a rogou, a suplicou, a estimulou em todos os tons"[179].

513 É óbvio que o novo símbolo não encontrou nenhuma simpatia por parte da consciência, e por isso o rei aconselhou os camponeses a levarem a joia aos sacerdotes. "Mas logo que o Hiphil-Hophal (o sumo sacerdote) viu a face da imagem, foi tomado de horror e repugnância e, protegendo a testa com dois braços cruzados, exclamou:

514 'Tirem de minha vista esta derrisão. Alguma coisa de *antidivino* está escondido nela, seu coração é carnal e pelos seus olhos espia a impudência'"[180].

515 Os camponeses levaram então a joia para a Academia. Os professores da escola superior acharam, porém, que faltava "sentimen-

---

178. SPITTELER, C. *Prometheus und Epimetheus*. Op. cit., p. 133.

179. Ibid., p. 139.

180. Ibid., p. 142.

to e alma" à imagem e "ademais, a seriedade e, acima de tudo, a ideia diretriz"[181].

516 Finalmente o ourives achou a joia falsa e de material comum. No mercado, onde os camponeses queriam livrar-se da imagem, a polícia interveio. Os guardiães do direito gritaram ao ver a imagem: "Vocês têm um coração no corpo, uma consciência na alma para ousarem expor assim publicamente a todos os olhos esta impura nudeza, impudente e lasciva?

517 Depressa, limpem este lugar de sua presença! E que a maldição caia sobre vocês, se, por desgraça, mancharem com o espetáculo dessa imagem a pureza de nossos filhos e a brancura de nossas mulheres"[182].

518 O poeta caracteriza o símbolo como estranho, não ético, ilegal, contrário ao senso moral, oposto ao sentimento e à nossa representação anímica, bem como ao nosso conceito de divino; fala à sensualidade, é cínica e própria a colocar em grande perigo a moral pública pela provocação de fantasias sexuais. Esses atributos configuram uma entidade que está em forte contradição com nossos valores morais e, em segundo plano, também com o juízo estético de valor, pois faltam os valores sentimentais mais elevados, e a ausência de uma "ideia diretriz" indica também uma irracionalidade de seu conteúdo intelectual. O veredicto "antidivino" pode ser traduzido igualmente por "anticristão", uma vez que esta história não se localiza na longínqua Antiguidade, nem na China. De acordo com todos os atributos, este símbolo é um representante da função inferior, dos conteúdos psíquicos não reconhecidos. Com toda certeza a imagem apresenta – ainda que isto não seja dito em lugar algum – uma figura humana nua – uma "forma viva".

519 Esta imagem expressa a total liberdade de alguém ser o que é, e também a obrigação de ser o que se é; significa, pois, a mais alta possibilidade de beleza estética e moral – mas beleza natural e não uma forma ideal artificialmente arranjada – do homem como ele poderia ser. Uma tal imagem, colocada diante dos olhos do homem, só pode libertar o que estava preso e como que adormecido nele, e não vivido. Quisesse o destino que ele fosse apenas metade civilizado e meta-

---

181. Ibid., p. 144.

182. Ibid., p. 147.

de ainda bárbaro, tal fato despertaria nele todo o barbarismo. O ódio do homem se concentra sempre naquilo que lhe traz à consciência suas más qualidades. Por isso o destino da joia estava selado desde o instante de seu aparecimento no mundo. A criança camponesa muda que, por primeiro, a encontrou foi espancada pelos camponeses enfurecidos quase até a morte, depois "jogaram" fora a joia. E assim o símbolo redentor terminou sua curta, mas típica carreira. É inegável a semelhança com a ideia cristã da paixão. A natureza redentora da joia também sobressai porque só aparece uma vez a cada mil anos; é fato raro este "florescer da joia" e o surgimento de um salvador, de um Saoshyant, de um Buda.

520 O fim da carreira da joia é misterioso. Acaba caindo nas mãos de um judeu errante. "Não era um judeu deste mundo. E mais estranhas do que se pode dizer nos pareceram as suas vestes"[183]. Este judeu especial só pode ser Aasverus que não aceitou o verdadeiro salvador e que rouba, agora, por assim dizer, uma imagem redentora. A lenda de Aasverus é uma saga cristã tardia, não anterior aos inícios do século XVII[184]. Provém, psicologicamente, de uma quantidade de libido ou de parte da personalidade que não encontra utilidade na atitude cristã referente à vida e ao mundo e, por isso, é reprimida. Disso foram símbolo desde sempre os judeus, daí a mania medieval de perseguir os judeus. A ideia do homicídio ritual contém, de forma exacerbada, a ideia da rejeição do salvador, pois vemos o cisco no próprio olho como trave no olho do irmão. A ideia do homicídio ritual também aparece em Spitteler, uma vez que o judeu rouba a criança-prodígio que foi presenteada pelo céu. Esta ideia é uma projeção mitológica da percepção inconsciente de que a ação salvífica é sempre frustrada pela presença de um pedaço não redimido no inconsciente. Este pedaço não redimido, não domesticado, não educado ou bárbaro que é preciso manter acorrentado, sem deixar em liberdade, é projetado sobre aqueles que não aceitaram o cristianismo, quando, na verdade, ele é uma parte dentro de nós que ainda não passou pelo processo de domesticação cristão. Temos uma percepção inconsciente desse pedaço recalcitrante, cuja existência gostaríamos de negar –

183. Ibid., p. 163.

184. KOENIG, E. *Ahasver*. Gütersloh: [s.e.], 1907.

daí a projeção. A falta de sossego é expressão concreta da não salvação. A parte não redimida atrai imediatamente para si a luz nova, a energia do novo símbolo. Verifica-se então o que já dissemos acima quando abordávamos a influência do símbolo sobre a psique em geral: o símbolo estimula todos os conteúdos reprimidos e não reconhecidos, como aconteceu, por exemplo, com os "guardas do mercado"; também como Hiphil-Hophal que, devido à resistência inconsciente que tinha contra sua própria religião, logo enfatiza a antidivindade e carnalidade do novo símbolo. O afeto* da recusa corresponde à quantidade de libido reprimida. Com a transformação moral desse presente puro do céu nas tenebrosas fantasmagorias dessas cabeças, consuma-se o homicídio ritual. Mas, apesar disso, o aparecimento do símbolo produziu efeito. Não foi aceito em uma forma pura, mas foi devorado pelos poderes arcaicos e indiferenciados, ajudados em muito pela moralidade e estética conscientes. Assim começa a enantiodromia, a transformação do que era valor, até agora, em não valor, do bem, até agora, em mal.

521 O reino dos bons, cujo rei é Epimeteu, mantém, desde longa data, inimizade com o reino de Behemoth. *Behemoth* e *Leviatã*[185] são os dois *monstros de Deus* – expressão simbólica de seu poder e força – conforme o livro de Jó. Como símbolos de animais brutos, representam forças psicológicas semelhantes às da natureza humana[186]. Por isso diz Javé: "Vê o Behemoth que criei como a ti.

522 Vê a força de suas ancas, o vigor de seu ventre musculoso. Sua cauda reponta como um cedro, enfeixam-se os tendões de suas coxas[187]. Ele é o início do caminho de Deus"[188].

---

* O termo "afeto" não se enquadra numa definição uniforme. Geralmente entende-se por afeto um estado de sentimento marcado por intensidade particular. Mas pode também ser um estado criado por ações que fogem quase totalmente ao controle intencional. Encontra-se também na literatura psicológica afeto como sinônimo de emoção, de forma a dizer-se que um comportamento é afetivo quando produzido por emoções fortes. É este último sentido que mais se aproxima do nosso texto [N.T.].

185. SPITTELER, C. *Prometheus und Epimetheus*. Op. cit., p. 179.

186. Cf. JUNG, C.G. *Símbolos da transformação*. Op. cit. • SCHAERF, R. *Die Gestalt des Satans im Alten Testament*. In JUNG, *Symbolik des Geistes*, 1948.

187. A Vulgata inclusive diz: nervi testiculorum ejus perplexi sunt. Em Spitteler, Astarte é filha de Behemoth.

188. Jó 40,10s.

523 Devemos ler estas palavras com muito cuidado: com esta força "começam os caminhos de Deus", isto é, de Javé, o Deus dos judeus que, no Novo Testamento, rejeita esta forma. Já não é Deus-natureza. Psicologicamente isto significa que este lado bruto e instintivo da libido armazenada no inconsciente é permanentemente abafado pela atitude cristã; com isso é reprimida uma metade de Deus e lançada na conta de débito da pessoa, para, em última análise, ser atribuída ao domínio do demônio. Quando a força inconsciente começa a fluir para fora, quando "começam os caminhos de Deus", então aparece Deus em forma de Behemoth[189]. Também poderíamos dizer que Deus se apresenta sob a forma de demônio. Mas estas avaliações morais são ilusões óticas: a força da vida está além do juízo moral. Mestre Eckhart diz: "Se disser que Deus é bom, não é verdade; *eu* sou bom, Deus não é bom! Vou mais além: sou melhor do que Deus! Pois só o que é bom pode vir a ser melhor, e só o que pode vir a ser melhor pode tornar-se o ótimo. Deus não é bom e, por isso, também não pode vir a ser melhor nem tornar-se o ótimo. Longe de Deus estão estas três qualificações: bom, melhor, ótimo. Ele está acima de tudo isso"[190].

524 O efeito imediato do símbolo redentor é a união dos pares de opostos: o reino ideal de Epimeteu se une ao reino de Behemoth; isto quer dizer que a consciência moral faz uma aliança perigosa com os conteúdos inconscientes e com a libido correspondente e idêntica a eles. Mas foram confiados a Epimeteu os filhos de Deus, o bem supremo da humanidade, sem o qual o homem não passaria de simples animal. Pela união com o oposto inconsciente próprio surge o perigo da devastação, da desolação ou da inundação, ou seja, os valores da consciência poderiam perder-se nos valores energéticos do inconsciente. Se a imagem da beleza e moralidade naturais tivesse sido aceita e preservada, e, devido à sua naturalidade inocente, não tivesse servido apenas de estímulo à malfadada sujeira do pano de fundo de nossa cultura "moral", então os filhos de Deus não teriam sido postos em perigo, apesar da aliança com Behemoth, pois Epimeteu teria podido

---

189. Compare-se com isso FLOURNOY, T. "Une Mystique Moderne". *Archives de Psychologie*, t. XV, 1915. Genebra.

190. *Von der Erneuung am Geiste*. BUETTNER, H. *Meister Eckharts Schriften*. Vol. I, op. cit., p. 165.

distinguir sempre entre valor e desvalor. Mas pelo fato de o símbolo parecer inaceitável à nossa unilateralidade, à nossa diferenciação racionalista e também ao nosso subdesenvolvimento, falta-nos qualquer medida de valor e desvalor. Se, no entanto, a união dos pares de opostos se apresentar como o acontecimento mais importante, surge necessariamente o perigo da inundação e da destruição e isto porque as tendências perigosas contrárias são introduzidas clandestinamente sob o manto protetor dos "conceitos corretos". Pode-se racionalizar e estetizar também o mal e o pernicioso. E, assim, um após outro, os filhos de Deus são entregues a Behemoth, isto é, os valores conscientes são permutados por simples instintividade e estupidez. As tendências até então inconscientes, brutas e bárbaras devoram os valores conscientes e, por isso, Behemoth e Leviatã apresentam como símbolo de seu princípio uma *baleia invisível*, ao passo que o símbolo correspondente do reino epimeteico é o pássaro. A baleia como habitante dos mares é o símbolo genérico do inconsciente devorador[191]. O pássaro, como habitante do reino luminoso dos céus, é símbolo do pensamento consciente ou, até mesmo, do ideal (asas!) e do Espírito Santo.

525 A intervenção de Prometeu impede a extinção completa do bem. Liberta o último filho de Deus, o Messias, do poder de seus inimigos. O Messias se torna o herdeiro do Reino de Deus, enquanto Prometeu e Epimeteu – personificações dos opostos divididos – se retiram unidos para o "torrão natal". Ambos estão fartos do poderio: Epimeteu, porque foi obrigado a renunciar, e Prometeu porque nunca lutou por ele. Psicologicamente isto significa: introversão e extroversão deixam de dominar como linhas diretrizes unilaterais e, desta forma, cessa também a dissociação da psique. Em seu lugar aparece uma função nova, simbolicamente representada por uma criança, chamada Messias, que jazia adormecida desde longa data. O Messias é o mediador, o símbolo de nova atitude capaz de unir os opostos. É uma criança, um menino, segundo o protótipo antigo do *puer aeternus*, exprimindo sua juventude o renascimento e a restauração do que estava perdido (*apokatástasis*). O que Pandora trouxe à terra em forma de imagem, o que foi rejeitado pelos homens e que veio a constituir sua

191. Inúmeros exemplos disso em *Símbolos da transformação* [OC, 5].

desgraça, realizou-se no Messias. Esta conexão de símbolos corresponde a uma experiência frequente na práxis da psicologia analítica: ao surgir nos sonhos um símbolo, é rejeitado por todos os motivos indicados acima e ainda provoca uma reação contrária, correspondente à invasão de Behemoth. Resulta desse conflito uma simplificação da personalidade que desce às características individuais básicas, já presentes no início da vida e que garantem a conexão da personalidade amadurecida com as fontes de energia da infância. Segundo Spitteler, o grande perigo dessa transição está em que, ao invés do símbolo, os instintos arcaicos despertados por este processo são assumidos racionalisticamente e reintegrados nas formas tradicionais de pensar.

526 O místico inglês W. Blake diz: "Há duas classes de pessoas: os *prolíferos*[192] e os *engolidores*[193]. A religião é um esforço para conciliar ambas"[194]. Com essas palavras de Blake, que resumem de modo bem simples as ideias básicas de Spitteler e também minhas explicações, quero terminar este capítulo. Se lhe dei extensão incomum, foi para fazer justiça à riqueza de ideias e pistas fornecidas pelo *Prometeu e Epimeteu*, de Spitteler, assim como foi o caso das *Cartas*, de Schiller. Ative-me, o quanto possível, ao essencial; deixei de lado, de propósito, toda uma série de problemas que mereceria estudo mais completo.

---

192. The prolific = o fecundo, que produz para fora de si.

193. The devouring = que engole, que toma para dentro de si.

194. "Religion is an endeavour to reconcile the two!" BLAKE, W. *Poetical Works*. Vol. I. [s.l.]: [s.e.], 1906, p. 249. Cf. "The Marriage of Heaven and Hell". In: BLAKE, W. *The Writings of William Blake*. Londres: [s.e.], 1925, p. 190.

VI

O problema dos tipos na psicopatologia

527 Chegamos agora à tentativa de um psiquiatra extrair da confusa multiplicidade das chamadas *inferioridades psicopáticas* dois tipos. Este grupo de extensão incomum reúne todos os estados psicopáticos limites que já não podem ser incluídos no campo das psicoses propriamente ditas, ou seja, todas as neuroses, todos os estados de degeneração intelectual, moral, afetiva e demais inferioridades psíquicas. Esta tentativa começou com Otto Gross que publicou, em 1902, um estudo teórico sob o título *Die zerebrale Sekundärfunktion* (A função cerebral secundária), cuja hipótese fundamental o levou a postular dois tipos psicológicos[1]. Ainda que o material empírico ele o tenha tirado do âmbito das inferioridades psíquicas, nada impede que os pontos de vista aí assimilados sejam transferidos para o campo mais amplo da psicologia normal, pois o estado de desequilíbrio mental só oferece ao pesquisador uma oportunidade especialmente favorável de ver certos fenômenos psíquicos com clareza quase exagerada, fenômenos que muitas vezes são percebidos apenas de maneira obscura dentro dos limites normais. O estado anormal funciona às vezes como lente de aumento. O próprio Gross estende, no capítulo final, suas conclusões a outros campos, como veremos a seguir.

528 Gross entende por "função secundária" um processo cerebral celular que entra em ação logo após ter-se instalado a "função primária". A função primária corresponderia ao trabalho propriamente dito da célula, ou seja, à produção de um processo psíquico positivo,

---

1. Uma exposição modificada, mas inalterada na essência, dos tipos nos dá Gross também em seu livro. GROSS, O. *Über psychopathische Minderwertigkeiten*. Viena/Leipzig: [s.e.], 1909, p. 27s.

diríamos, de uma representação. O trabalho corresponde a um processo energético, provavelmente a uma descarga de tensão química, isto é, a uma decomposição química. Após esta descarga aguda que Gross denomina função primária, entra em ação a função secundária, a saber, uma recuperação, uma reconstrução por assimilação. Dependendo da intensidade do dispêndio de energia precedente, esta função exigirá mais ou menos tempo. Durante este tempo, a célula se encontra, em relação ao que aconteceu antes, num estado modificado, numa espécie de estado de excitação que não pode deixar de influenciar o decurso psíquico ulterior. Processos *muito acentuados, cheios de afeto* poderiam significar um dispêndio especial de energia e, por isso, também um período de recuperação especialmente longo ou de função secundária. Gross considera o efeito da função secundária sobre o processo psíquico como influência demonstrável e específica no curso subsequente da associação, e isto no sentido de uma limitação da escolha associativa ao "tema" apresentado pela função primária, ou a chamada "representação principal". De fato, algo mais tarde, pude chamar a atenção, em meus trabalhos experimentais – e também vários de meus alunos em trabalhos semelhantes – para os *fenômenos de perseverança*[2] após representações muito acentuadas, fenômenos que podem ser demonstrados numericamente. Meu aluno Eberschweiler, numa pesquisa linguística, demonstrou este mesmo fenômeno nas assonâncias e aglutinações[3].

529 A partir da experiência patológica sabe-se também quão frequentes são os casos de perseverança nas lesões cerebrais graves, como nas apoplexias, tumores, atrofias e outros estados de degenerescência que devem ser atribuídos a esta recuperação dificultosa. A hipótese de Gross tem, portanto, grande probabilidade a seu favor. É natural que se pergunte, então, se não há indivíduos e até mesmo tipos em que o período de recuperação, a função secundária, demora mais do que em outros e se, eventualmente, não poderiam ser deduzidas certas psicologias singulares.

530 Uma função secundária curta influencia muito menos as associações consecutivas num certo espaço de tempo do que uma longa. Por

---

2. JUNG, C.G. (org.). *Diagnostische Assoziationsstudien* [OC, 2].

3. EBERSCHWEILER, A. "Untersuchungen über die sprachliche Komponente der Assoziation". *Allgemeinde Zeitschrift für Psychiatrie*, 65, Berlim, 1908.

isso, a função primária pode ocorrer com frequência bem maior no primeiro caso. O quadro psicológico desse caso mostra a peculiaridade de uma prontidão, sempre rapidamente renovada, para a ação e a reação, uma espécie de *tendência à distração*, uma queda para a superficialidade dos laços, uma falta de vinculações mais profundas e estreitas, uma certa incoerência, ao se esperar seja significativa a vinculação. Por outro lado, impõem-se muitos temas novos numa unidade de tempo, sem contudo se aprofundarem, de modo que aparecem no mesmo nível coisas heterogêneas e de valores diversos, dando a impressão da chamada "nivelação das representações" (Wernicke). Esta rápida sucessão das funções primárias exclui desde logo uma vivência dos valores afetivos das representações e, por isso, a afetividade só pode ser superficial. Mas isso possibilita também rápidas adaptações e mudanças de atitude. O processo propriamente dito de pensar, ou melhor, a abstração sofre sob a brevidade da função secundária, pois o processo de abstração exige um tempo mais longo para maior número de representações iniciais e de suas repercussões, portanto, uma função secundária mais longa. Sem ela não pode haver aprofundamento nem abstração de uma representação – ou grupo de representações. O restabelecimento mais rápido da função primária produz maior *reatividade*, não no sentido intensivo, mas extensivo, daí uma pronta apreensão do presente imediato, mas apenas superficial e não de seu significado mais profundo. Esta circunstância dá a impressão de falta de crítica ou, conforme o caso, também de falta de preconceitos, de gentileza e compreensão, ou às vezes também a impressão de desconsideração incompreensível, de falta de tato ou mesmo de brutalidade. Um deslizar muito rápido sobre significados mais profundos dá a impressão de certa cegueira em relação a todas as coisas que não se acham na superfície. A rápida reatividade parece ser também o que se chama presença de espírito, audácia até a louca temeridade que tem seu pressuposto na ausência de crítica e na incompreensão do perigo. A rapidez da ação parece decisão, mas é antes impulso cego. A incursão em domínios estranhos parece natural e é facilitada pela ignorância do valor afetivo da representação, da ação e de seu efeito sobre os outros.

531 A prontidão sempre rapidamente renovada perturba a elaboração das percepções e experiências, de modo que a memória sofre

muito, pois, na maioria dos casos, só podem ser reproduzidas facilmente aquelas associações que entraram num processo de vinculações massivas. Conteúdos relativamente isolados somem rapidamente, sendo, por isso, bem mais difícil memorizar uma série de palavras sem sentido (incoerentes) do que um poema. Rápida inflamabilidade, entusiasmo que logo se apaga, bem como certa falta de gosto são outras características que surgem da sucessão muito rápida de conteúdos heterogêneos e da não percepção de seus valores afetivos bem diferentes. O pensar tem caráter representativo, portanto é mais uma espécie de imaginação ou encadeamento de conteúdos do que abstração e síntese.

532 Nesta descrição do tipo com breve função secundária segui Gross no essencial, incluindo algumas transcrições para a psicologia normal. Gross denomina este tipo "inferioridade com consciência superficial". Mas se abrandarmos os traços excessivamente fortes até ao normal, teremos um quadro geral em que o leitor reconhecerá facilmente o *less emotional type* (tipo menos emocional) de Jordan, isto é, o *extrovertido*. Gross tem, por isso, o grande mérito de, como primeiro, ter levantado uma hipótese homogênea e simples sobre a existência desse tipo.

533 O tipo oposto Gross o chama "inferioridade com consciência restrita". A função secundária desse tipo é particularmente intensa e prolongada. Por esse prolongamento, a associação consecutiva é influenciada em grau mais elevado do que no tipo anterior. Podemos supor também, neste caso, uma função primária fortalecida e, portanto, uma atuação mais vasta e completa das células do que no extrovertido. A função secundária prolongada e fortalecida seria a consequência natural disso. A função secundária prolongada causa uma duração maior do efeito provocado pela representação inicial. Surge então um efeito que Gross chama "efeito contrativo", isto é, uma escolha particularmente orientada (no sentido da representação inicial) das associações consecutivas. Com isso, visa-se a uma realização ou aprofundamento do "tema". A representação atua de modo persistente, a impressão vai fundo. Consequência prejudicial é a limitação a um campo mais estreito quando, então, sofrem a variedade e a riqueza do pensar. Contudo, a síntese é muito favorecida já que os elementos a serem reunidos permanecem constelados o tempo necessá-

rio para tornar possível sua abstração. A limitação a um só tema produz, além disso, um enriquecimento de associações pertinentes, uma firme vinculação interna e consolidação de um complexo de representação; mas este complexo é ao mesmo tempo isolado de tudo o que não lhe diz respeito e acaba num isolamento associativo. Este fenômeno Gross (tomando emprestado um conceito de Wernicke) o chama "sejunção". Uma consequência da sejunção dos complexos é a acumulação de grupos de representação (ou complexos) que não têm entre si qualquer conexão, ou apenas uma conexão muito frouxa. Exteriormente, este estado mostra-se como personalidade desarmônica ou, como a chama Gross, "sejuntiva".

534 Os complexos isolados existem lado a lado sem influência recíproca e, por isso, também não interagem contrabalançando ou corrigindo-se mutuamente. São lógica e fortemente fechados em si mesmos, mas falta-lhes a influência corretiva de complexos com orientação diferente. Pode, então, facilmente ocorrer que um complexo particularmente forte e, por isso, também particularmente isolado e não influenciável se eleve à "ideia supervalorizada", isto é, venha a ser uma dominante que enfrenta qualquer crítica e goza de plena autonomia, transformando-se em algo onipotente ou *spleen* (mau humor)[4]. Em casos doentios torna-se ideia obsessiva ou paranoica, isto é, algo absolutamente inabalável que mantém presa a seu serviço a vida toda do indivíduo. Dessa forma, recebe outra orientação toda a mentalidade, o critério fica "doido". Esta concepção do surgimento de uma ideia paranoica poderia explicar também por que, em certos estados iniciais, pode-se corrigir a ideia paranoica mediante procedimentos psicoterápicos apropriados, especialmente quando se consegue vinculá-la a outros complexos de representação, ampliadores e corretivos[5]. Existe também evidente cautela e, mesmo, ansiedade com referência à associação de complexos separados. As coisas têm

---

4. Em outra passagem (*Über psychopathische Minderwertigkeiten*, p. 4), Gross distingue, com razão, entre "ideia supervalorizada" e o assim chamado "complexo de valor exagerado". Este último fenômeno não é apenas característico desse tipo, como acha Gross, mas também do outro. O "complexo de conflito", devido à sua ênfase sentimental, tem valor considerável, não importando o tipo em que se manifesta.

5. Cf. sobre isso BJERRE, P. "Zur Radikalbehandlung dar chronischen Paranoia". *Jahrbuch für psychoanalytische Forschungen*, vol. III, 1911, p. 795s. Leipzig/Viena.

que permanecer nitidamente distintas, as pontes entre os complexos devem ser destruídas o mais possível por rigorosa e rígida formulação do conteúdo do complexo. Gross chama esta tendência "medo de associação"[6]. A forte retranca interior desse complexo dificulta qualquer tentativa externa de influenciar. Semelhante tentativa tem perspectiva de êxito só quando consegue vincular a premissa e a conclusão do complexo a um outro complexo de modo tão firme e lógico como estão unidas entre si.

535 A acumulação de complexos insuficientemente unidos causa naturalmente forte obstrução para fora e, diríamos, firme represamento da libido no interior. Daí encontrarmos regularmente extraordinária concentração sobre processos interiores; conforme o tipo de pessoa, sobre sensações físicas naqueles orientados pelas sensações e sobre processos espirituais quando se trata de alguém com atitude intelectual. A personalidade parece inibida, absorvida ou dispersa, "mergulhada em pensamentos", intelectualmente parcial ou hipocondríaca. Em qualquer caso só há pequena participação na vida exterior e evidente tendência à misantropia e solidão que muitas vezes encontra compensação num amor devotado a animais ou plantas.

536 Os processos interiores são mais ativos porque, de tempos em tempos, complexos até então pouco ou nada ligados de repente "colidem" e ensejam uma função primária intensa que, por sua vez, desencadeia uma função secundária duradoura amalgamando dois complexos. Seria de pensar que, dessa forma, todos os complexos colidissem alguma vez produzindo uma uniformidade e coesão geral dos conteúdos psíquicos. Este resultado salutar só poderia acontecer se fosse possível, nesse meio-tempo, sustar a mudança na vida exterior. Mas, por não ser possível, sobrevêm sempre novos estímulos produzindo funções secundárias que cruzam e confundem as linhas internas. Por conseguinte, este tipo tem pronunciada tendência a manter longe estímulos externos, evitar a mudança e, quando possível, deter a vida em seu fluxo constante até a total amalgamação do interior. Tratando-se de pessoa doente, manifestará às claras esta tendência, se retrairá de tudo e procurará levar vida eremítica. Mas só em casos simples é

6. GROSS, O. *Über psychopathische Minderwertigkeiten*. Op. cit., p. 40.

possível obter a cura dessa forma. Em todos os casos mais graves só cabe reduzir a intensidade da função primária; mas esta questão é um capítulo à parte que já abordamos ao falar das cartas de Schiller.

537 Ficou bem claro que este tipo se distingue por *fenômenos afetivos* bem especiais. Como vimos, realiza as associações pertencentes às representações iniciais. Associa plenamente o material que diz respeito ao tema, isto é, enquanto não se tratar de materiais já ligados a outros complexos. Se um estímulo atingir este material, isto é, um complexo, surgirá ou uma reação violenta, uma explosão carregada de afeto, ou absolutamente nada, se o complexo estiver tão fechado que não permita a entrada de coisa alguma. Completada a realização, soltam-se todos os valores afetivos; ocorre forte reação emocional com prolongado efeito superveniente que, muitas vezes, passa despercebido externamente, mas penetra fundo no íntimo. As vibrações consecutivas do afeto enchem o indivíduo e o tornam incapaz de assumir novos estímulos até que o afeto se extinga. Uma acumulação de estímulos será insuportável, por isso surgem fortes reações de defesa. Em fortes acumulações de complexos, desenvolve-se uma atitude crônica de defesa que pode chegar à desconfiança e, em casos patológicos, à mania de perseguição.

538 As explosões repentinas, alternando com mutismo e defesa, podem dar à personalidade um ar bizarro que a torne um enigma para seus semelhantes. A diminuição da disponibilidade, causada pela preocupação interior, produz falta de presença de espírito e sonolência. Ocorrem então situações embaraçosas, difíceis de contornar – mais um motivo para retrair-se da sociedade. Explosões ocasionais criam confusões no relacionamento com os outros e, devido ao constrangimento e indecisão, a pessoa não se sente em condições de restabelecer o bom relacionamento. A lentidão em adaptar-se leva a uma série de experiências desagradáveis que geram infalivelmente um sentimento de inferioridade, quando não de amargura; esse sentimento se volta então contra aqueles que foram os causadores reais ou supostos da desgraça. A vida afetiva interna é muito intensa e a ressonância dos múltiplos afetos produz uma gradação extremamente delicada de tons e de sua percepção, portanto, uma sensibilidade particularmente emocional que se revela exteriormente por forte timidez e ansiedade diante de estímulos emocionais ou de todas as situações onde

seriam possíveis tais impressões. A sensibilidade volta-se contra estados emocionais do meio ambiente. Manifestações bruscas de opinião, afirmações emotivas, influências sentimentais e semelhantes são rechaçadas por isso, de antemão – e isto por medo da própria emoção que poderia desencadear uma impressão duradoura, difícil de controlar. Com o tempo, nasce dessa sensibilidade certa melancolia que se baseia no sentimento de se estar excluído da vida. Em outro lugar[7], sustenta Gross que a "melancolia" é característica especial desse tipo. "Também diz que a realização do valor afetivo facilmente leva à supervalorização afetiva, ao "levar a sério demais". A proeminência dada aos processos interiores e ao emocional neste quadro permite facilmente reconhecer o introvertido. A descrição de Gross é bem mais completa do que a de Jordan do *impassioned type*, mas nos traços essenciais há plena identidade.

539 No capítulo V de seu escrito *A função cerebral secundária* diz Gross que, dentro dos limites do normal, ambos os tipos de inferioridade por ele descritos apresentam *diferenças fisiológicas de individualidade*. A consciência superficial-alargada e a consciência restrita-aprofundada são, portanto, diferenças de caráter[8]. O tipo de consciência alargada é, segundo Gross, principalmente prático, devido à rapidez com que se adapta ao meio ambiente. A vida interior não prepondera porque não chega a formar grandes complexos de representação. "Eles fazem grande propaganda da própria personalidade – e, se estiverem em posição mais elevada, também lutam por grandes ideias tradicionais"[9]. Gross considera a vida afetiva desse tipo primitiva; entre os de nível mais elevado ela se organiza "pela assunção de ideais já prontos, vindos de fora". E, assim, a atividade ou a vida afetiva (como diz Gross) podem tornar-se heroicas. "Contudo, sempre é banal". "Heroico" e "banal" parecem incompatíveis. Gross mostra, porém, o que deseja exprimir: nesse tipo não há vinculação suficientemente desenvolvida do complexo erótico de representação com o restante conteúdo da consciência, isto é, com os outros complexos de natureza estética, ética, filosófica e religiosa. Freud falaria aqui de re-

---

7. Ibid., p. 37.

8. GROSS, O. *Die zerebrale Sekundärfunktion*. Leipzig: [s.e.], 1902, p. 58s.

9. Cf. para isso afirmação semelhante de Jordan.

pressão do elemento erótico. Para Gross a presença marcante dessa vinculação é o "sinal típico da natureza superior"[10]. Para formar esta vinculação é indispensável uma função secundária prolongada, pois só pelo aprofundamento e pela retenção prolongada dos elementos na consciência pode acontecer esta síntese. Graças a ideais tradicionais pode a sexualidade ser mantida nos trilhos do socialmente útil, mas "nunca se eleva acima da trivialidade". Este julgamento bastante duro é facilmente explicável pela natureza do caráter extrovertido: o extrovertido se orienta exclusivamente por dados externos, de forma que o essencial de sua atividade psíquica sempre está na manipulação deles. Nada ou pouco sobra para ordenar sua vida interior. Esta deve conformar-se de antemão com as determinações vindas de fora. Nessas condições não é possível realizar a vinculação das funções mais desenvolvidas com as menos desenvolvidas, pois ela exige grande parcela de tempo e esforço, um trabalho de autoeducação, longo e penoso, que não pode ser feito sem introversão. Para isso falta ao extrovertido tempo e gosto, além de ser perturbado pela mesma e franca desconfiança em relação a seu mundo interno que o introvertido nutre pelo mundo externo.

540 Não se deve acreditar, porém, que o introvertido, graças à sua maior capacidade sintética e maior habilidade de realizar valores afetivos, esteja, sem mais, em condições de efetuar também a síntese de sua individualidade, isto é, estabelecer de uma vez por todas uma vinculação harmônica entre as funções superiores e inferiores. Prefiro esta formulação à de Gross, de que se trata apenas de sexualidade, pois, segundo minha opinião, não se trata apenas de sexualidade, mas também de outros instintos. A sexualidade é, sem dúvida, uma forma muito comum de expressar instintos indomados e brutais, mas também a procura de poder, em todos os seus múltiplos aspectos, é instinto semelhante. Gross escolheu para o introvertido a expressão "personalidade sejuntiva" (ver supra) querendo sublinhar que esse tipo tem especial dificuldade de vincular complexos. A capacidade sintética do introvertido serve, em primeiro lugar, só para formar complexos que estão separados entre si ao máximo. Mas são exata-

---

10. GROSS, O. *Die zerebrale Sekundärfunktion*. Op. cit., p. 61.

mente esses complexos que impedem o desenvolvimento de maior unidade. E assim, também no introvertido, o complexo da sexualidade ou da procura egoística de poder ou da busca de prazer permanece isolado e bem distinto dos demais complexos. Lembro-me, por exemplo, de um neurótico introvertido altamente intelectual que passava o tempo, alternativamente, nas altas esferas do idealismo transcendental e nos piores bordéis suburbanos, sem que a consciência lhe apresentasse a existência de um conflito moral ou estético. As duas coisas eram mantidas completamente separadas, distintas uma da outra. O resultado, naturalmente, foi uma grave neurose compulsiva.

541 É preciso levar em conta esta crítica ao seguir as considerações de Gross sobre o "tipo com consciência aprofundada". A consciência aprofundada é, segundo Gross, "o fundamento da interiorização da individualidade". Devido ao forte efeito contrativo, os estímulos externos são sempre vistos a partir do ponto de vista de uma ideia. Ao invés do impulso para a vida prática na assim chamada realidade aparece a "pressão para a interiorização". "As coisas não são concebidas como fenômenos isolados, mas como ideias parciais do grande complexo de representação". Esta concepção de Gross concorda perfeitamente com nossas observações anteriores sobre os pontos de vista nominalista e realista e de seus antecessores nas escolas platônica, megárica e cínica. É fácil ver, na concepção de Gross, onde está a diferença entre os pontos de vista: a pessoa com função secundária curta tem, num espaço de tempo, muitas funções primárias frouxamente vinculadas; ela está mais ligada ao fenômeno isolado, ao caso individual. Para ela, os universais são apenas nomes aos quais falta realidade. Mas, para as pessoas com funções secundárias prolongadas, os fatos internos, as abstrações, as ideias ou os universais têm sempre primazia; são a realidade autêntica com a qual *precisa* relacionar todos os fenômenos individuais. É, portanto, realista por natureza (no sentido da escolástica). Uma vez que para o introvertido o modo de considerar as coisas externas tem precedência sobre a percepção delas, está propenso a ser relativista[11]. Ele sente como especialmente prazerosa a harmonia do meio ambiente[12], vai ao encontro de sua compul-

---

11. Ibid., p. 63.

12. Ibid., p. 64.

são interna de harmonizar seus complexos isolados. Evita qualquer "comportamento desinibido" porque levaria talvez a estímulos perturbadores. (Devem ser excetuados os casos de explosão afetiva!) A consideração social é diminuta devido à absorção pelos processos internos. O forte predomínio das ideias próprias impede que assuma ideias e ideais de outros. A forte elaboração interna dos complexos de representação dá às ideias um caráter de pronunciada individualidade. "Muitas vezes, a vida afetiva é socialmente inútil, mas é sempre útil ao indivíduo"[13].

542 Esta afirmação do Autor merece uma crítica minuciosa, pois contém um problema que, na minha opinião, sempre ocasiona os maiores mal-entendidos entre os tipos. O intelectual introvertido – que Gross tem em mira aqui – não mostra exteriormente qualquer sentimento, apenas opiniões logicamente corretas e um procedimento correto, em primeiro lugar, porque nutre aversão natural contra a demonstração dos sentimentos e, em segundo lugar, porque teme despertar em seus semelhantes estímulos perturbadores, isto é, afetos, devido a seu comportamento incorreto. Teme afetos desagradáveis nos outros porque atribui ao outro sua própria sensibilidade e porque já foi perturbado pela rapidez e impetuosidade do extrovertido. Reprime seu sentimento que pode evoluir às vezes até uma paixão que só é percebida com absoluta clareza por ele mesmo. As emoções que o atormentam ele as conhece muito bem. Compara-as com os sentimentos que outras pessoas, naturalmente em primeiro lugar os tipos extrovertidos sentimentais, lhe mostram e acha que seus "sentimentos" são bem diferentes dos de outras pessoas. Chega à conclusão que seus "sentimentos" (melhor, suas emoções) são únicos, isto é, individuais. É natural que sejam diferentes dos do tipo extrovertido sentimental, pois estes são um instrumento diferenciado de adaptação e carecem da "autêntica paixão" que caracteriza os sentimentos interiores do tipo pensamento introvertido. Contudo, a paixão como algo instintivo tem pouca coisa de individual e, dependendo do caso, é comum a todas as pessoas. Só o diferenciado pode ser individual. Por isso, nos grandes afetos, desaparecem as diferenças ti-

13. Ibid., p. 65.

pológicas em prol do "simplesmente humano" em geral. Na minha opinião, o tipo sentimento extrovertido é o primeiro a poder reivindicar a invidualidade do sentimento, pois seus sentimentos são diferenciados; mas incide no mesmo erro quando se trata de seu pensamento. Tem pensamentos que o atormentam. Compara-os com os pensamentos de seus semelhantes, e, naturalmente em primeiro lugar, com os do tipo pensamento introvertido. Percebe que seus pensamentos pouco coincidem com os dele e, por isso, considera-os individuais e, a si mesmo, um pensador original, ou reprime seus pensamentos todos para que ninguém pense algo igual. Na verdade, trata-se de pensamentos que todo mundo tem, mas que poucas vezes são ditos em voz alta. Penso, então, que esta afirmação de Gross provém de engano subjetivo que, no entanto, constitui regra geral.

543 "A força contrativa intensificada torna possível [...] alguém aprofundar-se nas coisas que já não têm interesse vital imediato"[14]. Gross atinge, aqui, uma característica essencial da mentalidade introvertida: o introvertido tem tendência de desenvolver os pensamentos em si, independentemente de qualquer realidade externa. É vantagem e também perigo. É grande vantagem poder desenvolver abstratamente um pensamento, sem os limites dos sentidos. O perigo está em que a linha de pensamento se afasta de qualquer aplicabilidade prática, perdendo proporcionalmente seu valor vital. Portanto, o introvertido está sempre ameaçado de desviar-se por demais da vida e considerar as coisas demasiadamente sob o aspecto simbólico. Também este ponto Gross o ressalta. O extrovertido não está em melhor posição, apenas a situação dele é outra. Tem a capacidade de encurtar sua função secundária de tal forma que vivencie quase só funções primárias positivas, isto é, não está mais preso a nada, mas paira numa espécie de êxtase por sobre a realidade, já não vê ou realiza as coisas, utiliza-as apenas como estimulantes. Esta capacidade é grande vantagem, pois ajuda a sair de certas situações complicadas ("Estás perdido se crês no perigo", diz Nietzsche); mas também é grande desvantagem, pois termina em catástrofe, levando muitas vezes a um caos praticamente inextricável.

544 Segundo Gross, é do tipo extrovertido que nasce o chamado gênio "civilizatório" e, do introvertido, o gênio "cultural". O primeiro

14. Ibid., p. 65.

corresponde ao "agir prático", o segundo à "imaginação abstrata". E finalmente Gross manifesta sua convicção de que nossa época precisa, sobretudo da consciência restrita-aprofundada, ao contrário dos tempos antigos que tinham uma consciência alargada e superficial. "Nós nos comprazemos no ideal, no profundo, no simbólico. Pela simplicidade à harmonia – eis a arte da mais alta cultura"[15].

545 Corria o ano de 1902 quando Gross escreveu isto. E hoje? Se for permitido dar uma opinião, deveríamos dizer: precisamos obviamente das duas coisas, civilização e cultura, diminuição da função secundária numa e prolongamento na outra. Não se pode produzir uma sem a outra e – infelizmente devemos constatar – faltam ambas à humanidade atual. O que uma tem demais falta à outra, se quisermos fazer um pronunciamento mais cauteloso. O repetido discurso sobre progresso tornou-se desacreditado e suspeito.

546 Resumindo, gostaria de notar que os pontos de vista de Gross coincidem com os meus. Até mesmo a terminologia que emprego – extroversão e introversão – se justifica diante da concepção de Gross. Só falta ainda uma crítica esclarecedora sobre a hipótese fundamental de Gross, o conceito da função secundária.

547 É sempre perigoso relacionar hipóteses fisiológicas ou "orgânicas" com processos psicológicos. Como sabemos, numa época de grandes êxitos no estudo do cérebro, predomina certa mania de fabricar hipóteses fisiológicas para processos psicológicos; entre elas, a hipótese de que no sono os prolongamentos celulares se contrairiam não foi a mais absurda, pois mereceu séria atenção e foi submetida a discussões "científicas". Falou-se, com razão, de uma "mitologia cerebral" formal. Mas não gostaria de tratar a hipótese de Gross como "mito cerebral", pois tem um valor de pesquisa muito grande. Ela é excelente hipótese de trabalho que já foi reconhecida muitas vezes em outros campos. Também a ideia da função secundária é tão simples quanto genial. Este conceito simples é capaz de levar grande número de fenômenos psíquicos a uma fórmula satisfatória; e fenômenos cuja natureza diferente teria resistido a uma simples redução e classificação por meio de outra hipótese.

---

15. Ibid., p. 68s.

548 No caso de hipótese tão feliz, somos tentados a exagerar sua extensão e aplicabilidade. Poderia ser o caso também aqui. Infelizmente, porém, esta hipótese tem âmbito limitado. Vamos abstrair completamente do fato de ela ser apenas um postulado, pois ninguém jamais viu a função secundária da célula cerebral e ninguém poderia demonstrar que e por que a função secundária deveria, em princípio, exercer o efeito contrativo qualitativamente idêntico sobre as associações próximas como a função primária que, segundo sua definição, é essencialmente diversa da função secundária. Há outra circunstância que, a meu ver, tem peso ainda maior: o hábito da atitude psicológica pode mudar em curto espaço de tempo num mesmo indivíduo. Se a duração da função secundária for de caráter fisiológico ou orgânico, deve ser considerada como mais ou menos constante. É de se esperar então que a duração da função secundária não mude de repente, pois isto nunca ocorre num caráter fisiológico ou orgânico, com exceção de transformações patológicas. Como já sublinhei diversas vezes, introversão e extroversão não são *caracteres*, mas *mecanismos* que podem ser ligados ou desligados à vontade, por assim dizer. Os caracteres correspondentes só se desenvolvem a partir da predominância habitual de um deles. É certo que a predileção repousa em certa disposição inata, mas que, nem sempre, é absolutamente decisiva. Já vi diversas vezes que a influência do meio é quase tão importante. Pude constatar certa vez que uma pessoa que vivia próximo de um introvertido e apresentava um comportamento manifestamente extrovertido, mudou de atitude e se tornou introvertida quando, mais tarde entrou em relacionamento íntimo com uma personalidade declaradamente extrovertida. Diversas vezes pude ver que certas influências pessoais mudaram essencialmente, em pouco tempo, a duração da função secundária num tipo bem definido, e que o estado primitivo voltou a apresentar-se quando a influência estranha desapareceu.

549 Parece-me que, de acordo com essas experiências, devemos voltar nosso interesse mais para a natureza da função primária. O próprio Gross chama a atenção para a função secundária muito prolongada após representações cheias de afeto[16] e a faz depender da função primária. Na verdade, não existe razão plausível para a doutrina dos

16. Ibid., p. 12. Cf. tb. GROSS, O. *Über psychopathische Minderwertigkeiten*. Op. cit., p. 30 e 37.

tipos se basear na duração da função secundária; também poderíamos baseá-la na *intensidade da função primária*, pois a duração da função secundária depende obviamente da intensidade do dispêndio de energia, do trabalho da célula. Naturalmente, poder-se-ia objetar que a duração da função secundária depende da rapidez da recuperação e que existem indivíduos com maior capacidade de recuperação ao lado de outros menos dotados. Neste caso, o cérebro do extrovertido teria maior capacidade de recuperação do que o do introvertido. Falta qualquer indício de prova para esta suposição altamente improvável. O que sabemos das causas reais da função secundária prolongada limita-se ao fato de que, excluídos os estados patológicos, a intensidade especial da função primária produz logicamente um prolongamento da função secundária. E, assim, o problema propriamente dito está na função primária e resume-se na pergunta: donde vem que numa pessoa a função primária é normalmente intensa e, em outra, fraca? Se colocarmos o problema na função primária, é preciso esclarecer donde provém a intensidade diversa e a rápida mudança que realmente ocorre na intensidade da função primária. Tenho para mim que se trata de fenômeno energético que depende de uma *atitude* geral. A intensidade da função primária parece depender antes de tudo do grau de tensão da disponibilidade. Se houver grande quantidade de tensão psíquica, então a função primária será bem intensa, com as respectivas consequências. Mas se a tensão diminui ao aumentar o cansaço, surgem a distração, a superficialidade de associação e, finalmente, a fuga das ideias, ou seja, o estado que se caracteriza por função primária fraca e por função secundária curta.

550 Por sua vez, a tensão psíquica em geral depende (sem considerar razões fisiológicas como estar plenamente descansado etc.) de fatores altamente complexos como humor, atenção, expectativa etc., isto é, de juízos de valor que, por sua vez, são novamente resultantes de todos os processos psíquicos anteriores. Não entendo apenas juízos lógicos, mas também afetivos. Em nossa linguagem técnica, denominamos a tensão geral *energética como libido* e a *psicológico-consciente como valor*. O processo intensivo está "carregado de libido" ou é manifestação da libido; em outras palavras, um estado energético de alta tensão. Também é um *valor* psicológico e por isso as interações associativas que dele provêm são chamadas *valiosas*, em contrapartida

àquelas que são produzidas por efeito contrativo menor e que nós dizemos não terem valor ou serem superficiais.

551 A atitude *tensa* é bem característica do introvertido, enquanto a atitude *relaxada* e fácil trai o extrovertido[17], não considerados os casos de exceção. As exceções, porém, são numerosas, inclusive em um e mesmo indivíduo. Dê-se ao introvertido um meio ambiente harmonioso que lhe seja totalmente favorável, e ele relaxará até a plena extroversão, dando a ideia de estarmos diante de um extrovertido. Coloque-se o extrovertido num quarto escuro e silencioso, onde todos os complexos reprimidos possam roê-lo, e ele entrará numa tensão tal que levará ao extremo o mais leve estímulo. Assim podem agir as situações mutáveis e transformar momentaneamente o tipo, mas sem modificar de forma duradoura a atitude básica, isto é, apesar da extroversão ocasional, o introvertido permanece sendo o que era antes, bem como o extrovertido.

552 Resumindo: a função primária é para mim mais importante do que a função secundária. A intensidade da função primária é o fator decisivo. Ela depende da tensão psíquica em geral, isto é, da quantidade de libido acumulada e disponível. O fator que determina esta acumulação é um estado complexo, resultado de todos os estados psíquicos anteriores. Podemos designá-lo humor, atenção, disposição afetiva, expectativa etc. A introversão se caracteriza por tensão genérica, função primária intensa e correspondente função secundária prolongada. A extroversão se caracteriza por relaxamento geral, função primária fraca e correspondente função secundária curta.

---

17. Esta tensão ou relaxamento é perceptível até mesmo na musculatura. Em geral, vem expressa no semblante.

VII

O problema das atitudes típicas na estética

553 De certa forma, é óbvio que todos os campos do espírito humano, relacionados, direta ou indiretamente, com a psicologia deem sua contribuição ao problema em questão. Depois de ouvirmos a voz do filósofo, do poeta, do médico e do conhecedor das pessoas, toma a palavra o estetista. Por sua natureza, a estética é psicologia aplicada e não lida apenas com o aspecto estético das coisas, mas também – e talvez em grau maior – com a questão psicológica da atitude estética. Fenômeno tão fundamental como a oposição entre introversão e extroversão não poderia ficar despercebido por muito tempo ao estetista, pois a maneira como a arte e o belo são sentidos e contemplados é tão diversa nas pessoas que esta oposição tinha que fazer-se notar. Abstraindo de inúmeras peculiaridades individuais, mais ou menos únicas ou singulares, há duas formas básicas de oposição que Worringer denominou *empatia* (*Einfühlung*) e *abstração* (*Abstraktion*)[1]. Sua definição de empatia deriva sobretudo de Lipps. Segundo este, empatia é a "objetivação de mim mesmo num objeto distinto de mim, não importando se o objetivado merece o nome de sentimento ou não". "Quando percebo um objeto, experimento como se dele proviesse ou se nele estivesse, enquanto percebido, um impulso para um modo determinado de comportamento interior que parece ser dado por ele, comunicado a mim por ele"[2]. Jodl dá a seguinte explicação: "A aparência sensível, criada pelo artista, não é apenas ensejo para nos lembrarmos de experiências afins segundo as leis da associação; mas, en-

---

1. WORRINGER, W. *Abstraktion und Einfühlung*. 3. ed. Munique: [s.e.], 1911.

2. LIPPS, T. *Leitfaden der Psychologie*. 2. ed. Leipzig: [s.e.], 1906, p. 193s.

quanto está sujeita à lei geral da exteriorização[3] e se nos apresenta como algo de fora, projetamos simultaneamente para dentro dela os processos interiores que ela reproduz em nós e lhe damos, assim, uma animação (*Beseelung*) estética – expressão que deveria ser preferida ao termo *Einfühlung* porque nesta introjeção dos nossos próprios estados interiores na imagem não se trata apenas de sentimentos, mas de toda espécie de processos interiores"[4].

554 Wundt inclui a empatia entre os *processos de assimilação* elementares[5]. A empatia é, pois, uma espécie de processo de percepção que se caracteriza por transferir sentimentalmente um conteúdo psíquico para o objeto; este é assimilado pelo sujeito ficando tão intimamente vinculado a ele que o sujeito se sente, por assim dizer, no objeto. Isto é possível se o conteúdo projetado estiver mais vinculado ao sujeito do que ao objeto. No entanto, o sujeito não se sente como projetado no objeto, mas o objeto "empatizado" lhe parece animado e falando por si. Devemos lembrar que a projeção é em si e normalmente um fato inconsciente, não submetido a controle consciente. Contudo, pode-se imitar conscientemente a projeção por uma formulação condicional como, por exemplo, "se você fosse meu pai", sendo então possível a situação de empatia. Em geral, a projeção transfere conteúdos inconscientes para o objeto e, por isso, a empatia também é denominada *transferência* (Freud) na psicologia analítica. *A empatia é, portanto, uma extroversão*. Worringer define a vivência estética na empatia da seguinte forma: "*Prazer estético é autoprazer objetivado*"[6]. De modo que só é *bela* aquela forma com a qual se tem empatia. Lipps diz: "As formas são belas apenas enquanto perdurar a empatia. Sua beleza é este meu gozar a vida, livre e ideal, nelas"[7]. De acordo com isso, toda forma com a qual não temos empatia é *feia*. E,

---

3. Por externalização Jodl entende a localização da percepção dos sentidos no espaço. Não escutamos os sons no ouvido e não vemos as cores no olho, mas no objeto espacialmente localizado. JODl, F. *Lehrbuch der Psychologie*. Vol. 2. 3. ed. Stuttgart/Berlim: [s.e.], 1908, p. 247.

4. Ibid., p. 436.

5. WUNDT, W. *Grundzüge der physiologischen Psychologie*. Vol. 3. 5. ed. Leipzig: [s.e.], 1903, p. 191.

6. WORRINGER, W. *Abstraktion und Einfühlung*. Op. cit., p. 4.

7. LIPPS, T. *Ästhetik*. Hamburgo: [s.e.], 1903/1906, p. 247.

assim, fica estabelecido o limite da teoria da empatia, pois existem formas artísticas onde, segundo Worringer, a atitude empatizante não se aplica.

555 Trata-se das formas artísticas orientais e exóticas. De longa tradição, fixou-se entre nós ocidentais o "belo natural e o verdadeiro natural" como critério do belo artístico, pois este foi essencialmente o critério greco-romano e da arte ocidental em geral. (É verdade que certas formas de estilo medieval constituem exceção). Nossa atitude para com a arte em geral é empatizante desde antigamente e, por isso, só conseguimos dizer que algo é belo se tivermos empatia. Se a forma artística do objeto for antivital, anorgânica ou abstrata, por assim dizer, não conseguimos estabelecer empatia de nossa vida nela. ("Aquilo com que empatizo é vida no mais amplo sentido". Lipps.) Só conseguimos empatizar com formas orgânicas verdadeiras, segundo a natureza e com vontade de viver. Contudo, existe, em princípio, outra forma artística, um estilo antivida, que nega a vontade de viver, que se distingue da vida e, assim mesmo, pretende ser belo. Quando a criação artística produz formas contrárias à vida, anorgânicas e abstratas, já não se trata do querer artístico oriundo da necessidade de empatia, mas de uma necessidade diretamente oposta à empatia, ou seja, de uma tendência para oprimir a vida. "O polo oposto dessa necessidade de empatia nos parece ser a *exigência da abstração*"[8].

556 Sobre a psicologia dessa força de abstração diz Worringer: "Quais são os pressupostos psíquicos da exigência de abstração? Temos que procurá-los no sentimento universal daqueles povos, em sua atitude psíquica para com o cosmo. Enquanto a exigência de empatia tem como condição um relacionamento de confiança feliz e panteísta entre o homem e os fenômenos do mundo externo, a exigência de abstração é a consequência de uma grande inquietação interna do homem devido aos fenômenos do mundo externo e que corresponde, do ponto de vista religioso, a uma coloração transcendental muito forte de todas as representações. Poderíamos chamar este estado de uma tremenda agorafobia espiritual. Quando Tibull diz que Deus criou neste mundo em primeiro lugar o medo"[9], então

---

8. WORRINGER, W. *Abstraktion und Einfühlung*. Op. cit., p. 16.

9. Primum in mundo fecit deus timorem.

podemos admitir que este mesmo sentimento de medo seja também a raiz da criação artística"[10].

557 É verdade que a empatia pressupõe uma solicitude, uma confiança do sujeito no objeto. A empatia é um movimento solícito que vai ao encontro, que transfere o conteúdo subjetivo para o objeto, provocando uma assimilação subjetiva e fazendo com que haja bom entendimento entre sujeito e objeto, ou, eventualmente, também o simula. Um objeto passivo se deixa assimilar subjetivamente, mas não modifica de modo algum suas reais qualidades. Estas são apenas disfarçadas pela transferência ou, talvez mesmo, violentadas. A empatia pode gerar semelhanças e qualidades aparentemente comuns que não subsistem em si mesmas. Por isso é fácil entender que deva existir a possibilidade de outra espécie de relação estética com o objeto, ou seja, uma atitude que não vai ao encontro do objeto, mas dele se afasta e procura garantir-se contra sua influência, criando no sujeito uma atividade psíquica destinada a paralisar a influência do objeto. A empatia pressupõe que o objeto esteja vazio, podendo então preenchê-lo com sua própria vida. A abstração, no entanto, pressupõe que o objeto esteja de certo modo vivo e ativo, e por isso procura fugir de sua influência. A atitude abstrativa é, portanto, centrípeta, isto é, introvertida. Ao conceito de abstração, de Worringer, corresponde a atitude introvertida. É significativo que Worringer designe a influência do objeto como pavor e medo. O abstrativo coloca-se perante o objeto como se este tivesse uma qualidade aterrorizadora, isto é, uma ação prejudicial ou perigosa contra a qual é necessário proteger-se. Esta qualidade aparentemente apriorística do objeto é, sem dúvida, também uma projeção, respectivamente, uma transferência, mas transferência de cunho negativo. Devemos admitir, pois, que ao ato de abstração antecede um ato inconsciente de projeção em que são transferidos para o objeto conteúdos de cunho negativo.

558 Uma vez que a empatia, bem como a abstração, são atos conscientes, e que à segunda antecede uma projeção inconsciente, podemos levantar a questão se à empatia também antecede um ato inconsciente. Sendo a essência da empatia uma projeção de conteúdos subjeti-

---

10. WORRINGER, W. Op. cit., p. 16s.

vos, o ato inconsciente que a precede deve ser o oposto, isto é, tornar o objeto inoperante. Assim, o objeto é esvaziado, é roubada sua atividade própria, é tornado apto a assumir os conteúdos subjetivos daquele que está com empatia. O que está com empatia procura introduzir sua vida no objeto e nele quer senti-la; por isso é necessário que a autonomia do objeto e sua diferença em relação ao sujeito não sejam grandes demais. O objeto é por assim dizer despotenciado e supercompensado pelo ato inconsciente que antecede à empatia porque, de imediato, o sujeito se coloca inconscientemente acima do objeto. Isto só pode ocorrer inconscientemente por um fortalecimento da importância do sujeito. Pode ser por uma fantasia inconsciente que desvaloriza e enfraquece o objeto, ou soergue e coloca o sujeito acima do objeto.

559 Só assim aparece aquela diferença de nível, necessária à empatia, para transferir conteúdos subjetivos ao objeto. O abstrativo sente estar num mundo apavorante que procura esmagá-lo; por isso, retrai-se em si mesmo e tenta encontrar a fórmula redentora que eleve seu valor subjetivo a tal ponto que esteja, no mínimo, à altura da influência do objeto. A pessoa com empatia, ao contrário, está num mundo que precisa de seu sentimento subjetivo para ter vida e alma. Empresta-lhe confiantemente animação, ao passo que o abstrativo se retrai, desconfiado, diante dos demônios dos objetos e constrói, com abstrações, para si mesmo, um antimundo protetor.

560 Se lembrarmos o que foi dito no capítulo anterior, é fácil reconhecer na empatia o mecanismo da extroversão e, na abstração, o da introversão. "A grande inquietação interior do homem devido aos fenômenos do mundo externo" nada mais é do que o medo de todo estímulo, medo próprio do introvertido que, devido à sua sensação e realização mais profundas, tem verdadeiro pavor de mudanças muito rápidas e violentas dos estímulos. Suas abstrações servem também ao fim declarado de confinar, mediante um conceito geral, o irregular e o mutável nos limites da legalidade. É evidente que este procedimento, essencialmente mágico, se encontra plenamente desenvolvido nos primitivos, cujas formas geométricas têm mais valor mágico do que estético.

561 Worringer diz com razão: "Atormentados pela confusão e jogo mutável dos fenômenos do mundo exterior, esses povos eram domi-

nados por uma necessidade absoluta de repouso. A felicidade que procuravam na arte não consistia tanto em mergulharem nas coisas do mundo exterior ou nele se deleitarem, mas em retirar o objeto individual de sua contingência arbitrária e aparente, torná-lo eterno pela aproximação a formas abstratas e, assim, encontrar um lugar de repouso na fuga dos fenômenos"[11].

562 "Estas formas abstratas e de acordo com a lei são, pois, as únicas e as melhores onde o homem pode descansar em face da terrível confusão dada pela imagem do mundo"[12].

563 Conforme Worringer, são as formas de arte e religiões orientais que apresentam uma atitude abstrativa em relação ao mundo. O mundo deve parecer diferente ao oriental relativamente à percepção do ocidental que anima seu objeto com empatia. Para o oriental, o objeto é animado *a priori*, é superior, e por isso ele se retrai diante dele e abstrai suas impressões. Excelente visão da atitude oriental temos no *Sermão do fogo*, de Buda: 'Tudo está em chamas. O olho e todos os sentidos estão em chamas devido ao fogo do amor, devido ao fogo do ódio, devido ao fogo da sedução; o nascimento, a velhice e a morte, a dor e a lamentação, a aflição, o sofrimento e o desespero o acenderam. – O mundo inteiro está em chamas. O mundo inteiro está envolto em fumaça. O mundo inteiro será consumido pelo fogo. O mundo inteiro estremece".

564 É esta visão aterradora e triste do mundo que leva os budistas a uma atitude abstrativa, da mesma forma que Buda, segundo a lenda, foi levado a seu caminho por impressão semelhante. A animação dinâmica do objeto como base da abstração vem muito bem expressa na linguagem simbólica de Buda. Esta animação não resulta da empatia, mas corresponde a uma projeção apriorística inconsciente, uma projeção que existe praticamente desde o início. O termo "projeção" parece inadequado para designar corretamente o fenômeno. Projeção é, na verdade, um ato que acontece e não um estado existente desde o início, do qual estamos falando aqui. A meu ver, a expressão "participação mística", de Lévy-Bruhl, é mais adequada a este estado

11. WORRINGER, W. Op. cit., p. 18.

12. Ibid., p. 21.

porque formula a relação original do primitivo com seu objeto. Seus objetos têm animação dinâmica, estão carregados de matéria ou força anímica (mas nem sempre dotados de alma, como pretende a hipótese animista) e exercem influência psíquica direta sobre as pessoas, produzindo nelas como que uma identidade dinâmica com seu objeto. Por isso, em certas línguas primitivas, os objetos de uso pessoal têm um gênero que designa vida (o sufixo de estar vivo). Também para a atitude abstrativa, o objeto é animado e ativo *a priori*, e não precisa da empatia; ao contrário, exerce influência tão forte que leva à introversão. A grande e inconsciente carga de libido que o objeto possui origina-se de sua "participação mística" do inconsciente daquele que tem uma atitude introvertida. Isto se deduz claramente das palavras de Buda: o fogo do mundo é idêntico ao fogo da libido do sujeito, à sua paixão ardente, mas que a ele se apresenta como objeto porque não foi diferenciada numa função subjetiva disponível.

565 A abstração parece uma função que luta contra a "participação mística" primitiva. Ela afasta do objeto para destruir os vínculos com ele. Leva, por um lado, à criação de formas artísticas e, por outro, ao conhecimento do objeto. A função da empatia é também a de ser um órgão de criação artística e de conhecimento. Mas ela tem lugar em bem outra base do que a abstração. Esta se baseia no significado e força mágicos do objeto; a empatia se funda no significado mágico do sujeito que se apodera do objeto mediante uma *identificação mística*. O primitivo, por um lado, é influenciado magicamente pela força do fetiche, mas, por outro, é também o feiticeiro e acumulador da força mágica que fornece "carga" ao fetiche. (Cf., neste sentido, o rito Curinga dos australianos[13].) A despotenciação inconsciente do objeto que antecede ao ato da empatia é igualmente um estado duradouro de menor acentuação do objeto. Mas no tipo empático os conteúdos inconscientes são idênticos ao objeto e fazem com que este pareça sem vida e sem alma[14], por isso a empatia é necessária ao conhecimento da essência do objeto. Poderíamos então neste caso falar de uma abstração inconsciente, sempre à disposição, que apresenta o objeto como desprovido de alma. A abstração tem sempre este efeito:

---

13. SPENCER, B. & GILLEN, Fr. J. *The Northern Tribes of Central Australia*. Londres: [s.e.], 1904.

14. Porque os conteúdos inconscientes do próprio empatizante estão relativamente sem vida.

mata a atividade independente do objeto na medida em que esta se relaciona magicamente com a psique do sujeito. Por isso, o abstrativo a utiliza conscientemente, para proteger-se contra a influência mágica do objeto. Também a relação de confiança que o empatizante tem com o mundo provém da não animação apriorística do objeto: nada há que o possa influenciar hostilmente ou oprimir, pois só ele dá vida e alma ao objeto, ainda que para sua consciência a situação pareça exatamente oposta. Para o abstrativo, porém, o mundo está cheio de objetos que atuam poderosa e, por isso, perigosamente; sente medo e, consciente de sua impotência, foge de um contato muito estreito com o mundo para então criar aquelas ideias e fórmulas com as quais espera dominar a situação. Sua psicologia é, portanto, a do oprimido; ao passo que o empatizante se coloca diante do objeto com segurança apriorística, pois, devido à sua não animação, é inofensivo. Esta caracterização é esquemática e não pretende delinear a natureza toda da atitude extrovertida ou introvertida, mas apenas sublinhar certas nuances cuja importância, contudo, não é desprezível.

566 Assim como o empatizante se compraz no objeto sem estar disso consciente, o abstrativo, sem o saber, contempla a si mesmo ao refletir sobre a impressão que lhe advém do objeto. O que o empatizante transfere para o objeto é ele mesmo, isto é, seu próprio conteúdo inconsciente; e o que o abstrativo pensa sobre a impressão que recebe do objeto ele na verdade o pensa sobre seus próprios sentimentos que nele surgiram a partir do objeto. É claro, pois, que as funções fazem parte de uma verdadeira apreensão do objeto, bem como de uma criação realmente artística. Ambas as funções estão sempre presentes no indivíduo, só que, na maioria das vezes, estão desigualmente diferenciadas. Worringer considera a tendência à *autorrenúncia*[15] como raiz comum dessas duas formas básicas da vivência estética. Pela abstração, o homem procura, "na contemplação de algo necessário e irremovível, ser libertado do acaso do ser humano em geral, da aparente arbitrariedade da existência orgânica comum". Perante esta quantidade impressionante e estonteante de objetos animados, o homem cria para si uma abstração, isto é, uma imagem abstrata universal em que limita as impressões numa forma fixa. Esta imagem tem o signifi-

15. WORRINGER, W. Op. cit., p. 26.

cado mágico de uma proteção contra a mudança caótica da vivência. O homem mergulha tão profundamente e nela se perde que, ao final, coloca sua verdade abstrata acima da realidade da vida, e a vida, que poderia estorvar o gozo da beleza abstrata, é de todo reprimida. Ele mesmo se torna abstração, ele se identifica com o valor eterno de sua imagem e nela se fixa, porque se transformou para ele em fórmula redentora. Renuncia, desse modo, a si mesmo e transfere sua vida para sua abstração na qual, de certa forma, fica cristalizado.

567 Na medida, porém, em que o empatizante traz para dentro do objeto sua atividade e sua vida, ele mesmo se entrega ao objeto uma vez que o conteúdo empatizado representa parte essencial do sujeito. Ele se torna o objeto, ele se identifica com ele e, portanto, sai de si mesmo. Na medida em que se objetiviza, ele se dessubjetiviza. Worringer diz: "Ao empatizarmos esta vontade de agir num outro objeto, *estamos* dentro desse outro objeto. Somos libertados de nosso ser individual enquanto nos abrimos, com nossa compulsão interna de experiência, para um objeto externo, para uma forma externa. Sentimos, também, nossa individualidade fluir para limites estreitos, em oposição à diferenciação ilimitada da consciência individual. Nesta auto-objetivação há uma autorrenúncia. Esta afirmação de nossa necessidade individual de agir coloca, ao mesmo tempo, uma limitação a suas possibilidades ilimitadas, uma negação de suas diferenciações irreconciliáveis. Com esta nossa compulsão interna de agir, ficamos nos limites dessa objetivação"[16]. Assim como para o abstrativo a imagem abstrata representa um engaste, um muro protetor contra os efeitos destrutivos dos objetos inconscientemente animados[17], a transferência para o objeto é para o empatizante uma proteção contra a dissolução por fatores internos subjetivos que consistem em possibilidades ilimitadas da fantasia e correspondentes impulsos à ação. Segundo Adler, assim como o neurótico introvertido se fixa numa 'linha de conduta fictícia", o neurótico extrovertido se agarra ao objeto de sua transferência. O introvertido abstrai sua "linha de conduta" de suas

---

16. Ibid., p. 27.

17. Friedrich Theodor Vischer dá, em seu romance *Auch Einer*, descrição bem acertada dos objetos vivificados.

boas e más experiências do objeto e confia na fórmula como proteção contra as possibilidades ilimitadas da vida.

568 Empatia e abstração, extroversão e introversão são mecanismos de adaptação e proteção. Enquanto possibilitam a adaptação protegem as pessoas dos perigos externos. Enquanto forem *funções dirigidas*[18] libertam as pessoas de impulsos ocasionais; na verdade, protegem-nas inclusive disso por lhes tornarem possível a *autorrenúncia*. Mostra a diuturna experiência psicológica que muitas pessoas se identificam plenamente com sua função dirigida (a função "valiosa"), e estas pessoas são, entre outras, os tipos de que falamos aqui. A identificação com a função dirigida tem uma indiscutível vantagem: permite à pessoa adaptar-se, da melhor forma, às expectativas e exigências coletivas e ainda sair do caminho de suas funções inferiores, não diferenciadas e não dirigidas por meio da autorrenúncia. Além disso, a "abnegação" é uma virtude peculiar sob o ponto de vista da moralidade social. No outro lado, porém, está a grande desvantagem da identificação com a função dirigida: *a degeneração do indivíduo*.

569 Sem dúvida o homem é capaz de grande mecanização, mas não a ponto de entregar-se completamente a ela sem graves prejuízos. Quanto mais se identifica com uma das funções, tanto mais ele a carrega de libido e tanto mais libido ele retira das outras funções. Estas suportam por longo tempo um desfalque de libido, mas um dia vão reagir. Enquanto são privadas de libido, entram aos poucos sob o limiar da consciência, sua conexão associativa com a consciência se torna frouxa e, assim, mergulham gradativamente no inconsciente. Isto equivale a um desenvolvimento regressivo, ou seja, um regresso da função relativamente desenvolvida a um nível infantil e, por fim, a um nível arcaico. Mas como o homem só passou relativamente poucos milênios no estado cultural e muitos milênios no estado inculto, os modos arcaicos de função ainda mantêm condições de vida e são facilmente reativados. Quando, pois, certas funções são desintegradas pelo despojamento da libido, entram em atividade seus fundamentos arcaicos que estão no inconsciente.

---

18. Cf., para o pensamento dirigido, JUNG, C.G. *Símbolos da transformação* [OC, 5. Na edição alemã, p. 7s.].

570 Este estado significa uma dissociação da personalidade na medida em que as funções arcaicas não têm relacionamento direto com a consciência, portanto, não existem pontes transitáveis entre consciência e inconsciente. Quanto mais longe for a autorrenúncia, tanto mais longe também avançará a arcaização das funções inconscientes. Assim cresce também a importância do inconsciente. E ele começa a perturbar sintomaticamente a função dirigida, iniciando-se aquele círculo vicioso característico de certas neuroses: a pessoa procura compensar as influências inconscientemente perturbadoras por préstimos especiais da função dirigida, e esta competição pode eventualmente levar a um colapso nervoso. A possibilidade de autorrenúncia pela identificação com a função dirigida não está apenas na limitação unilateral a uma das funções, mas também no fato de a essência da função dirigida ser um princípio que exige a autorrenúncia. Cada função dirigida exige a exclusão pura e simples daquilo que não lhe serve: o pensamento exclui todo sentimento inadequado e o sentimento exclui todo pensamento inadequado. Sem reprimir todo o demais, a função dirigida não pode realizar-se. Por outro lado, a autorregulação do organismo vivo exige naturalmente a harmonização do ser humano; por isso a consideração das funções menos favorecidas se impõe como necessidade vital e tarefa inevitável da educação do gênero humano.

VIII

O problema dos tipos na filosofia moderna

1. Os tipos de James

571 Também na nova filosofia pragmática foi descoberta a existência de dois tipos. Deve-se a descoberta a William James que diz: "A história da filosofia se constitui, em grande parte, de certo conflito de *temperamentos* humanos" (disposições caracterológicas)[1]. "Qualquer que seja o temperamento de um filósofo profissional, ele tentará, ao filosofar, esconder a realidade de seu temperamento. Contudo, é seu temperamento que lhe dá um pendor mais forte do que qualquer outra de suas premissas estritamente objetivas. Ele faz pender a evidência para um ou outro lado, dando uma visão mais sentimental ou mais dura do universo, quer seja um fato ou um princípio. Ele confia em seu temperamento. Desejando um universo que seja adequado a seu temperamento, acredita em qualquer representação do universo que lhe seja adequada. Acha que a pessoa de temperamento oposto não está afinada com o caráter do mundo e a considera incompetente e 'não por dentro' dos assuntos filosóficos, ainda que o exceda de longe na capacidade dialética. Mas na discussão pública não pode exigir, com base apenas em seu temperamento, maior discernimento ou autoridade. Por isso há certa falta de sinceridade nas nossas discussões filosóficas; nossa premissa mais poderosa nunca é mencionada"[2].

572 James parte então para a caracterização dos dois temperamentos: assim como no âmbito dos modos e costumes há pessoas conven-

---

1. JAMES, W. *Pragmatism* – A New Name for some Old Ways of Thinking. Londres/Nova York: [s.e.], 1911, p. 6.

2. Ibid., p. 7s.

cionais e liberais, no âmbito político há autoritários e anarquistas, na beletrística há acadêmicos e realistas, na arte há clássicos e românticos, também encontramos conforme James, na filosofia, dois tipos: o "racionalista" e o "empírico". O racionalista é o "adorador de princípios eternos e abstratos". O empírico é o "amante dos fatos em toda a sua rude variedade"[3]. Ainda que ninguém possa dispensar nem fatos e nem princípios, resultam, contudo, pontos de vista bem distintos, dependendo do peso que foi atribuído a este ou aquele lado. James coloca o "racionalismo" como sinônimo de "intelectualismo" e o "empirismo" como sinônimo de "sensualismo". A meu ver, esta correspondência não é válida, mas deixemos a crítica para depois e sigamos o pensamento de James. Segundo pensa, ao intelectualismo está vinculada uma tendência idealista e otimista, enquanto o empirismo se inclina para o materialismo e para um otimismo relativo e incerto. O racionalismo (intelectualismo) é sempre *monista*. Começa com o todo e universal, e une as coisas. O empirismo, ao contrário, começa com a parte e faz do todo uma *coletânea*. Poderia ser denominado *pluralista*. O racionalista é pessoa de sentimentos, o empírico é um cabeça-dura. O primeiro está naturalmente inclinado a acreditar na livre vontade, o segundo, no fatalismo. O racionalista é facilmente dogmático em suas constatações, o empírico, ao contrário, é cético[4]. James designa o racionalista como *tender-minded* (de espírito suave e delicado) e o empírico como *tough-minded* (de espírito tenaz, rude). Pretende, assim, destacar a qualidade fundamental de cada mentalidade. A seguir, teremos ocasião de examinar mais de perto esta caracterização. Interessante é o que diz James sobre os preconceitos que os tipos alimentam um contra o outro. 'Têm baixo conceito um do outro. Seu antagonismo fez parte da atmosfera filosófica em todas as épocas. Também faz parte da atmosfera de hoje. O tenaz acha o delicado sentimental; o delicado diz que o tenaz é grosso, calejado ou bruto. Cada tipo considera o outro inferior"[5].

573 James coloca as qualidades de cada um em duas colunas relacionadas:

---

3. Ibid., p. 9.

4. Ibid., p. 10s.

5. Ibid., p. 12s.

Tender-minded	*Tough-minded*
Racionalista (segue princípios)	Empírico (segue fatos)
Intelectualista	sensualista
Idealista	materialista
Otimista	pessimista
Religioso	irreligioso
Indeterminista	determinista, fatalista
Monista	pluralista
Dogmático	cético

574 Esta relação toca em vários problemas que já encontramos no capítulo sobre o nominalismo e o realismo. O *tender-minded* tem certos traços em comum com o realista e o *tough-minded*, com o nominalista. Conforme disse acima, o realismo corresponde ao princípio da introversão e o nominalismo ao princípio da extroversão. Certamente a controvérsia sobre os universais também faz parte daquele conflito histórico de temperamentos na filosofia a que se refere James. Essas relações levam a pensar que o *tender-minded* é introvertido e o *tough-minded* é extrovertido. Mas resta examinar se esta atribuição é correta ou não.

575 Pelo meu conhecimento – aliás, limitado – dos escritos de James, não foi possível encontrar definições e descrições mais precisas de ambos os tipos, ainda que fale mais vezes das duas formas de pensar e as domine às vezes, "thin" (fina) e "thick" (grossa). Flournoy[6] traduz "thin" por "mince, ténu, maigre, chétif' (delgado, tênue, magro, débil) e "thick" por "épais, solide, massif, cossu" (espesso, sólido, maciço, opulento). James também usa para "tender-minded" a expressão "soft-headed", literalmente "de cabeça mole". "Soft" é como "tender", mole, delicado, suave, afável, manso, portanto algo frágil, amortecido, de pouca força, em oposição a "thick" e "tough" cujas qualidades de resistência, solidez, difícil de mudar, lembram a natureza da matéria. Flournoy explica as duas formas de pensar da seguinte maneira: "É a oposição entre a forma de pensar *abstracionista* – isto é, puramente lógica e dialética, tão cara aos filósofos, mas que não inspira confiança alguma a James e que lhe parece frágil, oca, 're-

6. FLOURNOY, T. *La Philosophie de W. James*. Saint-Blaise: [s.e.], 1911, p. 36.

les' porque muito afastada do contato das coisas particulares – e a forma de pensar *concreta* que se nutre de fatos da experiência e jamais abandona a região terrena, mais sólida, dos cascos de tartaruga ou outros dados positivos"[7]. Mas desse comentário não podemos concluir que James se incline unilateralmente para o pensar concreto. Valoriza ambos os pontos de vista: "Evidentemente os fatos são bons – deem-se-nos quantidades de fatos. Os princípios são bons – deem-se-nos princípios em abundância"[8]. Um fato não é apenas o que ele é em si, mas também como nós o vemos.

576 Se James denomina o pensar concreto *thick* ou *tough*, quer dizer que, para ele, esta forma de pensar tem algo de substancial e resistente, ao passo que o pensar abstrato lhe parece algo fraco, fino e esmaecido, talvez mesmo, segundo a interpretação de Flournoy, algo doentio e decrépito. Tal concepção só é possível quando se operou uma vinculação *a priori* da susbtancialidade com o fato concreto, o que é, como dissemos, questão de temperamento. Quando o pensador "empírico" atribui a seu pensar concreto uma substancialidade resistente, representa do ponto de vista abstrato uma ilusão, pois a substancialidade, a "dureza" cabe ao fato exterior e não ao pensar "empírico". Este, inclusive, se mostra particularmente fraco e débil porque não consegue afirmar-se diante dos fatos externos, mas sempre depende dos dados sensíveis, corre atrás deles e, consequentemente, mal pode elevar-se acima de uma atividade meramente classificatória ou descritiva. Na ótica do pensar, portanto, o pensamento concreto é algo muito frágil e insubsistente, porque sua segurança não está nele mesmo, mas nos fatos externos que se sobrepõem ao pensamento enquanto valores condicionantes. Este pensar se caracteriza por uma série de representações ativadas pelas sensações colocadas em movimento menos por uma atividade pensante interior e mais pela mudança das percepções sensíveis. Portanto, uma série de representações concretas, condicionadas por percepções sensíveis, não é exatamente aquilo que o abstrativo chamaria de pensar, mas, na melhor das hipóteses, seria uma apercepção passiva.

---

7. Ibid.

8. JAMES, W. Op. cit., p. 13.

577 O temperamento que privilegia o pensar concreto e lhe atribui substancialidade se caracteriza pelo predomínio das representações sensivelmente condicionadas em oposição à atividade de apercepção ativa que procede de um ato subjetivo de vontade e que procura ordenar essas representações sensíveis segundo as intenções de uma dada *ideia*. Dito de forma mais breve: este temperamento se interessa mais pelo objeto; o objeto é empatizado, ele se comporta quase autonomamente no mundo das representações do sujeito e atrai para si a compreensão. Este temperamento é, pois, extroversivo. O pensar do extrovertido é concretista. Sua firmeza não está nele, mas, até certo ponto, fora dele, nos fatos empatizados, donde provém igualmente a qualificação de James, *tough*. Quem se posiciona sempre do lado do pensar concreto, isto é, do lado das representações fatuais, a este lhe parece a abstração algo frágil e débil, porque a compara com a firmeza dos fatos concretos, dados pelos sentidos. Mas para quem está do lado da abstração, o decisivo não é a representação vinculada aos sentidos, mas a *ideia abstrata*.

578 Segundo a opinião corrente, a ideia nada mais é do que uma abstração de certa soma de experiências. E nesta linha gostamos de conceber o espírito humano como *tabula rasa* (quadro vazio) que vai-se preenchendo pelas percepções e experiências do mundo e da vida. A partir desse ponto de vista, que é o da nossa cientificidade empírica, no sentido mais amplo, a ideia não pode ser outra coisa do que abstração epifenomenal e *a posteriori* das experiências e, por isso, é mais fraca e mais pálida do que estas. Sabemos, porém, que o espírito não pode ser *tabula rasa*, pois a crítica de nossos princípios do pensar mostra que certas categorias de nosso pensar são dadas *a priori*, isto é, antes de qualquer experiência, e surgem juntamente com o primeiro ato pensante e são, inclusive, condições pré-formadas deste. O que foi demonstrado por Kant no tocante ao pensar lógico vale, em âmbito bem maior, para a psique. A psique é tão pouco *tabula rasa* no início quanto o espírito (o lugar do pensamento). É certo que faltam os conteúdos concretos, mas as potencialidades de conteúdo são dadas *a priori* pela disposição funcional, herdada e pré-formada. Ela é simplesmente o resultado dos modos de função cerebrais dentro da linha genealógica, uma sedimentação das tentativas de adaptação e das experiências da linha filogenética. O cérebro ou sistema funcional re-

cém-formado é, portanto, um instrumento antigo, preparado para finalidades bem específicas, que não tem mera aperceptibilidade passiva, mas que ordena ativamente as experiências e as obriga a certas conclusões e juízos. Este ordenamento não acontece por acaso ou arbitrariamente, mas segue condições rigorosamente pré-formadas que não são transmitidas pela experiência como conteúdos de compreensão, mas são condições *a priori* da compreensão. São ideias *ante rem* (antes da coisa), condições formais, linhas básicas traçadas *a priori* que dão à matéria da experiência uma configuração específica de modo que possamos entendê-las, a exemplo de Platão, como *imagens*, espécie de esquemas ou possibilidades funcionais herdadas que, no entanto, excluem outras possibilidades ou, ao menos, limitam-nas em alto grau. Daí provém que, mesmo a fantasia, a atividade mais livre do espírito, não pode divagar pelo ilimitado (mesmo que o poeta assim o sinta), mas continua presa a possibilidades pré-formadas, ou seja, a *imagens primitivas* ou *imagens originais*. Os contos de fadas de povos os mais longínquos mostram, pela semelhança dos motivos, esta vinculação a certas imagens primitivas. Até mesmo as imagens que têm como base teorias científicas apresentam tal restrição como, por exemplo, o éter, a energia com suas transformações e constância, a teoria atômica, a afinidade etc.

579 Assim como predomina no espírito do pensador concreto a representação pelos sentidos e é esta que traça a diretriz, predomina no espírito do pensador abstrato a imagem sem conteúdo e, por isso, não representável. Esta imagem permanece relativamente inativa, enquanto o objeto é empatizado e, assim, elevado a fator determinante do pensar. Mas, se o objeto não é empatizado, perdendo sua preponderância no processo do pensar, a energia que foi negada volta-se novamente para o sujeito. O sujeito é inconscientemente empatizado e, assim, são despertadas as imagens pré-formadas que nele dormitavam; entram como fatores operativos no processo do pensar, em forma não representável, quais diretores de cena atrás dos bastidores. Por serem meras possibilidades ativadas de função, estão sem conteúdo, por isso não são representáveis e estão à procura de realização. Elas puxam a matéria da experiência para dentro de sua forma; não apresentam os fatos, mas a si mesmas nos fatos. Revestem-se praticamente dos fatos. Não são um ponto de partida conhecido, como o

fato empírico no pensar concreto, mas se tornam perceptíveis unicamente pela configuração inconsciente do material experimental. Também o empírico pode articular e dar forma a seu material experimental, mas o fará segundo um conceito concreto, com base em experiências passadas.

580 O abstrativo, porém, configura tudo segundo modelos inconscientes e só experimenta *a posteriori* a *ideia* a que deu forma, através do fenômeno por ele configurado. De acordo com sua psicologia, o empírico está sempre inclinado a supor que o abstrativo configure o material experimental arbitrariamente e segundo pressupostos pálidos, fracos e insuficientes, pois avalia o processo do pensamento do abstrativo de acordo com seu próprio modo de proceder. A premissa propriamente dita, a ideia ou a imagem primitiva, são desconhecidas ao abstrativo, tanto quanto o é a teoria para o empírico, que somente a elaborará após muitas experiências.

581 Conforme anunciei em capítulo precedente, o empírico vê o objeto individual e se interessa por seu comportamento individual; o abstrativo vê, em primeiro lugar, a relação de semelhança dos objetos entre si e se coloca além da individualidade dos fatos, porque lhe parece mais conveniente e tranquilizador o conectivo e o homogêneo na fragmentação da multiplicidade. Para o primeiro, a relação de semelhança é algo cansativo e perturbador que o impede inclusive de conhecer a singularidade do objeto. Quanto mais empatiza com o objeto singular, tanto mais conhece suas propriedades e tanto mais desaparece o fato de uma relação de semelhança com outro objeto qualquer. Mas se conseguir empatizar também com o outro objeto, estará em condições de captar e sentir a semelhança dos dois objetos em grau bem maior do que aquele que os viu apenas de fora. Devido ao fato de só conseguir empatizar primeiro com um objeto e depois com o outro – o que é sempre um processo demorado – o pensador concreto só chega devagar ao conhecimento das semelhanças entre eles e, por isso, o pensamento dele parece muito lento. Sua empatia, no entanto, é ágil. O abstrativo, porém, capta com rapidez a semelhança, substitui os objetos individuais por características gerais e configura esse material experimental segundo sua própria atividade mental que, no entanto, está tão fortemente influenciada pela imagem primitiva "indeterminada", como o pensar concreto pelo objeto. Quanto

maior a influência do objeto sobre o pensar, mais gravará seus traços na imagem pensada. Mas, quanto menor a atuação do objeto na mente, com tanto mais força a ideia apriorística gravará seu selo na experiência. A importância desmesurada do objeto empírico criou, na ciência, uma espécie de teoria especializada que, na psiquiatria, por exemplo, surgiu como a famosa "mitologia cerebral", pela qual se tentou explicar uma região experimental mais ampla a partir de princípios que podem ser adequados para explicar certos complexos de fatos bem limitados, mas totalmente insuficientes para qualquer outro uso. Inversamente, porém, o pensamento abstrato, que só aceita o fato individual por causa da semelhança com outro, cria uma hipótese universal que, apesar de apresentar a ideia de forma mais ou menos pura, tem a ver com a essência dos fatos concretos tanto, ou tão pouco, quanto um mito. Levadas a extremo, ambas as formas de pensar geram mitologia. Uma se manifesta concretamente através de células, átomos, oscilações e coisas afins, a outra por meio de ideias "eternas". O empirismo extremo tem ao menos a vantagem de apresentar os fatos da forma mais pura possível. O ideologismo extremo, por sua vez, tem a vantagem de espelhar, com a máxima pureza, as formas apriorísticas, as ideias ou imagens primitivas. Os resultados teóricos do primeiro se completam com o material que tira da experiência; os resultados práticos do segundo se limitam à apresentação da ideia psicológica.

582 Dado que nosso espírito científico atual é unilateralmente concreto-empírico, não sabe apreciar a ação daquele que apresenta a ideia, pois os fatos são para ele mais importantes do que o conhecimento de formas primitivas, nas quais a mente humana os compreende. A inclinação para o lado do concretismo é uma conquista relativamente nova, datando da época do Iluminismo. Os resultados desse desenvolvimento são admiráveis, mas levaram a uma acumulação do material empírico cuja quantidade foi causando aos poucos mais confusão do que clareza. Inevitável foi o surgimento de um separatismo científico e, com isso, de uma mitologia de especialistas que significaram a morte da universalidade. A preponderância do empirismo não significa apenas a supressão do pensar ativo, mas também um perigo para a criação de teorias dentro de uma disciplina. A ausência de pontos de vista gerais favorece o aparecimento de teorias míticas, tanto quanto a ausência de pontos de vista empíricos.

583 Sou de opinião que a terminologia de James, de *tender-minded* e *tough-minded*, contém uma visão unilateral e, no fundo, certo *praeiudicium* (preconceito). Mas ficou claro, em nossa exposição, que a tipificação de James trata dos mesmos tipos que denominei introvertido e extrovertido.

2. Os pares de opostos característicos dos tipos de James

a) *O primeiro par de opostos que James aduz como característica distintiva dos tipos é* racionalismo *versus* empirismo.

584 Conforme o leitor percebe, já tratei dessa oposição e a designei ideologismo *versus* empirismo. Evitei o termo "racionalismo" porque o pensar empírico concreto é tão "racional" quanto o pensar ideológico ativo. A razão comanda ambas as formas. E, além do mais, não existe apenas um racionalismo lógico, mas também um racionalismo sentimental, porque o racionalismo em si é uma atitude psicológica geral de sensatez do pensar e do sentir. Parece-me que este conceito de "racionalismo" está numa oposição consciente à concepção histórico-filosófica que entende "racionalista" como "ideológico" e, respectivamente, racionalismo como primado da ideia. Para os filósofos modernos, a *ratio* (razão) perdeu o caráter puramente ideal e vem designada como faculdade, impulso, querer e até mesmo como um sentimento ou método. Contudo, psicologicamente considerada, ela é uma atitude comandada, segundo Lipps, pelo "sentimento de objetividade". De acordo com Baldwin[9], ela é o "princípio constitutivo e regulador do espírito". Herbart diz ser ela a "faculdade de reflexão"[10]. Schopenhauer diz que a razão só tem *uma* função, ou seja, "a formação do conceito; e por meio desta única função esclarecem-se, facilmente e de per si, todos os fenômenos mencionados acima, que distinguem a vida dos homens da dos animais, e ao emprego ou não dessa função se deve tudo o que chamamos, em qualquer tempo e lu-

---

9. BALDWIN, J.M. *Handbook of Psychology: Sensés and Intellect*. Londres/Nova York, 1890, I, p. 312.

10. HERBART, J. Fr. *Psychologie als Wissenschaft*. Leipzig: [s.e.], 1850, § 117 [OC, 6].

gar, racional ou irracional"[11]. Os "fenômenos mencionados acima" se referem a certas manifestações da razão que Schopenhauer reuniu à guisa de exemplos, como "o controle dos afetos e paixões, a capacidade de tirar conclusões e formular princípios gerais", "a ação comunitária de vários indivíduos", "a civilização, o Estado; além da ciência e da conservação das experiências do passado" etc. Se, para Schopenhauer, a razão tem a função de formar os conceitos, deve possuir também o caráter daquela disposição do aparelho psíquico, capaz de formar conceitos pela atividade pensante. Também neste sentido de uma disposição é que Jerusalém[12] entende a razão: como *disposição da vontade* que torna possível, em nossas decisões, usar a razão e dominar as paixões.

585 Razão é, pois, a capacidade de ser razoável, uma atitude especial que torna possível um pensar, sentir e agir segundo valores objetivos. Do ponto de vista do empirismo, esses valores "objetivos" provêm da experiência, mas, do ponto de vista do ideologismo, provêm de um ato de avaliação racional que, então, segundo Kant, seria uma "faculdade de julgar e agir de conformidade com princípios básicos". Kant considera a razão a fonte da ideia que é um "conceito racional cujo objeto não pode ser encontrado na experiência" e que contém "*a imagem primitiva do emprego da razão* como princípio regulador em prol da coerência geral do emprego empírico de nossa razão"[13]. Esta concepção é genuinamente introvertida. Contra ela está a concepção de Wundt, pela qual a razão pertence às funções intelectuais complexas que, juntamente com suas "fases anteriores que lhes dão o *indispensável substrato sensível*, são resumidas num termo geral". "É evidente que este conceito 'intelectual' é uma sobrevivênciada psicologia das faculdades e sofre, possivelmente, ainda mais do que os conceitos antigos, como memória, razão, fantasia etc., da *confusão dos pontos de vista lógicos que nada têm a ver com psicologia*, e quanto mais variados forem os conteúdos psíquicos que abranger, mais indefinido e arbitrário vai se tornando [...] Se, do ponto de vista da psico-

---

11. SCHOPENHAUER, A. *Die Welt als Wille und Vorstellung*. Leipzig: [s.e.], 1890-1891, I, § 8 [Sämtliche Werke, 6 vols.].

12. JERUSALEM, W. Lehrbuch der Psychologie. 5. ed. Viena/Leipzig: [s.e.], 1912, p. 195.

13. KANT, E. *Logik*. [s.l.]: [s.e.], 1904, p. 140s.

logia científica não houver memória, razão ou fantasia, *mas apenas processos psíquicos elementares e suas conexões entre si* que a gente, numa distinção bastante arbitrária, resume nesses nomes, então menos ainda podem existir 'inteligência' ou 'funções intelectuais' no sentido de um conceito homogêneo correspondente a um conjunto de fatos nitidamente limitado. No entanto, há casos em que é proveitoso valer-se desses conceitos emprestados do arsenal da psicologia das faculdades, mesmo que empregando-os com sentido modificado pela abordagem psicológica. Esses casos acontecem quando nos defrontamos com fenômenos complexos de composição bem heterogênea que exigem consideração devido à regularidade de sua combinação e, sobretudo, por razões práticas; ou quando a consciência individual nos apresenta certas tendências definidas em sua disposição e estrutura; ou quando a regularidade da combinação necessita de uma análise dessas disposições psíquicas complexas. *Mas em todos esses casos cabe naturalmente à pesquisa psicológica não ficar rigidamente dependente dos conceitos gerais assim formados, mas reduzi-los, quando possível, a seus fatores simples*"[14].

586 Esta concepção é tipicamente extrovertida. Salientei os tópicos mais característicos. Enquanto para o introvertido os "conceitos gerais" como razão, intelecto etc., são "faculdades", isto é, simples funções básicas que resumem num sentido unívoco a multiplicidade dos processos psíquicos que dirigem, para o extrovertido, o empírico, são apenas conceitos secundários e derivados, complicações dos processos elementares sobre as quais é deslocado o acento de valor. Não é possível, segundo este ponto de vista, evitar tais conceitos, mas deveríamos, em princípio, reduzi-los sempre a "seus fatores simples". É óbvio que o empírico só pode pensar redutivamente em relação a conceitos gerais, pois para ele os conceitos são sempre derivados apenas da experiência. Ele nem conhece "conceitos racionais", ideias *a priori*, porque seu pensar está orientado passiva e aperceptivamente para a experiência condicionada aos sentidos. Devido a esta atitude, o acento recai sempre sobre o objeto; é ele que age e obriga a conhecimentos e conclusões racionais complicadas; estas, por sua vez, exigem a

14. WUNDT, W. *Grundzüge der physiologischen Psychologie*. Vol. 3. 5. ed. Leipzig: [s.e.], 1902/1903, p. 582s. [Os grifos no texto são meus].

existência de conceitos gerais que servem apenas para reunir certos grupos de fenômenos sob um nome coletivo. E, assim, o conceito geral nada mais é do que um fator secundário que, propriamente, não existe fora da linguagem. Por isso, a ciência não pode conceder à razão, à fantasia etc., um direito à existência própria, enquanto achar que só existe realmente o fato sensível, o "fator elementar".

587 Mas quando o pensar está orientado ativa e aperceptivamente, como no caso do introvertido, então a razão, o intelecto, a fantasia etc., têm o valor de uma função básica, de uma faculdade, ou seja, de um poder ou fazer que vem de dentro para fora, porque o acento valorativo está no conceito e não nos processos elementares, cobertos e abrangidos pelo conceito. Este pensar é sintético desde o início. Ele organiza tudo pelo esquema do conceito e aproveita o material experimental para "encher" suas ideias. O conceito é ativo e por força interna própria, assumindo e transformando o material experimental. O extrovertido acha que a fonte dessa força é mera arbitrariedade ou generalização apressada de experiências limitadas. O introvertido que está inconsciente de sua própria psicologia de pensar e, talvez, tenha adotado como linha diretriz o empirismo em moda, defende-se inutilmente contra esta acusação. A acusação, porém, é mera projeção da psicologia extrovertida. O tipo pensamento ativo não extrai a energia de sua atividade pensante nem da arbitrariedade e nem da experiência, mas da ideia, isto é, da forma funcional inata que é ativada por sua atitude introvertida. Esta fonte lhe é inconsciente porque, devido à sua falta apriorística de conteúdo, só pode captar a ideia configurada, *a posteriori*, sob a forma que assume o material experimental elaborado pelo pensamento. Mas, para o extrovertido, é importante e imprescindível o objeto e o processo elementar porque projetou inconscientemente a ideia no objeto e só pode chegar ao conceito e, portanto, à ideia, pela reunião e comparação empíricas. As duas orientações de pensar são notavelmente opostas: uma configura seu material a partir de suas ideias inconscientes, chegando assim à experiência; a outra se deixa guiar pelo material, contido em sua projeção inconsciente das ideias, chegando assim à ideia. Esta oposição de atitudes tem algo de irritante e por isso é responsável, no fundo, pelas mais calorosas e inúteis discussões científicas.

Acredito que esta exposição ilustre o suficiente minha opinião de que a *ratio* e sua elevação unilateral a princípio, portanto o racionalismo, pertença tanto ao empirismo como ao ideologismo. Em vez de falar de ideologismo, poderia usar também a palavra "idealismo". Mas a antítese dessa é "materialismo" e eu não poderia dizer que "materialista" é oposto a "ideológico", pois o materialista, como o demonstra a história da filosofia, também pode ser um ideológico, quando não é exatamente um empírico, mas pensa ativamente a partir da ideia geral de matéria. 588

b) *O segundo par de opostos que James apresenta é* intelectualismo *versus* sensualismo (*sensacionalismo*).

Sensualismo é a expressão para designar a essência do empirismo extremo. Para ele a única e exclusiva fonte do conhecimento é a experiência dos sentidos. A atitude sensualista está totalmente orientada para o objeto dado pelos sentidos, portanto, para fora. Evidentemente, James pensa num sensualismo intelectual e não estético, mas por isso mesmo "intelectualismo" não parece ser o oposto adequado. Psicologicamente, o intelectualismo é uma atitude que se caracteriza por atribuir o maior valor determinante ao intelecto, portanto ao conhecer no grau conceitual. Com esta atitude é possível também ser sensualista principalmente quando o pensamento se ocupa com conceitos concretos, todos provenientes da experiência sensível. Por isso também o empírico pode ser intelectual. Filosoficamente, intelectualismo é empregado promiscuamente com racionalismo; deveríamos dizer então que o contrário de sensualismo é outra vez o ideologismo, pois também o sensualismo é, em sua essência, extremo empirismo. 589

c) O terceiro par de opostos de James é idealismo *versus* materialismo.

Já poderíamos ter suposto que James, ao falar do sensualismo, não entendia um simples empirismo exacerbado, isto é, um sensualismo intelectual, mas pela expressão "sensacionalista" talvez quisesse destacar também o que propriamente corresponde à sensação, independente de todo intelecto. Com o termo "o que corresponde à sensação" quero significar a verdadeira *sensualidade*, não no sentido 590 vulgar de *voluptas* (volúpia), mas como atitude psicológica onde o fator de orientação e determinação não é tanto o objeto empatizado, mas antes o simples fato da excitação sensorial. Esta atitude também pode ser descrita como reflexiva, porque toda a mentalidade depende da impressão sensorial e nela culmina. O objeto não é conhecido abstratamente e nem empatizado, mas age por meio de sua forma natural de existir, e o sujeito se orienta exclusivamente pela impressão sensorial despertada pelo contato com o objeto. Esta atitude corresponderia a uma mentalidade primitiva. Seu oposto pertinente é a *atitude intuitiva* que se caracteriza por uma apreensão de caráter sensorial, mas que não é nem intelectual nem sentimental e, sim, ambas as coisas ao mesmo tempo, numa mistura inseparável. Assim como aparece o objeto sensível na percepção, aparece também o conteúdo psíquico na intuição, como quase uma ilusão ou alucinação.

591 Pelo fato de James designar o *tough-minded* como "sensacionalista" e "materialista" (e mais adiante também como "irreligioso"), faz surgir a dúvida se ele, com sua tipificação, tinha em mente a mesma oposição de tipos que eu. O materialismo é vulgarmente entendido como uma atitude que se orienta por valores "materiais", ou seja, uma espécie de sensualismo moral. A caracterização de James apresentaria um quadro bem desfavorável, se fôssemos atribuir a essas expressões seu significado vulgar. Isto, evidentemente, não está na intenção de James. Suas palavras, acima citadas, sobre os tipos, bastam para remover qualquer mal-entendido nesta linha. Não estaríamos errados se admitíssemos que James tinha em mente sobretudo o sentido filosófico das expressões em questão. E, neste caso, o materialismo é uma atitude que se orienta por valores materiais que não são "sensuais", mas fatuais. Por "fatuais" se entende algo externo e, por assim dizer, feito de matéria. O oposto é "idealismo", uma valorização suprema da *ideia*, no sentido filosófico. Não entra em questão o idealismo moral, senão deveríamos admitir também, contra a intenção de James, que por materialismo ele entende um sensualismo moral. Se admitirmos que por materialismo ele entende uma atitude que coloca o valor diretivo supremo na realidade dos fatos, chegaremos novamente a constatar nesse atributo uma particularidade extrovertida, de modo a eliminar nossa dúvida inicial. Já vimos que o idealismo filosófico corresponde ao ideologismo introvertido. Mas o idea-

lismo moral não seria característico do introvertido porque também o materialista pode ser um idealista moral.

d) O *quarto par de opostos é* otimismo *versus* pessimismo.

592 Duvido muito que esta célebre oposição, segundo a qual é possível distinguir os temperamentos humanos, possa aplicar-se, sem mais, aos tipos de James. Será que o empirismo de Darwin, por exemplo, é pessimista? Certamente o é para alguém que tenha uma cosmovisão ideológica e veja o outro tipo por uma lente de projeção sentimental inconsciente. Mas o próprio empírico não precisa de forma alguma considerar sua visão como pessimista. Ou seria, por exemplo, o pensador Schopenhauer, cuja visão do mundo é puramente ideológica (exatamente como o ideologismo puro dos *Upanixades*), otimista de acordo com a tipificação de James? O próprio Kant, um tipo bem introvertido, está fora da categoria otimismo e pessimismo, assim como os grandes empíricos. Parece-me então que também esta oposição nada tem a ver com os tipos de James. Assim como existem introvertidos otimistas, há também extrovertidos otimistas e vice-versa. É possível que James tenha incorrido neste erro por causa da projeção subjetiva antes mencionada. Na concepção do ideologismo, uma cosmovisão materialista, empírica ou positivista, parece não ter futuro. E tem que achá-la pessimista. Mas, para quem acredita no deus "matéria", a concepção materialista é otimista. Esta concepção corta o nervo vital do ideologismo, ficando paralítica sua força principal, a apercepção ativa e a realização das imagens primitivas. Esta visão do mundo tem que parecer-lhe completamente pessimista, pois lhe tira a esperança de jamais ver novamente a ideia eterna realizada no fenômeno. Um mundo de fatos reais significa para ele exílio e banimento perpétuo. Quando James equaciona o ponto de vista materialista com o pessimista, devemos concluir que ele pessoalmente está do lado do idealismo – conclusão essa que pode ser facilmente corroborada por numerosos outros traços da vida desse filósofo. Isto pode explicar também por que o *tough-minded* recebeu os três epítetos bastante dúbios de "sensualista", "materialista" e "irreligioso". Para a mesma conclusão aponta a passagem de *Pragmatism* onde James compara a mútua aversão dos dois tipos a um encontro de turistas de

Boston com os habitantes de Cripple Creek[15]. É uma comparação nada lisonjeira para o outro tipo e faz supor uma aversão sentimental que não poderia ser suprimida nem mesmo por um senso de justiça bem forte. Este pequeno "documento humano" parece-me prova interessante das diferenças irritantes entre os dois tipos. Pode parecer mesquinho insistir nessas incompatibilidades de sentimentos, mas várias experiências me convenceram que são exatamente sentimentos como esses, retidos no fundo da consciência, que influenciam às vezes de maneira prejudicial o mais belo raciocínio e impedem a compreensão. É fácil imaginar que os habitantes de Cripple Creek fixam os turistas de Boston com olhar bem especial.

e) *O quinto par de opostos é* religiosidade *versus* irreligiosidade.

593 A validade dessa oposição na psicologia dos tipos de James depende essencialmente da definição que ele dá de religiosidade. Se entende a natureza da religiosidade exclusivamente do ponto de vista ideológico, isto é, como atitude em que a ideia religiosa desempenha papel dominante (em oposição a sentimento), então está certo em qualificar *o tough-minded* também como irreligioso. Mas o pensamento de James é demasiadamente vasto e humano para não perceber que a atitude religiosa também pode ser determinada pelo *sentimento* religioso. Ele diz: "Mas nossa estima pelos fatos não neutralizou em nós toda religiosidade. *Ela própria é, por assim dizer, religiosa*. Nosso temperamento científico é devoto (our scientific temper is devout)"[16]. A falta de veneração por ideias "eternas" o empírico a substitui por uma crença quase religiosa no fato real. Se alguém orientar sua atitude para a ideia de Deus, psicologicamente, isto é o mesmo que orientá-la para a ideia da matéria, ou que fazer dos fatos reais o fator determinante de sua atitude. No momento em que esta orientação acontece de modo *absoluto*, merece o epíteto "religioso". De um ponto de vista elevado, porém, o fato real merece tanto ser um fator absoluto quanto a ideia, a imagem primitiva, que o choque

---

15. JAMES, W. *Pragmatism*. Op. cit., p. 13. Os bostonianos são conhecidos por seu estetismo "espiritualizado". Cripple Creek é um famoso distrito mineiro do Colorado. É fácil, pois, imaginar o contraste!

16. Ibid., p. 15.

dos homens e de suas condições interiores contra os duros fatos da realidade externa criou depois de muitos anos. A entrega sem reservas aos fatos reais jamais poderá ser chamada irreligiosa do ponto de vista psicológico. O *tough-minded* tem sua religião empírica como o *tender-minded* tem sua religião ideológica. É apenas um dado de nossa época cultural que a ciência seja dominada pelo objeto e a religião pelo sujeito, isto é, pelo ideologismo, pois a ideia tinha que refugiar-se alhures depois que foi obrigada a ceder seu lugar, na ciência, ao objeto. Se a religião for entendida como fenômeno da cultura atual, James tem razão em qualificar o empírico como irreligioso, mas só neste sentido. Como os filósofos não constituem uma classe separada de pessoas, seus tipos vão estender-se para além do círculo de pessoas filosofantes, e atingir a humanidade em geral, alcançando talvez os limites da humanidade civilizada. Bastaria esta razão genérica para proibir que se chamasse irreligiosa a metade da humanidade civilizada. Aprendemos da psicologia do primitivo que a função religiosa simplesmente faz parte da psique e está presente sempre e em toda parte, por mais indiferenciada que seja.

594 Se não admitirmos a limitação, acima referida, no conceito "religião" de James, então se trata novamente de um deslize sentimental, o que pode ocorrer facilmente.

f) *O sexto par de opostos é* indeterminismo *versus* determinismo.

595 Esta oposição é psicologicamente interessante. É óbvio que o empirismo pense de modo *causal*, sendo axiomaticamente aceita a necessária conexão entre causa e efeito. A atitude empírica é orientada pelo objeto empatizado; ela é de certa forma *efetuada* pelos fatos exteriores com a sensação da necessidade de um efeito seguir a uma causa. É totalmente natural que se imponha psicologicamente a esta atitude a impressão da imutabilidade das conexões causais. A identificação dos processos psíquicos internos com a ocorrência de fatos externos acontece logo de saída, pois no ato de empatia é emprestada ao objeto respeitável soma da atividade e da vida do sujeito. Desse modo, o sujeito é assimilado pelo objeto, ainda que o empatizante creia assimilar o objeto. Mas quando o objeto possui um acento mais forte de valor, adquire uma importância que influencia o sujeito e o

força a uma dissimilação de si próprio. A psicologia humana é reconhecidamente camaleônica. O psicólogo pode constatá-lo diariamente. Sempre que o objeto predomina, acontecem no sujeito assimilações à natureza do objeto. Assim, por exemplo, a identificação com o objeto amado desempenha papel importante na terapia analítica. A psicologia do primitivo nos dá uma série de exemplos de dissimilação em favor do objeto, por exemplo, as inúmeras assimilações ao animal totem ou ao espírito dos antepassados. Também se insere aqui a estigmatização dos santos medievais e hodiernos. No livro *Imitação de Cristo*, a dissimilação é, inclusive, erigida em princípio.

596 Devido a esta inegável disposição da psique humana para a dissimilação, é psicologicamente fácil de entender a transladação das conexões causais objetivas para o sujeito. A psique passa, como foi dito, por sob a impressão da validade exclusiva do princípio causal e é preciso todo o aparato da epistemologia para resistir ao tremendo poder dessa impressão. O que dificulta ainda mais é que a atitude empírica, com toda a sua natureza, nos impede de acreditar na liberdade interna, pois falta qualquer prova, qualquer possibilidade de prova. O que significa aquele sentimento pálido e indefinido de liberdade em vista da quantidade esmagadora de provas objetivas do contrário? O determinismo do empírico é, por assim dizer, inevitável, pressuposto que ele pense coerentemente e não prefira – como sói acontecer – manter duas gavetas, uma para a ciência e outra para a religião que lhe foi legada pelos pais e pela sociedade.

597 Como vimos, a essência do ideologismo está numa ativação inconsciente da ideia. Esta ativação pode repousar numa aversão, ocorrida durante a vida, pela empatia, mas também pode existir desde o nascimento, como atitude *a priori*, criada e alimentada pela natureza. (Já encontrei muitos casos desses em minha experiência prática.) Neste último caso, a ideia é ativa *a priori*, mas, devido a seu vazio e irrepresentabilidade, não é dada à consciência. Como fato interno predominante, mas irrepresentável, está acima dos fatos "objetivos" externos e transmite ao sujeito no mínimo o sentimento de sua independência e liberdade, e este, devido a sua assimilação interna à ideia, sente-se livre e independente com relação ao objeto. Quando a ideia é o fator principal de orientação, ela assimila o sujeito, assim como o sujeito procura assimilar a ideia através da elaboração do material ex-

perimental. Da mesma forma que, na atitude objetal, de que falamos acima, ocorre uma dissimilação do sujeito de si mesmo, mas em sentido inverso, isto é, em favor da ideia. A imagem primitiva herdada perdura para além de qualquer tempo e supera todas as mudanças fenomenais; precede e sobrevive a qualquer experiência individual. E por isso tem um poder extraordinário. Quando ativada, transfere para o sujeito um sentimento nítido de poder, assimilando-o através da empatia interna inconsciente. Surge, então, no sujeito, o sentimento de poder, independência, liberdade e eternidade[17]. Quando o sujeito experimenta a livre atividade de sua ideia ultrapassando a realidade dos fatos, a ideia de liberdade se lhe impõe naturalmente. Se for puro seu ideologismo, deverá chegar mesmo a uma convicção indeterminista.

598 A oposição de que estamos tratando é muito característica para nossos tipos. O extrovertido se caracteriza por sua tendência para o objeto, pela empatia para com ele e pela identificação com ele, por sua dependência voluntária do objeto. É influenciado pelo objeto na medida exata em que procura assimilá-lo. O introvertido, ao contrário, se caracteriza por sua aparente autoafirmação diante do objeto. Resiste a qualquer dependência do objeto, repele a influência do objeto e, inclusive, sente pavor dela. Sua dependência da ideia é tanta que o protege de dependências externas e lhe dá o sentimento de liberdade interna, mas também lhe dá uma declarada psicologia de poder.

g) *O sétimo par de opostos é* monismo *versus* pluralismo.

599 Pelo que ficou dito acima, é compreensível, sem mais, que a atitude orientada pela ideia tenda ao monismo. A ideia sempre tem caráter hierárquico, seja ela obtida mediante abstração de representações e conceitos concretos, ou existente *a priori* como forma inconsciente. No primeiro caso, é o ponto mais alto da construção que separa e ao mesmo tempo abarca tudo o que está abaixo dela; no último caso, é o legislador que regulamenta as possibilidades e necessidades do pensar. Em ambos os casos, a ideia tem qualidades de dominação. Ainda que presente uma pluralidade de ideias, sempre existe uma que predomina, por maior ou menor tempo, e constela monarquicamente a maio-

17. Cf. para tanto os postulados de Kant para Deus, liberdade e imortalidade.

ria dos elementos psíquicos. Por sua vez também é claro que a atitude que se orienta pelo objeto tende para um maior número de princípios (pluralismo), pois a multiplicidade das qualidades objetais também obriga a um maior número de conceitos e princípios, sem o qual não é possível que uma explicação se adapte à essência do objeto.

600 A tendência monista faz parte da atitude introvertida, a tendência pluralista, da extrovertida.

h) O *oitavo par de opostos é* dogmatismo *versus* ceticismo.

601 Também aqui é fácil deduzir que o dogmatismo adere naturalmente à atitude que segue a ideia, ainda que a realização inconsciente da ideia não seja *eo ipso* dogmatismo. É bem verdade que o modo como a ideia inconsciente se torna real, por assim dizer violentamente, causa no espectador externo a impressão que aquele que pensa a partir de ideias parte de um dogma cujos limites rígidos comprimem o material experimental. A atitude que se orienta pelo objeto parece obviamente cética em relação a todas as ideias *a priori*, pois quer dar a palavra, em primeiro lugar, ao objeto e à experiência, sem ligar para ideias gerais. Neste sentido, o ceticismo é, inclusive, condição prévia indispensável para qualquer empíria.

602 Também este par de opostos comprova a semelhança essencial entre os tipos de James e os meus.

3. Crítica à concepção de James

603 Ao criticar a concepção de James, quero ressaltar de saída que ela se ocupa quase exclusivamente das qualidades de pensar dos tipos. Dificilmente poderíamos esperar outra coisa de uma obra filosófica. Esta unilateralidade, condicionada pelo meio ambiente, pode facilmente levar a confusões. Não é difícil demonstrar que esta ou aquela qualidade, ou várias delas, estão presentes no tipo oposto. Há, por exemplo, empíricos que são dogmáticos, religiosos, idealistas, intelectuais e racionalistas; e há ideólogos que são materialistas, pessimistas, deterministas e irreligiosos. Mesmo dizendo que estas expressões designam fatos bem complexos, em que várias nuances ainda entram em questão, nem assim fica descartada a possibilidade de confusão. As expressões de James são, individualmente tomadas, amplas demais e só tomadas em

conjunto dão um quadro aproximado da oposição dos tipos, mas sem levar a uma fórmula simples. Em suma, os tipos de James são valiosa complementação do quadro de tipos que podemos obter em outras fontes. James tem o grande mérito de ter apontado, pela vez primeira e com certa profundidade, para a extraordinária importância dos temperamentos na formação do pensamento filosófico. Sua concepção pragmática vai conciliar as oposições entre as ideias filosóficas, condicionadas pelas diferenças de temperamentos. É sabido que o pragmatismo é uma corrente filosófica muito difundida que nasceu da filosofia inglesa[18]; reconhece à "verdade" um valor limitado à sua eficácia e utilidade práticas, indiferente ao fato de que possa ser contestada por este ou aquele ponto de vista. É significativo que James inicie a exposição desse enfoque filosófico com a oposição dos tipos, querendo fundamentar, por assim dizer, a necessidade de uma concepção pragmática. Repete-se aquele espetáculo que já nos foi apresentado pela Alta Idade Média. A oposição daquela época era nominalismo *versus* realismo e foi Abelardo que tentou uma conciliação através do sermonismo ou conceptualismo. Mas como faltava totalmente àquela concepção o ponto de vista psicológico, também sua tentativa de solução pareceu unilateralmente lógico-intelectualista. James vai mais fundo; abarca a oposição psicologicamente e tenta uma solução pragmática correspondente. Não devemos iludir-nos quanto ao valor dessa solução: o pragmatismo é um recurso que só pode reclamar validade enquanto não forem descobertas outras fontes além das possibilidades intelectuais, coloridas pelo temperamento, que podem trazer novos elementos para a formação do pensamento filosófico.

604 Bergson propôs a intuição e a possibilidade de um "método intuitivo". Mas ficou apenas na *proposta*. Falta *a prova* do método e esta não será fácil de produzir, ainda que Bergson tivesse apresentado seus conceitos de *élan vital* (elã vital) e *durée creatrice* (duração criadora) como resultados da intuição. Abstraindo dessa concepção básica, intuitivamente considerada, que deriva sua justificação psicológica do fato de já ter sido uma combinação intuitiva corrente na Antiguidade, sobretudo no neoplatonismo, o método de Bergson é intelectualista e não intuitivo.

---

18. Cf. SCHILLER, F.C.S. *Humanism*. [s.l.].: [s.e.], 1906.

605 Em grau incomparavelmente maior usou Nietzsche a fonte intuitiva, libertando-se do puro intelecto na formação de seu arcabouço filosófico; mas usou-a de forma tal e em tão grande quantidade que seu intuicionismo ultrapassou em muito os limites de uma cosmovisão *filosófica* e levou a um feito artístico, em grande parte inacessível à crítica filosófica. Penso, evidentemente, no *Zaratustra* e não na coletânea de aforismos filosóficos que são passíveis de crítica filosófica, principalmente por seu método intelectualista. Se pudermos falar de um "método intuitivo", então o *Zaratustra* de Nietzsche deu, a meu ver, o melhor exemplo dele e também demonstrou categoricamente que é possível enfocar os problemas de modo filosófico e não necessariamente de modo intelectual. Como precursores do intuicionismo de Nietzsche considero Schopenhauer e Hegel; o primeiro por sua *intuição sentimental* que influenciou de forma marcante suas ideias, o segundo por sua *intuição ideal* que está na base de seu sistema. Nesses dois precursores, a intuição estava – se me for permitida a expressão – submetida ao intelecto, em Nietzsche, porém, ela estava acima dele.

606 A oposição das duas "verdades" exige uma atitude pragmática, se quisermos fazer alguma justiça ao outro ponto de vista. Por mais imprescindível que seja o método pragmático, pressupõe resignação demais e se liga quase inseparavelmente a uma falta de realização criadora. A solução do conflito dos opostos não se dá nem por compromisso lógico-intelectualista, como no conceptualismo, nem pela medição pragmática do valor prático de concepções logicamente inconciliáveis, mas exclusivamente por criação ou ação positiva que assume os opostos como elementos necessários de coordenação, assim como um movimento muscular coordenado implica sempre a inervação dos músculos antagônicos. Portanto, o pragmatismo não pode ser outra coisa do que atitude transitória que prepara o caminho do ato criador afastando os preconceitos. Parece-me que a filosofia alemã – não a acadêmica – já trilhou o novo caminho, preparado pelo pragmatismo e apontado por Bergson: foi Nietzsche, com sua violência peculiar, que arrebentou as portas cerradas. Seu feito supera o insatisfatório da solução pragmática tão radicalmente quanto o reconhecimento pragmático do valor vital de uma verdade superou – e ainda tem que superar – a árida unilateralidade do conceptualismo inconsciente da filosofia que segue Abelardo.

IX

O problema dos tipos na biografia

Como era de se esperar, também o campo da *biografia* traz sua colaboração ao problema dos tipos psicológicos. Devemos isto à metodologia científico-naturalista de Wilhelm Ostwald[1] que, comparando certa quantidade de biografias de eminentes naturalistas, constatou uma oponibilidade de tipos psicológicos que chamou *tipo clássico* e *tipo romântico*. Diz Ostwald: "Enquanto o primeiro se caracteriza pela perfeição total de cada um de seus trabalhos, mas também por uma disposição recuada e de pouca influência pessoal sobre os semelhantes, o romântico se projeta com as qualidades opostas. Não lhe é própria a perfeição do trabalho particularizado, mas a multiplicidade e originalidade manifesta de inúmeros e seguidos trabalhos, cuidando de influenciar direta e fortemente seus semelhantes [...] Devo frisar que a rapidez das reações mentais é importante para se dizer a que tipo pertence o cientista. Pesquisadores com maior agilidade de reação são românticos, os de menor são clássicos"[2]. O clássico é lento em produzir e apresenta relativamente tarde os frutos maduros de seu espírito[3]. Segundo Ostwald, uma das características nunca ausentes no tipo clássico é a "necessidade incondicional de se apresentar em público irrepreensível, sem erro"[4]. O tipo clássico se compensa de sua "falta de influência pessoal por uma influência tanto maior mediante seus escritos"[5]. Mas parece que esta influência so- 607

---

1. OSTWALD, W. Grosse Mämmer. 3. e 4. ed. Leipzig [s.e.], 1910.

2. Ibid., p. 44s.

3. Ibid., p. 89.

4. Ibid., p. 94.

5. Ibid., p. 100.

fre limitações, como se vê do caso que Ostwald apresenta em sua biografia de Helmholtz: A propósito da pesquisa matemática de Helmholtz sobre o efeito dos choques de indução, escreve Du Bois-Reymond ao pesquisador: "Você – não me leve a mal – tem que tomar mais cuidado em abstrair de seu próprio ponto de vista científico e colocar-se na posição daqueles que ainda não sabem do que se trata e do que você lhes quer explicar". Helmholtz respondeu: "A redação do artigo me deu muito trabalho, mas acho que posso me dar por satisfeito". Ostwald comenta: "Nem menciona a questão do leitor porque, a modo dos clássicos, *escreve para si mesmo*, isto é, basta que a redação esteja boa para ele e não para os outros". Também é característico o que Du Bois escreve na mesma carta: "Li várias vezes o artigo e o sumário, sem entender exatamente o que você fez [...] Finalmente descobri por mim mesmo o método e só então fui entendendo aos poucos sua exposição"[6].

608 Este caso é realmente característico na vida do tipo clássico que nunca, ou raras vezes, consegue "inflamar almas coirmãs com sua alma"[7] e mostra que a influência a ele reconhecida por causa de seus escritos é normalmente póstuma, isto é, quando é desenterrado, devido a seus escritos, descobertos após a morte, como foi o caso de Robert Mayer. Além disso, parece que faltam a seus escritos convencimento, inspiração e apelo pessoal direto, pois o escrito, em última análise, é tanto uma expressão pessoal quanto a conversação ou conferência. Portanto, a influência que o clássico exerce por seu escrito depende menos das qualidades externas de sua obra do que do fato de ser o escrito a última coisa que dele resta, podendo, a partir dele, ser reconstruído o trabalho que ele fazia. Depreende-se da descrição de Ostwald ser fato inegável que o clássico raras vezes comunica o que está fazendo e como o faz, mas apenas o que conseguiu, sem preocupar-se que o público tenha ou não conhecimento dos caminhos seguidos. O clássico dá a impressão de que seu caminho e o modo de trabalhar têm pouca importância, porque estão intimamente vinculados à sua própria personalidade que ele mantém como pano de fundo.

---

6. Ibid., p. 280.

7. Ibid., p. 100.

609 Ostwald compara seus dois tipos aos quatro temperamentos de outrora[8] e com referência à qualidade que lhe parece fundamental: lentidão ou rapidez de reação. A reação lenta corresponde ao temperamento fleugmático e melancólico; a rápida, ao sanguíneo e colérico. Considera o sanguíneo e fleugmático tipos médios normais, enquanto o colérico e o melancólico seriam exageros mórbidos dos caracteres básicos. Estudando as biografias de Humphry Davy e Liebig, por um lado, e as de Robert Mayer e Faraday, por outro, é fácil reconhecer que os primeiros eram "românticos" declarados e sanguíneo-coléricos e os outros "clássicos" *e* fleugmático-melancólicos. Esta observação de Ostwald parece-me convincente, pois os quatro temperamentos antigos foram provavelmente construídos segundo o mesmo princípio experimental que Ostwald usou para estabelecer o tipo clássico e o romântico. Os quatro temperamentos são distinções feitas sob o prisma da afetividade, isto é, da reação afetiva manifestada. Mas esta classificação é *superficial* do ponto de vista psicológico; julga exclusivamente a partir da manifestação externa. E, assim, a pessoa que externamente se apresentasse quieta e sem ostentação pertenceria ao temperamento fleugmático. Ela parece "fleugmática" e por isso é classificada entre os fleugmáticos. Mas, na realidade, pode ser tudo menos fleugmática, inclusive uma pessoa sensual e apaixonada em que a emoção transcorre no mais íntimo, e cuja excitação interna violenta se exprime pela maior calma externa. Esta possibilidade Jordan a levou em conta. Não julga pela impressão superficial, mas por uma compreensão mais profunda da natureza humana. Os critérios básicos da distinção de Ostwald repousam, como a velha divisão dos temperamentos, na impressão externa. Seu tipo "romântico" se caracteriza pela *reação rápida externa*. Talvez o tipo "clássico" reaja com a mesma rapidez, mas *internamente*.

610 Percorrendo as biografias de Ostwald vemos logo que o tipo "romântico" corresponde ao extrovertido e o "clássico" ao introvertido. Humphry Davy e Liebig são exemplos perfeitos do tipo extrovertido, assim como Robert Mayer e Faraday, do tipo introvertido. A reação externa é característica do extrovertido e a reação interna, do introvertido. O extrovertido não tem dificuldade em sua expressão

8. Ibid., p. 372.

pessoal, faz valer sua presença quase involuntariamente, pois, de acordo com sua natureza, tende a transferir-se para o objeto. Gosta de entregar-se ao mundo que o rodeia e necessariamente de forma compreensível e, por isso, aceitável. A forma é, em geral, agradável, mas sempre inteligível, ainda quando desagradável. Faz parte da reação e exteriorização rápida que se transfiram para o objeto tanto coisas de valor como sem valor, além de coisas atrativas também pensamentos e afetos que repugnam. Devido à exteriorização e transferência rápidas, os conteúdos são pouco elaborados e, por isso, facilmente compreensíveis; e a simples ordenação cronológica das manifestações imediatas, produz uma progressão de imagens que mostra claramente ao público o caminho trilhado pelo pesquisador e o modo como chegou a seus resultados.

611 O introvertido, ao contrário, que, em princípio, só reage internamente, não exterioriza, normalmente, suas reações (com exceção das explosões afetivas). Ele cala suas reações que, no entanto, podem ser tão rápidas quanto à do extrovertido. Elas não aparecem e, por isso, o introvertido dá a impressão de ser lento. Pelo fato de as reações imediatas terem sempre forte caráter pessoal, o extrovertido não pode fazer outra coisa do que deixar transparecer sua personalidade. O introvertido, porém, esconde sua personalidade ao calar suas reações imediatas. Não procura a empatia ou a transferência de seus conteúdos para o objeto, mas a abstração do objeto. Ao invés de externar suas reações imediatas, prefere elaborá-las longamente no íntimo e, então, aparecer com um resultado pronto. Procura desvincular ao máximo seu resultado da pessoa e apresentá-lo como distinto de qualquer relação pessoal. Seus conteúdos apresentam-se ao mundo externo da forma mais abstrata e despersonalizada possível, como resultados de longo trabalho interior. Mas, por isso mesmo, tornam-se de difícil compreensão, porque falta ao público o conhecimento dos passos prévios e da maneira como o pesquisador chegou ao resultado final. Falta também ao público o relacionamento pessoal porque o introvertido silencia e esconde dele sua personalidade. Mas são exatamente os relacionamentos pessoais que facultam a compreensão quando falha a parte intelectual. Esta circunstância deve ser cuidadosamente considerada sempre que se trate de avaliar o desenvolvimento de um introvertido. Geralmente estamos mal-informados

sobre o introvertido, pois não conseguimos vê-lo. Não podendo reagir imediatamente para fora, também não aparece sua personalidade. Sua vida deixa espaço para o público fazer interpretações e projeções fantásticas, se vier – por exemplo, devido a seus trabalhos – a ser objeto do interesse geral.

612 Quando Ostwald diz que a *precocidade intelectual* é característica do romântico, devemos acrescentar que ele mostra sua precocidade ao passo que o clássico, talvez igualmente precoce, fecha em si a sua produção, não intencionalmente, mas por incapacidade de exteriorizá-la imediatamente. Devido à insuficiente diferenciação de sentimentos, o introvertido apresenta um ar canhestro, verdadeiro infantilismo no relacionamento pessoal, isto é, naquilo que os ingleses chamam *personality* (personalidade). Sua apresentação pessoal é tão insegura e indeterminada – e ele próprio é tão sensível neste aspecto – que só apresentando um produto que lhe pareça perfeito ousa aparecer em público. Também prefere que o produto fale por ele, em vez de defender pessoalmente seu produto. Assim sendo, haverá tal demora em seu aparecimento no cenário mundial que facilmente podemos dizer tenha *maturidade tardia*. Este julgamento superficial desconsidera, porém, que o infantilismo do aparentemente precoce e externamente diferenciado é simplesmente interno, está em sua relação com o mundo interior. Isto só vai aparecer mais tarde na vida do precoce, por exemplo, na forma de imaturidade moral ou, o que é mais frequente, num espantoso infantilismo de pensar.

613 Em geral o romântico tem melhores chances em seu desenvolvimento do que o clássico, conforme observa muito bem Ostwald. Apresenta-se em público com segurança e convicção e suas reações exteriores dão logo mostras da importância que tem. Consegue estabelecer imediatamente inúmeras relações valiosas que fecundarão seu trabalho e lhe abrirão os *horizontes*[9]. O clássico, ao contrário, fica escondido; a falta de relacionamento pessoal limita a ampliação de seu campo de trabalho, mas com isso sua atividade ganha em *profundidade* e o fruto de seu trabalho é duradouro.

614 Ambos os tipos possuem *entusiasmo*. O extrovertido verte pela boca aquilo que lhe enche o coração, ao passo que o entusiasmo do

9. OSTWALD, W. *Grosse Männer*. Op. cit., p. 374.

introvertido lhe fecha a boca. Não consegue inflamar outro entusiasmo no seu meio ambiente e, por isso, falta-lhe um círculo de colaboradores do mesmo tipo. Mesmo que tivesse desejo e impulso de se comunicar, o laconismo de sua expressão e a atitude de incompreensão que isto causa no público o inibem de fazer outras comunicações, e também porque muitas vezes ninguém confia que tenha algo de extraordinário para comunicar. Sua expressão, sua *personality* parece comum ao julgamento superficial, ao passo que o romântico não raro já parece "interessante" logo de saída e conhece a arte de enfatizar ainda mais esta impressão, usando meios lícitos ou ilícitos. Esta capacidade diferenciada de expressão constitui um pano de fundo favorável a ideias importantes e ajuda a compreensão insuficiente do público a superar as lacunas de seu pensar.

615 A ênfase que Ostwald empresta à bem-sucedida e brilhante capacidade docente do romântico é muito pertinente ao tipo. *O romântico empatiza com o aluno* e sabe usar a palavra certa no momento certo. O clássico, porém, está às voltas com suas ideias e problemas e não percebe as dificuldades de compreensão de seus alunos. A propósito do clássico Helmholtz, observa Ostwald: "Apesar de seu vasto conhecimento, de sua grande experiência e de seu espírito inventivo, nunca foi bom professor: não reagia imediatamente, mas só após certo tempo. Se, no laboratório, algum aluno lhe apresentasse um problema, prometia refletir sobre ele e trazia, realmente, a resposta alguns dias depois. Mas esta vinha tão distanciada da pergunta do aluno que este, em apenas raríssimos casos, conseguia fazer a conexão entre a dificuldade que tivera e a teoria completa de um problema geral que o professor lhe trazia. Faltou não apenas a ajuda momentânea que mais interessava ao principiante, mas também a orientação adaptada imediatamente à personalidade do aluno pela qual este é levado, passo a passo, de sua natural dependência inicial para o domínio completo do campo científico por ele escolhido. Todas essas deficiências provêm do fato de que o professor não consegue reagir prontamente à necessidade vital manifestada e para dar a resposta esperada e desejada leva tanto tempo que o próprio efeito se perde"[10].

---

10. Ibid., p. 377.

616 A explicação de Ostwald, em termos de lentidão da reação do introvertido, parece-me insuficiente. Não se pode provar que Helmholtz possuísse menor rapidez de reação. Só não reagia para fora, mas para dentro. Não empatizava com o aluno e, por isso, não entendia o que o aluno queria. Por estar completamente voltado para suas ideias, não reagia na direção do desejo pessoal do aluno, mas na direção das ideias que a pergunta do aluno nele despertavam; e isso tão rápida e profundamente que logo se dava conta de um contexto maior, mas impossível de ser examinado naquele momento e apresentado de forma abstrata e bem elaborada; portanto, não foi por ser muito lento no pensar, mas por impossibilidade objetiva de captar num piscar de olhos toda a extensão do problema e reduzi-lo a uma fórmula pronta. Naturalmente não percebia que o aluno nada entendia de toda essa problemática; pensava que se tratasse realmente daquele problema e não de um simples conselho que poderia ter dado prontamente, se tivesse percebido o que o aluno queria naquele momento. Na qualidade de introvertido, não tinha empatia com a psicologia do outro; ele empatizava com seu íntimo, com seus próprios problemas teóricos, continuava a tecer todo um problema teórico com o fio levantado pelo aluno, tudo adequado ao problema, mas não à necessidade momentânea do aluno. Esta atitude peculiar do professor introvertido é, do ponto de vista do ensino, muito inconveniente e, do ponto de vista da impressão pessoal, desfavorável. Dá a impressão de ser lerdo, excêntrico e até mesmo limitado intelectualmente; muitas vezes é subestimado não só pelo grande público, mas também por seus colegas mais chegados, até que seu trabalho intelectual seja, mais tarde, reexaminado, reelaborado e traduzido por outros pesquisadores.

617 O matemático Gauss tinha tal aversão a ensinar que dizia a cada um dos alunos que se inscrevia para suas aulas que talvez seu curso não se realizasse, só para livrar-se da obrigação de lecionar. O penoso da atividade docente estava, para ele, conforme diz Ostwald, na "necessidade de ter que apresentar nas aulas resultados científicos sem antes ter polido e selecionado as palavras mais exatas. A obrigação de comunicar a outros suas descobertas sem este trabalho prévio despertava nele a sensação de estar se apresentando a estranhos com roupa de dormir"[11]. Com esta observação, Ostwald toca num ponto muito

11. Ibid., p. 380.

importante e que já mencionamos acima, isto é, a aversão do introvertido de comunicar-se com o mundo externo de outro modo que não o totalmente impessoal.

618 Ostwald diz que, em geral, o romântico tem que encerrar relativamente cedo sua carreira, por causa da exaustão crescente. E pretende explicar este fato pela maior rapidez de reação dele. Mas, como sou de opinião que o conceito de rapidez mental de reação não foi cientificamente esclarecido e não ficou provado, e provavelmente nunca o será, que a reação para fora é mais rápida que a reação interna, acredito que a maior exaustão do inventor extrovertido se deva essencialmente à sua reação para fora e não à rapidez da reação. Começa a publicar cedo, é rapidamente conhecido, desenvolve cedo intensa atividade acadêmica e de publicações, cultiva um relacionamento pessoal com amplo círculo de amigos e conhecidos e participa extraordinariamente no desenvolvimento de seus alunos. O pesquisador introvertido começa a publicar mais tarde, seus trabalhos seguem-se em intervalos bem maiores, são, na maioria dos casos, mais simples na expressão, repetições de um tema são evitadas até que algo realmente novo possa a ele ser acrescentado; devido ao denso laconismo de sua comunicação científica que muitas vezes esquece de mencionar os dados sobre o caminho seguido e o material empregado, seus trabalhos não são entendidos e nem considerados, permanecendo o pesquisador no anonimato. Sua aversão ao ensino não lhe traz alunos, sua pouca fama exclui o relacionamento com um círculo maior de conhecidos e, por isso, vive retraído, em geral não por necessidade, mas por livre escolha, evitando o perigo de expor-se demais. Sua reação para dentro leva-o sempre de novo aos caminhos estreitamente limitados de sua atividade pesquisadora que é, em si, muito cansativa e igualmente exaustiva com o passar do tempo, mas que não permite a participação de alunos e conhecidos. A situação é ainda mais difícil porque o êxito notório do romântico é um tonificante vital que, muitas vezes, é negado ao clássico, sendo obrigado a buscar sua única satisfação no aperfeiçoamento de sua pesquisa. Parece-me, pois, que a exaustão relativamente precoce do gênio romântico está na *reação para fora* e não na maior rapidez de reação.

619 Ostwald não pretende que sua divisão de tipos seja absoluta no sentido de cada pesquisador ser incorporado, sem mais, a um ou a

outro tipo. É de opinião que "os bem grandes" podem ser elencados de forma precisa em um ou outro grupo extremo, ao passo que "as pessoas medianas" representam, as mais das vezes, os intermédios no que se refere à rapidez de reação[12].

620 Em resumo, gostaria de sublinhar que as biografias de Ostwald contêm, em parte, material valioso para a psicologia dos tipos e mostram claramente a coincidência do romântico com o extrovertido e do clássico com o introvertido.

---

12. Ibid., p. 372s.

X

Descrição geral dos tipos

1. Introdução

621 Tentarei agora uma descrição geral dos tipos. Inicialmente, dos dois tipos genéricos que denominei introvertido e extrovertido. Em seguida, uma certa caracterização daqueles tipos mais especiais cuja particularidade depende do fato de o indivíduo se adaptar ou orientar principalmente pela função mais diferenciada nele. Os primeiros denominarei *tipos gerais de atitude*, que se distinguem pela direção de seu interesse, pelo movimento de sua libido; os outros, *tipos funcionais*.

622 Conforme salientei diversas vezes nos capítulos precedentes, os tipos gerais de atitude se distinguem por seu comportamento peculiar em relação ao objeto. O introvertido se comporta abstrativamente; está basicamente sempre preocupado em retirar a libido do objeto como a prevenir-se contra um superpoder do objeto. O extrovertido, ao contrário, comporta-se de modo positivo diante do objeto. Afirma a importância dele na medida em que orienta constantemente sua atitude subjetiva pelo objeto e a ele se reporta. No fundo, o objeto nunca tem valor suficiente para ele e, por isso, é necessário aumentar sua importância. Os dois tipos são tão diversos e sua oposição é tão evidente que sua existência é plausível até para o leigo nas coisas psicológicas, se alguma vez for alertado para isso. Todos conhecemos aquelas naturezas fechadas, difíceis de penetrar, muitas vezes ariscas que contrastam violentamente com os caracteres abertos, sociáveis, joviais ou, ao menos, amigáveis, que se entendem ou brigam com todo mundo, mas sempre estão se relacionando, influenciando e sendo influenciados. Estamos naturalmente inclinados a considerar essas diferenças como casos individuais de formação do caráter de cada um. Mas quem tem

oportunidade de conhecer muitas pessoas a fundo, cedo descobre que nesta oposição não se trata de casos individuais, mas de atitudes típicas que são bem mais genéricas do que uma experiência psicológica limitada possa pressupor. Na verdade, trata-se de oposição fundamental que sempre é perceptível, às vezes com menor ou maior evidência, em indivíduos com personalidade marcante. Tais pessoas as encontramos não só entre os cultos, mas em todas as camadas da população, de modo que nossos tipos são comprovados tanto no trabalhador comum e camponeses quanto nos mais diferenciados da nação. A diferença de sexo também não importa neste caso. Encontramos as mesmas oposições entre as mulheres de todas as classes sociais.

623 Semelhante difusão seria quase impossível tratando-se de assunto da consciência, isto é, de uma atitude consciente e intencionalmente escolhida. Neste caso, o principal detentor dessa atitude seria uma camada da população bem determinada, unida por idêntica educação e formação, regionalmente limitada e localizada. Mas não é assim, de forma alguma. Ao contrário, parece que os tipos se distribuem aleatoriamente. Numa mesma família há filhos introvertidos e extrovertidos. Uma vez que, de acordo com esses fatos, o tipo de atitude, na condição de fenômeno geral e de distribuição aleatória, não pode ser objeto de decisão e intenção conscientes, deve necessariamente agradecer sua existência a um fundamento inconsciente e instintivo. A oposição de tipos, como fenômeno psicológico geral, tem que ter, de qualquer maneira, seus antecedentes biológicos.

624 Biologicamente falando, a relação entre sujeito e objeto é sempre uma *relação de adaptação*. Cada relação dessas pressupõe efeitos modificativos de um sobre o outro. Essas modificações constituem a adaptação. As atitudes típicas para com o objeto são, portanto, processos de adaptação. A natureza conhece dois caminhos fundamentais diferentes de adaptação que tornam possível a sobrevivência dos organismos vivos: um caminho é a enorme proliferação, mas com relativamente pouca força defensiva e curta duração de vida; o outro é a dotação do indivíduo com inúmeros meios de autoconservação, mas com relativamente pequena proliferação. Parece-me que este contraste biológico não é apenas o análogo, mas o fundamento geral de nossos dois modos psicológicos de adaptação. Gostaria de limitar-me aqui a uma consideração geral. O extrovertido se caracteriza por sua

constante doação e intromissão em tudo; a tendência do introvertido é defender-se contra as solicitações externas e precaver-se de qualquer dispêndio de energia que se refira diretamente ao objeto, mas criar para si uma posição segura e fortificada ao máximo. Blake não procedeu mal em denominar os dois tipos de *prolifc type* e *devouryng type*[1]. Conforme demonstra a biologia, os dois caminhos são trilháveis e levam ao escopo, cada um a seu modo. O mesmo acontece com as atitudes típicas. O que o primeiro realiza pelo relacionamento massivo, o segundo consegue pelo monopólio.

625 O fato de crianças já apresentarem atitudes típicas bem definidas nos primeiros anos de vida leva-nos a supor que não é a luta pela existência, conforme geralmente entendida, que força uma determinada atitude. Poderíamos objetar, e com razões ponderáveis, que também a criança pequena e até o lactante têm que realizar um trabalho psicológico de adaptação, de natureza inconsciente, porque a peculiaridade das influências maternas acarretaria reações específicas na criança. Este argumento pode basear-se em fatos plausíveis, mas é vulnerável por outro fato, igualmente plausível, de que duas crianças da mesma mãe podem manifestar bem cedo tipos opostos, sem que se possa demonstrar a menor modificação na atitude da mãe. Em hipótese alguma desejo subestimar a incontestável importância das influências parentais, mas nossa experiência nos obriga a procurar o fator decisivo na disposição da criança. Havendo total igualdade das condições externas, deve-se atribuir, em última análise, à disposição individual que uma criança assuma este tipo e outra, aquele. É natural que me refiro apenas aos casos que estão sob condições normais. Sob condições anormais, isto é, quando se trata de atitudes maternas extremadas e, portanto, anormais, pode ser imposta à criança uma atitude bastante semelhante, com violentação de sua disposição individual que talvez houvesse escolhido outro tipo, não interferissem influências externas anormais. Quando ocorre uma falsificação do tipo, devido a influências externas, o indivíduo se torna, na maioria dos casos, neurótico e a cura só é possível restabelecendo-se a atitude que naturalmente corresponderia ao indivíduo.

---

1. Cf. § 526 deste volume.

626 Quanto à disposição peculiar, nada mais saberia dizer além de que há indivíduos com maior facilidade ou capacidade, ou aos quais é mais conveniente adaptar-se dessa forma do que de outra. Para tanto, deveriam entrar no problema fundamentos inacessíveis à nossa compreensão, ou seja, fundamentos fisiológicos. Isto me parece provável. Mostrou-me a experiência que uma troca de tipo pode afetar profundamente o bem-estar fisiológico do organismo porque, na maioria das vezes, provoca forte esgotamento.

2. O tipo extrovertido

627 Por motivos de precisão e clareza da exposição, é necessário manter separadas, na descrição deste e dos tipos a seguir, a psicologia da consciência e do inconsciente. Faremos, primeiro, a descrição dos *fenômenos conscientes*.

a) A atitude geral da consciência

628 Como sabemos, cada qual se orienta pelos dados que o mundo externo lhe fornece; mas isto pode acontecer de maneira mais ou menos decisiva. Alguém se deixa condicionar, pelo fato de estar frio lá fora, a vestir o casaco; outro, por querer aumentar sua resistência, acha isto desnecessário. Alguém admira o novo tenor porque todo mundo o admira; outro não o admira, não porque o deteste, mas porque acha que o fato de todos o admirarem não é motivo suficiente para que seja digno de admiração. Alguém se submete às situações dadas porque a experiência mostra que não é possível agir de outra forma; outro está convencido de que, mesmo tendo sido assim mil vezes, a milésima primeira vez pode ser diferente etc. O primeiro se orienta pelos fatos que o mundo exterior fornece; o último se reserva uma opinião que se interpõe entre ele e o dado objetivo. Quando predomina a orientação pelo objeto e pelo dado objetivo, de modo que as decisões e ações mais frequentes e principais sejam condicionadas não por opiniões subjetivas, mas por circunstâncias objetivas, então se fala de uma atitude extrovertida. Se isto for habitual, falaremos de tipo extrovertido. Quando alguém pensa, sente e age dessa forma ou, numa palavra, vive da forma que corresponde *imediata-*

mente às condições objetivas e de suas exigências, tanto no bom quanto no mau sentido, então é extrovertido. Vive de tal modo que o objeto, como fator determinante, desempenha em sua consciência papel bem maior do que sua opinião subjetiva. Certamente tem opiniões subjetivas, mas sua força determinante é menor do que a das condições objetivas externas. Por isso nunca espera tropeçar, no seu íntimo, com fatores incondicionados porque só os conhece externamente. À semelhança de Epimeteu, seu íntimo submete-se às exigências externas, não sem luta; mas o final é sempre favorável às condições objetivas. Sua consciência toda olha para fora porque a determinação importante e decisiva sempre lhe vem de fora. Mas ela vem de lá porque ele espera que venha dali. Dessa atitude fundamental decorrem, por assim dizer, todas as peculiaridades de sua psicologia, enquanto não repousarem sobre o primado de certa função psicológica ou sobre idiossincrasias individuais.

629 *Interesse* e *atenção* seguem os acontecimentos objetivos, em primeiro lugar os do meio ambiente próximo. Não só as pessoas, mas também as coisas cativam o interesse. E, assim, também o *agir* se orienta pelas influências recebidas das pessoas e coisas. Refere-se diretamente a dados e determinações objetivos que o explicam exaustivamente. O agir se refere explicitamente a condições objetivas. Se o agir não for apenas reativo em face dos estímulos ambientais, sempre tem um caráter adaptável às circunstâncias e encontra, dentro dos limites do dado objetivo, espaço suficiente e adequado. Não tem pretensões sérias de sair disso. O mesmo vale do interesse: os acontecimentos objetivos contêm estímulos quase inesgotáveis de forma que o interesse, em geral, não exige outros. As leis morais do agir coincidem com as exigências da sociedade, isto é, com a concepção moral válida em geral. Se a concepção válida em geral fosse outra, também as diretrizes morais subjetivas seriam outras, sem que houvesse alteração alguma no hábito psicológico em geral.

630 Esta rígida determinação por fatores objetivos não significa de modo algum, como poderia parecer, uma adaptação perfeita ou ideal às condições de vida em geral. Aos olhos do extrovertido, este ajustamento ao dado objetivo deve parecer uma adaptação perfeita, porque não existe outro critério para ele. Considerando-se o caso de um ponto de vista mais elevado, não se diz que o dado objetivo seja sem-

pre o normal. As condições objetivas podem ser anormais em certas épocas ou em certos locais. Um indivíduo que está ajustado a essas condições compartilha do estilo anormal do ambiente, mas, juntamente com todos os companheiros, está numa situação anormal, em vista das leis vitais de validade geral. Pode até prosperar nesse contexto, mas só até o momento em que ele e todos os seus companheiros sucumbirem aos pecados contra as leis gerais da vida. Tem que partilhar desse naufrágio com a mesma certeza que tinha antes ao estar ajustado com o dado objetivo. Ele tem ajuste, mas não adaptação, pois esta exige mais do que simples acompanhamento harmonioso daquelas condições da ambiência imediata (refiro-me ao Epimeteu, de Spitteler). Exige observância daquelas leis que são mais gerais do que as circunstâncias de lugar e tempo. O puro e simples ajustamento é o limite do tipo extrovertido.

631 O tipo extrovertido deve sua "normalidade", por um lado, ao fato de estar relativamente bem ajustado às circunstâncias dadas e não tem outras pretensões além de realizar as possibilidades objetivamente dadas como, por exemplo, seguir a profissão que neste lugar e nesta época oferece boas perspectivas; fazer o que os circunstantes precisam no momento ou o que dele esperam; manter-se afastado de toda inovação que não é plausível ou que, de qualquer maneira, está além das expectativas do meio ambiente. Por outro lado, sua "normalidade" tem por efeito o fato de o extrovertido levar em muito pouca consideração a realidade de suas necessidades e precisões subjetivas. Este é precisamente seu ponto fraco, pois a tendência de seu tipo puxa tanto para fora que facilmente o mais notório de todos os fatos subjetivos, isto é, a saúde do corpo, não seja levada em conta o suficiente, por ser muito pouco objetiva, muito pouca "externa"; e, assim, a satisfação das necessidades mais elementares, indispensáveis ao bem-estar físico, não é atendida. Sofre, por isso, o corpo e também a alma. Em geral, o extrovertido não percebe esta situação, mas sua ambiência a percebe com muita nitidez. Só notará a perda de equilíbrio quando se manifestarem sensações anormais do corpo.

632 Este fato palpável não o pode ignorar. É natural que o considere concreto e "objetivo", pois para sua mentalidade não existe qualquer outra coisa – nele próprio. Nos outros, vê logo ser "imaginação". Uma atitude extrovertida exagerada pode desconsiderar tanto o sujei-

to que este seja totalmente sacrificado às chamadas demandas objetivas como, por exemplo, a um constante crescimento dos negócios, porque existem encomendas, e porque é necessário aproveitar as chances que se apresentam.

633 O perigo do extrovertido está em ser atraído para dentro do objeto e lá perder-se completamente. As perturbações corporais que daí se originam, sejam funcionais (nervosas) ou reais, têm um significado de compensação, pois forçam o sujeito a um autofechamento involuntário. Se forem funcionais, os sintomas podem exprimir, pela natureza que lhes é própria, simbolicamente, a situação psicológica. Tomemos o exemplo de um cantor cuja glória subiu rapidamente a alturas perigosas. Se for levado a um gasto imoderado de energia, poderão falhar repentinamente os tons agudos por inibição nervosa. Um homem que, após modesto começo, tenha chegado rapidamente a uma situação social influente e de grande projeção, poderá apresentar psicogenicamente todos os sintomas do mal das montanhas. Um homem que está prestes a casar-se com mulher de caráter bem duvidoso, mas por ele adorada e supervalorizada, poderá ser acometido de um espasmo na garganta que o obrigue a restringir-se a duas xícaras de leite por dia, e cuja ingestão leva aproximadamente três horas. Desse modo, fica realmente impossibilitado de visitar sua noiva, pois está praticamente ocupado o tempo todo em alimentar seu corpo. Um homem que já não dá conta do serviço de sua empresa que se desenvolveu gigantescamente, graças ao empenho dele, poderá ser vítima de ataques nervosos de sede que, bem cedo, se transformarão em alcoolismo histérico.

634 Parece-me que a neurose mais frequente do tipo extrovertido é a histeria. O caso clássico de histeria sempre se caracteriza por um relacionamento exagerado com as pessoas da ambiência; mas também o ajustamento, por imitação, às circunstâncias é peculiaridade característica. Traço fundamental da natureza histérica é a tendência constante de tornar-se interessante e causar impacto em seus semelhantes. Correlato disso é a sugestionabilidade proverbial, a influência que sofre de outras pessoas. A extroversão inequívoca também se manifesta na comunicabilidade dos histéricos que, às vezes, traduz-se na comunicação de conteúdos meramente fantásticos, donde provém o que se chama mentira histérica. O "caráter" histérico é antes de tudo um exagero da atitude normal, mas logo complicado por reações

compensatórias do inconsciente que, opondo-se à extroversão exagerada, mediante perturbações corporais, forçam a energia psíquica para a introversão. A reação do inconsciente faz surgir outra categoria de sintomas que têm caráter mais introvertido. Inclui-se aqui, antes de qualquer outra coisa, a atividade altamente mórbida da fantasia. Após esta caracterização genérica da atitude extrovertida, vamos descrever as alterações que as funções psicológicas básicas sofrem por causa da atitude extrovertida.

b) A atitude do inconsciente

Talvez possa parecer estranho que eu fale de "atitude do inconsciente". Conforme já expliquei o bastante, entendo a relação do inconsciente com a consciência como compensatória. Segundo este ponto de vista, conviria tanto ao inconsciente uma atitude quanto à consciência. 635

Destaquei acima que a tendência da atitude extrovertida é para certa unilateralidade, ou seja, a preponderância do fator objetivo no decurso do acontecimento psíquico. O tipo extrovertido é sempre tentado a desfazer-se de si, em benefício (aparentemente) do objeto, e a assimilar seu sujeito ao objeto. Chamei a atenção para as consequências que podem ocorrer devido ao exagero da atitude extrovertida, sobretudo para a opressão prejudicial do fator subjetivo. É de se esperar, pois, que uma compensação psíquica da atitude extrovertida consciente venha a enfatizar bem o momento subjetivo, isto é, teremos que comprovar no inconsciente forte tendência egocêntrica. A experiência prática consegue realmente esta comprovação. Não entrarei aqui em casuísmos, mas tentarei, nos próximos tópicos, apresentar, para cada tipo de função, a atitude característica do inconsciente. Já que neste tópico só trataremos da compensação de uma atitude extrovertida em geral, limitar-me-ei também a uma caracterização geral da atitude compensatória do inconsciente. 636

A atitude do inconsciente, para uma efetiva complementação da atitude extrovertida consciente, apresenta uma espécie de caráter introvertido. Concentra a energia sobre o momento subjetivo, isto é, sobre todas aquelas necessidades e pretensões que são oprimidas ou reprimidas por uma atitude consciente demasiadamente extrovertida. Segundo demonstrado acima, é facilmente compreensível que uma 637 orientação pelo objeto e pelo dado objetivo violente uma série de manifestações, opiniões, desejos e necessidades subjetivos e roube aquela energia que lhes caberia naturalmente. O homem não é nenhuma máquina que se possa transmutar, conforme o caso, para outras finalidades e que passaria então a funcionar exatamente como antes. O homem traz sempre consigo toda a sua história e a história da humanidade. Mas o fator histórico coloca uma necessidade vital que precisa ser tratada com sábia economia. De qualquer forma, o antigo deve manifestar-se no novo e conviver com ele. A assimilação total ao objeto esbarra com o protesto da minoria oprimida do que existia até agora e era desde o começo. Dessa explicação bem geral é fácil compreender por que as pretensões inconscientes do tipo extrovertido têm caráter primitivo, infantil e autista. Se Freud diz do inconsciente que ele "só sabe desejar", isto vale em grau elevado para o inconsciente do tipo extrovertido. O ajustamento e a assimilação ao dado objetivo impedem a conscientização de manifestações insuficientemente subjetivas. Estas tendências (ideias, desejos, afetos, necessidades, sentimentos etc.) assumem caráter regressivo, de acordo com o grau de sua repressão, isto é, quanto menos reconhecidas forem, tanto mais infantis e arcaicas se tornarão. A atitude consciente rouba delas as quantidades de energia relativamente disponíveis e só lhes deixa aquela energia que não consegue tirar. Este resto, contudo, possui uma força nada desprezível e constitui o que devemos designar por instinto primitivo. O instinto não pode ser extirpado no indivíduo por medidas arbitrárias; para isso seria necessária a transformação orgânica e lenta de muitas gerações, pois o instinto é a expressão energética de determinada conformação orgânica.

638 Permanece, enfim, junto a cada tendência oprimida considerável quantidade de energia correspondente à força instintiva que conserva sua atividade, ainda que tornada inconsciente, por causa da energia que lhe foi roubada. Quanto mais plena a atitude extrovertida consciente, mais infantil e arcaica será a atitude inconsciente. O que caracteriza a atitude inconsciente é um brutal egoísmo que supera de longe o infantil e chega às raias do perverso. Aqui deparamos com os desejos incestuosos que Freud descreve com viço ímpar. Óbvio é que essas coisas são totalmente inconscientes e ficam vedadas aos olhos do observador leigo, enquanto a atitude extrovertida consciente não

atingir um grau mais elevado. Se, no entanto, houver um exagero do ponto de vista consciente, o inconsciente se manifestará sintomaticamente, isto é, o egoísmo, infantilismo e arcaísmo inconscientes perdem seu caráter primitivo de compensação, ao entrarem em oposição mais ou menos aberta à atitude consciente. Isto acontece principalmente num exagero absurdo do ponto de vista consciente que deveria servir para oprimir o inconsciente, mas que normalmente termina numa *reductio ad absurdum* (redução ao absurdo) da atitude consciente, isto é, numa derrocada. A catástrofe pode ser objetiva quando os fins objetivos são aos poucos falsificados em subjetivos. Assim, por exemplo, um impressor gráfico, após vinte anos de trabalho assíduo, conseguiu passar de simples empregado a dono de uma empresa respeitável. A empresa se expandia e ele se dedicava cada vez mais, abandonando, inclusive, todos os interesses secundários. Foi sendo engolido e levado à ruína da seguinte forma: para compensar seus interesses exclusivamente empresariais, reviveram inconscientemente certas lembranças de sua infância. Naquele tempo, sentia grande prazer em desenhar e pintar. Em vez de aproveitar esta aptidão como atividade secundária contrabalançadora em sua vida, canalizou-a para sua empresa e começou a fantasiar uma apresentação "artística" de seus produtos. Infelizmente as fantasias se tornaram realidade: começou realmente a produzir segundo seu gosto primitivo e infantil; poucos anos depois sua empresa estava falida. Ele agiu de acordo com um de nossos "ideais culturais", ou seja, que o homem empreendedor deve concentrar tudo no fim a ser alcançado. Mas foi longe demais e sucumbiu ao poder das pretensões subjetivas infantis.

639 A solução catastrófica pode acontecer também de modo subjetivo, nomeadamente sob a forma de um colapso nervoso. Isto acontece sempre que a reação inconsciente consegue finalmente paralisar a ação consciente. Neste caso, as pretensões do inconsciente se impõem categoricamente ao consciente e causam nefasta dissensão que se exterioriza sobretudo no seguinte: as pessoas já não sabem o que realmente querem e não encontram prazer em nada, ou querem demais de uma vez só e têm prazer demais, mas em coisas impossíveis. A repressão das pretensões infantis e primitivas, necessária por motivos culturais, leva facilmente a neuroses ou ao abuso de drogas narcóticas como álcool, morfina, cocaína etc. Em casos mais sérios ainda, o

desfecho da dissensão pode ser o suicídio. Uma das peculiaridades marcantes das tendências inconscientes é que, na medida em que se lhes rouba energia, pelo *não reconhecimento consciente*, assumem caráter destrutivo e deixam de ser compensatórias. Mas só deixam de atuar compensatoriamente quando atingirem aquela depressão que corresponde a um nível cultural absolutamente incompatível como o nosso. A partir desse momento, as tendências inconscientes formam um bloco contrário, em todos os sentidos, à atitude consciente e cuja existência leva ao conflito aberto.

640 O fato de que a atitude do inconsciente compensa a do consciente se manifesta, em geral, no equilíbrio psíquico. Uma atitude extrovertida normal não significa nunca que o indivíduo se comporte, sempre e em toda parte, segundo o esquema extrovertido. É possível observar, num único e mesmo indivíduo, vários eventos psicológicos em que intervém o mecanismo da introversão. Um hábito é denominado extrovertido só quando prevalece o mecanismo da extroversão. Neste caso, a função psíquica mais diferenciada está sempre em uso extrovertido, enquanto as funções menos diferenciadas estão sendo usadas introvertidamente. Isto significa que a função mais valorizada está consciente ao máximo e totalmente submetida ao controle da consciência e da intenção consciente, enquanto as funções menos diferenciadas também são menos conscientes e, em parte, até inconscientes e muito menos submetidas ao arbítrio consciente. A função mais valorizada é sempre expressão da personalidade consciente, de sua intenção, vontade e realizações, ao passo que as funções menos diferenciadas fazem parte das coisas que nos acontecem. Não precisam ser exatamente *lapsus linguae* ou *calami* (equívoco ao falar ou escrever) ou equívocos de outra espécie, mas podem brotar também de meias-intenções ou de três quartos de propósito, porque elas possuem também menor capacidade de consciência. Exemplo clássico disso é o tipo sentimental extrovertido, que goza de excelente relacionamento sentimental com seus semelhantes próximos, mas que, às vezes, externa juízos de absoluta falta de tato. Estes juízos provêm de seu pensar menos diferenciado e menos consciente que, só em parte, está sob seu controle e, além disso, insuficientemente relacionado ao objeto, podendo atuar de modo bastante inconveniente.

641 As funções menos diferenciadas na atitude extrovertida traem um condicionamento extraordinariamente subjetivo do declarado egocentrismo e preconceito pessoal, mostrando, assim, uma conexão íntima com o inconsciente. Nelas o inconsciente se manifesta com frequência. Não se suponha que o inconsciente esteja enterrado sob muitas camadas e que só possa daí ser tirado após penosa escavação. O inconsciente, ao contrário, flui sempre para o evento psicológico e em tão grande quantidade que se torna difícil às vezes ao observador distinguir quais propriedades de caráter atribuir à personalidade consciente e quais à personalidade inconsciente. Esta dificuldade acontece principalmente com pessoas que se expressam em maior profusão do que outras. Evidentemente isto depende também da atitude do observador, se capta mais o caráter consciente ou inconsciente de uma personalidade. Em geral, um observador judicativo captará mais o caráter consciente, enquanto o observador perceptivo será mais tocado pelo caráter inconsciente; pois o juízo se interessa mais pela motivação consciente do acontecer psíquico, ao passo que a percepção só registra o acontecimento. Mas na medida em que empregamos tanto a percepção como o julgamento, pode suceder que uma personalidade nos pareça ao mesmo tempo introvertida e extrovertida, sem sabermos a qual das atitudes pertence a função principal. Nesses casos, só uma análise profunda das propriedades da função pode valer. E, nesta análise, é preciso ver qual função está totalmente submetida ao controle e motivação da consciência e quais funções têm caráter de acaso e espontaneidade. A primeira função é sempre mais diferenciada do que as outras que possuem, além disso, propriedades algo infantis e primitivas. Às vezes a primeira função nos dá a impressão de normalidade, ao passo que as últimas têm em si algo de anormal ou patológico.

c) As peculiaridades das funções psicológicas básicas na atitude extrovertida

O pensamento

642 Em consequência da atitude geral de extroversão, o pensamento se orienta pelo objeto e pelos dados objetivos. Esta orientação origina uma peculiaridade bem definida.

643 O pensar, em geral, se alimenta, por um lado, de fontes subjetivas e, em última análise, de fontes inconscientes e, por outro lado, de dados objetivos transmitidos pelas percepções sensíveis. O pensar extrovertido é determinado em grau mais elevado por esses últimos fatores do que pelos primeiros. O julgamento sempre pressupõe um critério; para o julgamento extrovertido, o critério válido e determinante é sobretudo o que deriva das condições objetivas, não importando se provém diretamente de um fato objetivo, percebido pelos sentidos, ou de uma ideia objetiva, pois também uma ideia objetiva é algo dado e derivado de fora, mesmo que ratificada subjetivamente. Por isso, o pensamento extrovertido não precisa ser um pensar simplesmente de realidades concretas, mas também pode ser um pensar de puras ideias, pois as ideias com as quais se pensa são, em grande parte, derivadas de fora, isto é, são transmitidas pela tradição, educação e instrução. O critério para avaliar se um pensar é extrovertido consiste sobretudo em saber qual a orientação do julgamento: se provém de fora ou se tem origem subjetiva.

644 Outro critério é a orientação da conclusão, isto é, saber se o pensar tem sobretudo orientação para fora ou não. A ocupação do pensar com objetos concretos não é prova de sua natureza extrovertida. Posso ocupar-me com um objeto concreto enquanto abstraio meu pensar dele, ou enquanto realizo concretamente meu pensar nele. Ainda que meu pensar estivesse ocupado com coisas concretas e pudesse ser denominado extrovertido, permanece questão aberta e característica qual direção tomará, ou seja, se em seu curso posterior levará ou não outra vez a dados objetivos, a realidades externas ou a conceitos gerais já existentes. No que se refere ao pensar prático do comerciante, do técnico, do pesquisador em ciências naturais, a orientação para o objeto é óbvia. No caso do filósofo pode haver dúvidas, quando a orientação de seu pensar visa a ideias. Neste caso é preciso ver, de um lado, se estas ideias são meras abstrações de experiências tiradas dos objetos e, portanto, nada mais representam do que conceitos coletivos superiores que enfeixam uma soma de fatos objetivos e, de outro, se estas ideias (quando não há evidência de que sejam abstrações de experiências imediatas) não foram herdadas da tradição ou derivadas do mundo intelectual. Se afirmativa esta questão, estas ideias também entram na categoria de dados objetivos e, assim, este pensar deve ser qualificado de extrovertido.

645 Ainda que me tenha proposto não abordar aqui a natureza do pensar introvertido, mas em outro capítulo, parece-me indispensável dar algumas pinceladas já agora. Se considerarmos bem o que deixei dito sobre o pensar extrovertido, é possível chegar facilmente à conclusão de que isto abrange tudo o que se entende por pensar em geral. Um pensar que não se dirige a fatos objetivos nem a ideias gerais não merece, por assim dizer, o nome "pensar". Estou ciente que nossa época e seus principais representantes só conhecem e reconhecem o tipo extrovertido de pensar. Isto se deve, em parte, ao fato de que, em geral, todo pensar que aparece na superfície do mundo – na forma de ciência, filosofia ou arte – provém diretamente do objeto ou desemboca nas ideias em geral. Por essas duas razões, isto parece essencialmente compreensível, ainda que nem sempre evidente, e, portanto, relativamente válido. Nesta linha é possível dizer que, propriamente, só é conhecido o intelecto extrovertido, isto é, somente aquele que se orienta pelo dado objetivo.

646 Mas existe também – e com isso chego a falar do intelecto introvertido – um modo totalmente diverso de pensar, mas ao qual dificilmente se pode negar esta denominação, que não se orienta pela experiência objetiva imediata e nem por ideias gerais e objetivamente transmitidas. Chego a este outro modo de pensar da seguinte forma: quando me ocupo pensando num objeto concreto ou numa ideia geral, e isto de tal forma que a orientação do meu pensar se volte novamente para os meus objetos, então este processo intelectual não é o único processo psíquico que se produz em mim naquele momento. Abstraio de todos os sentimentos e sensações possíveis que, a par de meu fluxo pensante, fazem-se notar como mais ou menos perturbadores, e saliento que meu fluxo pensante que procede do dado objetivo e que tenciona voltar ao objeto está constantemente em relação com o sujeito. Esta relação é *conditio sine qua non* (condição necessária), pois sem ela não haveria fluxo pensante algum. Ainda que meu fluxo pensante esteja, o máximo possível, orientado para o objeto, é sempre *meu* fluxo pensante subjetivo que não pode evitar ou dispensar a imiscuição do subjetivo. Por mais que me esforce em dar a meu fluxo pensante uma orientação totalmente objetiva, não posso impedir o processo subjetivo paralelo e sua participação plena, sob pena de apagar a luz vital desse fluxo. Este processo paralelo subjetivo tem

uma tendência natural, apenas que é mais ou menos descartável, de subjetivar o dado objetivo, isto é, de assimilá-lo ao subjetivo. Se o acento principal recair sobre o processo subjetivo, surgirá aquele outro modo de pensar que se opõe ao tipo extrovertido, isto é, a orientação que se pauta pelo sujeito e pelo dado subjetivo e que chamei introvertida. Dessa outra orientação surge um pensar que não é determinado por fatos objetivos, nem é direcionado para dados objetivos, um pensar, portanto, que sai do dado subjetivo e se dirige para ideias subjetivas ou fatos de natureza subjetiva. Não pretendo estender-me sobre este pensar, mas apenas confirmar sua existência e, assim, trazer o complemento necessário ao pensar extrovertido e tornar mais precisa sua natureza.

647 O pensar extrovertido só passa a existir quando a orientação objetiva predominar. Isto em nada muda a lógica do pensar; apenas constitui aquela diferença entre os pensadores que James considerou como sendo questão de temperamento. A orientação pelo objeto em nada muda a essência da função pensante, mas apenas sua aparência. Orientando-se pelo dado objetivo, parece como que fascinado pelo objeto, como que não podendo subsistir sem a orientação externa. Aparece como estando no cortejo dos fatos exteriores ou parece ter alcançado seu ponto alto quando pode desembocar numa ideia de validade geral. Parece sempre afetado pelo dado objetivo e só poder tirar conclusões com a concordância dele. Por isso dá a impressão de falta de liberdade e, às vezes, de miopia, apesar de toda agilidade no espaço, limitado por marcos objetivos.

648 O que descrevo aqui é a mera impressão que o pensar extrovertido causa no observador que, já por isso, tem que estar em outro ponto de vista, caso contrário nem conseguiria observar a manifestação do pensar extrovertido. Devido a seu ponto de vista diferente, só enxerga a aparência e não a essência. Mas, quem está na essência desse pensar consegue captar apenas a essência e não sua aparência. O julgamento pela simples aparência não pode fazer justiça à essência, por isso é, na maior parte das vezes, depreciativo. Em sua essência, este pensar não é menos frutífero e criador do que o introvertido, apenas que seu poder serve a outros fins. Esta diferença se torna bem acentuada quando o pensamento extrovertido se apodera de um material especificamente oposto ao pensar subjetivamente orientado. Aconte-

ce este caso quando, por exemplo, uma convicção subjetiva é explicada analiticamente por fatos objetivos, ou como consequência e derivação de ideias objetivas. Para nossa consciência voltada às ciências naturais, a diferença desses dois modos de pensar é ainda mais plausível quando o pensar subjetivamente orientado tenta colocar o dado objetivo em conexões não dadas pelo objeto, ou seja, tenta subordiná-lo a uma ideia subjetiva. Ambos os modos de pensar sentem o outro como usurpação, surgindo então o efeito sombra que um projeta sobre o outro. O pensar subjetivamente orientado parece mera arbitrariedade e o pensar extrovertido, incomensurável chatice e banalidade. Por isso os dois pontos de vista se digladiam sem tréguas.

649 Poderíamos supor que esta briga teria fim se fizéssemos clara distinção entre os assuntos de natureza subjetiva e os de natureza objetiva. Infelizmente isto é impossível, ainda que muitos o tivessem tentado. E mesmo que fosse possível, seria desastroso porque ambas as orientações são em si unilaterais e de validade limitada, precisando, pois, da influência recíproca. Se o dado objetivo coloca, em grande proporção, o pensar sob sua influência, ele o esteriliza, porque ficará reduzido a simples acessório do dado objetivo, não conseguindo mais libertar-se e apresentar um conceito abstrato. O processo de pensar limita-se, então, a simples "pensar sobre", não no sentido de "reflexão", mas de pura imitação que essencialmente nada mais exprime do que aquilo que está visível e imediatamente contido no dado objetivo. Semelhante processo de pensar leva natural e diretamente ao dado objetivo, mas nunca além dele, e jamais conseguirá vincular a experiência a uma ideia objetiva. Inversamente, quando este pensar tem como assunto uma ideia objetiva, não estará em condições de alcançar a experiência individual e prática, mas se aferrará a um estado mais ou menos tautológico. A mentalidade materialista é exemplo esclarecedor disso.

650 Quando o pensar extrovertido está submetido ao dado objetivo devido a uma determinação reforçada pelo objeto, perde-se, por um lado, totalmente na experiência individual e gera um amontoado de materiais empíricos intragáveis. A massa opressora de experiências individuais, com pouca ou nenhuma conexão, produz um estado de dissociação intelectual que necessita, em geral, uma compensação do lado contrário. Esta consiste numa ideia simples e geral que deve dar uma coerência a este conjunto acumulado, mas internamente desuni-

do, ou, ao menos, uma impressão de coerência. Ideias como "matéria" ou "energia" servem muito bem a este fim. Se, no entanto, o pensar não depender, em princípio, por demais dos fatos exteriores, mas de ideia herdada, surge, para compensar a pobreza dessa ideia, um acúmulo tanto mais impressionante de fatos, agrupados unilateralmente segundo um ponto de vista relativamente limitado e estéril, onde se perdem em geral aspectos valiosos e significativos das coisas. Infelizmente, a quantidade vertiginosa da literatura dita científica de nossos dias deve sua existência, em grande parte, a esta falsa orientação.

O tipo pensamento extrovertido

651 Mostra a experiência que as funções psicológicas básicas raras vezes ou praticamente nunca têm a mesma força ou o mesmo grau de desenvolvimento num determinado indivíduo. Normalmente prepondera uma ou outra das funções, tanto em força quanto em desenvolvimento. Quando o *primado* recai sobre o pensar, isto é, quando o indivíduo conduz sua vida principalmente sob o comando da reflexão, de modo que todas as ações mais importantes sejam fruto de motivações intelectualmente geradas ou, ao menos, tenham esta tendência, então trata-se de *tipo pensamento*. Este pode ser introvertido ou extrovertido. Abordaremos em primeiro lugar o *tipo pensamento extrovertido*.

652 Por definição, este será alguém – supondo tratar-se de tipo puro – que se esforça por colocar toda a atividade de sua vida na dependência de conclusões intelectuais que se orientam, em última análise, sempre por dados objetivos, sejam fatos objetivos ou ideias válidas em geral. Este tipo outorga não só a si mesmo, mas também aos circunstantes, a força decisiva da realidade objetiva, ou seja, de sua fórmula intelectual com orientação objetiva. Segundo esta fórmula mede-se o bem e o mal, determina-se o belo e o feio. Certo é tudo o que condiz com esta fórmula; errado, o que a contradiz; e fortuito o que transcorre indiferente a seu lado. Parecendo corresponder ao sentido do mundo, torna-se também a lei do mundo que deve realizar-se sempre e em toda parte, tanto no individual como no geral. Assim como o tipo pensamento extrovertido se submete à sua fórmula, devem fazê-lo também os circunstantes, para seu próprio bem; quem não o faz está errado, opõe-se à lei do mundo, é irrazoável, imoral e

sem consciência. A moral do tipo pensamento extrovertido proíbe tolerar exceções. Seu ideal tem que ser realizado, custe o que custar, pois, a seu ver, é a mais pura formulação da realidade objetiva e, portanto, tem que ser verdade aceita em geral, indispensável à salvação da humanidade. E isto não por amor ao próximo, mas do supremo ponto de vista da justiça e da verdade. Tudo o que, por sua própria natureza, pareça contraditar esta fórmula é imperfeição, falha acidental que deve ser eliminada na primeira ocasião ou, se não for possível, deve ser considerado doentio. Se a tolerância com os doentes, sofredores e anormais deve fazer parte constitutiva da fórmula, serão providenciados organismos especiais de atendimento como, prontos-socorros, hospitais, prisões, colônias etc., com seus respectivos planos e projetos. Para execução concreta não basta, normalmente, o motivo da justiça e da verdade. Necessário se faz ainda o verdadeiro amor ao próximo que tem a ver muito mais com o sentimento do que com uma fórmula intelectual. O "poderíamos" ou "deveríamos" desempenha papel importante. Se a fórmula for ampla o suficiente, pode este tipo ter um papel relevante na vida social como reformador, promotor público, conscientizador ou propagador de inovações importantes. Quanto mais rígida a fórmula, porém, mais ele será um resmungão, sofista e crítico autojustificado que deseja comprimir a si e aos outros num esquema. Temos aí dois pontos extremos dentro dos quais se movimenta a maioria desses tipos.

653 De acordo com a natureza da atitude extrovertida, os efeitos e manifestações dessas personalidades são tanto mais proveitosos ou melhores quanto mais exteriores forem. Encontram seu melhor aspecto na periferia de sua esfera de ação. Quanto mais penetrarmos em seu campo de poder, tanto mais perceberemos as consequências desastrosas de sua tirania. Na periferia ainda pulsa outra vida para quem a verdade da fórmula é um complemento valioso do resto. Quanto mais entrarmos, porém, no campo do poder da fórmula, tanto mais se acabará qualquer outra vida que não seja condizente com a fórmula. Em geral, são os próprios representantes que sofrem as consequências nefastas da fórmula extrovertida, pois são os primeiros a serem impiedosamente atingidos. Mas quem mais sofre é o próprio sujeito, e assim chegamos ao outro lado da psicologia desse tipo.

654 Dado o fato de que jamais houve e jamais haverá fórmula intelectual capaz de abranger em si e expressar satisfatoriamente a plenitude da vida e de suas possibilidades, surge uma inibição, uma exclusão de outras formas e atividades importantes de vida. Em primeiro lugar, serão abrangidas e sujeitas à opressão, neste tipo, todas as formas de vida que dependem do sentimento, como, por exemplo, as atividades estéticas, o paladar, o senso artístico, o cultivo da amizade etc. Formas irracionais como experiências religiosas, paixões e semelhantes são extirpadas até a completa inconsciência. Estas formas de vida, tão importantes em certas circunstâncias, levam uma existência praticamente inconsciente. Há, sem dúvida, pessoas de exceção que conseguem sacrificar toda sua vida a uma fórmula, mas a maioria não tem estrutura para viver tal exclusividade por muito tempo. Mais cedo ou mais tarde – dependendo das circunstâncias externas e da disposição interna – as formas de vida, reprimidas pela atitude intelectual, vão manifestar-se indiretamente, perturbando a condução consciente da vida. Quando esta perturbação atingir um grau notório, fala-se de neurose. Na maioria dos casos não se chega a tanto, porque o indivíduo cria para si, instintivamente, certas atenuações da fórmula, sempre numa roupagem adequada e razoável. Está criada, assim, uma válvula de segurança.

655 Devido à relativa ou total inconsciência a que foram relegadas as tendências e funções pela atitude consciente, permanecem elas em estado de relativo desenvolvimento. Em relação à função consciente, elas são inferiores. Enquanto inconscientes, confundem-se com os restantes conteúdos do inconsciente, assumindo um caráter bizarro. Enquanto conscientes, desempenham papel secundário, ainda que sejam de importância considerável para o quadro psicológico geral. Os primeiros a serem atingidos pela inibição oriunda da consciência são os sentimentos; são eles que mais se opõem a uma fórmula rígida e por isso também são os mais reprimidos. Nenhuma função pode ser totalmente eliminada, apenas sensivelmente alterada. Na medida em que os sentimentos se deixam formar e subordinar aleatoriamente, devem sustentar a atitude intelectual da consciência e adaptar-se às suas intenções. Mas isto só é possível até certo ponto; parte do sentimento não se subordina e necessário se torna, pois, reprimi-la. Tendo êxito a repressão, o sentimento desaparece da consciência e de-

senvolve subliminalmente uma atividade contrária às intenções conscientes, fazendo surgir consequências que são completo enigma para o indivíduo. Assim, por exemplo, o altruísmo consciente, muitas vezes extraordinário, é atravessado por um egoísmo secreto, desconhecido do próprio indivíduo, que imprime nas ações desinteressadas o selo do interesse pessoal. Intenções puramente éticas podem levar o indivíduo a situações críticas em que algo mais do que simples aparência faz supor que o motivo básico seja outro que não o ético. Salvadores voluntários e guardiães dos costumes parecem, repentinamente, precisar eles próprios de salvação ou parecem comprometidos. A intenção salvadora facilmente os leva ao emprego de meios que produzem exatamente aquilo que se deseja evitar. Há idealistas extrovertidos tão dedicados a realizar seu ideal em benefício da humanidade que não recuam nem mesmo diante da mentira e de outros meios indignos. Temos vários e lamentáveis exemplos no campo científico onde pesquisadores de alto mérito, por estarem convencidos da verdade e validade geral de sua fórmula, falsificaram provas em favor de seu ideal. Isto segundo o princípio: o fim justifica os meios. Somente uma função afetiva de valor inferior, agindo inconscientemente de forma enganosa, pode provocar tais aberrações em pessoas, normalmente, de grande respeitabilidade.

656 A inferioridade do sentimento manifesta-se neste tipo ainda de outra maneira. De acordo com a fórmula objetiva predominante, a atitude consciente é mais ou menos impessoal e muitas vezes em tal grau que os interesses pessoais sofrem profundamente. Se a atitude consciente for extrema, desaparecem todas as considerações pessoais, mesmo as que dizem respeito ao indivíduo ele mesmo. Sua saúde é negligenciada, a posição social entra em declínio, sua família é violentada em seus interesses vitais – saúde, finanças e moral – por causa do ideal. Em todos os casos diminui a simpatia pessoal pelos outros, a não ser que sejam eventualmente defensores da mesma fórmula. Acontece não raro que, na pequena família, os próprios filhos, por exemplo, só conheçam um tal pai como tirano cruel, enquanto no mundo mais vasto ressoa a fama de sua humanidade. Devido à grande impessoalidade (e não, apesar dela) da atitude consciente, os sentimentos são inconscientemente de extraordinária sensibilidade pessoal, dando origem a certos preconceitos íntimos como a tendência, por exemplo, de conside-

rar qualquer oposição objetiva à fórmula como malquerença pessoal, ou sempre menosprezar as qualidades dos outros para enfraquecer de antemão seus argumentos e para resguardar sua própria suscetibilidade. A suscetibilidade inconsciente dá muitas vezes ao linguajar um tom áspero, agudo e agressivo. As insinuações se tornam frequentes. Os sentimentos têm caráter retardatário, como é próprio da função inferior. Provém daí uma disposição nítida para o ressentimento. Por mais generoso que seja o sacrifício pelo objetivo intelectual, os sentimentos são mesquinhamente desconfiados, caprichosos e conservadores. Toda novidade que já não esteja contida na fórmula é olhada através de um véu de ódio inconsciente e devidamente condenada. Aconteceu em meados do século XIX que um médico, famoso por seu humanitarismo, ameaçou dispensar o assistente porque usara um termômetro, quando a fórmula era: a febre é detectada no pulso. Fatos semelhantes devem existir aos montes.

657 Quanto mais reprimidos os sentimentos, mais nefasta e secretamente influenciam o pensamento que, sendo outra a situação, pode não sofrer reparo algum. O ponto de vista intelectual que, devido a seu valor real, poderia reclamar um reconhecimento geral, experimenta uma alteração característica por causa da influência da suscetibilidade pessoal inconsciente: torna-se rigidamente dogmático. A autoafirmação da personalidade é transferida para ele. Já não se permite à verdade agir naturalmente, mas, devido à identificação do sujeito com ela, é manipulada como boneca sensível que um crítico impiedoso magoou. O crítico é arruinado, inclusive com ataques à sua pessoa, e nenhum argumento é grosseiro demais para não ser usado. A verdade tem que ser apresentada até que o público perceba claramente que não interessa tanto a verdade, mas a pessoa que a concebeu.

658 O dogmatismo do ponto de vista intelectual experimenta às vezes ainda outras modificações características pela imiscuição inconsciente dos sentimentos pessoais inconscientes que repousam menos sobre o sentimento *sensu strictiori* (em sentido mais estrito) e mais na conjugação de outros fatores inconscientes que ficaram misturados no inconsciente com o sentimento reprimido. Ainda que a própria razão prove que toda fórmula intelectual só pode ser uma verdade de valor limitado e, portanto, não poder reclamar jamais um domínio exclusivo, a fórmula assume, na prática, tal predominância que todos

os demais pontos de vista e possibilidades a seu redor passam para um plano de fundo. Ela usurpa o lugar de toda e qualquer cosmovisão mais geral, menos precisa e, por isso, mais modesta e mais voraz. Substitui também aquela concepção geral que chamamos religião. E, assim, a fórmula se torna religião, mesmo que, por sua natureza, nada tenha a ver com algo religioso. Com isso ganha também o caráter de absoluto, essencial à religião. Torna-se, por assim dizer, a superstição intelectual. Todas as tendências psicológicas, por ela reprimidas, juntam-se no inconsciente e tomam posição contrária, provocando ondas de dúvidas. Para combater a dúvida, a atitude consciente se torna fanática, pois fanatismo nada mais é do que supercompensação da dúvida. Esta evolução conduz finalmente a uma posição consciente exagerada e à formação de uma posição inconsciente absolutamente oposta que, por exemplo, mostra-se extremamente irracional em oposição ao racionalismo consciente, e extremamente arcaica e supersticiosa em oposição à cientificidade moderna do ponto de vista consciente. Daí aquelas opiniões estúpidas e ridículas que a história das ciências nos transmite e sobre as quais tropeçaram muitos pesquisadores de renome. Às vezes o lado inconsciente de tal homem se encarna numa mulher.

659 Este tipo, certamente bem conhecido do leitor, encontra-se, segundo minha experiência, sobretudo nos homens, pois em geral o pensamento é uma função que predomina mais no homem do que na mulher. Quando o pensamento assume o predomínio na mulher, então trata-se, ao que me parece, de um pensamento que está na linha sobretudo de uma atividade *intuitiva* do espírito.

660 O pensar do tipo pensamento extrovertido é *positivo*, isto é, ele cria. Ele conduz a novos fatos ou a concepções gerais de materiais empíricos disparatados. Seu julgamento é, em geral, *sintético*. Mesmo quando analisa, constrói; sempre passa por sobre a decomposição para uma nova combinação, para outra concepção que reúne o material analisado de outra forma ou lhe acrescenta algo mais. Esta espécie de julgamento poderíamos denominá-lo genericamente *predicativo*. Em todos os casos é de notar que ele jamais é depreciativo ou destruidor, mas sempre substitui por outro um valor destruído. Esta característica provém do fato que o pensar do tipo pensamento é, por assim dizer, o canal por que flui principalmente sua energia vi-

tal. A vida sempre progressiva manifesta-se em seu pensar pelo qual sua ideia adquire caráter progressista e criador. Seu pensar não é estagnador e, muito menos, regressivo. Mas estas qualidades o pensar assume apenas se não lhe couber o primado na consciência. Como, neste caso, isto é relativamente sem importância, falta-lhe também o caráter de uma atividade vital positiva. Vai atrás de outras funções; torna-se epimeteico, chegando quase ao ridículo de ocupar-se sempre com o já acontecido e passado que ele rumina pensativamente, analisa e digere. Já que neste caso o elemento criativo está em outra função, o pensar já não é progressista, mas estagnador. Seu julgamento assume claramente o *caráter de inerência*, isto é, limita-se cabalmente ao âmbito do material à sua disposição, em nada o ultrapassando. Ocupa-se com constatações mais ou menos abstratas, sem atribuir ao material experimental nenhum valor que já não esteja nele inserido de antemão. O julgamento de inerência do pensamento extrovertido orienta-se pelo objeto, isto é, sua constatação sempre acontece no sentido de uma importância objetiva da experiência. Mas não fica apenas sob a influência orientadora do dado objetivo, mas fica inclusive nos limites da experiência individual e nada mais afirma sobre ela além do que já foi dado. Podemos facilmente encontrar este tipo de pensar em pessoas que não conseguem deixar de fazer uma observação razoável e sem dúvida muito proveitosa sobre alguma impressão ou experiência, mas que não avança para além do âmbito da experiência. Esta observação diz basicamente apenas o seguinte: "Eu compreendi, posso acompanhar a reflexão". E fica só nisso. Um julgamento desses significa, no máximo, colocar uma experiência numa sequência objetiva, mas já era evidente que a experiência só poderia caber naquele lugar.

661 Mas se outra função que não o pensamento possuir o primado da consciência em grau de qualquer forma mais elevado, o pensamento assume caráter *negativo*, contanto que esteja consciente e não dependa diretamente da função dominante. Enquanto o pensamento estiver subordinado à função dominante, pode até parecer positivo, mas um exame mais acurado facilmente mostrará que apenas faz eco à função dominante, supre-a com argumentos que muitas vezes estão em aberta contradição com as leis da lógica, próprias do pensar. Este tipo de pensar não interessa à nossa discussão atual. Nossa preocupa-

ção está mais na natureza daquele pensar que não pode submeter-se ao primado de outra função, mas permanece fiel a seu próprio princípio. Observar e estudar este pensar é difícil porque, no caso concreto, ele é mais ou menos reprimido pela atitude da consciência. Na maior parte das vezes deve ser buscado nos planos de fundo da consciência, se não chegar à superfície ocasionalmente num momento de descuido. Quase sempre é preciso extraí-lo com a pergunta: "Mas o que você acha disso, bem no íntimo de sua opinião?" Ou mesmo usar de ardil e formulá-la assim: "O que você acha que *eu* estou pensando disso?" Esta última forma deve ser usada quando o pensar propriamente dito é inconsciente e, por isso, projetado. O pensar, puxado dessa forma para a superfície da consciência, tem propriedades características que me levaram a denominá-lo *negativo*. A melhor caracterização de seu hábito são as palavras "nada mais do que". Goethe personificou este pensamento na figura de Mefistófeles. Mostra sobretudo a tendência de reconduzir o objeto de seu julgamento para uma banalidade qualquer e despojá-lo de seu significado autônomo. Isto se faz apresentando-o como dependente de outra coisa banal. Surgindo entre dois homens um conflito de natureza aparentemente objetiva, o pensamento negativo diz: *Cherchez la femme* (Procurai a mulher). Se alguém defende ou divulga uma coisa, o pensamento negativo não pergunta pela importância dela, mas "quanto ganha com isso?" O dito atribuído a Moleschott "O homem é o que ele come" também entra neste capítulo, bem como outras expressões e concepções que não preciso mencionar aqui.

662 Não há necessidade de maiores explicações sobre o aspecto destrutivo desse pensar e sobre sua, por vezes, utilidade restrita. Mas existe outra forma do pensamento negativo, difícil de se reconhecer à primeira vista. É o pensar *teosófico* que hoje se propaga rapidamente em todos os quadrantes da terra, talvez como reação ao materialismo da época próximo-passada. O pensar teosófico é, aparentemente, nada redutivo, mas eleva tudo a ideias transcendentais e universais. Um sonho, por exemplo, não é um simples sonho, mas uma vivência em "outro plano". O fato ainda não esclarecido da telepatia explica-se facilmente pelas "vibrações" que passam de um para outro. Uma perturbação nervosa comum explica-se bem simplesmente dizendo que algo afetou o "corpo astral". Certas peculiaridades antropológi-

cas dos habitantes da costa atlântica são explicadas facilmente pela submersão da Atlântida etc. Basta abrir um livro de teosofia e seremos massacrados pela certeza de que tudo já foi explicado e que a "ciência do espírito" não deixou para trás nenhum enigma. No fundo, este modo de pensar é tão negativo quanto o pensar materialista. Enquanto este considera a psicologia como alterações químicas das células ganglionárias ou como extensão ou contração dos dendritos, ou, ainda, como secreção interna, isto é tão supersticioso quanto a teosofia. A única diferença está em que o materialismo reduz tudo à fisiologia atual, ao passo que a teosofia remete para conceitos da metafísica hindu. Quando atribuímos um sonho ao estômago muito cheio, ainda não explicamos o sonho; e quando dizemos que a telepatia são "vibrações", também nada ficou esclarecido. O que são "vibrações"? Ambos os modos de explicar, além de impotentes, são também destrutivos, pois impedem uma pesquisa séria do problema; por meio de explicação fictícia, retiram o interesse do assunto e o desviam, no primeiro caso, para o estômago e, no segundo, para vibrações imaginárias. Ambos os modos de pensar são estéreis e esterilizadores. Sua qualidade negativa provém do fato de serem extremamente baratos, isto é, paupérrimos em energia geradora e criativa. É um pensar a reboque de outras funções.

O sentimento

663 O sentimento na atitude extrovertida orienta-se pelo dado objetivo, isto é, o objeto é o determinante indispensável do modo de sentir. Está em concordância com valores objetivos. Quem sempre conheceu o sentimento apenas como estado subjetivo, entenderá perfeitamente a natureza do sentimento extrovertido, pois este se livrou, o quanto possível, do fator subjetivo e submeteu-se totalmente à influência do objeto. Mesmo quando se apresenta como independente da qualidade do objeto concreto, continua dominado por valores tradicionais ou aceitos em geral por qualquer outra razão. Posso sentir-me forçado a empregar o predicado "belo" ou "bom", não porque meu sentimento subjetivo ache o objeto "belo" ou "bom", mas porque é *conveniente* denominá-lo "belo" ou "bom"; e conveniente porque um julgamento contrário poderia perturbar de alguma forma toda

a situação sentimental. Assim, por exemplo, um quadro pode ser chamado "belo" porque, exposto num salão e assinado por nome famoso, todos presumem seja "belo" ou porque o predicado "feio" poderia contrariar a família do feliz proprietário ou porque o visitante se propôs a criar uma atmosfera sentimental propícia, fazendo-se necessário que tudo seja sentido como agradável. Estes sentimentos se orientam por determinantes objetivos. Como tais, são genuínos e representam a função sentimento como um todo. Assim como o pensamento extrovertido se liberta, o quanto possível, de influências subjetivas, também o sentimento extrovertido deve passar por certo processo de diferenciação até despojar-se de qualquer ingrediente subjetivo. As *valorizações* que decorrem do ato de sentir correspondem diretamente a valores objetivos ou, ao menos, a certos parâmetros de valor tradicionais e aceitos em geral.

664 Esta forma de sentir é responsável, em grande parte, pelo fato de tantas pessoas irem ao teatro, ao concerto ou à igreja, e o fazerem com sentimentos positivos, corretamente dimensionados. Também a ela devemos as modas e – o que é bem mais importante – a manutenção positiva e ampla de empreendimentos sociais, filantrópicos e culturais. Nisto o sentimento extrovertido se mostra fator criativo. Sem ele seria, por exemplo, inconcebível uma convivência social, bela e harmônica. Até aí o sentimento extrovertido é uma força atuante tão benfazeja e razoável quanto o pensamento extrovertido. Essa atuação salutar se perde, porém, tão logo o objeto receba uma influência exagerada. Neste caso, o sentimento extrovertido em demasia puxa a personalidade demais para o objeto, isto é, o objeto assimila a pessoa, perdendo-se então o caráter pessoal do sentir que é seu charme principal. E, assim, torna-se frio, material e não confiável. Revela uma intenção secreta ou, ao menos, faz com que o observador incauto tenha esta impressão. Já não causa aquela impressão agradável e refrescante que sempre acompanha um sentimento genuíno, mas faz supor que se trate de pose ou encenação, mesmo que a intenção egocêntrica seja talvez bem inconsciente. Um sentimento extrovertido tão exagerado preenche as expectativas estéticas, mas já não fala ao coração e, sim, apenas aos sentidos ou – o que é pior – apenas à inteligência. Pode, na verdade, preencher esteticamente uma situação, mas limita-se a isso e não vai além. Tornou-se estéril. Se o processo evoluir,

acontece uma dissociação altamente contraditória do sentimento: apodera-se de alguns objetos usando valorizações sentimentais e acrescenta inúmeras relações que se contradizem internamente. Não sendo isto possível se estivesse presente um sujeito de certa consistência, são oprimidos também os últimos restos de um ponto de vista realmente pessoal. O sujeito é absorvido de tal forma pelos processos individuais de sentimento que o observador tem a impressão que já não está na presença de um sujeito que sente, mas apenas de um processo do sentir. Neste estado, o sentimento perdeu todo seu calor pessoal e primitivo; dá a impressão de pose, de leviandade, de desconfiança e, em casos piores, a impressão de histeria.

O tipo sentimento extrovertido

665 Pelo fato de o sentimento ser, indiscutivelmente, uma peculiaridade mais visível na psicologia feminina do que o pensamento também se encontram entre o sexo feminino os tipos sentimentais mais pronunciados. Quando o sentimento extrovertido tem o primado, falamos de tipo sentimento extrovertido. Os exemplos que me ocorrem desse tipo são quase todos de mulheres. Esse tipo de mulher vive de acordo com a linha diretriz de seu sentimento. Devido à educação, o sentimento dela evoluiu para uma função ajustada e submetida ao controle da consciência. Em casos não extremos, o sentimento tem caráter pessoal, ainda que o subjetivo já tenha sido reprimido em grande escala. Por isso, a personalidade parece ajustada às condições objetivas. Os sentimentos estão em sintonia com as situações objetivas e com os valores aceitos em geral. Isto se manifesta claramente na assim chamada escolha amorosa. O homem "adequado" é o amado e não outro qualquer; ele é adequado não por corresponder plenamente à natureza subjetiva e secreta da mulher – na maioria dos casos ela nem sabe disso –, mas porque satisfaz todas as expectativas razoáveis por sua posição, idade, posses, tamanho e respeitabilidade de sua família. Poderíamos naturalmente recusar essa formulação como irônica e fútil, não estivesse eu convencido de que o sentimento amoroso dessa mulher corresponde plenamente também à sua escolha. É genuíno e não apenas fingimento razoável. Casamentos "razoáveis" existem inúmeros e, de forma alguma, são os piores. Estas mulheres são boas companheiras do homem e

boas mães enquanto seu marido ou filhos possuem a constituição psíquica convencional. Só é possível sentir "corretamente" quando nada perturba o sentimento. E nada perturba tanto o sentimento como o pensamento. É óbvio, pois, que neste tipo o pensamento é reprimido ao máximo. Não se diz com isso que esta espécie de mulher não pense de maneira alguma; ao contrário, talvez pense muito e de forma esperta, mas seu pensar nunca é *sui generis* (original) e, sim, um acessório epimeteico de seu sentimento. O que não consegue sentir, também não consegue pensar conscientemente. "Não consigo pensar o que não sinto", disse-me certa paciente, em tom indignado. Consegue pensar muito bem enquanto o sentimento o permitir; e toda conclusão, por mais lógica, que possa levar a um resultado perturbador do sentimento é rejeitada de antemão. Simplesmente não será pensada. E, assim, tudo o que vai bem numa avaliação objetiva é prezado e amado; o restante parece apenas existir fora dela.

666 Este quadro muda, porém, se a importância do objeto alcançar um grau ainda mais elevado. Conforme disse acima, ocorre então tal assimilação do sujeito pelo objeto que o sujeito é mais ou menos tragado pelo objeto. O sentimento perde o caráter pessoal, torna-se sentimento em si, e tem-se a impressão de que a personalidade se dissolve completamente no sentimento ocasional. Mas como na vida há um revezamento constante de situações que produzem estados sentimentais bem diversos e até mesmo contrastantes entre si, a personalidade também se dissolve em igual número de sentimentos diferentes. Uma vez a gente é isso, outra vez é algo bem diverso – aparentemente, pois na realidade tal multiplicidade de personalidades é impossível. A base do eu permanece sempre idêntica a si mesma e entra, por isso, em franca oposição aos estados sentimentais em mutação. E o observador já não percebe o sentimento trazido à observação como expressão pessoal do sujeito que sente, mas, antes, como alteração de seu eu, como um capricho. Conforme o grau de dissociação entre o eu e algum estado sentimental surgem mais ou menos sinais de desunião consigo mesmo, isto é, a atitude originariamente compensadora do inconsciente se torna oposição manifesta. Isto logo se torna patente numa exteriorização exagerada de sentimentos, isto é, em ruidosos e importunos predicados sentimentais aos quais falta, porém, qualquer confiabilidade. Soam vazios e não convencem. Deixam, ao

contrário, transparecer a possibilidade de que, com isso, é supercompensada uma oposição e que, por isso, também semelhante julgamento sentimental poderia soar bem diferente. E, pouco depois, realmente soa diferente. Basta a situação mudar um pouco para logo trazer à tona uma avaliação totalmente diferente do mesmo objeto. Dessa experiência segue-se que o observador não pode levar a sério nenhum dos dois julgamentos. Começa a elaborar seu próprio julgamento. Mas como interessa a esse tipo apresentar um relacionamento afetivo intenso com seus semelhantes mais próximos, há que redobrar os esforços para superar as reservas desses semelhantes. Isto torna a situação ainda mais difícil no caminho do círculo vicioso. Quanto mais acentuada a relação afetiva com o objeto, mais se avizinha da superfície a oposição inconsciente.

667 Vimos acima que o tipo sentimento extrovertido reprime seu pensamento principalmente porque este é o mais apto a perturbar o sentimento. Por isso é que o pensar, quando deseja alcançar algum resultado puro, exclui ao máximo o sentimento, pois nada é mais próprio a perturbar e falsear o pensar do que os valores sentimentais. Enquanto função autônoma, o pensar do tipo sentimento extrovertido é reprimido. Como disse acima, não é totalmente reprimido, mas só enquanto sua lógica inexorável leve a conclusões que não agradam ao sentimento. É tolerado como servo ou, melhor, como escravo do sentimento. Quebrada fica sua espinha dorsal, já não consegue operar por si e segundo suas próprias leis. Mas, como existe uma lógica e conclusões certas e inexoráveis, elas acontecem em outro lugar, fora da consciência, no inconsciente. Por isso o conteúdo inconsciente desse tipo é, sobretudo, um pensar bem especial. É um pensar infantil, arcaico e negativo. Enquanto o sentimento consciente conserva o caráter pessoal ou, em outras palavras, enquanto a personalidade não for engolida pelos estados individuais do sentimento, o pensar inconsciente permanece compensador. Mas quando a personalidade se dissocia e se dissolve em estados sentimentais particulares e contraditórios, então a identidade do eu está perdida, o sujeito se torna inconsciente. Quando, porém, o sujeito entra no inconsciente, associa-se ao pensar inconsciente e o ajuda a obter uma conscientização ocasional. Quanto mais forte o sentimento consciente e quanto mais, por isso, o sentimento se despersonaliza ("*ent-icht*"), mais forte se

torna também a oposição inconsciente. Isto se manifesta assim: ao redor dos objetos mais valorizados se juntam ideias inconscientes que tiram, sem piedade, o valor desses objetos. O pensar no estilo do "nada mais do que" está aqui à vontade, pois destrói o superpoder do sentimento vinculado ao objeto.

668 O pensamento inconsciente chega à superfície na forma de ideias obsessivas, cujo caráter geral é sempre negativo e depreciativo. Por isso, em mulheres desse tipo, há momentos em que as piores ideias se voltam para aqueles objetos mais queridos pelo sentimento. O pensamento negativo utiliza todos os preconceitos e comparações infantis que se prestam a colocar em dúvida o valor do sentimento e recorre a todos os instintos primitivos para poder explicar os sentimentos com um "nada mais do quê". Quero lembrar, apenas de passagem, que dessa forma também o inconsciente coletivo, a totalidade das imagens primordiais, é chamado a participar, surgindo assim a possibilidade de uma regeneração da atitude em outra base.

669 A principal forma de neurose desse tipo é a histeria com o mundo inconsciente de representações caracteristicamente infanto-sexuais.

Sinopse dos tipos racionais

670 Os dois tipos de que falamos acima eu os chamo racionais ou judicativos, porque se caracterizam pelo primado de funções com julgamento racional. É distintivo geral de ambos os tipos que sua vida esteja subordinada, em grande parte, ao julgamento racional. Mas devemos notar se estamos falando a partir do ponto de vista da psicologia subjetiva do indivíduo ou do ponto de vista do observador que percebe e julga a partir de fora. Este observador poderia facilmente chegar a um julgamento oposto se abarcasse intuitivamente apenas o sucedido e julgasse de acordo com isso. O todo da vida desse tipo não depende exclusivamente do julgamento racional, mas também, em grau quase tão elevado, da irracionalidade inconsciente. Quem apenas observa o que sucede, sem preocupar-se com a situação interna da consciência do indivíduo, pode ser mais facilmente atingido pela irracionalidade e casualidade de certas manifestações inconscientes do indivíduo do que pela racionalidade de suas intenções e motivações conscientes. Por isso baseio meu julgamento sobre aquilo que o

indivíduo acha ser sua psicologia consciente. Reconheço, porém, que ainda assim é possível entender e apresentar esta psicologia de modo inverso. Também estou convencido de que eu, se tivesse outra psicologia individual, descreveria os tipos racionais de modo inverso, isto é, a partir do inconsciente, como irracionais. Esta circunstância dificulta em muito a descrição e compreensão de realidades psicológicas e aumenta ao infinito a possibilidade de mal-entendidos. As discussões que disso se originam são, em geral, inúteis, porque é improvável qualquer entendimento. Esta experiência foi mais um motivo para basear minha descrição na psicologia subjetiva consciente do indivíduo, pois, assim, se tem, pelo menos, um certo apoio objetivo que desaparece totalmente quando se quer fundamentar uma legalidade psicológica sobre o inconsciente. E, neste caso, o objeto já não teria voz, pois sabe mais sobre todo o resto do que sobre seu próprio inconsciente. O julgamento ficaria então a cargo exclusivo do observador, do sujeito – garantia segura de que se baseará em sua própria psicologia individual e a imporá ao material observado. Em minha opinião, isto acontece também na psicologia de Freud e de Adler. O individuo está completamente entregue ao arbítrio do observador que julga. Isto, porém, não acontece quando a psicologia consciente do observado é tomada por base. Neste caso é ele o competente porque só ele conhece seus motivos conscientes.

671 A racionalidade na condução consciente da vida desses dois tipos significa uma exclusão consciente da casualidade e da irracionalidade. O julgamento racional representa nesta psicologia uma força que obriga ou, ao menos, tenta obrigar o desordenado e casual a ajustar-se a certas formas. Com isso, faculta-se, por um lado, certa escolha entre as possibilidades de vida, sendo aceito conscientemente apenas o racional, e, por outro lado, a autonomia e influência daquelas funções psíquicas que servem à percepção do acontecido sofrem grande limitação. Naturalmente esta limitação da sensação e da intuição não é absoluta. Estas funções existem como em toda parte, apenas que seus produtos estão submetidos à escolha do julgamento racional. A força absoluta da sensação, por exemplo, não é decisiva para a motivação do agir, mas o julgamento.

672 Em certo sentido, portanto, as funções perceptivas compartilham o destino do sentimento, no caso do primeiro tipo, e o do pen-

samento, no caso do segundo tipo. Estão relativamente reprimidas e, por isso, em estado de menor diferenciação. Isto dá ao inconsciente de ambos os tipos um cunho especial: o que as pessoas fazem consciente e intencionalmente está conforme à razão (conforme à *sua* razão); mas o que lhes acontece corresponde, por um lado, à natureza das sensações primitivo-infantis e, por outro, às intuições do mesmo gênero. Procurarei, a seguir, apresentar o que se entende por esses conceitos. Em todos os casos, tudo o que acontece a esses tipos é irracional (do ponto de vista deles é claro). Como existem muitas pessoas que vivem muito mais daquilo que lhes acontece do que daquilo que fazem com intenção racional, pode suceder facilmente que tais pessoas, após análise cuidadosa, classifiquem nossos dois tipos como irracionais. É preciso convir que, não raro, o inconsciente de uma pessoa causa impressão mais forte do que sua consciência, e que suas ações têm peso bem maior do que suas motivações racionais.

673 A racionalidade dos dois tipos é objetivamente orientada, depende do dado objetivo. Sua racionalidade concorda com o que é considerado racional pela coletividade. Subjetivamente, nada é racional para eles a não ser o que assim é considerado pela grande maioria. Mas também a razão é, em boa parte, subjetiva e individual. No nosso caso, esta parte é reprimida, e isto tanto mais quanto maior for a importância do objeto. O sujeito e a razão subjetiva são, portanto, constantemente ameaçados pela repressão e, se a ela sucumbirem, cairão sob o domínio do inconsciente que, neste caso, apresenta qualidades bem desagradáveis. Já falamos de seu pensamento. Mas, além disso, há sensações primitivas que se manifestam compulsivamente, por exemplo, na busca anormal e desenfreada de prazer que pode assumir todas as formas possíveis, e em intuições primitivas que podem ser uma tortura para a própria pessoa e para seus semelhantes próximos. Tudo o que é desagradável, penoso, adverso, feio ou mau é auscultado e conjecturado; na maioria das vezes trata-se de meias-verdades, especialmente adequadas a provocar mal-entendidos de aspecto venenoso. A forte influência dos conteúdos inconscientes opostos produz necessariamente uma ruptura da regra racional consciente, ou seja, uma vinculação expressa a casualidades que, devido à sua força sensual ou à sua importância inconsciente, adquirem uma influência compulsiva.

A sensação

674 No tipo extrovertido, a sensação é determinada sobretudo pelo objeto. Como percepção dos sentidos, a sensação depende naturalmente também do sujeito, havendo, portanto, também uma sensação subjetiva que, por sua natureza, é bem diferente da sensação objetiva. Na atitude extrovertida, o componente subjetivo da sensação, enquanto se trata de seu emprego consciente, é inibido ou reprimido. Também quando o pensamento ou sentimento detêm o primado, a sensação é relativamente reprimida como função irracional, isto é, só funciona conscientemente na medida em que a atitude consciente e judicativa permite que as percepções ocasionais se tornem conteúdos da consciência, em outras palavras, na medida em que as realiza. No sentido mais estrito, a função sensação é naturalmente absoluta; tudo é visto e ouvido enquanto fisiologicamente possível, mas nem tudo alcança aquele valor liminar que uma percepção precisa ter para, então, ser aceita. Isto muda quando nenhuma outra função, que não a própria sensação, detém o primado. Neste caso, nada é excluído da sensação do objeto e nada é reprimido (com exceção do componente subjetivo, como já ficou dito). A sensação é determinada sobretudo pelo objeto e os objetos que emanam a sensação mais forte são os decisivos para a psicologia do indivíduo. Disso nasce uma *vinculação sensível* com os objetos. A sensação é, portanto, função vital, equipada com o instinto vital mais forte. Os objetos têm valor enquanto emanam sensação e, na medida em que isto for possível através das sensações, são plenamente assumidos na consciência, quer sejam compatíveis com o julgamento racional ou não. Seu critério de valor é exclusivamente a força da sensação manifestada por suas qualidades objetivas. E, por isso, todos os processos objetivos entram na consciência enquanto emanarem sensações em geral. Mas são apenas objetos ou processos concretos, perceptíveis pelos sentidos, que despertam sensações na atitude extrovertida e, além disso, apenas aqueles que toda pessoa possa sentir como concretos em qualquer lugar e em qualquer época. O indivíduo é, então, orientado somente pela realidade que cai sob os sentidos. As funções julgadoras estão subordinadas aos fatos concretos da sensação e apresentam, portanto, as qualidades das funções menos diferenciadas, isto é, um certo negati-

vismo de traços arcaico-infantis. A função mais atingida pela repressão é naturalmente aquela que se opõe à sensação, ou seja, a percepção inconsciente, a intuição.

O tipo sensação extrovertido

675 Não há tipo humano que possa igualar-se em realismo ao tipo sensação extrovertido. Seu senso objetivo dos fatos é extraordinariamente desenvolvido. Acumula em sua vida experiências reais sobre objetos concretos e, quanto mais pronunciado seu tipo, menos uso faz de sua experiência. Em certos casos, sua vivência nada tem a ver com o que se pode chamar "experiência". O que sensualiza lhe serve, no máximo, como condutor para novas sensações e tudo que se apresenta como novo no círculo de seus interesses é conseguido por via da sensação e deve servir a este objetivo. Se estamos inclinados a considerar como racional um pronunciado senso da pura realidade, haveremos de valorizar essas pessoas como racionais. Mas isto não corresponde à verdade, pois estão sujeitas à sensação do acaso irracional tanto quanto o estão ao acontecimento racional. Este tipo – e parece que se trata geralmente de homens – não acha que esteja "sujeito" à sensação. Ridicularizará esta afirmação como totalmente descabida, pois, para ele, sensação é manifestação concreta de vida, significa plenitude de vida real. Sua intenção se volta para o gozo concreto, como também sua moralidade. O verdadeiro gozo tem sua própria moral, sua própria moderação e leis, sua própria renúncia e sacrifícios. Não precisa ser necessariamente um sensualista crasso, mas pode diferenciar sua sensação até a maior pureza estética sem, com isso, renunciar – mesmo na mais abstrata sensação – ao seu princípio da sensação objetiva. O "guia do prazer incondicional de vida", de Wulfen[2], é uma autoconfissão sem rodeios desse tipo. Sob este prisma, o livro parece digno de ser lido.

676 Num plano inferior, este tipo é a pessoa da realidade palpável, sem queda para a reflexão ou desejo de dominar. Seu constante motivo é sensualizar o objeto, ter sensações e gozar ao máximo. Em absolu-

---

2. WULFEN, W. van. *Der Genussmensch*: ein Cicerone im rücksichtslosen Lebensgenuss. Munique: [s.e.], 1911.

to, não é pessoa desagradável. Ao contrário, tem, muitas vezes, uma disposição alegre e vivaz ao prazer, às vezes é bom companheiro e esteta refinado. No primeiro caso, os grandes problemas da vida dependem de uma refeição mais ou menos deliciosa; no último caso, é tudo uma questão de bom gosto. Quando sensualiza, então o essencial foi dito e feito. Nada existe além do concreto e do real; considerações sobre ou além disso são aceitas apenas enquanto fortalecem a sensação. Não precisam fortalecê-la agradavelmente, pois este tipo não é um libertino comum; quer apenas a sensação mais forte que, de acordo com sua natureza, precisa receber sempre de fora. O que vem de dentro parece-lhe mórbido e suspeito. Quando pensa e sente, reduz sempre tudo a fundamentos objetivos, isto é, a influências que provêm do objeto, sem importar-se que haja grave violação da lógica. A realidade palpável faz com que respire em qualquer circunstância. Neste relacionamento é de uma credulidade inesperada. Relaciona impensadamente um sintoma psicógeno com a baixa do barômetro e a existência de conflitos psíquicos lhe parece, por sua vez, devaneio anormal. Seu amor se baseia na excitação sensual do objeto. Se for normal, está extraordinariamente ajustado à realidade existente, e extraordinariamente porque é sempre visível. Seu ideal é a realidade e é cioso desse relacionamento. Não alimenta um ideal de ideias, e, por isso, também nenhum motivo para comportar-se como estranho diante da realidade atual. Isto se traduz em todas as manifestações exteriores. Veste-se bem, de acordo com as circunstâncias; come-se e bebe-se bem com ele e fica-se à vontade ou, ao menos, entende-se que seu gosto refinado pode colocar certas exigências aos que o rodeiam. Consegue, inclusive, provar que vale a pena fazer algum sacrifício por amor ao estilo.

677 No entanto, quanto mais predominar a sensação, a ponto de o sujeito sensualizante desaparecer atrás dela, mais desagradável se torna este tipo. Transforma-se numa pessoa grosseira em busca do prazer ou num esteta refinado e sem escrúpulos. Por mais indispensável que lhe seja o objeto, é desvalorizado como algo que subsiste em si e por si. É cruelmente violentado e sugado, porque usado apenas ainda como causador de sensações. A vinculação ao objeto é levada a extremos. E, assim, também o inconsciente é forçado a sair de sua função compensadora e entrar em oposição aberta. Sobretudo as intuições reprimidas entram em ação como projeções sobre o objeto. Nascem as suposições

mais aventureiras. Tratando-se de objeto sexual, têm papel importante as fantasias ciumentas e estados de angústia. Em casos mais graves, desenvolvem-se fobias de toda espécie, e, sobretudo, sintomas de obsessão. Os conteúdos patológicos são de caráter particularmente irreal, muitas vezes de coloração moral e religiosa. Muitas vezes desenvolve-se uma rabulice capciosa, uma moralidade ridículo-escrupulosa e uma religiosidade primitiva, supersticiosa e "mágica" que volta a ritos abstrusos. Estas coisas todas provêm das funções reprimidas e menos diferenciadas que, nestes casos, estão em franca oposição à consciência e se manifestam com maior evidência porque parecem basear-se nas suposições mais absurdas, em total contraste com o senso consciente de realidade. Toda a cultura do pensamento e do sentimento parece, nesta segunda personalidade, desvirtuada num primitivismo doentio; a razão é sofisma e sutilezas, a moral é moralismo vazio e crasso farisaísmo, religião é superstição absurda e a faculdade intuitiva, este nobre dom do homem, é sofisticação pessoal, bisbilhotice de todos os cantos e, em vez de dirigir-se para o mais amplo, vai para a mais estreita pequenez do excessivamente humano.

678 O caráter obsessivo especial dos sintomas neuróticos representa a contrapartida inconsciente do liberalismo moral da atitude simplesmente sensualista que, do ponto de vista do julgamento racional, aceita, sem critério seletivo, o que acontece. Ainda que a ausência de pressupostos do tipo sensual não signifique ausência absoluta de leis e limites, desaparece nele totalmente a limitação essencial, dada pelo julgamento. Contudo, o julgamento racional coloca uma coação consciente que o tipo racional parece assumir livremente. Esta coação acomete o tipo sensual a partir do inconsciente. Além disso, a própria existência de um julgamento significa que a vinculação do tipo racional com o objeto jamais se tornará uma relação absoluta como aquela do tipo sensual. Quando sua atitude alcança unilateralidade anormal, corre o perigo de sucumbir ao inconsciente, da mesma forma que está conscientemente preso ao objeto. Vindo a ser neurótico, é mais difícil ainda tratá-lo de modo racional, porque as funções para as quais se volta o médico encontram-se em estado relativamente indiferenciado, sendo, pois, de pouca ou nenhuma confiança. Há que usar, muitas vezes, meios de pressão afetiva para fazê-lo entender algo racional.

A intuição

679 Na atitude extrovertida, a intuição como função da percepção inconsciente se volta totalmente para objetos exteriores. Por ser principalmente um processo inconsciente, é difícil captar conscientemente sua natureza. A função intuitiva é representada, na consciência, por certa atitude de expectativa, uma contemplação e penetração, mas apenas o resultado subsequente pode estabelecer o quanto foi incutido no objeto e quanto já estava nele. Assim como a sensação, caso possua o primado, não é mero processo reativo, sem maior importância para o objeto, mas é ação que toma e forma o objeto, assim também a intuição não é simples percepção, mera contemplação, mas um processo ativo e criador que incute no objeto tanto quanto dele retira. Assim como retira inconscientemente a impressão do objeto, também cria nele um efeito inconsciente. A intuição fornece, em primeiro lugar, apenas imagens ou impressões de relações e condições que não podem ser conseguidas através de outras funções, ou só o podem após muitos rodeios. Estas imagens têm o valor de conhecimentos específicos, com grande influência sobre o agir, enquanto couber à intuição o peso maior. Neste caso, a adaptação psíquica se funda quase exclusivamente na intuição. O pensamento, o sentimento e a sensação são relativamente reprimidos, sendo a sensação a mais atingida porque, como função sensorial consciente, mais estorva a intuição. A sensação perturba a impressão pura, isenta e ingênua por meio de estímulos importunos dos sentidos que dirigem o olhar para a superfície física, exatamente para as coisas além das quais a intuição quer chegar. Na atitude extrovertida, a intuição se volta sobretudo para o objeto; chega, assim, bem próximo da sensação, pois a atitude de expectativa de objetos exteriores pode servir-se da sensação com quase a mesma probabilidade. Mas para que a intuição possa funcionar, a sensação deve ser fortemente reprimida. Neste caso, entendo por sensação a simples e direta sensação dos sentidos, como dado fisiológico e psíquico bem definido. Isto precisa ficar bem claro, pois, se perguntar ao intuitivo como ele se orienta, há de falar-me de coisas que vão concordar perfeitamente com sensações dos sentidos. Também há de empregar muitas vezes o termo "sensação". Ele realmente possui sensações, mas não se orienta por elas; elas são apenas pontos de partida de sua impressão. São escolhidas por pressupostos incons-

cientes. Não é a sensação fisiologicamente mais forte que obtém a primazia, mas qualquer outra que foi altamente valorizada pela atitude inconsciente do tipo intuitivo. Desse modo, chega à primazia e à consciência do intuitivo, parecendo ser uma sensação pura. Mas na realidade não o é.

680 À semelhança da sensação que procura atingir, na atitude extrovertida, a realidade mais forte, porque só assim existe a aparência de vida em plenitude, também a intuição procura abranger as maiores *possibilidades* porque o *pressentimento* é melhor satisfeito pela contemplação das possibilidades. A intuição se esforça por descobrir possibilidades no dado objetivo e, por isso, como função subordinada (ou seja, quando não lhe cabe o primado) é um meio auxiliar que atua automaticamente quando nenhuma outra função consegue descobrir a saída para uma situação bem complicada. Tendo a intuição o primado, as situações comuns da vida parecem recintos fechados que a intuição deve abrir. Ela sempre procura saídas e novas possibilidades na vida exterior. Em pouco tempo, toda situação de vida se torna, para a atitude intuitiva, uma prisão, uma cadeia opressora que é preciso romper. Às vezes, os objetos parecem ter valor quase exagerado, sobretudo quando devem servir a uma solução, a uma libertação ou à descoberta de nova possibilidade. Mal cumpriram sua função como degrau ou ponte, parece que já não têm utilidade e são relegados como acessório incômodo. Um fato só vale enquanto abrir novas possibilidades que o ultrapassam e dele libertam o indivíduo. Possibilidades emergentes são motivos cogentes dos quais a intuição não pode fugir e aos quais sacrifica todo o resto.

O tipo intuição extrovertido

681 Quando a intuição predomina, resulta uma psicologia especial e inconfundível. Visto que a intuição se orienta pelo objeto, temos uma forte dependência das situações externas, mas um tipo de dependência bem diversa daquela do tipo sensação. O intuitivo nunca está lá onde se encontram valores reais, aceitos em geral, mas sempre lá onde se encontram possibilidades. Tem faro aguçado para o embrionário e para o que promete futuro. Nunca se encontra em situações estáveis, duradouras e bem fundadas, de validade aceita por todos,

mas limitada. Está sempre à procura de novas possibilidades e, por isso, está ameaçado de sufocar-se nas situações estáveis. Apreende novos objetos e novas pistas com grande intensidade e, às vezes, com extraordinário entusiasmo para friamente os abandonar, sem piedade e aparentemente sem lembrança, logo que fixados seus contornos e quando já não deixam antever um desenvolvimento ulterior apreciável. Enquanto houver uma possibilidade, o intuitivo está fixo nela com força fatídica. Parece até que toda sua vida começa na nova situação. Tem-se a impressão, e ele mesmo a compartilha, de que atingiu a virada definitiva em sua vida e que, de agora em diante, já não poderá pensar e sentir outra coisa. Por mais razoável e proveitoso que seja, e mesmo que todos os argumentos terrenos falem em favor da estabilidade, nada o impedirá de, um dia, considerar como prisão a mesma situação que lhe pareceu outrora libertação e solução, e agir de acordo. Não há razão ou sentimento que o detenham ou o façam retroceder diante de nova possibilidade, ainda que contrária às suas convicções anteriores. Pensar e sentir, os componentes indispensáveis da convicção, são nele funções menos diferenciadas que não possuem peso decisivo e, por isso, incapazes de opor resistência efetiva à força de intuição. No entanto, são essas funções as únicas a poder compensar eficazmente o primado da intuição porque dão ao intuitivo o *julgamento* que lhe falta enquanto tipo. A moralidade do intuitivo não se pauta pelo intelecto e nem pelo sentimento; ele tem sua própria moral, isto é, a fidelidade à sua impressão e a voluntária submissão à sua força. A consideração pelo bem-estar dos outros é pequena. O bem-estar físico deles, tanto quanto o seu próprio, é argumento improcedente. Também não respeita as convicções e costumes de seus semelhantes, a ponto de ser tachado muitas vezes de aventureiro inescrupuloso. Como sua intuição se ocupa de objetos externos e persegue possibilidades externas, volta-se de preferência para profissões onde possa desenvolver suas múltiplas capacidades ao máximo. Muitos homens de negócios, empresários, especuladores, agentes, políticos etc., pertencem a este tipo.

682 Este tipo parece ser mais frequente entre as mulheres. E, neste caso, a capacidade intuitiva se manifesta mais no campo social do que profissional. Estas mulheres sabem aproveitar todas as possibilidades sociais para criar vínculos sociais, descobrir homens com possibilidades e largar tudo outra vez por causa de nova possibilidade.

683 É compreensível, sem mais, que este tipo seja muito importante econômica e culturalmente. Se tiver boas intenções, isto é, não for muito egocêntrico, pode obter grandes méritos como iniciador ou, ao menos, estimulador de novos empreendimentos. É o amparo natural de todas as minorias que prometem ter futuro. Quando orientado mais para as pessoas do que para as coisas, consegue pressentir naquelas certas capacidades e possibilidades e, assim, "fazer" pessoas. Ninguém como ele sabe dar coragem a seus companheiros ou incutir-lhes entusiasmo para uma nova causa, mesmo que depois de amanhã os abandone. Quanto mais forte sua intuição, tanto mais o sujeito se confunde com a possibilidade vislumbrada. Ele a vivifica, ele a apresenta de modo visível e com ardor convincente, ele a incorpora por assim dizer. Não é encenação, é destino.

684 Esta atitude tem seus grandes perigos, pois o intuitivo facilmente fragmenta sua vida ao vivificar pessoas e coisas, ao espalhar em redor de si uma abundância de vida que ele mesmo não aproveita, mas só os outros. Soubesse ele persistir numa coisa, colheria os frutos do seu trabalho, mas bem breve precisa correr atrás de nova possibilidade e abandonar o campo que plantou e que outros colherão. No final, está de mãos vazias. Mas quando o intuitivo deixa a situação chegar a este ponto, terá contra si também o próprio inconsciente.

685 O inconsciente do intuitivo tem certa semelhança com o do tipo sensação. O pensar e sentir são relativamente reprimidos e formam no inconsciente pensamentos e sentimentos arcaico-infantis, comparáveis aos do tipo contrário. Manifestam-se na forma de projeções intensas e são tão absurdos quanto os do tipo sensação; só lhes falta, a meu ver, o caráter místico. Referem-se mais a coisas concretas, quase reais, como suposições sexuais, financeiras e outras, por exemplo, pressentimento de doenças. A diferença parece provir das sensações reprimidas da realidade. Normalmente, estas se fazem notar também quando o intuitivo se vê repentinamente preso a uma mulher altamente inconveniente, ou, no caso da mulher, a um homem impróprio, e quando essas pessoas tocarem a esfera arcaica da sensação. Disso nasce uma vinculação inconsciente coercitiva a um objeto totalmente desprovido de qualquer êxito. Este caso já é um sintoma obsessivo, bem característico desse tipo. Reivindica uma liberdade e independência semelhantes às do tipo sensação, porque não submete

suas decisões a nenhum julgamento racional, mas única e exclusivamente à percepção de possibilidades casuais. Exime-se dos limites que lhe impõe a razão e, na neurose, torna-se presa da compulsão inconsciente, de cavilações, refinamentos cabalísticos e da vinculação compulsiva à sensação do objeto. Na consciência, trata a sensação e o objeto percebido com superioridade e desconsideração absolutas. Não pretende ser superior ou rude, mas simplesmente não vê o objeto que todos veem e passa por cima dele, à semelhança do tipo sensação, apenas que este não vê a alma do objeto. Contra isso, porém, se vinga depois o objeto sob a forma de ideias hipocondríacas compulsivas, fobias e toda espécie de sensações corporais absurdas.

Sinopse dos tipos irracionais

686 Denomino *irracionais* os dois tipos acima, porque seu fazer e deixar de fazer não se baseiam em julgamentos racionais, mas na força absoluta da percepção. Esta se dirige simplesmente para o que acontece, sem escolha judiciosa. Neste sentido, os dois últimos tipos têm grande superioridade em relação aos dois primeiros, os tipos judicativos. O evento objetivo é conforme à lei e fortuito. Enquanto conforme à lei, é acessível à razão e, enquanto fortuito, é inacessível a ela. Também poderíamos dizer o contrário: é conforme à lei o que assim parece à nossa razão e é fortuito aquilo em que não podemos descobrir nada conforme à lei. O postulado de uma conformidade universal à lei é exclusivo de nossa razão, mas não o é de nossas funções perceptivas. São irracionais por natureza já que não se baseiam, de forma alguma, no princípio da razão e em seus postulados. É por isso que também denomino irracionais os tipos perceptivos em sua essência.

687 Seria injusto, porém, considerar esses tipos como "irrazoáveis", porque colocam o julgamento abaixo da percepção. São apenas *empíricos* em larga escala; baseiam-se exclusivamente na experiência e tão exclusivamente que seu julgamento não pode, na maior parte das vezes, acompanhar sua experiência. Mas as funções judicativas existem, apenas que sua presença é, em grande parte, inconsciente. Assim como o inconsciente, apesar de sua separação do sujeito consciente, sempre de novo se manifesta, também se fazem presentes, na vida dos tipos irracionais, julgamentos e atos de escolha notáveis sob a forma de aparentes sofismas, fria discriminação e seleção aparente-

mente intencional de pessoas e situações. Esses traços apresentam caráter infantil ou primitivo; às vezes são bastante ingênuos, impensados, bruscos e violentos. Facilmente pode parecer ao tipo racional que estas pessoas seriam, de acordo com sua natureza, racionalistas e calculistas no pior sentido da palavra. Mas este julgamento só valeria para seu inconsciente e não para sua psicologia consciente que está totalmente orientada para a percepção e, devido à sua natureza irracional, inacessível a qualquer julgamento racional. Finalmente pode o tipo racional achar que este amontoado de acasos não mereça absolutamente o nome de "psicologia". O irracional reage a este julgamento depreciativo manifestando a impressão que lhe dá o racional: vê nele uma pessoa com apenas meia-vida, cujo objetivo único está em colocar cadeias racionais em todos os seres vivos e sufocá-los com julgamentos. Temos aí, naturalmente, extremos crassos, mas acontecem.

688 Segundo o julgamento do racional, o irracional poderia ser representado como um racionalista de valor inferior, se for considerado a partir do que lhe acontece. O que lhe acontece não é o fortuito – nisto ele é o mestre –, mas o julgamento e a intenção racionais são as coisas em que esbarra. Isto é algo quase incompreensível para o racional, mas esta incompreensibilidade vai de par com a estupefação do irracional, quando este descobre alguém que coloca as ideias racionais acima dos acontecimentos vivos e reais. Isto lhe parece inacreditável. Em geral é perda de tempo querer propor-lhe algo nesta linha, pois ignora e lhe repugna a compreensão racional, tanto quanto é inconcebível ao tipo racional a assinatura de um contrato sem prévia combinação e obrigações mútuas.

689 Estas considerações me levam ao problema da relação psíquica entre os representantes dos diversos tipos. Tomando uma palavra francesa, a relação psíquica é designada *rapport* na psiquiatria mais moderna. Consiste em primeiro lugar num *sentimento de concordância que existe* apesar de reconhecidas diferenças. Inclusive o reconhecimento, contanto que mútuo, de diferenças existentes já é um *rapport*, um sentimento de concordância. Se, num determinado caso, tornarmos bem consciente este sentimento, descobriremos que não se trata apenas de um sentimento cuja natureza dispensa ulterior análise, mas é também uma compreensão ou conteúdo de conhecimento que apresenta o ponto de concordância sob a forma de ideia. Esta apresentação racional vale exclusivamente para o racional, não para

o irracional, pois seu *rapport* não se baseia em nada no julgamento, mas no paralelismo dos acontecimentos, da realidade viva. Seu sentimento de concordância é a percepção comum de uma sensação ou intuição. O racional diria que o *rapport* com o irracional depende unicamente do acaso. Quando as situações objetivas concordam plenamente, acontece algo como uma relação humana, mas ninguém saberia o valor ou duração dela. Muitas vezes é penoso para o racional admitir que a relação dure o tempo em que as circunstâncias externas apresentam ocasionalmente algo de comum. Isto não lhe parece muito humano, ao passo que o irracional vê nisso uma humanidade especialmente bela. O resultado é que um considera o outro como destituído de relacionamento, uma pessoa em quem não se pode confiar e com a qual é difícil entender-se. A este resultado só se chega quando há um esforço consciente de entender a natureza do relacionamento com os outros. Mas como tal conscientização psicológica não é comum, é frequente que, apesar da absoluta diversidade de pontos de vista, haja assim mesmo uma espécie de *rapport* e da seguinte forma: um deles pressupõe, por projeção silenciosa, que o outro tenha a mesma opinião em pontos essenciais, enquanto o outro pressente ou sente algo objetivo em comum de que o primeiro, porém, não tem a menor consciência e, se tivesse, também negaria de imediato sua existência, assim como o outro jamais aceitaria que sua relação estivesse baseada numa opinião comum. Este tipo de *rapport* é o mais frequente; repousa sobre projeções que, mais tarde, tornam-se fontes de desavenças.

690 A relação psíquica na atitude extrovertida sempre se regula por fatores objetivos, por condições externas. O que alguém é internamente não tem importância decisiva. Para nossa cultura atual, a atitude extrovertida é, em princípio, decisiva para o problema do relacionamento humano; naturalmente, o princípio introvertido também ocorre, mas é exceção e apela para a tolerância do mundo que o cerca.

3. O tipo introvertido

a) A atitude geral da consciência

691 Como disse na introdução a este capítulo, o tipo introvertido se diferencia do extrovertido por não orientar-se principalmente pelo objeto e pelo dado objetivo, mas por fatores subjetivos. Também men-

cionei que entre a percepção do objeto e o agir do introvertido se interpõe uma opinião subjetiva, impedindo que o agir assuma um caráter correspondente ao dado objetivo. Evidentemente, isto é um caso especial que foi aduzido como exemplo e serve apenas de ilustração. Temos que procurar formulações mais gerais.

692 A consciência introvertida vê as condições externas, mas escolhe as determinantes subjetivas como decisivas. Por isso, este tipo se orienta por aquele fator da percepção e conhecimento representativo da disposição subjetiva que acolhe a excitação sensorial. Duas pessoas, por exemplo, veem o mesmo objeto, mas nunca de tal forma que a imagem resultante seja absolutamente igual para ambas. Abstraindo da diferença de acuidade dos órgãos sensoriais e da equanimidade pessoal, verificam-se muitas vezes diferenças profundas, tanto em espécie como em grau, na assimilação psíquica da imagem percebida. Enquanto o tipo extrovertido se apoia principalmente naquilo que provém do objeto, o introvertido se baseia em geral no que a impressão externa constela no sujeito. Num caso individual de apercepção, a diferença pode ser bem delicada, mas no todo da economia psicológica ela se faz sentir ao máximo, e isto na forma de uma *reserva do eu*. Para dizê-lo de saída: considero errôneo em princípio e pejorativo o ponto de vista que se inclina, com Weininger, a descrever esta atitude como filáutica, autoerótica, egocêntrica, subjetivista ou egoísta. Reflete o preconceito da atitude extrovertida em relação à natureza do introvertido. Nunca se deve esquecer – mas a concepção extrovertida o esquece muito facilmente – que toda percepção e conhecimento não são determinados apenas objetiva, mas também subjetivamente. O mundo não existe apenas em si mesmo, mas também é o que representa para mim. No fundo, não teríamos qualquer critério para julgar um mundo que não fosse assimilável pelo sujeito. Significaria negar a grande dúvida de uma possibilidade absoluta de conhecimento se desconsiderássemos o fator subjetivo. Descambaríamos para o caminho do vazio e crasso positivismo que estragou a virada de nosso século e também para uma arrogância intelectual, precursora da rudeza de sentimentos e de uma violência igualmente estúpida e pretensiosa. Pela supervalorização da capacidade objetiva de conhecer, reprimimos a importância do fator subjetivo, a importância do próprio sujeito. Mas, o que é sujeito? O sujeito é a pessoa; nós somos o sujeito. Se-

ria doentio ignorar que o conhecer tem um sujeito e que não existe conhecer algum, portanto, mundo algum para nós, em que alguém não diga "eu conheço", fórmula pela qual exprime a limitação subjetiva de todo conhecer. O mesmo vale das funções psíquicas: possuem um sujeito que é tão indispensável quanto o objeto.

693 É característico de nossa atual avaliação extrovertida que a palavra "subjetivo" soe quase como censura; mas, em todos os casos, a designação "puramente subjetivo" significa arma perigosa visando atingir aqueles que não estão absolutamente convencidos da superioridade do objeto. Devemos ter clareza sobre o que entendemos por "subjetivo" nestas explanações. Entendo por fator subjetivo a ação ou reação psicológica que, sob a influência do objeto, se funde num novo estado psíquico. Enquanto o fator subjetivo permanece praticamente idêntico desde longa data e em todos os povos da terra – quando as percepções e conhecimentos elementares são os mesmos em todos os tempos e lugares – é uma realidade tão firme quanto o objeto externo. Se não fosse assim, não se poderia falar de uma realidade durável e essencialmente idêntica, e a concordância com as tradições seria coisa impossível. Por isso o fator subjetivo é um dado tão inexorável quanto a extensão do mar e o raio da terra. De igual forma, o fator subjetivo exige ser considerado uma grandeza que determina o mundo, não podendo ser dispensado em qualquer época ou lugar. Ele é a outra lei do mundo e quem nele se baseia está baseado em tão grande certeza, duração e validade como aquele que se apoia no objeto. Mas como o objeto e o dado objetivo jamais permanecem os mesmos, estando sujeitos à caducidade e casualidade, também o fator subjetivo está submetido às mudanças e azares individuais. E, assim, também seu valor é apenas relativo. O excessivo desenvolvimento do ponto de vista introvertido na consciência não leva a um melhor e mais válido emprego do fator subjetivo, mas a uma subjetivação artificial da consciência à qual não se pode poupar o qualificativo de "puramente subjetivo". Surge, então, uma contrapartida para a dessubjetivação da consciência na forma de uma atitude exageradamente extrovertida que Weininger chama "misáutica".

694 Como a atitude introvertida se baseia numa condição presente, altamente real e absolutamente indispensável à adaptação psicológica, expressões como "filáutico", "egocêntrico" etc., são importunas e

inaceitáveis porque despertam o preconceito de que se trata sempre apenas do amado eu. Nada mais errôneo do que tal suposição. Mas é frequente encontrá-la sobretudo quando examinamos os julgamentos do extrovertido sobre o introvertido. Não gostaria, porém, de atribuir este erro ao extrovertido como indivíduo; a responsabilidade é da concepção extrovertida, hoje amplamente em voga e que não se limita ao tipo extrovertido, mas é igualmente esposada pelo outro tipo, ainda que contra ele mesmo. A este cabe, com razão, a censura de estar sendo infiel à sua maneira de ser, enquanto que do primeiro isto não se pode dizer.

695 Normalmente, a atitude introvertida se orienta pela estrutura psíquica, dada, em princípio, pela hereditariedade, que é uma grandeza inerente ao sujeito. Mas não se deve identificá-la simplesmente com o eu do sujeito, o que aconteceria pelas expressões acima, mas ela é a estrutura psíquica do sujeito antes de qualquer desenvolvimento de um eu. O sujeito que está propriamente na base, isto é, o si-mesmo, é de longe mais abrangente do que o eu, uma vez que abarca também o inconsciente, enquanto o eu é essencialmente o ponto central da consciência. Se o eu fosse idêntico ao si-mesmo seria imaginável que às vezes assumíssemos bem outras formas e significados no sonho. No entanto, é peculiaridade típica do introvertido que, seguindo sua própria tendência ou algum preconceito comum, confunda seu eu com seu si-mesmo e eleve o primeiro a sujeito do processo psíquico, consumando assim a subjetivação mórbida, acima mencionada, de sua consciência, que o torna estranho ao objeto.

696 A estrutura psíquica é o que Semon[3] chamou de *mneme* e eu de *inconsciente coletivo*. O si-mesmo individual é parte, segmento ou representante de uma espécie de corrente psicológica que existe, com certas nuances, em toda parte e em todos os seres vivos e que é inata em cada novo ser. Desde remotas eras, o modo inato de *agir* vem designado como *instinto*; o modo ou forma da apreensão psíquica do objeto propus denominá-lo *arquétipo*. Devo presumir conhecido o que se entende por instinto. O mesmo não acontece com arquétipo. Entendo por arquétipo o que denominei antigamente "imagem pri-

---

3. SEMON, R. *Die Mneme als erhaltendes Prinzip im Wechsel des organischen Geschehens*. Leipzig: [s.e.], 1904.

mordial", expressão emprestada de Jacob Burckhardt[4]. O arquétipo é uma fórmula simbólica que entra em função sempre que não existam ainda conceitos conscientes ou que, por razões internas ou externas, sejam elas de todo impossíveis. Os conteúdos do inconsciente coletivo são representados na consciência como tendências e concepções manifestas. Normalmente são considerados pelo indivíduo como determinados pelo objeto – de modo errôneo, em suma – pois nascem da estrutura inconsciente da psique e são apenas liberados pelo efeito do objeto. Essas tendências e concepções subjetivas são mais fortes do que a influência do objeto; seu valor psíquico é maior, de modo que se sobrepõem a qualquer impressão. Assim como parece incompreensível ao introvertido que o objeto sempre deva ser decisivo, ao extrovertido continua sendo um enigma por que um ponto de vista subjetivo deva preponderar sobre a situação objetiva. Chega inevitavelmente à suposição que o introvertido é um refinado egoísta ou um entusiasta doutrinário. Atualmente chegaria à hipótese que o introvertido está sob a influência de um complexo inconsciente de poder. Sem dúvida o introvertido favorece este preconceito extrovertido, pois dá a impressão, por sua maneira determinada e bem generalizante de exprimir-se, que exclui de antemão qualquer outro parecer. Além disso, a decisão e inflexibilidade do julgamento subjetivo, *a priori* superior a todo dado objetivo, seria suficiente para dar a impressão de forte egocentrismo. Para superar este preconceito, falta ao introvertido, na maioria das vezes, o argumento certo: não conhece as condições inconscientes, mas em geral muito válidas, de seu julgamento subjetivo ou de suas percepções subjetivas. Seguindo a moda dos tempos, procura fora de sua consciência e não por detrás dela. Se for algo neurótico, é indício de uma identidade inconsciente, maior ou menor, do eu com o si-mesmo, onde a importância do si-mesmo é reduzida a zero, ao passo que o eu é inflado sobremaneira. O poder indubitável e determinante do mundo do fator subjetivo é, então, comprimido no eu, produzindo-se um desejo incomensurável de poder e um egocentrismo simplório. Toda psicologia que reduz a essência da pessoa ao instinto inconsciente de poder provém dessa disposi-

---

4. Cf. no capítulo XI o verbete "imagem".

ção. Muitas das coisas sem gosto, em Nietzsche, devem sua existência à subjetivação da consciência.

b) A atitude do inconsciente

697 A posição de superioridade do fator subjetivo na consciência significa uma valorização menor do fator objetivo. O objeto não recebe a importância que lhe seria devida. Na atitude extrovertida desempenha papel grande demais e na introvertida tem muito pouco a dizer. Na medida em que a consciência do introvertido se subjetiva e atribui ao eu importância indevida, o objeto é colocado em posição tal que se torna insustentável com o tempo. O objeto é uma grandeza de poder indiscutível, enquanto o eu é algo limitado e frágil. Seria outra a situação, caso o si-mesmo se defrontasse com o objeto. O si-mesmo e o mundo são grandezas mensuráveis e, por isso, uma atitude introvertida normal tem tanto direito de existir e tanta validade quanto uma atitude extrovertida normal. Mas quando o eu assumiu as aspirações do sujeito, surge naturalmente, como compensação, um fortalecimento inconsciente da influência do objeto. Esta modificação se faz notar da forma seguinte: apesar de esforços às vezes desesperados para garantir a supremacia ao eu, o objeto e o dado objetivo exercem uma influência assaz poderosa e que se torna insuperável porque se apodera inconscientemente do indivíduo e se impõe irresistivelmente à consciência. Devido à deficiente relação do eu com o objeto – querer dominar não é adaptação – surge no inconsciente uma relação compensatória com o objeto que se manifesta como vinculação incondicional e irreprimível ao objeto. Por mais que o eu procure assenhorear-se de todas as liberdades possíveis, e queira ser independente, superior e sem obrigações, torna-se escravo do dado objetivo. A liberdade do espírito fica presa às cadeias de uma vergonhosa dependência financeira, a despreocupação no agir se recolhe, vez por outra, por medo da opinião pública, a superioridade moral desanda para o lamaçal de relações menos recomendadas, o prazer de dominar acaba em desejo de ser amado.

698 O inconsciente cuida, antes de tudo, da relação com o objeto e de tal forma a destruir completamente a ilusão de poder e a fantasia de superioridade da consciência. O objeto assume dimensões assusta-

doras, apesar de tentativas conscientes para rebaixá-lo. Por isso, o eu se esforça mais ainda para separar-se do objeto e dominá-lo. Finalmente o eu se cerca de um sistema formal de defesas (muito bem descrito por Adler) que procuram preservar, ao menos, a ilusão de superioridade. Mas, com isso, o introvertido se separa completamente do objeto e se dedica, por um lado, a medidas de segurança e, por outro, a tentativas inúteis de impor-se ao objeto e de afirmar-se. Contudo, esses esforços são continuamente atravessados pelas fortes impressões que recebe do objeto. Mesmo contra sua vontade, o objeto vai se impondo cada vez mais, provoca nele os afetos mais desagradáveis e duradouros e o persegue por toda parte. Necessita constantemente de enorme trabalho interior para poder "controlar-se". E, por isso, sua forma típica de neurose é a *psicastenia*, doença que, de um lado, caracteriza-se por grande sensitividade, e, de outro, por grande esgotamento e cansaço crônico.

699 Uma análise do inconsciente pessoal revelará uma quantidade de fantasias de poder associadas ao medo de objetos fortemente animados, aos quais o introvertido facilmente sucumbe na realidade. Desenvolve-se a partir do medo do objeto uma covardia específica de impor-se e de impor sua opinião, pois teme uma influência mais forte do objeto. Teme afetos impressionantes dos outros e mal pode conter o medo de cair sob uma influência estranha. Os objetos têm para ele qualidades poderosas e aterradoras que não consegue ver conscientemente, mas que julga perceber pelo inconsciente. Como sua relação consciente com o objeto é relativamente reprimida, ela passa pelo inconsciente, onde é carregada com as qualidades deste. Estas qualidades são principalmente arcaico-infantis. Por isso torna-se primitiva sua relação com o objeto, assumindo todas aquelas peculiaridades que caracterizam a relação primitiva com o objeto. É como se o objeto possuísse, então, força mágica. Os objetos estranhos e novos despertam pavor e desconfiança, como se trouxessem perigos desconhecidos; objetos tradicionais estão como que dependurados em sua alma por fios invisíveis; toda mudança parece incômoda, quando não perigosa, pois parece significar uma animação mágica do objeto. Uma ilha solitária onde se move apenas o que permitimos que se mova, este é o ideal. O romance de F.T. Vischer *Auch Einer* dá uma visão pertinente desse lado do estado introvertido da alma, bem como

do simbolismo subjacente ao inconsciente coletivo; nesta descrição dos tipos não abordarei este último assunto, porque não é exclusivo do tipo, e, sim, algo genérico.

c) As peculiaridades das funções psicológicas básicas na atitude introvertida

O pensamento

700 Na descrição do pensamento extrovertido já dei breve caracterização do pensamento introvertido, à qual gostaria de me referir aqui. O pensamento introvertido se orienta principalmente pelo fator subjetivo. No mínimo, o fator subjetivo é representado por um sentimento subjetivo de orientação que determina, em última análise, os julgamentos. Às vezes é também uma imagem mais ou menos pronta que, de certa forma, serve de parâmetro. O pensar pode entreter-se com dados concretos ou abstratos, mas, na hora decisiva, orienta-se por dados subjetivos. Não reconduz, a partir da experiência concreta, para a coisa objetiva, mas para o conteúdo subjetivo. Os fatos externos não são causa ou meta desse pensar, ainda que o introvertido gostasse de lhe dar esta aparência, mas este pensar começa no sujeito e reconduz ao sujeito, mesmo que faça larga incursão no campo da realidade concreta. Considerando, pois, o estabelecimento de novos fatos, é de valor sobretudo indireto, uma vez que proporciona, em primeiro lugar, novas concepções e bem menos conhecimento de novos fatos. Propõe questionamentos e teorias, abre horizontes e introspecções, mas quanto aos fatos mantém comportamento reservado. Ele os aprecia enquanto exemplos ilustrativos, mas nunca devem predominar. Os fatos são coletados como instrumentos de prova, nunca por causa deles mesmos. Mas, se ocorrer o último caso, é apenas uma concessão ao estilo extrovertido. Os fatos são de importância secundária para este pensar; o que vale é o desenvolvimento e apresentação da ideia subjetiva, da imagem simbólica inicial que paira mais ou menos obscura diante de sua visão interior. Jamais se esforça por uma reconstrução intelectual da realidade concreta, mas por uma configuração da imagem obscura em ideia luminosa. Quer atingir a realidade, quer ver como os fatos externos preenchem o

quadro de suas ideias e a força criadora desse pensar se firma quando consegue produzir aquela ideia que não estava nos fatos externos, mas que é a expressão abstrata mais adequada deles. Sua tarefa está completa quando a ideia que concebeu parece proveniente dos fatos externos e sua validade possa ser comprovada por eles.

701 Da mesma forma que o pensamento extrovertido nem sempre consegue arrancar dos fatos concretos um conceito empírico apreciável, também o pensamento introvertido não consegue traduzir sua imagem inicial numa ideia adaptada aos fatos. Assim como, no primeiro caso, a simples reunião empírica de fatos deforma o pensamento e sufoca o sentido, também o pensamento introvertido apresenta uma tendência perigosa de forçar os fatos para dentro da forma de sua imagem ou ignorá-los totalmente para dar livre curso à sua fantasia. Neste caso, a ideia apresentada não pode negar sua proveniência da imagem arcaica e obscura. Terá um traço mitológico que poderia ser interpretado como "originalidade" e, nos casos mais graves, como extravagância, pois o caráter arcaico não é imediatamente perceptível às pessoas que desconhecem os motivos mitológicos. A força subjetiva de convencimento exercida por semelhante ideia é grande e será tanto maior quanto menos entrar em contato com fatos externos. Ainda que pareça ao que defende a ideia que seu escasso material empírico é fundamento e causa da veracidade e validade dela, isto não é assim. A ideia retira sua força de convencimento de seu arquétipo inconsciente que, como tal, é verdadeiro e válido universalmente e o será para sempre. Mas esta verdade é tão geral e simbólica que precisa inserir-se primeiro nos conhecimentos reconhecidos e reconhecíveis no momento para tornar-se uma verdade prática de algum valor vital. O que seria, por exemplo, de uma causalidade que não fosse reconhecível em causas e efeitos práticos?

702 Este pensar se perde facilmente na imensa verdade do fator subjetivo. Cria teorias por amor às teorias, aparentemente visando a fatos reais ou, ao menos, possíveis, mas com nítida tendência de passar do mundo ideal para o mundo das puras imagens. Surgem assim concepções de muitas possibilidades, mas nenhuma se transforma em realidade, e finalmente são criadas imagens que já não expressam nada da realidade externa, sendo "nada mais do que" símbolos do inconhecível, pura e simplesmente. Torna-se este pensar, então, místico e

tão estéril quanto um pensar que se processa meramente no contexto de fatos objetivos. Assim como este cai para o nível da representação dos fatos, aquele se volatiliza na representação do irrepresentável que está, inclusive, além de qualquer tradução em imagens. A representação dos fatos é de verdade indiscutível, pois o fator subjetivo está excluído e os fatos se provam por si mesmos. Assim também a representação do irrepresentável é de uma força subjetiva direta e convincente que se prova por sua própria existência. A primeira diz: *Est, ergo est* (é, portanto é); e a segunda: *Cogito, ergo cogito* (penso, portanto penso). O pensamento introvertido levado ao extremo chega à evidência de seu próprio ser subjetivo, ao passo que o pensamento extrovertido chega à evidência de sua plena identidade com o fato objetivo. Assim como este se nega a si mesmo ao se conformar plenamente ao objeto, aquele se livra de todo e qualquer conteúdo e se satisfaz com sua mera existência. Em ambos os casos, a evolução da vida é forçada a sair da função pensante e entrar no campo de outras funções psíquicas e que, até agora, existiam em relativa inconsciência. O empobrecimento do pensamento introvertido em matéria de fatos objetivos é compensado por uma quantidade de fatos inconscientes. Quanto mais a consciência se fecha com a função do pensamento num círculo muito pequeno e vazio que, no entanto, parece conter toda a plenitude da divindade, tanto mais a fantasia inconsciente se enriquece com uma multiplicidade de fatos de conformação arcaica, um pandemônio de grandezas mágicas e irracionais que, de acordo com a espécie de função que substitui em princípio a função do pensamento como suporte da vida, recebem uma fisionomia especial. Se a função for a intuição, o "outro lado" será visto com os olhos de um Kubin ou de um Meyrink. Se a função for o sentimento, surgirão relações e juízos *sentimentais* fantásticos, nunca antes ouvidos, de caráter contraditório e incompreensível. Se a função for a sensação, os sentidos descobrem coisas novas e nunca antes experimentadas, dentro e fora do próprio corpo. Exame mais detalhado dessas mudanças pode facilmente demonstrar o aparecimento de psicologia primitiva com todas as suas características. Naturalmente, o experimentado não é apenas primitivo, mas também simbólico e quanto mais velho e primitivo parecer, mais verdadeiro será com referência ao futuro. Pois tudo o que é velho em nosso inconsciente significa algo por vir.

703 Em circunstâncias normais não é possível fazer a travessia para o "outro lado" e muito menos a passagem salutar pelo inconsciente. A travessia é impedida pela resistência consciente contra a submissão do eu à realidade inconsciente, à realidade determinante do objeto inconsciente. O estado resultante é uma dissociação, ou, em outras palavras, uma neurose com caráter de debilitação interna e crescente exaustão cerebral: a psicastenia.

O tipo pensamento introvertido

704 Darwin poderia representar o tipo normal do pensamento extrovertido e Kant o tipo normal do pensamento introvertido. O primeiro se expressa por fatos, o segundo se baseia no fator subjetivo. Darwin procura o extenso campo da realidade objetiva, enquanto Kant se reserva uma crítica do conhecimento em geral. Se tomarmos um Cuvier e lhe opusermos um Nietzsche, reforçaremos ainda mais os contrastes.

705 O tipo pensamento introvertido se caracteriza pelo primado do pensar acima descrito. Como seu paralelo extrovertido, é muito influenciado pelas ideias que não brotam, contudo, do dado objetivo, mas do fundo subjetivo. Como o extrovertido, seguirá suas ideias, mas em direção oposta, não para fora, mas para dentro. Procura o aprofundamento e não a ampliação de horizontes. Por causa desse fundamento é que se distingue de modo acentuado e evidente do seu paralelo extrovertido. Falta-lhe às vezes completamente, como a todos os tipos introvertidos, o que caracteriza o outro, isto é, sua intensa relação com o objeto. Se o objeto for uma pessoa, esta sentirá que só interessa negativamente: em casos mais leves, dá-se conta que é supérfluo e, nos casos mais graves, sente-se rejeitado como estorvo. Esta relação negativa com o objeto, indiferença até rejeição, caracteriza todo introvertido e torna também muito difícil descrever o tipo introvertido em geral. Nele tudo tende a desaparecer e a se camuflar. Seu julgamento parece frio, inflexível, arbitrário e duro porque relacionando menos com o objeto do que com o sujeito. Nada se pode sentir nele que confira ao objeto um valor maior, sempre vai para além do objeto e deixa transparecer uma superioridade do sujeito. Podem existir cortesia, amabilidade e afabilidade, mas frequentes vezes com o gosto esquisito de certa ansiedade que trai a intenção se-

creta de desarmar o adversário. Este deve ser acalmado ou calado, pois poderia causar problemas. De forma nenhuma é um adversário, mas, se for sensível, notará que está sendo relegado ou mesmo depreciado. O objeto é sempre tratado com certo desleixo ou, nos casos mais graves, é cercado de medidas inúteis de segurança. Este tipo gosta de desaparecer atrás de uma nuvem de mal-entendidos que se torna mais espessa na medida em que tenta, compensatoriamente, com a ajuda de suas funções inferiores, vestir a máscara de certa urbanidade, mas que está, muitas vezes, em brutal contraste com sua verdadeira natureza. Ainda que na construção de seu mundo ideal não recue diante de nenhum desafio, por mais ousado que seja, e nem diante de qualquer pensamento, por mais perigoso, subversivo, herético e ferino que seja, ele será acometido da maior ansiedade quando o desafio se deve transformar em realidade externa. Isto ultrapassa as medidas. Mesmo quando traz a público suas ideias, não procede qual mãe carinhosa com seus filhos, mas simplesmente as expõe e se enfurece quando não conseguem prosperar por si mesmas. Sua grande falta de senso prático e sua aversão à publicidade lhe vêm de certa forma em auxílio. Quando seu produto subjetivo lhe parece correto e verdadeiro, então deve ser correto e os outros têm que curvar-se a esta verdade. Dificilmente sairá em campo para conseguir a adesão de alguém, principalmente se for alguém de influência. E, quando o faz, é tão desajeitado que produz o efeito oposto. Em geral tem más experiências com os concorrentes na mesma especialidade, porque não consegue nunca captar a benevolência deles; normalmente lhes dá a entender que são supérfluos para ele.

706 Na perseguição de suas ideias ele é teimoso e ininfluenciável. Mas isto contrasta com sua sugestionabilidade por parte de influências pessoais. Quando reconhece que um objeto é aparentemente inofensivo, torna-se extremamente acessível aos elementos inferiores. Estes se apossam dele a partir do inconsciente. Ele se deixa brutalizar e explorar vergonhosamente, contanto que não seja impedido na perseguição de suas ideias. Não percebe que está sendo saqueado pelas costas e prejudicado na prática, pois sua relação com o objeto lhe é secundária e a valorização objetiva de seu produto lhe é inconsciente. Pelo fato de remoer ao máximo seus problemas, acaba complicando-se com todo tipo de escrúpulos. Por mais clara que lhe seja a es-

trutura interna de seus pensamentos, não lhe é claro como e onde devem entrar no mundo real. Só consegue aceitar com dificuldade que algo, que para ele é claro, não o seja para todos os outros. Seu estilo vem, em geral, carregado de todo tipo de acessórios, restrições, precauções e dúvidas que provêm de seus escrúpulos. Seu trabalho progride penosamente. Ou é calado ou avança sobre as pessoas que não o entendem; reúne exemplos para provar a enorme burrice humana. Se alguma vez for entendido, logo sucumbe à superestima crédula. Facilmente é vítima de mulheres ambiciosas que sabem aproveitar de sua falta de crítica em relação ao objeto, ou se torna um celibatário misantropo com alma infantil. Muitas vezes é desajeitado no seu comportamento externo, terrivelmente ansioso para fugir de ser notado, ou desligado completamente, de uma ingenuidade infantil. Em seu campo de trabalho específico suscita a mais ferrenha oposição com a qual não sabe o que fazer, a não ser que sua primitiva afetividade o envolva numa polêmica tão mordaz quanto estéril. É considerado por muitos como pessoa sem consideração e autoritária. Quanto melhor for conhecido, mais favorável se torna o julgamento e os mais próximos valorizam ao máximo sua intimidade. Para os mais distantes, ele parece rebarbativo, esquivo e orgulhoso, e também amargurado devido a seus preconceitos negativos quanto à sociedade. Como professor tem pouca influência pessoal, já que desconhece a mentalidade de seus alunos. Também não lhe interessa, no fundo, o ensino, a não ser que isto represente um problema teórico. É péssimo professor, pois, ao ensinar, começa a especular sobre a matéria a ser ensinada e não se preocupa em expor a matéria.

707 Com o fortalecimento de seu tipo, mais rígidas e inflexíveis se tornam suas convicções. Descarta influências estranhas; pessoalmente perde a simpatia dos distantes e fica mais dependente dos próximos. Seu linguajar torna-se mais pessoal e mais franco, suas ideias são mais profundas, mas já não conseguem exprimir-se com clareza em vista do material de que dispõem. A emotividade e sensibilidade substituem o que falta. A influência estranha, que externamente recusa com brutalidade, assalta-o de dentro, pelo lado do inconsciente, e precisa reunir provas que sejam contrárias, e as reúne, contra coisas que parecem totalmente supérfluas aos estranhos. Dado que sua consciência se subjetiva pela falta de relação com o objeto, parece-lhe o mais

importante o que secretamente diz respeito à sua *pessoa*. Começa, então, a confundir sua verdade subjetiva com sua pessoa. Jamais tentará pressionar alguém em favor de suas convicções, mas partirá venenosa e pessoalmente contra qualquer crítica, por mais justa. Isola-se aos poucos em todos os sentidos. Suas ideias que a princípio eram produtivas tornam-se destrutivas, porque estão envenenadas pelo sedimento da amargura. Com o isolamento para fora cresce a luta com a influência inconsciente que, aos poucos, o vai paralisando. Um forte pendor para a solidão deve protegê-lo das influências externas, mas normalmente o leva ainda mais fundo ao conflito que o consome interiormente.

708 O pensamento do tipo introvertido é positivo e sintético no que se refere ao desenvolvimento de ideias que se aproximam em grau sempre maior da validade universal das imagens primitivas. Mas, se a conexão com a experiência objetiva se afrouxar, tornam-se mitológicas e deixam de ser verdadeiras por um período de tempo momentâneo. Por conseguinte, este pensamento só é válido para os contemporâneos enquanto estiver em conexão visível e compreensível com os fatos então conhecidos. Se vier a ser mitológico, torna-se irrelevante e se esgota em si mesmo. As funções relativamente inconscientes do sentimento, intuição e sensação que se defrontam com este pensamento são inferiores e têm um caráter extrovertido primitivo a que devem ser atribuídas todas as influências deletérias do objeto às quais está submetido o tipo pensamento introvertido. As medidas de autodefesa e os campos de obstáculos de que estas pessoas procuram cercar-se são bastante conhecidos, de forma que posso dispensar sua descrição. Isto tudo serve para afastar interferências "mágicas"; aí se inclui também o medo do sexo feminino.

O sentimento

709 O sentimento introvertido é determinado, sobretudo pelo fator subjetivo. Isto significa, para o julgamento do sentimento, uma diferença tão essencial em relação ao sentimento extrovertido, quanto a introversão do pensar em relação à extroversão. É uma das coisas mais difíceis apresentar teoricamente o processo introvertido do sentimento ou mesmo descrevê-lo aproximadamente, ainda que a natu-

reza específica deste sentir logo dê na vista quando dele tomamos conhecimento. Subordinado que está principalmente a condições prévias subjetivas e só se ocupando secundariamente com o objeto, manifesta-se muito pouco e, em geral, de modo equívoco. É um sentimento que aparentemente não dá valor ao objeto e, por isso, traz consigo um aspecto negativo. Infere-se apenas indiretamente a existência de um sentimento positivo. Não tenta adaptar-se ao objeto, mas dominá-lo enquanto procura inconscientemente tornar reais as imagens que lhe servem de base. Portanto, está sempre à busca de uma imagem não encontrável na realidade, mas que previu de certa forma. Parece deslizar por sobre os objetos que não servem a seus objetivos. Luta por uma intensidade interior para a qual os objetos contribuem no máximo com um estímulo. A profundeza desse sentimento só é possível pressenti-la, não captá-la com clareza. Torna a pessoa quieta e de difícil abordagem, uma vez que se retrai delicadamente diante da brutalidade do objeto para preencher as profundezas do sujeito. Como proteção, lança julgamentos negativos de sentimento ou apresenta indiferença total.

710 As imagens primordiais são tanto ideias quanto sentimentos. Por isso, ideias básicas como Deus, liberdade e imortalidade são tão importantes como valores de sentimento quanto o são como ideias. De forma que tudo o que foi dito do pensamento introvertido pode ser transferido para o sentimento introvertido, só que neste caso tudo é sentido e lá tudo era pensado. O fato, porém, de as ideias poderem normalmente ser expressas de modo mais compreensível do que os sentimentos, exige que, para expressar este sentir, haja uma capacidade linguística ou artística incomum, a fim de exteriorizar ou comunicar sua riqueza, ainda que apenas aproximadamente. Assim como o pensamento subjetivo, devido a seu não relacionamento, só com muita dificuldade consegue despertar uma compreensão adequada, o mesmo vale, em grau talvez mais elevado ainda, para o sentimento subjetivo. Para comunicar-se aos outros deve encontrar uma forma externa que, por um lado, seja capaz de assumir convenientemente o sentimento subjetivo e, por outro, de transmiti-lo aos seus semelhantes, de modo que nele se produza um processo paralelo. Devido à semelhança interna (e também externa) relativamente grande entre as pessoas, este efeito pode ser alcançado, embora seja muito difícil en-

contrar uma forma que corresponda ao sentimento, sobretudo quando o sentir ainda está orientado pelo acervo das imagens primordiais. Mas se for falseado pelo egocentrismo, torna-se antipático, porque, neste caso, ocupar-se-á principalmente com o próprio eu. Dará a impressão de amor-próprio sentimental, de se fazer interessante e, mesmo, de autopromoção doentia. Assim como a consciência subjetivada do pensamento introvertido procura uma abstração das abstrações e, com isso, alcança no máximo uma intensidade de um processo de pensar em si vazio, também o sentir egocêntrico se aprofunda numa paixão sem conteúdo e que sente apenas a si próprio. Esta fase é místico-extática e só prepara a transição para as funções extrovertidas reprimidas pelo sentimento.

711 Assim como o pensamento introvertido se confronta com um sentimento primitivo ao qual aderem objetos com força mágica, também o sentimento introvertido se confronta com um pensar primitivo que procura sua identidade no concretismo e na escravização aos fatos. O sentir vai-se libertando gradualmente da relação com o objeto e produz uma liberdade de ação e consciência apenas subjetivamente vinculada que renega, se for o caso, todo o tradicional. E tanto mais o pensamento inconsciente sucumbe ao poder do objetivo.

O tipo sentimento introvertido

712 Encontrei o primado do sentimento introvertido principalmente nas mulheres. Para elas, vale o ditado: "as águas mansas são as mais profundas". São, na maior parte das vezes, quietas, pouco sociáveis, incompreensíveis, muitas vezes se escondem atrás de máscaras infantis ou banais, e muitas vezes também são de temperamento melancólico. Não brilham e não aparecem em público. Por se deixarem guiar sobretudo por sentimentos subjetivamente orientados, seus verdadeiros motivos permanecem encobertos. Em suas manifestações externas guardam discrição harmônica, uma agradável calma, um paralelismo simpático que não pretende motivar, impressionar, persuadir ou mudar o outro. Se este lado externo for um pouco acentuado, impõe-se uma suspeita de indiferença e frieza que pode crescer até uma atitude de pouco caso pelo bem ou mal-estar dos outros. Sente-se então nitidamente o movimento do sentimento que se afasta do objeto.

No tipo normal isto só acontece quando o objetivo influi demais. Por isso o acompanhamento harmônico do sentimento só perdura enquanto o objeto se mantém numa posição sentimental intermédia e em seu próprio caminho, sem procurar interferir no caminho dos outros. As emoções específicas do objeto não são acompanhadas, mas abafadas e relegadas ou, melhor, "geladas" com um julgamento de sentimento negativo. Ainda que exista constante disposição para uma coexistência pacífica e harmoniosa, não há para com o objeto estranho nenhuma amabilidade, nenhum encontro aconchegante, mas apenas indiferença, frieza e distância. Às vezes chega-se a sentir a superfluidade da própria existência. Em presença de algo arrastador, entusiástico, este tipo mantém uma mentalidade benevolente, às vezes com leve traço de superioridade e crítica, que facilmente tira o ardor de um objeto sensível. Uma emoção impetuosa pode ser massacrada com frieza assassina, a não ser que envolva o indivíduo a partir do inconsciente, isto é, reanime alguma imagem sentimental primitiva e, assim, mantenha aprisionado o sentimento desse tipo. Neste caso, esta mulher só experimenta uma paralisia momentânea contra a qual se levantará mais tarde, infalivelmente, uma resistência tão forte que atingirá o objeto no lugar mais vulnerável. A relação com o objeto é mantida, o quanto possível, num meio-termo calmo e seguro do sentimento, sendo energicamente afastada a paixão e sua falta de medida. Por isso a expressão do sentimento continua pobre e o objeto sente continuamente sua subvalorização, quando dela se torna consciente. Isto, porém, não acontece sempre porque a deficiência fica muitas vezes inconsciente, mas, com o tempo, desenvolve sintomas, por causa de exigências do sentimento inconscientes, cuja função é forçar um aumento de atenção.

713 Como este tipo parece sempre frio e reservado, um julgamento superficial lhe nega facilmente qualquer sentimento. Isso, porém, é falso porque os sentimentos não são extensivos, mas intensivos. Desenvolvem-se na profundeza. Enquanto, por exemplo, um sentimento extensivo de compaixão se manifesta oportunamente por palavras e ações e logo consegue libertar-se dessa impressão, uma compaixão intensiva se recusa a qualquer expressão e ganha uma profundidade apaixonada que encerra em si a miséria de um mundo e nela se fixa. Talvez se manifeste em excesso e leve a um ato quixotesco, de cará-

ter, por assim dizer, heroico, em relação ao qual nem o objeto e nem o sujeito conseguem definir um comportamento adequado. Para fora e para o olhar cego do extrovertido esta compaixão parece fria porque não faz nada que dê na vista, e um julgamento extrovertido não crê em forças invisíveis. Este mal-entendido é característico na vida desse tipo e normalmente é usado como poderoso argumento contra qualquer relação de sentimento mais profunda com o objeto. Mas quanto ao verdadeiro conteúdo desse sentimento, o tipo normal só pode ter uma vaga ideia. Talvez expresse seu objetivo e seu conteúdo numa religiosidade camuflada e medrosamente escondida ao olhar profano ou em formas poéticas igualmente garantidas contra qualquer surpresa, não sem a secreta ambição de ganhar, assim, uma superioridade sobre o objeto. Mulheres com filhos colocam muito disso neles, insuflando-lhes secretamente suas paixões.

714 Ainda que no tipo normal esta tendência de sobrepor aberta e visivelmente ao objeto o sentimento secreto ou impô-lo à força não seja perturbadora e jamais leve a uma tentativa séria neste sentido, alguma coisa disso passa para a ação pessoal sobre o objeto na forma de uma influência dominadora, muitas vezes difícil de definir. É experimentado como uma espécie de sentimento que oprime ou sufoca e que mantém enfeitiçado o mundo ao redor. Dessa forma, o tipo ganha um poder secreto que pode fascinar ao máximo o homem extrovertido porque atinge seu inconsciente. Este poder advém das imagens sentidas, inconscientes, mas é facilmente referido ao eu pela consciência quando, então, a influência é falseada no sentido de tirania pessoal. Quando, porém, o sujeito inconsciente é identificado com o eu, também o poder secreto do sentimento intensivo se transforma em despotismo banal e arrogante, vaidade e opressão tirânica. Disso resulta um tipo de mulher que, devido à sua ambição inescrupulosa e crueldade pérfida, terá péssima fama. Esta transformação leva, porém, à neurose.

715 Enquanto o eu se sente abaixo da estatura do sujeito inconsciente e o sentimento atinge algo maior e mais poderoso do que o eu, o tipo é normal. O pensar inconsciente é arcaico, mas compensa por meio de reduções os acessos ocasionais de erigir o eu em sujeito. Se, no entanto, este caso ocorrer, por causa da repressão total das influências redutoras do pensamento inconsciente, então este pensar

entra em oposição e se projeta nos objetos. E o sujeito que se tornou egocêntrico começa a sentir o poder e a importância dos objetos desvalorizados. A consciência começa a sentir "o que os outros pensam". Naturalmente, os outros pensam toda sorte de vulgaridades, planejam o mal, instigam e fazem intrigas secretas etc. A isto o sujeito tem que se antecipar e ele mesmo começa preventivamente a intrigar, desconfiar, sondar e combinar. É assaltado por boatos, e esforços inauditos precisam ser feitos para tornar, sempre que possível, uma inferioridade ameaçadora em superioridade. Surgem intermináveis rivalidades de natureza secreta; e nestas lutas impiedosas não se recua diante de nenhum meio, por pior ou vil que seja; inclusive as virtudes são enxovalhadas só para se ter um trunfo a jogar. Este estado de coisas leva ao esgotamento. A forma da neurose é antes neurastênica do que histérica, com forte participação, nas mulheres, da disposição corporal, por exemplo, anemia e suas sequelas.

Sinopse dos tipos racionais

716 Os dois tipos acima são racionais porque se baseiam em funções judicativas da razão. O julgamento da razão baseia-se não apenas no dado objetivo, mas também no subjetivo. A predominância de um ou outro fator, determinada muitas vezes por uma disposição psíquica já existente desde a mais tenra infância, dobra certamente a razão. Um autêntico julgamento racional deveria apelar tanto ao fator objetivo quanto ao subjetivo e satisfazer a ambos. Isto seria um caso ideal e pressuporia um desenvolvimento igual da extroversão e da introversão. Ambos os movimentos, porém, se excluem e, enquanto persistir seu dilema, não podem estar um ao lado do outro; no máximo, podem estar um após o outro. Por isso também, nas circunstâncias normais, é impossível existir uma razão ideal. Um tipo racional tem sempre uma razão que varia segundo o tipo. Assim os tipos racionais introvertidos apresentam um julgamento sem dúvida racional, só que este julgamento se orienta mais pelo fator subjetivo. A lógica não precisa sofrer violência em parte alguma, pois a parcialidade está na premissa. A premissa é a predominância, existente antes de qualquer conclusão e julgamento, do fator subjetivo. Este se apresenta de antemão com valor obviamente maior do que o fator objetivo. Como dis-

semos, não se trata de um valor atribuído, mas de uma disposição natural preexistente a qualquer atribuição de valor. Por isso, o julgamento racional parecerá ao introvertido necessariamente diferente, sob certos aspectos, do que ao extrovertido. Para citar o caso mais comum, ao introvertido parece mais razoável aquela série de conclusões que leva ao fator subjetivo do que a que leva ao objeto. Esta diferença, insignificante e quase imperceptível no caso particular, suscita, no todo, oposições instransponíveis que são tanto mais irritantes quanto menos consciente se está do deslocamento mínimo de ponto de vista causado pela premissa psicológica no caso particular. Erro capital que normalmente ocorre aqui é que há um esforço para demonstrar a falácia na conclusão, ao invés de reconhecer a diferença das premissas psicológicas. Este reconhecimento é difícil para todo tipo racional, pois solapa a validade aparentemente absoluta de seu princípio e o entrega ao seu oponente, o que significa uma catástrofe.

717 Mais do que o tipo extrovertido, está o introvertido sujeito a mal-entendidos, não porque o extrovertido seja um adversário mais impiedoso e crítico do que ele mesmo poderia ser, mas porque o estilo da época do qual ele comunga está contra ele. Está em minoria – não numérica, mas consoante seu sentimento – não em relação ao extrovertido, mas em relação a toda a nossa mundividência ocidental. Participa convicto do estilo geral e por isso enterra-se a si mesmo, pois o estilo atual, com seu reconhecimento quase exclusivo do visível e palpável, está contra seu princípio. Devido a seu caráter invisível, tem que desvalorizar o fator subjetivo e forçar-se a participar da supervalorização do objeto. Ele mesmo tem o fator subjetivo em baixa estima e por isso é acometido de sentimentos de inferioridade. Não é de admirar, pois, que, exatamente em nossa época e naqueles movimentos que antecipam o presente, o fator subjetivo se apresente de forma exagerada e, por isso, insossa e caricata. Refiro-me à arte de hoje em dia. A depreciação do próprio princípio torna o introvertido egoísta e lhe impõe a psicologia do oprimido. Quanto mais egoísta, mais lhe parece também que os outros, que conseguem acompanhar aparentemente sem problemas o estilo atual, são os opressores contra os quais deve proteger-se e defender-se. Em geral não vê que seu defeito maior está em não prender-se ao fator subjetivo com aquela fidelidade e dedicação com que o extrovertido se orienta pelo objeto.

Depreciando seu próprio princípio, a tendência ao egoísmo torna-se inevitável, merecendo, por isso, também o preconceito do extrovertido. Se permanecesse fiel a seu princípio, seria erroneamente julgado egoísta e a justificação de sua atitude se confirmaria por seus efeitos em geral e dissiparia os mal-entendidos.

A sensação

718 Também a sensação que, de acordo com toda a sua natureza, depende do objeto e do estímulo objetivo está sujeita, na atitude introvertida, a uma considerável transformação. Também ela tem um fator subjetivo, pois ao lado do objeto que é *sensualizado* há um sujeito que *sensualiza* e contribui com sua disposição subjetiva para o estímulo objetivo. Na atitude introvertida, a sensação se baseia principalmente na parcela subjetiva da percepção. O que isto significa torna-se claro em obras de arte que reproduzem objetos exteriores. Quando, por exemplo, vários pintores retratam a mesma paisagem com a intenção de reproduzi-la fielmente, cada quadro será diferente do outro, não só devido à maior ou menor capacidade do autor, mas principalmente devido ao modo de ver diferente de cada um; alguns quadros apresentarão inclusive uma diferença psíquica acentuada na situação da paisagem e no movimento de cores e figuras. Essas qualidades revelam uma participação mais ou menos forte do fator subjetivo.

719 O fator subjetivo da sensação é essencialmente o mesmo das demais funções de que já falamos. É uma disposição inconsciente que modifica a percepção dos sentidos já no seu nascedouro, tirando-lhe assim o caráter de pura influência objetal. Neste caso, a sensação se refere sobretudo ao sujeito e só, em segundo plano, ao objeto. A arte é que melhor mostra a extraordinária força que pode ter o fator subjetivo. A preponderância do fator subjetivo vai, às vezes, até a total supressão da simples influência do objeto e, ainda assim, a sensação continua sendo sensação; mas tornou-se, neste caso, uma percepção do fator subjetivo e a influência do objeto decaiu para o patamar de mero estímulo. A sensação introvertida desenvolve-se nesta direção. Existe, sem dúvida, verdadeira percepção dos sentidos, mas tem-se a impressão que os objetos não conseguem penetrar realmente no sujeito e que o sujeito vê as coisas de modo bem diferente e vê bem outras

coisas que as demais pessoas. Na verdade, o sujeito percebe as mesmas coisas que qualquer pessoa, mas não se demora na influência pura do objeto, ocupando-se mais com a percepção subjetiva causada pelo estímulo objetivo.

720 A percepção subjetiva é bem diferente da objetiva. Ela não se encontra no objeto ou, no máximo, de modo alusivo, isto é, pode ser semelhante em outras pessoas, mas não se fundamenta diretamente no comportamento objetivo das coisas. Não dá a impressão de ser um produto da consciência, para isso é genuína demais. Mas causa uma impressão psíquica, pois nela se reconhecem elementos de ordem psíquica superior. Esta ordem, porém, não coincide com os conteúdos de consciência. Trata-se de pressuposições ou disposições coletivo-inconscientes, de imagens mitológicas, possibilidades primitivas de representações. Faz parte da percepção subjetiva o caráter significativo. Diz mais do que a pura imagem do objeto, mas só para aquele a quem o fator subjetivo diz alguma coisa em geral. Para um outro, a impressão subjetiva reproduzida parece sofrer do defeito de não ter suficiente similaridade com o objeto e, por isso, ter fracassado em seu objetivo. A sensação introvertida apreende melhor os planos de fundo do mundo físico do que a superfície. Não sensualiza a realidade do objeto como o decisivo, mas a realidade do fator subjetivo, ou seja, das imagens primordiais que, em sua totalidade, apresentam um mundo psíquico espelhado. Mas este espelho tem a faculdade peculiar de não apresentar os conteúdos atuais da consciência em sua forma usual e a nós conhecida, mas, em certo sentido, *sub specie aeternitatis* (sob a aparência de eternidade), mais ou menos como a veria uma consciência de um milhão de anos. Esta consciência veria o surgir e o desaparecer das coisas simultaneamente com sua existência atual e momentânea; e não só isto, mas também o resto: o que era antes de seu surgir e o que será depois de seu desaparecimento. O momento atual é inverossímil para esta consciência. Naturalmente, isto é apenas uma figura, mas necessária a fim de que eu possa ilustrar de algum modo a natureza peculiar da sensação introvertida. A sensação introvertida transmite uma imagem que não reproduz tanto o objeto, mas antes cobre-o com o sedimento de antiquíssima e futura experiência subjetiva. E, assim, a mera impressão dos sentidos se desenvolve para o fundo da riqueza intuitiva, ao passo que a sensação extrovertida apreende o ser momentâneo e manifesto das coisas.

O tipo sensação introvertido

721 O primado da sensação introvertida cria um tipo determinado que se caracteriza por certas peculiaridades. É um tipo irracional porque, no fluxo dos acontecimentos, não escolhe sobretudo por julgamentos da razão, mas simplesmente se orienta pelo que acontece. Enquanto o tipo sensação extrovertido é determinado pela intensidade da influência do objeto, o introvertido se orienta pela intensidade da parcela subjetiva da sensação, suscitada pelo estímulo objetivo. Como se vê, não existe aqui nenhuma relação proporcional entre objeto e sensação, mas uma relação aparentemente desproporcional e arbitrária. Não é possível, por assim dizer, prever de fora o que vai e o que não vai causar impressão. Se houvesse uma capacidade ou presteza de expressão proporcional à força da sensação, ficaria patente a irracionalidade desse tipo. É o que acontece, por exemplo, quando o indivíduo é um artista produtivo. Mas como isto é excepcional, a dificuldade de expressão, característica ao introvertido, esconde também sua irracionalidade. Por outro lado, pode surpreender por sua calma e passividade ou por seu autodomínio racional. Esta peculiaridade que induz o julgamento superficial ao erro deve sua existência ao não relacionamento com o objeto. Nos casos normais, o objeto jamais é desvalorizado conscientemente, mas é privado de sua atração ao ser imediatamente substituído por uma reação subjetiva que já não se refere à realidade do objeto. Isto naturalmente opera como desvalorização do objeto. A um tipo desses podemos facilmente perguntar: por que afinal existimos, o que justifica a existência dos objetos, já que tudo de essencial acontece sem o objeto? Esta pergunta pode ser válida em casos extremos, não nos casos normais, pois o estímulo objetivo é indispensável à sensação, apenas produz algo diferente do que a situação externa faria supor.

722 Vista de fora, parece que a influência do objeto não penetra no sujeito. Esta impressão é exata na medida em que um conteúdo subjetivo, nascido do inconsciente, interpõe-se e intercepta a influência do objeto. Esta interposição pode ser tão brusca que até parece estar o indivíduo se defendendo contra a influência do objeto. Em casos mais agudos, esta defesa realmente existe. Quando o inconsciente está apenas um pouco reforçado, a participação subjetiva da sensação

se ativa a ponto de encobrir quase totalmente a influência do objeto. Disso resulta, de um lado, para o objeto, o sentimento de cabal desvalorização, e, de outro, para o sujeito, uma concepção ilusória da realidade que, no entanto, só nos casos mórbidos, pode fazer com que o indivíduo já não seja capaz de distinguir entre o objeto real e a percepção subjetiva. Ainda que uma distinção tão importante só desapareça de todo no estado quase psicótico, a percepção subjetiva pode, já bem antes, influenciar, em grau máximo, o pensamento, o sentimento e a ação, mesmo que o objeto seja visto claramente em toda a sua realidade. Nos casos em que a influência do objeto, devido a circunstâncias especiais como, por exemplo, intensidade peculiar ou total analogia com a imagem inconsciente, penetra até o sujeito, também esse tipo normal é levado a *agir* de acordo com seu modelo inconsciente. Este agir é de caráter ilusório com relação à realidade objetiva e, por isso, é muito desconcertante. Revela de um só golpe a subjetividade alienada do real desse tipo. Mas quando a influência do objeto não consegue penetrar totalmente, encontra uma neutralidade benevolente, sinal de pouca participação, que sempre se esforça por apaziguar e acomodar. O que está muito baixo é elevado um pouco, o que está muito elevado é rebaixado, o entusiasmo é atenuado, o extravagante é freado, o inusitado é colocado dentro da fórmula "correta", tudo para manter a influência do objeto nos devidos limites. Assim agindo, este tipo pressiona seu meio ambiente, pois sua benevolência não está fora de dúvida. Mas se for benevolente, será com facilidade vítima da agressividade e despotismo dos outros. Tais pessoas deixam, em geral, que se abuse delas e vingam-se disso em ocasiões impróprias com redobrada oposição e teimosia.

723 Na ausência de qualquer capacidade artística de expressão, todas as impressões se dirigem para o interior e dominam a consciência, não permitindo que esta se liberte da impressão fascinante através de expressão consciente. Para suas impressões, este tipo só dispõe de possibilidades arcaicas de expressão porque o pensamento e o sentimento são relativamente inconscientes e, enquanto conscientes, só dispõem de expressões necessárias, banais e rotineiras. Como funções conscientes são, portanto, totalmente impróprias a reproduzir as percepções subjetivas. Este tipo dificilmente está aberto à compreensão objetiva e também, na maioria dos casos, não se compreende a si próprio.

724 Seu desenvolvimento o afasta sobretudo da realidade do objeto e o entrega a suas percepções subjetivas que orientam sua consciência no sentido de uma realidade arcaica, ainda que este fato lhe fique totalmente inconsciente por falta de julgamento comparativo. Na verdade, vive num mundo mitológico em que as pessoas, animais, trens, casas, rios e montanhas lhe parecem, em parte, deuses misericordiosos e, em parte, demônios malévolos. Que estas coisas assim lhe pareçam, isto lhe é inconsciente. Mas atuam como tais sobre o seu julgar e agir. Julga e age como se estivesse lidando com tais entidades. Ele se dá conta disso apenas quando descobre que suas sensações são completamente diferentes da realidade. Se tender mais para a razão objetiva, perceberá esta diferença como doentia, mas se continuar fiel à sua irracionalidade, disposto a atribuir à sua sensação valor real, o mundo objetivo torna-se para ele ficção e comédia. Mas só os casos extremos chegam a este dilema. Em geral, o indivíduo se contenta com um fechamento em si mesmo e com a banalidade do mundo real que ele, porém, trata inconscientemente de forma arcaica.

725 Seu inconsciente se caracteriza principalmente por uma repressão da intuição que tem caráter extrovertido e arcaico. Enquanto a intuição extrovertida tem aquela engenhosidade característica, um "bom nariz" para todas as possibilidades da realidade objetiva, a intuição inconsciente e arcaica tem a capacidade de farejar todos os aspectos dúbios, sombrios, sujos e perigosos que estão por trás da realidade. Para esta intuição nada significa a intenção real e consciente do objeto, mas fareja todas as possibilidades dos degraus arcaicos prévios dessa intenção. Daí sua perigosa ação de solapar que, muitas vezes, está em total contraste com a ingenuidade benévola da consciência. Enquanto o indivíduo não se afastar demais do objeto, a intuição inconsciente atua como compensação sanadora da atitude da consciência, inclinada ao fantástico e à credulidade. Se, no entanto, o inconsciente entrar em oposição à consciência, essas intuições alcançam a superfície e espalham suas ações perniciosas, impondo-se ao indivíduo de modo compulsivo e cumulando o objeto de ideias obsessivas da pior espécie. A neurose que daí resulta é, em geral, uma neurose obsessiva onde os traços histéricos se escondem atrás de sintomas de esgotamento.

A intuição

726 Na atitude introvertida, a intuição se volta para os objetos interiores, como poderíamos denominar os elementos do inconsciente. Os objetos interiores se comportam para com a consciência como se fossem objetos exteriores, ainda que não se constituam de uma realidade física, mas psíquica. Os objetos interiores parecem à percepção intuitiva imagens subjetivas de coisas que não se encontram na experiência externa, mas que constituem os conteúdos do inconsciente, ou, em última análise, do inconsciente coletivo. Naturalmente esses conteúdos não são, em sua essência, acessíveis a nenhuma experiência, uma qualidade que possuem em comum com o objeto exterior. Assim como os objetos exteriores correspondem apenas relativamente às percepções que temos deles, também as formas de aparecer dos objetos internos são relativas, produtos de sua essência a nós inacessível e da peculiaridade da função intuitiva. Como a sensação, também a intuição tem seu fator subjetivo que, na intuição extrovertida, é reprimido ao máximo; na introvertida, porém, é de importância capital. Ainda que a intuição introvertida possa receber o estímulo dos objetos externos, ela não se detém nas possibilidades externas, mas se dirige para o que foi internamente liberado pelo exterior. Enquanto a sensação introvertida se limita, no essencial, à percepção dos fenômenos peculiares de inervação, provocados pelo inconsciente, e neles se demora, a intuição reprime este lado do fator subjetivo e percebe a imagem causada por esta inervação. Se, por exemplo, alguém é acometido por vertigem de natureza psicógena, a sensação se demora no caráter peculiar desse distúrbio de inervação e percebe todas as suas qualidades, sua intensidade, seu decurso no tempo, seu modo de aparecer e desaparecer com todos os detalhes; mas não vai, além disso, não penetra no conteúdo donde provém o distúrbio. A intuição, ao contrário, só recebe um impulso da sensação para agir imediatamente; procura ver por trás dos fatos e também percebe logo o quadro interior que provocou o fenômeno de expressão, ou seja, a vertigem. Vê a imagem de um homem cambaleante, atingido por uma seta no coração. Esta imagem fascina a ação intuitiva, demora-se nela e procura conhecer todos os detalhes. Ela a retém e observa com o mais vivo interesse como este quadro muda se desenvolve e, finalmente, desaparece.

727 Dessa maneira, a intuição introvertida percebe todos os processos de fundo da consciência, praticamente com a mesma nitidez com que a sensação extrovertida percebe os objetos exteriores. Para a intuição, as imagens inconscientes adquirem a dignidade de coisas ou objetos. Pelo fato de a intuição excluir a colaboração da sensação, só chega a um conhecimento insuficiente, ou a conhecimento nenhum, dos distúrbios de inervação, das influências que o corpo recebe das imagens inconscientes. As imagens parecem destacadas do sujeito, como que existindo em si mesmas, sem relação com a pessoa. Por isso, no exemplo acima, o intuitivo introvertido atingido por vertigem não chegaria nunca a supor que a imagem percebida pudesse referir-se de alguma forma a ele mesmo. Isto parece inverossímil a alguém de atitude judicativa, mas é um fato que muitas vezes constatei nesses tipos.

728 A grande indiferença do intuitivo extrovertido em relação aos objetos externos também ocorre no introvertido em relação aos objetos interiores. Assim como o intuitivo extrovertido sempre fareja novas possibilidades e as persegue sem ligar para o bem ou o mal dos outros ou seu próprio, menosprezando qualquer consideração humana e demolindo em sua eterna ânsia de mudanças o que foi construído há pouco, também o intuitivo introvertido vai de imagem em imagem, correndo atrás de todas as possibilidades do seio gerador do inconsciente, sem estabelecer a conexão do fenômeno consigo mesmo. Assim como o mundo jamais se torna problema moral para quem apenas o percebe pelos sentidos, também o mundo das imagens nunca será problema moral para o intuitivo. Será para ambos um *problema estético*, uma questão de percepção, uma "sensação". E, assim, desaparece no intuitivo introvertido a consciência de sua existência corporal, bem como de sua influência sobre os outros. O extrovertido dirá que, para o introvertido, "o mundo real não existe, está enredado em sonhos estéreis". A contemplação das imagens do inconsciente que a força criadora produz em quantidade inesgotável é, na verdade, estéril do ponto de vista da utilidade imediata. Na medida em que essas imagens são possibilidades de concepções capazes de dar à energia, por vezes, novo potencial, esta função – por mais estranha que seja para o mundo externo – é tão indispensável para a economia psíquica total como o é o tipo humano correspondente para a vida psíquica de um povo. Israel não teria tido seus profetas se não tivesse existido este tipo.

729 A intuição introvertida capta as imagens que nascem dos fundamentos *a priori*, isto é, hereditários, do espírito inconsciente. Esses arquétipos, cuja natureza íntima é inacessível à experiência, representam o sedimento do funcionamento psíquico da linha ancestral, isto é, das experiências do existir orgânico em geral, acumuladas em milhões de repetições e condensadas em tipos. Nesses arquétipos, portanto, estão representadas todas as experiências que tiveram lugar neste planeta, desde as mais remotas eras. São tanto mais nítidas no arquétipo quanto mais numerosas e intensas tiverem sido. Para usar a linguagem de Kant, o arquétipo seria uma espécie de *noumenon* da imagem que a intuição percebe e gera no perceber. Não sendo o inconsciente algo que apenas aí está como *caput mortuum* psíquico, mas algo que convive e experimenta transformações internas que estão em íntima conexão com tudo o que acontece, a intuição introvertida, mediante a percepção dos processos interiores, fornece determinados dados que podem ser da máxima importância para a compreensão dos acontecimentos em geral; pode, inclusive, prever com maior ou menor clareza as novas possibilidades, bem como o que realmente acontecerá mais tarde. Sua visão profética é explicável por sua relação com os arquétipos que representam o decurso legítimo de todas as coisas experimentáveis.

O tipo intuição introvertido

730 Quando alcança o primado, a natureza peculiar da intuição introvertida cria também um tipo especial, isto é, o sonhador e visionário místico, por um lado, e o fantasista e o artista, por outro. Este último deveria ser o caso normal, pois em geral existe nele a tendência de limitar-se ao caráter perceptivo da intuição. Em geral, o intuitivo para na percepção; seu maior problema é a percepção e – se for um artista produtivo – dar forma à sua percepção. O fantasista, porém, contenta-se com a contemplação pela qual se deixa formar, isto é, determinar. O aprofundamento da intuição leva naturalmente o indivíduo a um grande afastamento da realidade palpável, de modo a tornar-se completo enigma até mesmo para as pessoas mais chegadas. Se for artista, apresentará sua arte coisas extraordinárias, estranhas ao mundo, reluzentes em todas as cores, ao mesmo tempo importantes e

banais, belas e grotescas, sublimes e ridículas. Não sendo artista, é muitas vezes um gênio incompreendido, um estroina, uma espécie de sábio meio louco, personagem típico de romances "psicológicos".

731 Ainda que não seja do feitio do tipo introvertido intuitivo fazer da percepção um problema moral, pois para isso é necessário um certo fortalecimento das funções judicativas, basta uma diferenciação relativamente pequena do julgamento para transferir a contemplação do puramente estético para o moral. Surge, assim, uma variação desse tipo que difere essencialmente de sua forma estética, mas é, apesar disso, característica do intuitivo introvertido. O problema moral surge quando o intuitivo se coloca em relacionamento com sua visão, quando não mais se contenta com a simples contemplação e sua valorização e configuração estéticas, mas chega a perguntar: o que significa isto para mim e para o mundo? O que resulta disso para mim e para o mundo em termos de dever ou tarefa? O intuitivo puro que reprime o julgamento ou só o possui confinado dentro da percepção nunca chegará a estas perguntas porque sua preocupação é apenas o como da percepção. Por isso considera o problema moral incompreensível ou, mesmo, absurdo e impede, ao máximo, que o pensar se ocupe com o observado. Outra é a atitude do intuitivo moral. Preocupa-se com o significado de sua visão, e não se interessa tanto pelas possibilidades estéticas ulteriores dela, mas pelos possíveis efeitos morais que provêm do significado de seu conteúdo. Seu julgamento, porém, só lhe permite reconhecer muitas vezes obscuramente que ele, enquanto homem e totalidade, está de certo modo envolvido em sua visão e que esta é algo que não apenas pode ser contemplado, mas que gostaria também de participar da vida do sujeito. Este reconhecimento faz com que se sinta obrigado a transformar sua visão em sua própria vida. Mas como, nas coisas essenciais, ele se apoia exclusivamente na visão, sua tentativa moral descamba para a unilateralidade; faz de si e de sua vida algo simbólico, adaptado ao sentido íntimo e eterno do devir, mas inadaptado à realidade presente e fatual. Com isso, priva-se de qualquer influência sobre esta, pois ele continua incompreendido. Sua linguagem não é a que todos usam, mas altamente subjetiva. Falta a seus argumentos a razão persuasiva. Sabe apenas confessar ou proclamar. É a voz do que clama no deserto.

O intuitivo introvertido reprime a sensação do objeto ao máximo. É a característica de seu inconsciente. No inconsciente existe uma função sensação, extrovertida e compensadora, de caráter arcaico. Mais precisamente, poderíamos descrever a personalidade inconsciente como um tipo sensação extrovertido de espécie inferior e primitiva. Instintividade e intemperança são as características dessa sensação, juntamente com uma extraordinária dependência da impressão dos sentidos. Isto compensa o ar rarefeito da atitude consciente e lhe dá certo peso de modo a impedir uma total "sublimação". Mas se, por um exagero forçado da atitude consciente, houver completa subordinação à percepção interior, o inconsciente passa para a oposição, dando origem a sensações compulsivas cuja excessiva dependência do objeto se contrapõe à atitude consciente. A forma da neurose é uma neurose compulsiva que apresenta como sintomas, às vezes, fenômenos hipocondríacos, às vezes hipersensibilidade dos órgãos sensoriais, às vezes ligações compulsivas com certas pessoas ou objetos. 732

Sinopse dos tipos irracionais

Os dois tipos descritos acima são praticamente inacessíveis a um julgamento de fora. Por serem introvertidos e terem, portanto, menor capacidade ou disposição para externar-se, oferecem menos material para um julgamento adequado. Sua atividade principal está voltada para o interior, externamente só se vê reserva, dissimulação, indiferença ou insegurança e inibição aparentemente infundada. Quando aparece algo externamente, na maioria dos casos são manifestações indiretas das funções inferiores e relativamente inconscientes. Manifestações dessa espécie só fazem surgir preconceitos contra esses tipos. Por isso, na maioria das vezes, são subestimados ou, no mínimo, incompreendidos. Na medida em que esses tipos não se entendem a si mesmos porque lhes falta em grande parte o julgamento, não conseguem entender também por que são constantemente subestimados pela opinião pública. Não reconhecem que suas realizações externas são realmente de qualidade inferior. Sua visão é obcecada pela riqueza dos acontecimentos subjetivos. O que lhes acontece interiormente é tão cativante e de charme tão inesgotável que nem percebem que aquilo que disso comunicam aos circunstantes só contém 733 muito pouco do que eles mesmos vivenciaram. O caráter fragmentário e, no máximo, apenas episódico de sua comunicação exige demais da compreensão e boa vontade dos circunstantes; além disso, falta à comunicação deles aquele calor único que poderia conter a força persuasiva. Esses tipos apresentam muitas vezes um comportamento externo de rude frieza, sem tomarem consciência disso e nem pretenderem mostrar-se assim. Julgaríamos com mais justiça e trataríamos com mais indulgência essas pessoas se soubéssemos quão difícil é traduzir em linguagem compreensível o que se contempla interiormente. Mas esta indulgência não pode ir ao ponto de dispensá-los completamente da obrigação de se comunicarem. Isto seria altamente prejudicial a esses tipos. O próprio destino lhes reserva, talvez mais frequentemente do que a outras pessoas, grandes dificuldades externas que vão libertá-los do torpor da contemplação interna. Muitas vezes, porém, deve haver uma grande necessidade para se conseguir deles uma participação humana.

734 Do ponto de vista extrovertido e racionalista, esses tipos são os mais inúteis dos seres humanos. Mas de um ponto de vista mais isento, essas pessoas são prova viva de que o mundo rico e agitado com sua vida transbordante e inebriante não existe apenas fora, mas também dentro. É certo que esses tipos são demonstrações unilaterais da natureza, mas são ricos em ensinamentos para aqueles que não se deixam cegar pela moda intelectual do momento. Pessoas com esta atitude são promotores da cultura e educadores a seu modo. Sua vida ensina mais do que suas palavras. Entendemos, a partir de sua vida e, não menos, a partir de seu maior defeito – o não poder comunicar-se – um dos maiores erros de nossa cultura: a superstição do dizer e do explanar, a superestima absoluta do ensino pela palavra e pelos métodos. A criança se submete às impressionantes palavras dos pais e chegamos a ponto de acreditar que a criança será assim educada. Na realidade, o que educa a criança é aquilo que os pais vivem; o que os pais ainda acrescentam em gestos ou palavras apenas confunde a criança. O mesmo vale do professor. Mas acreditamos tanto nos métodos que basta um método ser bom para santificar também o professor que o utiliza. Uma pessoa de valor inferior nunca é um bom docente. Mas ela esconde sua inferioridade prejudicial que envenena secretamente o aluno, atrás de um método primoroso e de brilhante capaci-

dade de expressão intelectual. Naturalmente, o aluno de idade mais avançada não exige nada melhor do que o conhecimento de métodos úteis porque já sucumbiu à atitude geral que acredita no método vitorioso. Já percebeu que a cabeça mais vazia, mas que sabe rezar bem segundo um método, é o melhor aluno. Todos lhe dizem, e assim vivem, que todo êxito e felicidade estão do lado de fora e que basta o método certo para conseguir o desejado. Ou será que a vida de seu professor de religião lhe demonstra aquela felicidade que se irradia da riqueza da visão interior? Certamente os tipos introvertidos irracionais não ensinam uma humanidade mais perfeita. Falta-lhes a razão e a ética da razão; mas sua vida ensina a outra possibilidade cuja falta atinge, dolorosamente, a nossa cultura.

Função principal e função auxiliar

735 Pela descrição acima não quisera dar a impressão que seja frequente encontrar na práxis esses tipos em forma tão pura. São, por assim dizer, retratos familiares a modo de Galton que apresentam o traço comum e, portanto, típico, sublinhando-o exageradamente, enquanto que os traços individuais são apagados, também exageradamente. O exame minucioso do caso individual mostra o fato claramente rotineiro que ao lado da função mais diferenciada existe sempre uma segunda função, de importância secundária, e, portanto, de menor diferenciação na consciência e relativamente determinante.

736 Por razões de clareza, vamos repetir: conscientes podem ser os produtos de todas as funções; mas só falamos de conscientização de uma função quando não apenas seu exercício está à disposição da vontade, mas também seu princípio é decisivo para a orientação da consciência. Este último caso ocorre, por exemplo, quando o pensamento não é apenas um refletir posterior ou um ruminar, mas quando sua conclusão possui realidade absoluta, de modo que a conclusão lógica valha como motivo e garantia da ação prática, sem precisar de qualquer outra evidência. Esta hegemonia absoluta só cabe empiricamente a uma função e só pode caber a uma função, pois a intervenção igualmente autônoma de outra função imprimiria necessariamente outra orientação que, no mínimo em parte, haveria de contestar a primeira. Mas como é condição vital para o processo consciente de

adaptação ter sempre objetivos claros e inequívocos, proíbe-se naturalmente que uma segunda função tenha a mesma categoria. Portanto, a segunda função só pode ser de importância secundária, o que também se pode constatar empiricamente. Sua importância secundária consiste em não ser ela, como a função principal, única e exclusiva, absolutamente indispensável e decisiva, mas ser função auxiliar e complementar. Naturalmente, só pode ser função secundária aquela cuja natureza não está em oposição à função principal. Ao lado do pensamento, por exemplo, não pode aparecer como função secundária, o sentimento, pois sua natureza está em demasiada oposição à natureza do pensamento. Se quiser ser verdadeiro e fiel a seu princípio, o pensamento tem que excluir rigorosamente o sentimento. Isto não afasta a possibilidade que haja indivíduos cujo pensamento esteja no mesmo nível do sentimento, tendo ambos a mesma força motivadora consciente. Em tal caso, porém, não se trata de tipo diferenciado, mas de um pensamento e sentimento relativamente subdesenvolvidos. O mesmo grau de consciência e inconsciência das funções é característica do estado primitivo do espírito.

737 Mostra a experiência que a função secundária é sempre de natureza diversa, mas não oposta à função principal; assim, por exemplo, o pensamento, como função principal, pode facilmente unir-se à intuição como função secundária, bem como à sensação, mas nunca, como ficou dito, ao sentimento. Tanto a intuição quanto a sensação não se contrapõem ao pensamento, isto é, não precisam absolutamente ser excluídas, pois não são de essência inversamente semelhante à do pensamento, como é o caso do sentimento; este, na qualidade de função judicativa, faz verdadeira concorrência ao pensamento, enquanto aquelas são funções perceptivas que trazem ajuda benfazeja ao pensamento. Mas logo que atingissem um grau de diferenciação igual ao do pensamento, provocariam uma alteração de atitude que se oporia à tendência do pensamento. Transformariam, na verdade, uma atitude judicativa em perceptiva, oprimindo, assim, o princípio da racionalidade, indispensável ao pensar, em favor da irracionalidade da simples percepção. A função auxiliar, portanto, é possível e útil apenas na medida em que *serve* à função principal, sem pretender, com isso, a autonomia de seu princípio.

738 Para todos os tipos, encontrados na prática, vale o princípio de que, a par da função consciente principal, possuem ainda uma função auxiliar, relativamente consciente, que é diferente, em todos os aspectos, da natureza da função principal. Dessa mistura resultam figuras bem conhecidas como, por exemplo, o intelecto prático que está unido à sensação, o intelecto especulativo que é penetrado pela intuição, a intuição artística que escolhe e apresenta seus trabalhos por meio de julgamentos do sentimento, a intuição filosófica que transpõe sua visão para a esfera do compreensível, graças a um intelecto vigoroso etc.

739 Correlatamente ao comportamento consciente das funções, forma-se também o agrupamento inconsciente das funções. Assim, por exemplo, corresponde a um intelecto consciente e prático uma atitude inconsciente intuitivo-sentimental em que a função do sentimento sofre uma paralisação relativamente mais forte do que a intuição. Contudo, esta peculiaridade só tem interesse para quem se ocupa do tratamento psicológico-prático desses casos. Para eles é importante conhecer o assunto. Mais de uma vez já presenciei o médico esforçar-se, por exemplo, no caso de um intelectual privilegiado, por desenvolver a função do sentimento diretamente a partir do inconsciente. Esta tentativa só poderia fracassar, pois significava violência grande demais ao ponto de vista consciente. Tivesse êxito a violência, surgiria uma dependência formal compulsiva do paciente em relação ao médico, uma "transferência" só eliminável com brutalidade, pois, devido à violência, o paciente ficou sem ponto de vista e fez do médico seu ponto de vista. O acesso ao inconsciente e à função mais reprimida abre-se, por assim dizer, de per si, com suficiente proteção do ponto de vista consciente, quando o caminho do desenvolvimento passa pela função secundária, ou seja, no caso de um tipo racional, pela função irracional. Esta, especialmente, dá ao ponto de vista consciente tal abrangência de visão sobre o possível e o futurível que a consciência recebe proteção suficiente contra a ação destrutiva do inconsciente. Por outro lado, um tipo irracional exige maior desenvolvimento da função auxiliar racional, presente na consciência, que o prepare suficientemente, a fim de aparar o impacto do inconsciente.

740 As funções inconscientes encontram-se em estado arcaico-animal. Suas expressões simbólicas que aparecem nos sonhos e fantasias representam as mais das vezes, a luta ou confrontação de dois animais ou de dois monstros.

XI

Definições

741 Pode parecer supérfluo ao leitor que acrescente ao texto de minha pesquisa um capítulo especial de definições de conceitos. Contudo, é grande a minha experiência para comprovar que, exatamente em trabalhos psicológicos, todo cuidado com expressões e conceitos nunca é demasiado, pois é no campo da psicologia, como em nenhum outro, que aparecem as maiores variações de conceitos e que ocasionam, muitas vezes, os piores mal-entendidos. Este inconveniente não parece provir apenas do fato de ser a psicologia uma ciência nova, mas também porque o material experimental, o material da reflexão científica não pode ser oferecido concretamente aos olhos do leitor. O pesquisador da psicologia está sempre forçado a descrever a realidade observada por meio de circunlóquios e, por assim dizer, indiretamente. Só podemos falar de exposição direta quando se trata de comunicar fatos elementares ligados a números e medidas. Mas quanto da psicologia real do homem é vivido e observado como fatos passíveis de números e medidas? Existe esse estado de coisas e acredito ter provado em meus estudos de associação[1] que mesmo fatos extremamente complicados são acessíveis a um método de medição. Quem houver penetrado mais fundo na essência da psicologia e exigido que seja considerada ciência, sem depender, em sua existência, dos limites impostos pela metodologia das ciências naturais, terá percebido que jamais haverá um método experimental que satisfaça à essência da alma humana ou que trace uma imagem bastante fiel dos complicados fenômenos anímicos.

---

1. JUNG, C.G. (org.). *Diagnostische Assoziationsstudien* [OC, 2].

742 Abandonando, porém, o campo dos fatos passíveis de números e medidas, precisamos de *conceitos* que devem substituir a medida e o número. A precisão que nos fornecem as medidas e os números dos fatos observados só pode ser substituída pela *precisão do conceito*. Como é sabido de todo pesquisador e praticante nesta área, os conceitos psicológicos atualmente em voga são tão imprecisos e equívocos que é difícil o entendimento mútuo. Tomemos, por exemplo, o conceito "sentimento" e tentemos avaliar tudo o que anda dentro dele, para termos uma ideia da variação e ambiguidade dos conceitos psicológicos. Assim mesmo, algo de característico é expresso, ainda que inacessível a números e medidas, mas apreensível em sua existência. Não podemos simplesmente renunciar a isto, como o faz a psicologia fisiológica de Wundt, e negar estes fatos como fenômenos básicos e essenciais e substituí-los por fatos elementares ou neles dissolvê-los. Com isso se perderia parte principal da psicologia.

743 Para superar este inconveniente criado pela supervalorização da metodologia das ciências naturais, temos que recorrer a conceitos bem seguros. Para chegar a esses conceitos, é necessário o trabalho de muitos, uma espécie de *consensus gentium* (consenso dos povos). Como isto não é possível sem mais, é preciso, ao menos, que o pesquisador individual se esforce em dar a seus conceitos solidez e precisão, o que pode ser feito discutindo o sentido em que emprega o conceito, de modo que todos estejam em condições de entender o que pretende exprimir.

744 Respondendo a esta necessidade, gostaria de apresentar, a seguir, em ordem alfabética, meus principais conceitos psicológicos. Gostaria, também, de pedir ao leitor que, em caso de dúvida, recorresse a essas explicações. É óbvio que, com essas explicações e definições, só quero justificar o sentido em que uso os conceitos; jamais ousaria dizer que este emprego é o único possível e o absolutamente correto.

745 *Abstração*. Como a própria palavra diz, é extrair ou isolar um conteúdo (um significado, uma característica geral etc.) de um contexto, formado por outros elementos, cuja combinação em um todo constitui algo único ou individual, não podendo ser comparado com outra coisa qualquer. A singularidade, individualidade e incomparabilidade são obstáculos ao conhecimento, por isso os outros elemen-

tos associados a um conteúdo que é tido como essencial parecem irrelevantes à vontade de conhecer.

746 Abstração é, portanto, uma forma de atividade mental que liberta o conteúdo ou o dado, tido como essencial, de sua vinculação aos elementos irrelevantes, deles os distinguindo ou *diferenciando* (v.). Em sentido lato, *abstrato* é tudo o que foi extraído de sua vinculação a elementos tidos como irrelevantes para seu significado.

747 Abstração é uma atividade pertinente a todas as funções psicológicas. Assim como existe um *pensamento* abstrativo, existe também um *sentimento, sensação e intuição* (v. esses conceitos) abstrativos. O pensamento abstrativo toma um conteúdo, caracterizado por suas qualidades racionais e lógicas, e o separa dos elementos irrelevantes. O sentimento abstrativo faz o mesmo com o conteúdo caracterizado por valores sentimentais, e assim procedem a sensação e a intuição. Existem, portanto, pensamentos abstratos, bem como sentimentos abstratos que Sully denomina sentimentos intelectuais, estéticos e morais[2]. Nahlowsky ainda acrescenta o sentimento religioso[3]. Em minha concepção, os sentimentos abstratos corresponderiam aos sentimentos "superiores" ou "ideais". Os sentimentos abstratos eu os coloco na mesma linha dos pensamentos abstratos. A sensação abstrata poderíamos chamá-la de sensação estética, em oposição à *sensação* (v.) dos sentidos, e a intuição abstrata, de simbólica, em oposição à intuição da fantasia (v. *fantasia* e *intuição*).

748 Neste trabalho vinculo ao conceito de abstração também a concepção de um processo psicoenergético: quando assumo uma atitude abstrativa em relação ao objeto, não deixo que ele atue sobre mim como um todo; tomo uma parte, que separo de suas conexões, e excluo as partes que não interessam. Minha intenção é livrar-me do objeto enquanto totalidade única e individual e só aproveitar uma parte. Evidentemente tenho a visão do todo, mas não me aprofundo nesta visão; meu interesse não vai para o todo, mas sai do objeto como um todo e volta para mim com a parte escolhida, isto é, volta ao mundo de meus conceitos que já está pronto ou constelado para abstrair uma parte do objeto. (Só é possível abstrair do objeto mediante uma conste-

2. SULLY, J. *The Human Mind*. Vol. II. Londres: [s.e.], 1892, cap. 16.

3. NAHLOWSKY, J.W. *Das Gefühlsleben*. 3. ed. Leipzig: [s.e.], 1907, p. 48.

lação subjetiva de conceitos.) Considero o "interesse" como *energia=libido* (v.) que atribuo como valor ao objeto ou que este atrai sobre si, eventualmente, contra minha vontade ou sem que eu esteja consciente disso. Visualizo, portanto, o processo de abstração como a retirada da libido do objeto, como um refluir do valor que abandona o objeto para um conteúdo subjetivo e abstrato. A abstração significa para mim uma *desvalorização energética do objeto;* em outras palavras, é um movimento *introversivo* da libido (v. *introversão*).

749 Denomino *abstrativa* uma *atitude* (v.) quando, por um lado, é introversiva e, por outro, assimila também aos conteúdos abstratos à disposição no sujeito uma parte do objeto, tida como essencial. Quanto mais abstrato um conteúdo, mais *irrepresentável* ele é. Endosso a posição de Kant, segundo a qual um conceito é tanto mais abstrato "quanto mais se tiram dele as diferenças das coisas"[4], no sentido de que a abstração, em seu grau máximo, distancia-se absolutamente do objeto, atingindo assim a extrema irrepresentabilidade. Esta abstração pura eu a denomino *ideia* (v.). Inversamente, uma abstração que ainda é passível de representação ou plasticidade é um conceito concreto (v. *concretismo*).

750 (751)**Afetividade.* É um conceito cunhado por E. Bleuler. Designa e contém "não apenas os afetos em sentido próprio, mas também os sentimentos leves ou as tonalidades sentimentais de prazer e desprazer"[5]. Bleuler distingue da afetividade, por um lado, as sensações dos sentidos e as outras sensações corporais e, por outro, os "sentimentos" enquanto processos internos de percepção (por exemplo, sentimento de certeza, de probabilidade) e enquanto pensamentos ou conhecimentos obscuros[6].

751 (750) *Afeto.* Por afeto entendo um estado de sentimento, caracterizado, de um lado, por inervações perceptíveis do corpo e, de outro, por uma perturbação peculiar do curso das ideias[7]. Emprego afe-

---

4. KANT, E. *Logik.* Op. cit., § 6.

* A numeração entre parênteses é da edição alemã [N.T.].

5. BLEULER. *Affektivkät, Suggestibilität, Paranoia.* Halle: [s.e.], 1906, p. 6.

6. Ibid., p. 13s.

7. Cf. para isso WUNDT, W. *Grundzüge der physiologischen Psychologie.* Vol. 3. 5. ed. Stuttgart: [s.e.], 1903, p. 209s.

to como sinônimo de *emoção*. Distingo – ao contrário de Bleuler (v. *afetividade*) – *sentimento* de afeto, ainda que a transição de um para o outro tenha contornos vagos porque todo sentimento, ao atingir certo grau de força, liberta inervações corporais e se torna afeto. Por razões práticas, no entanto, é bom distinguir entre afeto e sentimento, porque este pode ser uma função voluntariamente disponível ao passo que o afeto geralmente não o é. Igualmente o afeto se distingue do sentimento pelas inervações corporais perceptíveis, enquanto faltam ao sentimento, na maioria dos casos, essas inervações ou são de intensidade tão pequena que podem ser detectadas apenas por instrumentos muito delicados, por exemplo, pelo fenômeno psicogalvânico[8]. Ao afeto se acrescenta a sensação das inervações corporais por ele liberadas. Esta constatação deu azo à teoria do afeto, de James-Lange, que deriva causalmente o afeto em geral das inervações corporais. Discordando dessa concepção extremada, entendo o afeto, por um lado, como estado psíquico de sentimento e, por outro, como estado fisiológico de inervações, tendo cada qual efeito cumulativo e recíproco sobre o outro, isto é, um componente da sensação alia-se ao sentimento intensificado de modo que o afeto fica mais próximo das *sensações* (v.) e essencialmente diferenciado do estado sentimental. Incluo afetos exacerbados, isto é, acompanhados de violentas inervações corporais, não no campo da função sentimental, mas no campo da função sensação (v. *função*).

752 (877) *Alma*. No decorrer de minhas investigações sobre a estrutura do inconsciente fui obrigado a fazer uma distinção conceitual entre *alma* e *psique*. Por psique entendo a totalidade dos processos psíquicos, tanto conscientes quanto inconscientes. Por alma, porém, entendo um complexo determinado e limitado de funções que poderíamos caracterizar melhor como "personalidade". Para descrever em detalhes a minha concepção tenho que carrear alguns pontos de

8. FÉRÉ, C. "Note sur les modifications de la résistance électrique sous l'influence des excitations sensorielles et des émotions". *Comptes rendus hebdomadaires des Séances et Mémoires de la Société de Biologie*, 5, 1888, p. 217-219. Paris. • VERAGUTH, O. "Das psychogalvanische Reflexphänomen". *Monatsschrift für Psychologie und Neurologie*, 21, 1907, p. 387. Berlim. • JUNG, C.G. *Über dir psychophysichen Begleiterscheinungen im Assoziationsexperiment* [OC, 2]. • BINSWANGER, L. "Über das Verhalten des psychogalvanischen Phänomens etc." In: JUNG, C.G. (org.). *Diagnostische Assoziationsstudien*. Vol. II. Leipzig: [s.e.], 1910, p. 113.

vista mais distantes. Trata-se principalmente dos fenômenos do sonambulismo, do duplo caráter, da divisão da personalidade em cuja pesquisa se destacaram os franceses que chamaram a atenção para a possibilidade de haver mais de uma personalidade num único e mesmo indivíduo[9].

(878) É óbvio que num indivíduo normal não pode manifestar-se esta pluralidade de personalidades; mas a possibilidade de dissociação da personalidade, comprovada por esses casos, deveria existir, ao menos em germe, no âmbito normal. E realmente uma observação psicológica mais penetrante consegue, sem grandes dificuldades, comprovar em indivíduos normais vestígios de uma divisão de caráter. Basta, por exemplo, observar atentamente alguém em circunstâncias diferentes: perceberemos uma incrível mudança em sua personalidade quando passa de um meio ambiente para outro, e a cada vez mostra um caráter bem definido e bem distinto do anterior. O provérbio "anjo na rua e demônio em casa" traduz a experiência quotidiana do fenômeno da divisão da personalidade. Cada meio ambiente requer uma atitude especial. Quanto mais for exigida esta atitude pelo respectivo meio ambiente, mais rapidamente ela se tornará habitual. Muitas pessoas da classe culta têm que mover-se em dois meios completamente distintos: no lar e no ambiente profissional. Estes dois ambientes bem distintos exigem duas atitudes totalmente diversas que, dependendo do grau de *identificação* (v.) do eu com a atitude do momento, condicionam uma duplicação do caráter. De acordo com as condições e necessidades sociais, o caráter social se orienta, de um lado, pelas expectativas ou exigências do ambiente profissional e, de outro, pelas intenções e aspirações sociais do indivíduo. O caráter caseiro molda-se em geral pela busca de comodidade, donde vem que pessoas muito enérgicas, briosas, teimosas, obstinadas e grosseiras na vida pública, em casa e no seio da família são bondo- 753

---

9. AZZAM, E.E. *Hypnotisme, double conscience et altérations de la personnalité*. Paris: [s.e.], 1887. • PRINCE, M. *The Dissociation of a Personality*. Nova York/Londres/Bombaim: [s.e.], 1906. • LANDMANN, S. *Die Mehrheit geistiger Persönlichkeiten in einem Individuum*. Stuttgart: [s.e.], 1894. • RIBOT, T. *Die Persönlichkeit. Pathologisch-psychologische Studien*. Berlim: [s.e.], 1894. • FLOURNOY, T. *Des Indes á la Planète Mars*. 3. ed. Paris/Genebra: [s.e.], 1900. • JUNG, C.G. *Zur Psychologie und Pathologie sogenannter occulter Phänomene* [OC, 1].

sas, brandas, condescendentes e fracas. Qual é o verdadeiro caráter? A verdadeira personalidade? Às vezes é impossível responder.

754 (879) Esta breve reflexão mostra que a divisão de caráter não é impossível, mesmo no indivíduo normal. Estamos autorizados, portanto, a tratar a dissociação da personalidade como problema da psicologia normal. Na minha opinião, a pergunta deve ser respondida assim: semelhante pessoa não tem nenhum caráter verdadeiro, isto é, não é *individual* (v.), mas *coletiva* (v.), ou seja, acomoda-se às circunstâncias e expectativas em geral. Fosse individual, teria um só e mesmo caráter, apesar de toda a diversidade da atitude. Não se identificaria com a atitude momentânea e não poderia ou quereria impedir que sua individualidade se manifestasse, de qualquer forma, tanto numa quanto na outra situação. Na verdade ela é individual, como todo ser, mas de modo inconsciente. Por sua identificação mais ou menos plena com a atitude do momento, engana no mínimo os outros, muitas vezes também a si mesma, sobre seu verdadeiro caráter; veste uma máscara que sabe corresponder, por um lado, às suas intenções e, por outro, às exigências e opiniões do meio ambiente, prevalecendo ora um ora outro momento. Esta máscara, ou seja, a atitude assumida *ad hoc* (por agora) eu a denomino *persona*[10]. Com este nome se designava a máscara dos antigos atores.

755 (880) As duas atitudes do caso acima são personalidades coletivas que designaremos simplesmente pelo nome *persona* ou *personae*. Já expus acima que a verdadeira individualidade é distinta delas. A *persona* é, pois, um complexo funcional que surgiu por razões de adaptação ou de necessária comodidade, mas que não é idêntico à individualidade. O complexo funcional da *persona* diz respeito exclusivamente à relação com os objetos.

756 (881) É preciso distinguir bem entre a relação do indivíduo com o objeto externo e a relação com o sujeito. Entendo por sujeito, em primeiro lugar, aquela emoção vaga e obscura, sentimentos, pensamentos e sensações que não nos advêm comprovadamente da continuidade da vivência consciente com o objeto, mas que, provindo do íntimo obscuro, dos planos de fundo da consciência, perturbam ou

---

10. Cf. JUNG, C.G. *O eu e o inconsciente* [OC, 7/2].

inibem e, por vezes, ajudam, constituindo, em sua totalidade, a percepção da vida do inconsciente. O sujeito considerado como "objeto interno" é o inconsciente. Assim como há um relacionamento com o objeto externo, uma atitude externa, também existe um relacionamento com o objeto interno, uma atitude interna. É compreensível que esta atitude interna, devido à sua natureza extremamente íntima e difícil de acessar, seja algo bem mais desconhecido do que a atitude externa que todos podem ver sem mais. Contudo, não me parece impossível conceituar esta atitude interna. Todas aquelas inibições ocasionais, caprichos, humores, sentimentos vagos e fragmentos de fantasias que às vezes perturbam o trabalho de concentração e o repouso da pessoa normal, e que racionalizamos como provenientes de causas corporais ou de outros motivos, não têm, em geral, sua razão nas causas que lhe são atribuídas pela consciência, mas são percepções de processos inconscientes. A estes fenômenos pertencem também os sonhos que gostamos obviamente de atribuir a causas externas e superficiais como indigestão, dormir de costas e outras mais, mesmo que tal explicação não resista a uma crítica mais severa. A atitude das pessoas individuais com relação a essas coisas é a mais diversa. Algumas não se deixam afetar em nada por seus processos internos, conseguem, por assim dizer, desligar-se completamente; outras estão sujeitas a eles em grau máximo. Já ao acordar, qualquer fantasia ou sentimento desagradável lhes estragou o dia; uma sensação vaga ou estranha desperta nelas a ideia de alguma doença ignorada; um sonho lhes dá um pressentimento sombrio, mesmo que não sejam supersticiosas. Algumas pessoas têm acesso apenas episódico a essas moções inconscientes ou só a determinada categoria delas. Para algumas pessoas essas moções talvez nunca tenham chegado à consciência como algo que merecesse reflexão; para outras, porém, são problema de ruminação diária. Algumas as consideram fisiológicas ou chegam a atribuí-las ao comportamento do próximo; outras acham que se trata de revelação religiosa.

(882) Essas maneiras completamente diferentes de lidar com as moções do inconsciente são tão habituais quanto as atitudes para com o objeto exterior. A atitude interna corresponde, pois, a um complexo funcional tão determinado quanto a atitude externa. Aqueles casos em que aparentemente os processos psíquicos internos são totalmente desconsiderados não carecem de uma atitude típica inter- 757

na tanto quanto não carecem de uma atitude típica externa aqueles que desconsideram constantemente o objeto externo, a realidade dos fatos. A *persona* desses tem, não raro, o caráter de falta de relacionamento, às vezes até de falta de consideração que quase sempre se curva apenas aos rudes golpes do destino. Não é raro que exatamente estes indivíduos cuja *persona* se caracteriza por uma rígida falta de consideração tenham com relação aos processos do inconsciente uma atitude extremamente aberta a influências. São pouco influenciáveis e pouco acessíveis no relacionamento externo, mas quanto a seus processos internos são moles, frouxos e maleáveis. Nesses casos, a atitude interna corresponde a uma personalidade interna totalmente diversa da personalidade externa. Conheço, por exemplo, uma pessoa que destruiu impiedosa e cegamente a felicidade de seus semelhantes próximos, mas que interrompe importantes viagens de negócios para apreciar a beleza de uma paisagem florestal que pode contemplar do trem. Casos parecidos todos conhecem, de modo que não preciso trazer outros exemplos.

758 (883) Assim como a experiência diária nos autoriza a falar de uma personalidade externa, também nos autoriza a aceitar a existência de uma personalidade interna. Este é o modo como alguém se comporta em relação aos processos psíquicos internos, é a atitude interna, o caráter que apresenta ao inconsciente. Denomino *persona* a atitude externa, o caráter externo; e a atitude interna denomino *anima, alma.* Na mesma medida em que uma atitude é habitual, também constitui um complexo funcional mais ou menos firmado com o qual o eu pode identificar-se em maior ou menor grau. A linguagem o expressa de modo plástico; quando alguém possui atitude habitual com referência a certas situações, costumamos dizer que ele é *outro* quando faz isto ou aquilo. Com isso se demonstra a autonomia do complexo funcional de uma atitude habitual: é como se uma outra personalidade se tivesse apossado do indivíduo, como se "outro espírito tivesse entrado nele". A mesma autonomia que muitas vezes caracteriza a atitude externa também se aplica à atitude interna, à alma. Mudar a *persona*, a atitude externa, é uma das artes mais difíceis da educação. Igualmente difícil é mudar a alma, pois sua estrutura costuma ser tão firme quanto a da *persona*. Assim como a *persona* é um ser que parece constituir o caráter total de uma pessoa e talvez a acompanhe

inalterada por toda a vida, também sua alma é uma entidade bem determinada, com caráter às vezes bem autônomo e imutável. Por isso, é possível muitas vezes caracterizá-la e descrevê-la com facilidade.

(884) No que se refere ao caráter da alma, vale, segundo minha experiência, o princípio geral de que ela se comporta *complementarmente* com relação ao caráter externo. A alma costuma possuir todas aquelas qualidades humanas comuns que faltam à atitude consciente. O tirano, atormentado por maus sonhos, pressentimentos sombrios e receios interiores, é figura típica. Externamente cruel, duro e inacessível, é internamente vulnerável a qualquer sombra, sujeito a qualquer humor, como se fosse o ser menos autônomo e mais maleável. Sua alma contém, pois, aquelas qualidades humanas de fraqueza e determinabilidade que faltam completamente à sua atitude exterior, à sua *persona*. Se a *persona* for intelectual, a alma será sentimental com toda certeza. O caráter complementar da alma atinge também o caráter sexual, conforme pude constatar muitas vezes. Mulher muito feminina tem alma masculina; homem muito masculino tem alma feminina. Deve-se este contraste ao fato de o homem não ser plenamente viril em todas as coisas, mas possuir, em geral, certos traços femininos. Quanto mais viril sua atitude externa, mais suprimidos são os traços femininos; aparecem, então, no inconsciente. Isto explica por que homens bem masculinos estão sujeitos a certas fraquezas bem características; comportam-se para com as moções do inconsciente com a determinabilidade e impressionabilidade femininas. Por sua vez, as mulheres mais femininas apresentam quase sempre, em relação a certas coisas internas, uma ignorância, teimosia e obstinação tão grandes que só poderíamos encontrar na atitude externa do homem. São traços masculinos que, excluídos da atitude externa feminina, tornaram-se qualidades da alma. Se, com relação ao homem, falarmos de *anima*, deveríamos logicamente falar de *animus* com relação à mulher. Geralmente na atitude externa do homem predominam ou são consideradas ideais a lógica e a objetividade, nas mulheres predomina o sentimento. Na alma, porém, a situação se inverte: o homem sente e a mulher delibera. Por isso, o homem desespera mais facilmente, ao passo que a mulher ainda consegue consolar e ter esperança; por isso, há mais suicídios entre os homens do que entre as mulheres. Assim como a mulher pode ser muitas vezes vítima das cir- 759

cunstâncias sociais, por exemplo, da prostituição, o homem é vítima dos impulsos do inconsciente, do alcoolismo e outros vícios.

760 (885) No que se refere às qualidades humanas em geral, é possível deduzir o caráter da alma do caráter da *persona*. Tudo o que normalmente deveria estar na atitude externa, mas que ali falta ostensivamente, encontra-se com certeza na atitude interna. É uma regra básica que pude comprovar sempre de novo. Mas, no que se refere às qualidades individuais, nada é possível deduzir. A única coisa certa é que, sendo alguém idêntico à sua *persona*, as qualidades individuais estão associadas com a alma. Dessa associação provém o símbolo, frequente nos sonhos, da gravidez da alma que tem sua analogia na imagem primordial do nascimento do herói. A criança a ser parturida significa a individualidade ainda não consciente. Assim como a *persona*, na qualidade de expressão da adaptação ao meio ambiente, é normalmente muito influenciada e formada pelo meio ambiente, também a alma é moldada pelo inconsciente e suas qualidades. Assim como a *persona*, em ambiente primitivo, assume quase necessariamente traços primitivos, também a alma assume, por um lado, os traços arcaicos do inconsciente e, por outro, o caráter simbólico-prospectivo do inconsciente. Daí provém o caráter "de pressentimento" e "criador" da atitude interna.

761 (886) A identidade com a *persona* determina automaticamente uma identidade inconsciente com a alma, pois, quando o sujeito, o eu, é indistinto da *persona*, não tem relação consciente com os processos do inconsciente. Ele é esses processos, é idêntico a isso. Quem é seu próprio papel exterior também sucumbirá infalivelmente aos processos internos, isto é, há de contrariar, por absoluta necessidade, seu papel exterior, ou vai levá-lo ao absurdo (v. *enantiodromia*). Fica, assim, excluída qualquer afirmação da linha individual e a vida transcorre em meio a contradições inevitáveis. Neste caso, a alma é sempre projetada num objeto real e correspondente, estabelecendo-se com este um relacionamento de dependência quase absoluta. Todas as reações oriundas desse objeto têm efeito direto e que toca o íntimo do sujeito. Trata-se, muitas vezes, de vínculos trágicos (v. *imagem da alma*).

762 (752) *Anima, animus* (v. *alma, imagem da alma*).

763 (753) *Apercepção*. É um processo psíquico pelo qual se articula um novo conteúdo com conteúdos semelhantes e já existentes de

modo que se o considere entendido, apreendido ou claro[11]. Distinguimos uma apercepção *ativa* e uma *passiva;* a primeira é um processo mediante o qual o sujeito apreende conscientemente, por si mesmo e por motivação própria, um novo conteúdo e o assimila a outros conteúdos já à disposição; a outra é um processo pelo qual um novo conteúdo se impõe de fora (pelos sentidos) ou de dentro (a partir do inconsciente) à consciência, forçando, de certa forma, a atenção e a apreensão. No primeiro caso, o acento da atividade está no eu; no segundo, no novo conteúdo que força sua presença.

(754) *Arcaísmo.* Com este conceito designo o caráter de antiguidade dos conteúdos e funções psíquicos. Não se trata do arcaizante, isto é, da imitação das coisas antigas, como se vê, por exemplo, nas esculturas da época romana tardia ou no "gótico" do século XIX, mas de qualidades que têm o caráter de *relíquias.* Deveríamos qualificar como arcaicos todos os traços psicológicos que concordam, em essência, com as qualidades da mentalidade primitiva. É certo que o arcaísmo adere, em primeiro lugar, às fantasias do inconsciente, isto é, aos produtos da atividade fantasiadora inconsciente que alcançam a consciência. A qualidade da imagem é arcaica quando possui paralelos mitológicos óbvios[12]. Arcaicas são as associações de analogia da fantasia inconsciente e também o é seu simbolismo (v. *símbolo*). Arcaica é a relação de identidade com o objeto, a *participation mystique* (v.). Arcaico é o concretismo do pensamento e do sentimento. Arcaica é a compulsão e incapacidade de autodominar-se (o ser arrebatado). Arcaica é a fusão das funções psicológicas (v. *diferenciação*) entre si, por exemplo, pensamento e sentimento, sentimento e sensação, sentimento e intuição, também a fusão das partes de uma função (audição colorida), ambitendência e ambivalência (Bleuler), isto é, fusão com o oposto, por exemplo, sentimento e antissentimento. 764

(755) *Arquétipo*[13] (v. *imagem*). 765

---

11. Cf. WUNDT, W. *Grundzüge der physiologischen Psychologie*. Vol. I, op. cit., p. 322.

12. Cf. JUNG, C.G. *Símbolos da transformação* [OC, 5].

13. A estrutura arquetípica sempre esteve no centro das pesquisas de Jung. Mas a formulação definitiva do conceito só foi cunhada no decorrer do tempo. Cf. JUNG, C.G. *O eu e o inconsciente; As raízes da consciência;* entre outros.

766 (756) *Assimilação*. É a aproximação de um novo conteúdo da consciência de um material subjetivo que está à disposição[14], em que é ressaltada sobremodo a semelhança do novo conteúdo com o material subjetivo disponível, às vezes em detrimento da qualidade autônoma do novo conteúdo[15]. A assimilação é basicamente um processo de apercepção (v.) que se distingue, porém, da pura apercepção pelo elemento de aproximação do material subjetivo. Neste sentido, diz Wundt: "Este modo de formação (isto é, a assimilação) se apresenta mais evidentemente nas representações quando os elementos assimiladores surgem por reprodução e os assimilados, por uma impressão direta dos sentidos. Então os elementos de imagens recordadas são colocados, de certa forma, nos objetos exteriores de modo que, quando o objeto e os elementos reproduzidos diferirem muito entre si, a percepção plena dos sentidos surja como ilusão que nos engana sobre a verdadeira natureza das coisas"[16].

767 (757) Emprego assimilação em sentido algo mais amplo, ou seja, como adaptação do objeto ao sujeito em geral e lhe contraponho a *dissimilação* como adaptação do sujeito ao objeto e como alienação do sujeito de si mesmo em favor do objeto, seja objeto externo ou "psicológico", por exemplo, uma ideia.

768 (781) *Atitude*. Este conceito é aquisição relativamente nova da psicologia. Provém de Mueller e Schumann[17]. Enquanto Külpe[18] a define como predisposição dos centros sensórios ou motores para determinada excitação ou impulso constante, Ebbinghaus[19] a considera, em sentido mais amplo, como fenômeno de manobra que traz o habitual para dentro do rendimento individual que foge do habitual. Baseia-se no conceito de Ebbinghaus o uso que dele faremos. Entendemos a atitude como uma disposição da psique de agir ou reagir em certa direção. O conceito é muito importante, sobretudo para os fenômenos complexos da psique porque expressa aquele fenômeno

---

14. KANT, E. *Logik*. Vol. I, 1906, p. 20.

15. Cf. LIPPS, T. *Leitfaden der Psychologie*. 2. ed. Leipzig: [s.e.], 1906, p. 104.

16. WUNDT, W. *Grundzüge der physiologischen Psychologie*. Vol. III, op. cit., 1903, p. 529.

17. MUELLER, G.E. & SCHUMANN, F. Pflügers Archiv, 45, 1889, p. 37. Bonn.

18. KÜLPE, O. *Grundriss der Psychologie*. Leipzig: [s.e.], 1983, p. 44.

19. EBBINGHAUS, H. *Grundzüge der Psychologie*. Vol. I. Leipzig: [s.e.], 1905, p. 681s.

psicológico especial que certos estímulos provocam às vezes de forma muito forte e às vezes de modo bem fraco ou não o provocam de forma nenhuma. Ter atitude significa: estar pronto para algo determinado ainda que este algo seja inconsciente, pois ter atitude é o mesmo que direção apriorística para o determinado, quer seja ele representado ou não. A disposição, é assim que entendo a atitude, consiste sempre em que estejam presentes certa constelação subjetiva, certa combinação de fatores psíquicos ou conteúdos que determinem o agir nesta ou naquela direção prefixada, ou que concebam um estímulo externo desse ou daquele modo predeterminado. Sem atitude é impossível a *apercepção* (v.) ativa. A atitude sempre tem um ponto direcional que pode ser consciente ou inconsciente, pois uma combinação prévia de conteúdos ressaltará infalivelmente, no ato da apercepção de um novo conteúdo, aquelas qualidades ou momentos que parecem relevantes ao conteúdo subjetivo. Acontece, então, uma escolha ou um julgamento que exclui os elementos irrelevantes. O que é relevante ou irrelevante será decidido pela constelação ou combinação prévia dos conteúdos. Para a ação selecionadora da atitude não importa que o ponto direcional da atitude seja consciente ou inconsciente, porque a escolha já é feita *a priori* e, no mais, processa-se automaticamente. É muito prático que se distinga entre consciente e inconsciente, pois é frequente haver também duas atitudes: uma consciente e outra inconsciente. Isto significa que a consciência tem à sua disposição outros conteúdos que não os do inconsciente. Percebe-se claramente esta duplicidade na neurose.

769 (782) O conceito de atitude tem certa afinidade com o conceito de apercepção, de Wundt. Dele difere porque o conceito de apercepção inclui o processo da relação do conteúdo prévio com o conteúdo novo, a ser apercebido, ao passo que o conceito de atitude se refere exclusivamente ao conteúdo subjetivo prévio. A apercepção é de certa forma a ponte que liga o conteúdo, já presente e à disposição, ao conteúdo novo, enquanto a atitude representa de certa forma a pilastra de um lado, e o conteúdo a pilastra do outro lado da ponte. Atitude significa uma *expectativa*, e a expectativa sempre atua selecionando e direcionando. Um conteúdo bem acentuado e que se encontra no campo de visão da consciência forma (eventualmente com outros conteúdos) certa constelação que é sinônimo de uma atitude determinada, pois semelhante conteúdo da consciência fomenta a percep-

ção e apercepção de tudo o que é homogêneo e inibe as do heterogêneo. Dá origem à atitude correspondente. Este fenômeno automático é base essencial da unilateralidade da orientação consciente. Levaria a uma completa perda de equilíbrio se não houvesse na psique uma função autorreguladora, *compensadora* (v.) que corrigisse a atitude consciente. Neste sentido, a duplicidade da atitude é um fenômeno normal que só traz efeitos perniciosos quando a unilateralidade consciente é excessiva. Na qualidade de *atenção* comum, a atitude pode ser um fenômeno parcial relativamente insignificante ou também um princípio geral que determina a psique inteira. Por força da disposição ou da influência do ambiente, da educação, da experiência geral de vida ou da convicção pode existir habitualmente uma constelação de conteúdos que engendre de modo constante e até os mínimos detalhes uma certa atitude. Quem profundamente experimenta o desprazer da vida terá uma atitude que sempre espera o desprazer. Esta atitude consciente excessiva é compensada pela disposição inconsciente ao prazer. O oprimido tem uma atitude consciente para tudo o que poderia oprimi-lo, seleciona este momento na experiência e o fareja em toda parte; por isso sua atitude inconsciente abre-se para o poder e a superioridade.

770 (783) De acordo com a atitude habitual, também a psicologia toda do indivíduo é orientada de forma diferente em seus traços básicos. Ainda que as leis psicológicas em geral valham para todo indivíduo, não são características do indivíduo em si, pois seus efeitos são totalmente diferentes, dependendo da espécie da atitude geral. A atitude geral é sempre resultado de todos os fatores que podem influenciar essencialmente a psique, ou seja, da disposição hereditária, educação, influência ambiental, experiências de vida, das concepções e convicções adquiridas pela *diferenciação* (v.), das representações coletivas etc. Sem a decisiva e fundamental importância da atitude estaria fora de cogitação a existência de uma psicologia individual. Mas a atitude geral provoca deslocamentos tão grandes de forças e tais mudanças no relacionamento das funções singulares entre si que daí resultam efeitos globais que colocam muitas vezes em questão a validade das leis psicológicas gerais. Mesmo julgando, por exemplo, ser indispensável, por motivos fisiológicos e psicológicos, uma certa atividade da função sexual, há indivíduos que, sem prejuízo, isto é, sem

apresentar fenômenos patológicos ou sem que haja qualquer restrição à sua potência, renunciam a ela, ao passo que, em outros casos, até mesmo pequenas perturbações neste campo acarretam sérias consequências em geral. Quão poderosas são as diferenças individuais talvez o possamos ver melhor na questão do prazer e desprazer. Aqui todas as regras parecem falhar. O que existe que não tenha causado prazer ou desprazer ao homem, dependendo das circunstâncias? Cada instinto ou cada função pode subordinar-se a outras e lhes obedecer. O instinto do eu ou do poder podem colocar a seu serviço a sexualidade, ou a sexualidade explora o eu. O pensamento sufoca o restante ou o sentimento engole o pensamento e a sensação, tudo segundo a atitude.

771 (784) Basicamente a atitude é um fenômeno individual que foge da consideração científica. Mas na experiência é possível distinguir certos tipos de atitude na medida em que se podem distinguir também certas funções psíquicas. Quando uma função predomina habitualmente, surge uma atitude típica. De acordo com a natureza da função diferenciada, haverá constelações de conteúdos que geram uma atitude correspondente. Assim temos uma atitude típica dos tipos pensamento, sentimento, sensação e intuição. Além desses tipos de atitude, psicologicamente puros, cujo número talvez possa aumentar, existem também tipos sociais em que uma representação coletiva imprimiu seu selo. São caracterizados por diversos ismos. Essas atitudes coletivamente determinadas são muito importantes e, em certos casos, podem superar em importância a atitude individual pura.

772 (838) *Coletivo.* Denomino coletivos todos os conteúdos psíquicos que não são próprios de um, mas de muitos indivíduos ao mesmo tempo, ou seja, de uma sociedade, de um povo ou da humanidade. Estes conteúdos são as "representações místicas coletivas" (*représentations collectives*) dos primitivos, descritas por Lévy-Bruhl[20], bem como os *conceitos gerais,* usados pelas pessoas cultas, de direito, estado, religião, ciência etc. Mas não apenas os conceitos e concepções devem ser designados coletivos, mas também os *sentimentos.* Lévy-Bruhl mostra como, nos primitivos, as representações coletivas apresentam

20. LÉVY-BRUHI, L. *Les fonctions mentales dans le sociétés inférieures.* Paris: [s.e.], 1912, p. 27s.

ao mesmo tempo sentimentos coletivos. Por causa desse valor coletivo dos sentimentos, denomina as *représentations collectives* de *mystiques* porque essas representações não são apenas intelectuais, mas também emocionais[21]. Na pessoa culta misturam-se certos conceitos coletivos com sentimentos coletivos, por exemplo, com a ideia coletiva de Deus, direito ou pátria. O caráter coletivo não convém só a elementos ou conteúdos psíquicos particulares, mas também a *funções* (v.) por inteiro. Por exemplo, o pensamento como função global pode ter caráter coletivo enquanto for um pensamento de valor geral, de acordo com as leis da lógica. Também o sentimento pode ser coletivo em sua função toda, enquanto, por exemplo, for idêntico ao sentimento geral ou, em outras palavras, for idêntico às expectativas gerais, correspondendo, por exemplo, à consciência moral de todo mundo etc. Também são coletivos a sensação, o modo de perceber pelos sentidos ou a intuição que são peculiares a um maior grupo de pessoas. O contrário do coletivo é *individual* (v.).

773 (839) *Compensação.* Significa *equilibração* ou *substituição.* O conceito foi introduzido propriamente por A. Adler[22] na psicologia das neuroses[23]. Entende por compensação a equilibração funcional do sentimento de inferioridade por um sistema psicológico compensador, comparável ao desenvolvimento compensador de órgãos nas deficiências orgânicas. Diz Adler: "Com a separação do organismo materno começa, para esses órgãos e sistemas orgânicos deficientes, a luta com o mundo externo, luta essa que deve ocorrer e que será mais violenta do que se fosse normal o aparelho [...] Mas o caráter fetal fornece juntamente maior possibilidade de compensação e supercompensação, aumenta a capacidade de adaptação a obstáculos comuns e incomuns e garante a formação de novas e melhores formas, de novos e melhores rendimentos"[24]. O sentimento de inferioridade do neurótico que, segundo Adler, corresponde etiologicamente a uma deficiência orgânica, enseja uma "construção auxiliar"[25], ou seja,

---

21. Ibid., p. 28s.

22. ADLER, A. *Über den nervösen Charakter.* Wiesbaden: [s.e.], 1912.

23. Seguindo Anton, também Gross apresenta referências à teoria da compensação.

24. ADLER, A. *Studie über Minderwertigkeit von Organen.* Berlim/Viena: [s.e.], 1907, p. 73.

25. ADLER, A. *Über den nervösen Charakter.* Op. cit., p. 14.

uma compensação que consiste em produzir uma ficção capaz de equilibrar a inferioridade. A ficção ou "linha diretiva fictícia" é um sistema psicológico que procura transformar a inferioridade numa superioridade. Nesta concepção é significativa a existência, empiricamente inegável, de uma função compensadora no campo dos processos psicológicos. Corresponde, no campo fisiológico, a uma função semelhante ao autocomando ou autorregulação do organismo.

(840) Enquanto Adler limita seu conceito de compensação à equilibração do sentimento de inferioridade, considero-o em geral como equilibração funcional, como autorregulação do aparelho psíquico[26]. Neste sentido, considero a atividade do *inconsciente* (v.) como equilibração da unilateralidade da atitude geral, causada pela função da consciência. Os psicólogos gostam de comparar a consciência ao olho. Fala-se de um campo visual ou centro visual da consciência. Esta comparação caracteriza bem a natureza da função da consciência: só poucos conteúdos chegam ao mais alto grau de consciência e apenas reduzido número de conteúdos pode estar ao mesmo tempo no campo da consciência. A atividade da consciência é *selecionadora*. A seleção exige *direção*. E direção exige *exclusão de todo o irrelevante*. Disso resulta obviamente certa unilateralidade da orientação da consciência. Os conteúdos excluídos e inibidos pela direção escolhida caem, em princípio, sob o poder do inconsciente, mas, devido à sua existência efetiva, constituem contrapeso à orientação consciente, contrapeso que, ao aumentar a unilateralidade consciente, também cresce e conduz finalmente a uma tensão notória. Esta tensão significa certa inibição da atividade consciente que, no entanto, pode ser rompida por um acréscimo de esforço consciente. Mas, com o tempo, a tensão aumenta de tal forma que os conteúdos inconscientes inibidos se comunicam com a consciência, sobretudo por meio dos sonhos ou de imagens de "livre ascensão". Quanto maior a unilateralidade da atitude consciente, maior a oposição dos conteúdos que provêm do inconsciente, de modo que podemos falar de verdadeiro contraste entre consciência e inconsciente. Neste caso, a compensação se manifesta em forma de função contrastante. Este é

774

---

26. JUNG, C.G. *A importância do inconsciente na psicopatologia* [OC, 3].

um caso extremo. Em geral, a compensação pelo inconsciente não é um contraste, mas uma equilibração ou complementação da orientação consciente. O inconsciente dá, por exemplo, no sonho, todos os conteúdos constelados para a situação consciente, mas inibidos pela seleção consciente, cujo conhecimento seria indispensável para a consciência se adaptar plenamente.

775 (841) Em situação normal, a compensação é inconsciente, isto é, atua de forma inconscientemente reguladora sobre a atividade consciente. Na neurose, o inconsciente está em contraste tão forte com a consciência que a compensação fica prejudicada. Por isso, a terapia analítica procura uma conscientização dos conteúdos inconscientes para restabelecer a compensação.

776 (851) *Complexo de poder.* Termo pelo qual designo às vezes o complexo todo das representações e aspirações que têm a tendência de colocar o eu sobre as outras influências e a ele subordiná-las, quer provenham de pessoas e situações, quer de instintos, sentimentos e pensamentos subjetivos.

777 (842) *Concretismo.* Por este conceito entendo certa peculiaridade do *pensamento* e *sentimento* que representa o contrário de abstração. Concreto significa propriamente "crescido junto". Um conceito pensado concretamente é aquele que aparece intimamente ligado ou fusionado com outros conceitos. Tal conceito não é abstrato, separado e pensado em si, mas relacionado e misturado. Não é conceito diferenciado, mas ainda se encontra no material de observação, transmitido pelos sentidos. O pensamento concretista se movimenta dentro de conceitos e concepções exclusivamente concretos, está sempre relacionado com a sensação. De igual forma, o sentimento concretista nunca está separado de seu contexto sensorial.

778 (843) O pensamento e sentimento primitivos são exclusivamente concretistas, sempre relacionados com o sensual. O pensamento do primitivo não tem autonomia, mas adere ao fenômeno material. Eleva-se, no máximo, ao grau de analogia. Também o sentimento primitivo está sempre relacionado com o fenômeno material. O pensamento e o sentimento se baseiam na sensação, da qual pouco se diferenciam. O concretismo é, portanto, um *arcaísmo* (v.). A influência mágica do fetiche não é vivenciada como estado subjetivo de senti-

mento, mas sentida como efeito mágico. Isto é concretismo do sentimento. O primitivo não experimenta a ideia da divindade como conteúdo subjetivo, mas a árvore sagrada é a morada de Deus, o próprio Deus. Isto é concretismo do pensamento. Para o homem civilizado, o concretismo do pensamento consiste, por exemplo, na incapacidade de pensar algo diferente do que fatos transmitidos pelos sentidos e de evidência imediata, ou na incapacidade de distinguir o sentimento subjetivo do objeto do sentimento, dado pelos sentidos.

(844) O concretismo é um conceito que cai sob o conceito mais amplo de *"participação mística"* (v.). Assim como esta representa uma mistura do indivíduo com objetos externos, o concretismo representa uma mistura do pensamento e sentimento com a sensação. O concretismo determina que o objeto do pensamento e sentimento seja ao mesmo tempo um objeto da sensação. Esta mistura impede a diferenciação do pensamento e sentimento e mantém as duas funções na esfera da sensação, isto é, numa relação sensual, o que impede cheguem a funções puras e sempre fiquem na dependência da sensação. Disso nasce uma preponderância do fator sensorial na orientação psicológica (sobre a importância do fator sensual, v. *sensação* e *tipo*). 779

(845) A desvantagem do concretismo é a vinculação da função à sensação. Sendo a sensação percepção de estímulos psicológicos, o concretismo prende a função na esfera sensual ou sempre de novo a reconduz para lá. Isto causa uma vinculação sensual das funções psicológicas que impede a autonomia psíquica do indivíduo e favorece os fatos dados pelos sentidos. No que diz respeito ao reconhecimento dos fatos, esta orientação é valiosa, mas não o é no referente à *interpretação* dos fatos e à sua relação com o indivíduo. O concretismo produz uma superimportância dos fatos e, com isso, opressão da individualidade e de sua liberdade em favor do processo objetivo. Como o indivíduo não é apenas determinado por estímulos psicológicos, mas também por fatores que às vezes são contrários aos fatos externos, o concretismo projeta esses fatores internos nos fatos externos, ocasionando uma supervalorização quase supersticiosa do fato em si, como acontece com o primitivo. Bom exemplo é o concretismo do sentimento em Nietzsche e a supervalorização da dieta que daí resultou, bem como o materialismo de Moleschott ("O homem é o que come", cf. acima). Exemplo da supervalorização supersticiosa dos fatos é a hipóstase do conceito de energia no *monismo* de Ostwald. 780

781 (758) *Consciência.* Por consciência entendo a referência dos conteúdos psíquicos ao eu (v. *eu)* enquanto assim for entendida pelo eu[27]. Referências ao eu, enquanto não entendidas como tais pelo eu, são *inconscientes* (v.). A consciência é a função ou atividade[28] que mantém a relação dos conteúdos psíquicos com o eu. Consciência não é a mesma coisa que *psique,* pois a psique representa o conjunto de todos os conteúdos psíquicos; estes não estão todos necessariamente vinculados ao eu, isto é, relacionados de tal forma com o eu que lhes caiba a qualidade de conscientes. Existe uma boa quantidade de complexos psíquicos que não estão necessariamente vinculados ao eu[29].

782 (846) *Construtivo.* Emprego este conceito de forma semelhante ao de *sintético* e, de certa forma, para esclarecer melhor este. Pelos termos "construtivo" e "sintético" designo um método que está em oposição ao método redutivo. O método construtivo se refere à elaboração de produtos inconscientes (sonhos, fantasias). Parte do produto inconsciente como se fora uma expressão *simbólica* (v.) que antecipa uma fase do desenvolvimento psicológico[30]. Maeder fala neste sentido de uma *função propriamente prospectiva* do inconsciente que antecipa quase ludicamente o desenvolvimento psicológico futuro[31]. Também Adler reconhece uma função antecipadora do inconsciente[32]. É certo que o produto do inconsciente não pode ser considerado unilateralmente como algo realizado, uma espécie de produto acabado, caso contrário dever-se-ia negar-lhe qualquer sentido finalístico. O próprio Freud reconhece ao sonho o papel teleológico de ser, no mínimo, o "guardião do sono"[33], mas limita a função prospectiva es-

---

27. NATORP, P. *Einleitung in die Psychologie nach kritischer Methode.* Friburgo na Brisgóvia: [s.e.] 1888, p. 11. • LIPPS, T. *Leitfaden der Psychologie.* 3. ed. Leipzig: [s.e.], 1909, p. 3.

28. Cf. RIEHL, A. *Zur Einführung in die Philosophie der Gegenwart.* 4. ed. Leipzig/Berlim: [s.e.], 1913, p. 161, que considera a consciência tanto "atividade" quanto "processo".

29. JUNG, C.G. *A psicologia da Dementia Praecox* [OC, 3].

30. Exemplo detalhado disso em JUNG, C.G. *Zur Psychologie und Pathologie sogenannter occulter Phänomene* [OC, 1].

31. MAEDER, A. "Über das Traumproblem". *Jahrbuch für psychoanalytische und psychopathologische Forschungen,* V, p. 647.

32. ADLER, A. *Über den nervösen Charakter.* Op. cit.

33. FREUD, S. *Die Traumdeutung.* Viena: [s.e.], 1925 [OC, 2].

sencialmente a "desejos". Contudo, o caráter finalista das tendências inconscientes não pode ser negado *a priori,* se considerada a analogia com outras funções psicológicas ou fisiológicas. Consideramos, por isso, o produto do inconsciente como expressão orientada segundo um fim ou objetivo, mas que caracteriza o ponto diretivo em linguagem simbólica[34].

(847) Segundo esta concepção, o método construtivo de interpretação não se preocupa com as fontes ou elementos originais que estão na base do produto inconsciente, mas procura exprimir o produto simbólico de forma geral e compreensível[35]. As associações livres a propósito do produto inconsciente são consideradas mais no sentido de sua orientação finalista e não tanto sob o aspecto de sua procedência. São vistas sob o ângulo do fazer ou do deixar de fazer futuros; é cuidadosamente levada em conta sua relação com o estado atual da consciência, pois, segundo a concepção compensatória do inconsciente, a atividade do inconsciente tem um significado sobretudo de equilíbrio ou de complementação para a situação consciente. Como se trata de orientação prévia, a verdadeira relação com o objeto entra bem menos em questão do que no procedimento redutivo que se ocupa com relações objetais realmente acontecidas. Trata-se mais da atitude subjetiva em que o objeto significa apenas um indício das tendências do sujeito. A intenção do método construtivo é, pois, estabelecer um sentido do produto inconsciente em vista da atitude futura do sujeito. Uma vez que o inconsciente só consegue, em geral, criar expressões simbólicas, o método construtivo serve para esclarecer o sentido simbolicamente expresso, indicando à orientação consciente um modo de se posicionar corretamente para que o sujeito consiga a necessária unidade em seu agir com o inconsciente. 783

(848) Assim como nenhum método psicológico de interpretação se baseia exclusivamente no material associativo do analisando, o método construtivo também faz uso de certos materiais comparativos. Da mesma forma que o método redutivo usa certos paralelos biológicos, fisiológicos, folclóricos, literários e outros, também o tratamento construtivo de um problema intelectual recorre a paralelos 784

34. Silberer se exprime de forma semelhante na formulação do sentido *anagógico.* Cf. *Probleme der Mystik und ihrer Symbolik.* Viena/Leipzig: [s.e.], 1914, p. 149s.

35. JUNG, C.G. *Psicologia do inconsciente* [OC, 7/1].

fisiológicos e o tratamento de um problema de intuição recorre a paralelos mitológicos e da história das religiões.

785 (849) O método construtivo é forçosamente *individualista,* pois uma atitude coletiva futura só se desenvolve a partir do indivíduo. O método redutivo, ao contrário, é *coletivo,* pois a partir do caso individual retorna a atitudes ou fatos básicos em geral. O método construtivo pode ser aplicado também diretamente pelo sujeito a seus materiais subjetivos. Neste caso, é um método *intuitivo* visando à elaboração do sentido geral de um produto do inconsciente. Esta elaboração se faz pelo encadeamento *associativo* (portanto não ativamente *aperceptivo,* v.) de outros materiais que enriquecem e aprofundam de tal forma a expressão simbólica do inconsciente (por exemplo, o sonho) que alcança a clareza suficiente para a compreensão consciente. Com o enriquecimento da expressão simbólica é enredado em conexões mais gerais e, então, assimilado.

786 (778) *Diferenciação.* Significa o desenvolvimento de diferenças, a separação de partes de um todo. Neste meu trabalho, emprego o conceito de diferenciação sobretudo em vista das funções psicológicas. Enquanto alguma função ainda estiver fundida com uma ou outras mais funções, por exemplo, pensamento e sentimento ou sentimento e sensação etc., de modo a não poder manifestar-se autonomamente, está ela em estado *arcaico* (v.) e não está diferenciada, isto é, não é uma parte separada do todo e com vida própria. Um pensamento não diferenciado é incapaz de pensar separado de outras funções, isto é, sempre se misturam nele sensações, sentimentos ou intuições; um sentimento não diferenciado se mistura, por exemplo, com sensações e fantasias, como acontece na sexualização (Freud) do sentimento e do pensamento na neurose. Em geral, a função não diferenciada se caracteriza pela *ambivalência* e *ambitendência*[36], isto é, toda posição traz sua clara negação, o que acarreta inibições peculiares no uso das funções não diferenciadas. A função não diferenciada também está fundida em suas distintas partes; assim, por exemplo,

---

36. BLEULER, E. "Die negative Suggestibilität". *Psychiatrisch-neurologische Wochenschrif,* 6, 1904, p. 249-269. Halle. Cf. tb. "Zur Theorie des schizophrenen Negativismus". *Psychiatrisch-Neurologische Wochenschrift,* 12, 1910. Halle. Cf. *Lehrbuch der Psychiatrie.* Berlim: [s.e.], 1916, p. 92 e 285.

uma faculdade não diferenciada de sensação está viciada por misturar as diferentes esferas dos sentidos (audição colorida); um sentimento não diferenciado, por misturar amor e ódio. Enquanto uma função for totalmente, ou em sua maior parte, inconsciente, também será não diferenciada e estará fundida em suas partes e com outras funções. A diferenciação consiste em separar as funções umas das outras e seus elementos individuais uns dos outros. Sem diferenciação é impossível a direção, pois a direção de uma função, ou sua orientabilidade, consiste em separar e excluir o que é irrelevante. Pela fusão com coisas irrelevantes tornou-se impossível a orientabilidade: somente a função diferenciada prova ser *capaz de direção.*

(779) *Dissimilação* (v. *assimilação*). 787

(785) *Emoção* (v. *afeto*). 788

(780) *Empatia.* É uma *introjeção* (v.) do objeto. Para uma descrição mais pormenorizada desse conceito, cf. capítulo VII (cf. tb. *projeção*). 789

(793) *Enantiodromia.* Significa "correr em sentido contrário". Com este conceito se designa, na filosofia de Heráclito[37], o jogo de oposição no devir, ou seja, a concepção de que tudo o que existe se transforma em seu contrário. "O que vive morre, o que estava morto renasce; o que é jovem envelhece, o que é velho volta a ser jovem; o que está acordado dormirá, o que dorme acordará; a corrente da criação e da destruição não para jamais"[38]. "Pois criar e destruir, destruir e criar, esta é a norma que governa todos os ciclos da vida natural, desde o menor ao maior. O próprio cosmos que saiu do fogo primitivo voltará a ele – processo dúplice que se completa em períodos fixos, ainda que de tempos incomensuráveis, e volta a correr sempre de novo".[39] Esta é a enantiodromia de Heráclito segundo as palavras de intérpretes qualificados. Várias são as expressões do próprio Heráclito que atestam este ponto de vista. Diz ele: "A própria natureza procura o antagônico e dele tira a harmonia e não do idêntico". 790

37. STOBAEUS, J. Ecl. I, 60: εἱμαρμένην δὲ λόγον ἐκ τῆς ἐναντιοδρομίας δημιουργὸν τῶν ὄντων.

38. ZELLER, E. *Die Philosophie der Griechen in ihrer geschichtlichen Entwicklung.* Vol. I. 2. Tübingen: [s.e.], 1856-1868, p. 456.

39. GOMPERZ, T. *Griechische Denker* – Eine Geschichte der antiken Philosophie. 3. ed. Leipzig: [s.e.], 1911/1912, p. 53.

791 (794) "Ao nascer, eles se dispõem a viver e, por isso, a sofrer a morte".

792 (795) "Para as almas, morrer é tornar-se água, para a água é tornar-se terra. A terra torna-se água e a água se torna alma".

793 (796) "A troca ocorre alternadamente: o todo contra o fogo e o fogo contra o todo, assim como o ouro contra as mercadorias e as mercadorias contra o ouro".

794 (797) Aplicando psicologicamente seu princípio, diz Heráclito: "Tomara que nunca vos faltem riquezas, ó efésios, para que vossa depravação apareça à luz do dia"[40].

795 (798) Com o termo enantiodromia quero designar a oposição inconsciente no decorrer do tempo. Este fenômeno característico ocorre quase sempre onde uma direção extremamente unilateral domina a vida consciente de modo que se forma, com o tempo, uma contraposição inconsciente igualmente forte e que se manifesta, em primeiro lugar, na inibição do rendimento consciente e, depois, na interrupção da direção consciente. Bom exemplo de enantiodromia é a psicologia de São Paulo e sua conversão ao cristianismo, também a história da conversão de Raimundo Lulo, a identificação com Cristo do doentio Nietzsche, seu endeusamento de Wagner e sua hostilidade posterior contra ele, a transformação de Swedenborg de sábio em visionário etc.

796 (810) *Eu.* Entendo o "eu" como um complexo de representações que constitui para mim o centro de meu campo de consciência e que me parece ter grande continuidade e identidade consigo mesmo. Por isso, falo também de *complexo do* eu[41]. O complexo do eu é tanto um conteúdo quanto uma condição da *consciência* (v.), pois um elemento psíquico me é consciente enquanto estiver relacionado com o complexo do eu. Enquanto o eu for apenas o centro do meu campo consciente, não é idêntico ao todo de minha psique, mas apenas um complexo entre outros complexos. Por isso, distingo entre *eu* e *si-mesmo.* O eu é o sujeito apenas de minha consciência, mas o si-mesmo é o sujeito do meu todo, também da psique inconsciente. Neste sentido

---

40. DIELS, H. *Die Fragmente der Vorsokratiker*. Vol. I. 3. ed. Berlim: [s.e.], 1912, p. 79, 82, 85, 95, 102.

41. JUNG, C.G. *A psicologia da Dementia Praecox* [OC, 3].

o si-mesmo seria uma grandeza (ideal) que encerraria dentro dele o eu. O si-mesmo gosta de aparecer na fantasia inconsciente como personalidade superior ou ideal, assim como, por exemplo, o Fausto, de Goethe, e o Zaratustra, de Nietzsche. Por amor à idealidade, os traços arcaicos do si-mesmo foram apresentados como distintos do si-mesmo "superior": em Goethe, na forma de Mefisto; em Spitteler, na forma de Epimeteu; na psicologia cristã, como o demônio ou o anticristo; em Nietzsche, Zaratustra descobre sua sombra no "mais feio dos homens".

(799) *Extroversão.* É um voltar-se para fora da *libido* (v.). Com este conceito designo uma relação manifesta do sujeito para com o objeto no sentido de um movimento positivo do interesse subjetivo pelo objeto. Todo aquele que se encontra num estado extrovertido pensa, sente e age em relação ao objeto, e isto de maneira direta e externamente perceptível, de modo a não pairar dúvida sobre sua atitude positiva para com o objeto. Por isso, a extroversão é de certa forma uma transferência do interesse do sujeito para o objeto. Se a extroversão for intelectual, o sujeito pensa no objeto; se for sentimental, ele sente no objeto. No estado de extroversão há uma forte, ainda que não exclusiva, determinação pelo objeto. Fala-se de extroversão *ativa* quando ela é querida intencionalmente, e de extroversão *passiva* quando é forçada pelo objeto, isto é, quando o objeto atrai por própria conta o interesse do sujeito, eventualmente contra a vontade deste. 797

(800) Sendo habitual o estado de extroversão, temos o *tipo extrovertido* (v. *tipo*). 798

(858) *Fantasia.* Por fantasia entendo duas coisas distintas: o *fantasma* e a *atividade imaginativa.* Pelo contexto dá para perceber em qual sentido emprego a expressão fantasia em meus trabalhos. Por fantasia enquanto *fantasma* entendo um complexo de representações que se distingue de outros complexos de representações por não lhe corresponder externamente uma situação real. Ainda que uma fantasia possa ter sua origem em recordações de vivências realmente ocorridas, seu conteúdo não corresponde a nenhuma realidade externa, mas é essencialmente apenas o escoamento da atividade criadora do espírito, uma ativação ou produto da combinação de elementos psíquicos, dotados de energia. Na medida em que a energia psíquica pode estar sujeita a uma direção voluntária, também a fantasia pode ser produzida 799

consciente e voluntariamente, seja como todo ou, ao menos, em parte. No primeiro caso, nada mais é do que combinação de elementos conscientes. Mas este caso é uma experiência artificial e de valor apenas teórico. Na realidade da experiência psicológica do dia a dia, a fantasia é acionada por uma atitude intuitiva de expectativa ou é uma irrupção de conteúdos inconscientes na consciência.

800 (859) É possível distinguir fantasia *ativa* e *passiva*. A primeira é causada pela intuição, isto é, por uma atitude orientada para a percepção de conteúdos inconscientes, ocupando a libido imediatamente todos os elementos que emergem do inconsciente e, pela associação de materiais paralelos, faz com que cheguem à maior clareza e evidência. A segunda aparece logo de forma evidente, sem atitude intuitiva precedente ou concomitante do sujeito conhecedor que, aliás, permanece totalmente passivo. Estas fantasias integram os "automatismos" (Janet) psíquicos. Elas só podem ocorrer numa dissociação relativa da psique, pois seu aparecimento pressupõe que quantidade considerável de energia se tenha subtraído ao controle consciente e se apossado de materiais inconscientes. A visão de Saulo, por exemplo, supõe que ele, inconscientemente, já é cristão, mas não tinha consciência do fato. É provável que a fantasia passiva tenha sua origem num processo inconsciente e oposto à consciência, mas que reúne em si quase tanta energia quanto a atitude consciente e, por isso, é capaz de quebrar a resistência desta.

801 (860) A fantasia ativa, ao contrário, não deve sua existência unilateralmente a um processo inconsciente, intenso e contraditório, mas também à disposição da atitude consciente de assumir os indícios ou fragmentos de relações inconscientes e relativamente pouco acentuadas e, por meio de associação de elementos paralelos, apresentá-los numa forma visual plena. Não se trata, portanto, na fantasia ativa, necessariamente, de um estado de alma dissociado, mas, antes, de uma participação positiva da consciência.

802 (861) A forma passiva da fantasia traz muitas vezes o selo de doentia ou, ao menos, de anormal, ao passo que a forma ativa pertence, não raro, às atividades espirituais mais elevadas do homem, pois nela confluem a personalidade consciente e inconsciente do sujeito num produto comum e unificador. Semelhante fantasia pode ser a mais alta expressão da unidade de uma individualidade e pode, mesmo,

criar esta individualidade pela expressão perfeita de sua unidade (cf. para isso o conceito de Schiller de "disposição estética"). Em geral, a fantasia passiva não é a expressão de uma individualidade que chegou à unidade, pois pressupõe, como dissemos, forte dissociação que, por sua vez, só pode basear-se numa oposição igualmente forte entre consciência e inconsciente. A fantasia que provém desse estado e irrompe na consciência jamais poderá ser a expressão perfeita de uma individualidade una em si, mas representará sobretudo o ponto de vista da personalidade inconsciente. A vida de Paulo é bom exemplo disso: sua conversão à fé cristã correspondeu a uma aceitação de seu ponto de vista até então inconsciente e a uma repressão do ponto de vista até então anticristão que se manifestava em seus ataques histéricos. A fantasia passiva precisa sempre de uma *crítica* consciente, caso contrário fará valer sempre o ponto de vista unilateral da oposição inconsciente. A fantasia ativa, como produto, por um lado, de atitude consciente *não* oposta ao inconsciente e de processos inconscientes, por outro, e que se comporta em relação à consciência de forma compensadora, e não opositora, não precisa dessa crítica, mas apenas de *compreensão*.

(862) Como no sonho (que nada mais é do que fantasia passiva), também na fantasia há que distinguir um sentido *manifesto* e um *latente*. O primeiro decorre da contemplação imediata da imagem fantasiosa, do enunciado imediato do complexo fantasioso de representações. O sentido manifesto merece poucas vezes este nome, ainda que esteja sempre bem mais desenvolvido na fantasia do que no sonho, provavelmente porque a fantasia do sonho não precisa de energia especial para opor-se eficazmente à fraca resistência da consciência adormecida e, por isso, também as tendências com fraca oposição e só ligeiramente compensadoras podem atingir a percepção. Em estado de vigília, ao contrário, a fantasia precisa dispor de considerável energia para superar a inibição resultante da atitude consciente. A oposição inconsciente deve, pois, ser muito importante para penetrar na consciência. Se consistir apenas em indícios vagos e de difícil apreensão, jamais conseguirá atrair para si a atenção (a libido consciente) a ponto de interromper a continuidade dos conteúdos da consciência. O conteúdo inconsciente tem que depender de uma coesão interna muito forte que se traduz num sentido claramente manifesto. 803

804 (863) O sentido manifesto tem sempre caráter de um processo visual e concreto que, devido à sua irrealidade objetiva, não consegue satisfazer a exigência de compreensão da consciência. Por isso, há que procurar outro significado de fantasia, uma *interpretação* dela, um sentido latente. Ainda que a existência de um sentido latente não seja segura e nada impeça a contestação de sua possibilidade, a exigência de compreensão satisfatória é motivo suficiente para um estudo minucioso. Este estudo do sentido latente pode ser de natureza puramente *causal,* procurando saber as origens psicológicas da fantasia. Isto leva, por um lado, às causas remotas da fantasia, e, por outro, à constatação de forças instintivas que devem ser consideradas energeticamente responsáveis pelo aparecimento da fantasia. Freud, como se sabe, trabalhou muito nesta linha. Esta espécie de interpretação eu a denominei *redutiva.* A justificação desse modo de ver é bem fácil; também é compreensível que para um certo temperamento esta maneira de interpretar os fatos psicológicos contenha algo de satisfatório, dispensando a exigência de ulterior compreensão. Se alguém gritar por socorro, este fato se explica suficiente e satisfatoriamente quando se constata que este alguém está momentaneamente em perigo de vida. Se alguém sonha com mesa farta e se constata que, ao ir para a cama, estava com fome, esta explicação é satisfatória para o sonho que teve. Se alguém que reprime sua sensualidade, digamos um santo medieval, tem fantasias sexuais, isto se explica suficientemente pela redução à sexualidade reprimida.

805 (864) Mas se quisermos explicar a visão de Pedro por estar ele com fome e ter recebido, por isso, um convite do inconsciente para comer carne de animais impuros, ou porque o comer carne de animais impuros significava apenas a satisfação de um desejo proibido, então esta explicação tem muito pouco de satisfatório. Também não satisfaremos nossa exigência reduzindo a visão de Saulo à sua inveja reprimida do papel que Cristo desempenhava entre seus conterrâneos, motivo pelo qual se teria identificado com Cristo. Ambas as explicações podem conter algo de verdade, mas não têm relação alguma com a psicologia, historicamente determinada, de Pedro e Paulo. É uma explicação simples e simplória demais. Não se pode tratar a história universal como problema de fisiologia ou como crônica escandalosa das pessoas. Seria algo muito estreito. Temos que alargar nossa concepção do sentido latente da fantasia, primeiramente em seu

aspecto causal. Jamais explicaremos exaustivamente por ele a psicologia do invidíduo; é preciso saber também que sua psicologia individual é determinada pelas circunstâncias da época e saber como é determinada. Não se trata de um problema apenas fisiológico, biológico ou pessoal, mas também de um problema da época. Segue então que nenhum fato psicológico pode ser exaustivamente explicado apenas por sua causalidade; como fenômeno vivo está sempre umbilicalmente vinculado à continuidade do processo vital, de modo que é sempre algo realizado e também algo a se realizar, algo criador.

(865) O momento psicológico tem cara de Jano: olha para frente e para trás. Ao realizar-se, já prepara o futuro. Não fosse assim, a intenção, a finalidade, a colocação de objetivos, a premeditação e premonição seriam impossibilidades psicológicas. Quando alguém manifesta uma opinião e nós a relacionamos simplesmente com a opinião expressa antes por outra pessoa, esta explicação é praticamente inútil, pois, para compreendê-la, não queremos saber apenas a causa desse agir, mas também o que quis expressar com ela, qual o objetivo, qual sua intenção e qual a finalidade visada. Quando conhecemos tudo isso ficamos satisfeitos. Na vida quotidiana, introduzimos, sem pensar e quase instintivamente, um aspecto finalista nas explicações; consideramos decisivo justamente este aspecto e desprezamos o fator estritamente causal, reconhecendo, assim, instintivamente o elemento criativo em todo o psíquico. Se procedemos assim na vida quotidiana, então a psicologia científica tem que levar isto em consideração e não basear-se apenas no ponto de vista estritamente causal, emprestado das ciências naturais, mas também no aspecto finalista da psique. 806

(866) Se, portanto, a experiência quotidiana nos diz que a orientação finalista dos conteúdos da consciência é algo fora de dúvida, não há motivo para não admitirmos, até que a experiência mostre o contrário, que o mesmo se aplica aos conteúdos do inconsciente. De acordo com minha experiência, não há por que negar a orientação finalista dos conteúdos inconscientes; ao contrário, são mais frequentes os casos em que se consegue uma explicação mais satisfatória apenas aduzindo o aspecto finalista. Se considerarmos, por exemplo, a visão de Saulo sob o ângulo de sua missão universal e chegarmos à conclusão que era conscientemente um perseguidor dos cristãos, mas inconscientemente havia adotado o ponto de vista cristão e que se 807

tornara cristão pela preponderância e irrupção do inconsciente, porque sua personalidade inconsciente procurava este objetivo cuja importância e necessidade compreendia instintivamente, então me parece mais adequada esta explicação do significado desse evento do que a redução a motivos pessoais, mesmo que estes tenham contribuído de alguma forma, pois o "demasiadamente humano" não falta jamais em parte alguma. Também a explicação finalista da visão de Pedro, referida nos Atos dos Apóstolos, é bem mais satisfatória do que uma conjectura fisiológico-pessoal.

808 (867) Resumindo, podemos dizer que a fantasia deve ser entendida tanto causal quanto finalisticamente. À explicação causal ela aparece como *sintoma* de um estado fisiológico ou pessoal, resultado, por sua vez, de acontecimento anterior. À explicação finalista, porém, a fantasia se apresenta como *símbolo* que procura, com ajuda de materiais disponíveis, caracterizar ou apreender certo objetivo ou, melhor, certa linha de desenvolvimento psicológico futuro. Pelo fato de a fantasia ser a característica principal da atividade artística do espírito, o artista não é mero *apresentador,* mas *criador* e, por isso, *educador*, pois suas obras têm valor de símbolos que prefiguram as linhas do desenvolvimento futuro. A maior ou menor validade social dos símbolos depende da maior ou menor capacidade vital da individualidade criadora. Quanto mais anormal, isto é, menos capaz de vida for a individualidade, menor será a validade social dos símbolos por ela produzidos, ainda que sejam de importância absoluta para aquela individualidade.

809 (868) Só podemos negar a existência do sentido latente se defendermos também a opinião de que um processo natural não contenha qualquer sentido satisfatório. Mas a ciência natural extraiu o sentido do processo natural na forma de leis naturais. As leis naturais são hipóteses humanas, colocadas para explicar o processo natural. Mas só na medida em que se tem certeza de que a lei proposta coincide com o processo objetivo, temos o direito de falar de um sentido dos fenômenos naturais. Na medida, pois, em que conseguirmos demonstrar que a fantasia segue determinadas leis, também teremos o direito de falar de um sentido delas. Porém, o sentido encontrado só é satisfatório ou, em outras palavras, a comprovada conformidade às leis só merece este nome quando reproduzir adequadamente a essência da fantasia. Há uma conformidade às leis no processo natural e do pro-

cesso natural. É bastante conforme à lei que sonhemos quando dormimos; mas não é nenhuma lei que nos dirá algo sobre a natureza do sonho. É simples condição do sonho. A demonstração de uma fonte fisiológica da fantasia é mera condição de sua existência, mas nenhuma lei de sua essência. A lei da fantasia como fenômeno psicológico só pode ser uma lei psicológica.

(869) Chegamos, agora, ao segundo ponto de nossa explicação do conceito de fantasia, ou seja, ao conceito de *atividade imaginativa*. A imaginação é a atividade reprodutora ou criativa do espírito em geral, sem ser uma faculdade especial, pois se reflete em todas as formas básicas da vida psíquica: pensar, sentir, sensualizar e intuir. Para mim, a fantasia como atividade imaginativa é mera expressão direta da atividade psíquica, da energia psíquica que só é dada à consciência sob a forma de imagens ou conteúdos, assim como a energia física só pode manifestar-se como estado físico estimulando os órgãos sensoriais de modo físico. Assim como cada um dos estados físicos – energeticamente falando – nada mais é do que um sistema de força, também um conteúdo psíquico nada mais é – considerado energeticamente – do que um sistema de força manifestado à consciência. A partir deste ponto de vista, pode-se dizer, então, que a fantasia enquanto fantasma nada mais é do que determinada quantidade de libido que não pode manifestar-se à consciência a não ser na forma de imagem. O fantasma é uma *ideia-força*. O fantasiar enquanto atividade imaginativa é idêntico ao fluir do processo psíquico de energia. 810

(807) *Função* (v. tb. *função inferior*). Por função psicológica entendo uma certa forma psíquica de atividade que, em princípio, permanece idêntica sob condições diversas. Sob o ponto de vista energético, a função é uma forma de manifestação da *libido* (v.) que, sob condições diversas, permanece, em princípio, idêntica a si mesma; seria como a força física que pode ser considerada, de certo modo, a forma de manifestação da energia física. Distingo ao todo quatro funções básicas: duas racionais e duas irracionais, respectivamente, o pensamento e o sentimento, a sensação e a intuição. Não posso indicar um motivo *a priori* por que considero estas quatro como funções básicas. Só posso dizer que foi fruto de longos anos de experiência. Distingo essas funções entre si porque não podem ser relacionadas ou reduzidas umas às outras. O princípio do pensamento é, por 811

exemplo, absolutamente distinto do princípio do sentimento etc. Diferencio essas funções de antemão da fantasia porque o fantasiar me parece uma forma específica de atividade que pode apresentar-se em todas as quatro funções básicas. A vontade me parece um fenômeno psíquico totalmente secundário, bem como a atenção.

812 (852) *Função inferior.* Entendo por este conceito a função que, no processo de diferenciação, fica para trás. Mostra a experiência ser quase impossível – devido à adversidade das circunstâncias em geral – alguém desenvolver ao mesmo tempo todas as suas funções psicológicas. As próprias exigências sociais fazem com que a pessoa diferencie mais esta ou aquela função, porque é mais condizente com sua natureza, ou porque lhe fornece os meios mais úteis ao seu sucesso social. Muitas vezes ou quase sempre identificamo-nos mais ou menos plenamente com a função privilegiada e, por isso, a mais desenvolvida. Daí é que surgem os *tipos* (v.) psicológicos. Devido à unilateralidade desse processo evolutivo, uma ou mais funções são necessariamente relegadas em seu desenvolvimento. Podemos então chamá-las "inferiores", mas só no sentido psicológico, e não no sentido psicopatológico; pois estas funções que ficaram para trás não são doentias, apenas retardadas em vista da função principal. Como fenômeno, a função inferior é consciente, mas não reconhecida em sua verdadeira importância. Comporta-se como muitos conteúdos reprimidos ou insuficientemente considerados que são conscientes, por um lado, e inconscientes, por outro, como nos casos em que conhecemos determinada pessoa por sua aparência externa, mas não sabemos verdadeiramente quem é. Nos casos normais, a função permanece consciente, ao menos em seus efeitos; nas neuroses, porém, ela cai em parte ou em sua maior parte no inconsciente. Na medida em que toda a libido é dirigida para a função principal, a função inferior evolui regressivamente, isto é, volta para seus estágios arcaicos, tornando-se incompatível com a função consciente e principal. Quando uma função que normalmente deveria ser consciente cai no inconsciente, também nele cai a energia específica dessa função. Uma função natural como, por exemplo, o sentimento, possui uma energia que lhe advém da própria natureza; é um sistema vivo bem organizado que nunca será privado completamente de sua energia.

(853) Com a inconscientização da função inferior, seu resto de energia passa para o inconsciente e este é vivificado de modo não natural. Disso nascem fantasias que correspondem à função tornada arcaica. Só é possível uma libertação analítica da função inferior trazendo à tona as imagens inconscientes da fantasia que foram ativadas pela função tomada inconsciente. Pela conscientização dessas fantasias, a função inferior é novamente trazida à consciência e com possibilidade de desenvolvimento futuro. 813

(910) *Função transcendente*[42] (v. *símbolo*). 814

(811) *Ideia.* Neste trabalho emprego às vezes o conceito ideia para designar certo elemento psicológico que tem relação íntima com o que denomino *imagem* (v.). A imagem pode ser de procedência *pessoal* e *impessoal.* No último caso, é coletiva e caracteriza-se por qualidades mitológicas. Digo, então, que é imagem *primordial.* Se não tiver caráter mitológico, ou seja, não tiver qualidades evidentes e for apenas coletiva, então falo de ideia. Emprego, portanto, o termo ideia para expressar o significado de imagem primordial, significado que foi abstraído do concretismo da imagem. Enquanto abstração a ideia aparece como algo derivado de fatores elementares ou a partir deles desenvolvido, como produto do pensar. É neste sentido, de algo secundário e derivado, que a ideia é considerada por Wundt[43] e outros. 815

(812) Mas enquanto a ideia nada mais é do que o significado formulado de uma imagem primordial, na qual já foi representada *simbolicamente,* a essência da ideia não é algo derivado ou produzido, mas, psicologicamente falando, algo existente *a priori* como possibilidade de combinações de pensamentos em geral. Por isso, de acordo com a essência (e não com a formulação) a ideia é uma grandeza psicológica determinante e existente *a priori.* Nesta linha, segundo Platão, a ideia é a imagem primitiva das coisas; segundo Kant é a "imagem primitiva do uso da razão", um conceito transcendental que ultrapassa como tal os limites do experimentável[44], um conceito racional "cujo objeto não pode ser encontrado na experiência"[45]. Diz 816

---

42. Cf. JUNG, C.G. "A função transcendente" [OC, 8/2].

43. *Philosophische Studien*, VII, 13.

44. KANT, E. *Kritik der reinen Vernunft.* Halle: Kehrbach, 1878, p. 279s.

45. KANT, E. *Logik.* Op. cit., p. 140.

Kant: "Mesmo que devamos dizer dos conceitos transcendentais da razão que eles *são apenas ideias,* não podemos considerá-los supérfluos ou inúteis. Mesmo que por eles nenhum objeto possa ser determinado, podem, no fundo e imperceptivelmente, servir de *cânon* à razão em seu uso amplo e esclarecedor; e mesmo que, por isso, não reconheça outro objeto *além* dos que poderia reconhecer por seus conceitos, será conduzido melhor e mais longe nesse conhecimento. Sem falar de que talvez possibilitem uma passagem dos conceitos naturais para os práticos e possam proporcionar dessa maneira às próprias ideias morais postura e concatenação com os conhecimentos especulativos da razão"[46].

817 (813) Schopenhauer diz: "Entendo por ideia aquele grau fixo e determinado de objetivação da vontade enquanto coisa em si e, portanto, estranha à pluralidade, graus que se comportam, na verdade, para com as coisas particulares como suas formas eternas ou como seus protótipos"[47]. Para Schopenhauer, a ideia é coisa visual porque a concebe no mesmo sentido daquilo que eu chamo imagem primordial; é inacessível ao conhecimento do indivíduo, revela-se apenas ao "sujeito puro do conhecimento" que se elevou acima do querer e da individualidade[48].

818 (814) Hegel hipostasia totalmente a ideia e lhe concede o atributo de único ser real. Ela é "o conceito, a realidade do conceito e a unidade dos dois"[49]. Ela é "eterna geração"[50].

819 (815) Lasswitz diz que a ideia é uma 'lei que mostra a direção em que se deve desenvolver nossa experiência". É a "realidade suprema e mais segura"[51].

820 (816) Cohen afirma ser a ideia a "autoconsciência do conceito", o "fundamento" do ser[52].

---

46. KANT, E. *Kritik der reinen Vernunf*. Op. cit., p. 284.

47. SCHOPENHAUER, A. *Die Welt als Wille und Vorstellung*. Vol. 1. Leipzig: [s.e.], 1890/ 1891, § 25.

48. Ibid., § 49.

49. HEGEL, G.W.F. *Vorlesungen über die Ästhetik*. Vol. I. Stuttgart: [s.e.], 1927/ 1940, p. 138.

50. HEGEL, G.W.F. *Logik*. Stuttgart: [s.e.], 1927/1940, p. 242s.

51. LASSWITZ, K. *Wirklichkeiten*. Leipzig: [s.e.], 1900, p. 152, 154.

52. COHEN, H. *Logik der reinen Erkenntnis*. Berlim: [s.e.], 1902, p. 14, 18.

821 (817) Não pretendo trazer mais citações sobre a natureza primária da ideia. Bastam estas para mostrar que a ideia é concebida como grandeza fundamental e existente *a priori*. Esta última qualidade ela a deve a seu precursor, à *imagem* (v.) simbólica primordial. Sua natureza secundária de abstração e derivação ela a deve à elaboração racional à qual é submetida a imagem primordial para servir ao uso racional. A imagem primordial é uma grandeza psicológica, sempre e em toda parte autóctone. O mesmo pode-se dizer da ideia, ainda que, devido à sua natureza racional, esteja muito mais sujeita a modificações pela elaboração racional e formulações que correspondem às condições de lugar e ao espírito da época. Por causa de sua proveniência da imagem primordial, alguns filósofos lhe atribuem qualidades transcendentes; segundo penso, isto não convém à ideia, mas à imagem primordial que tem a qualidade de ser intemporal porque é dada como integrante do espírito humano sempre e em toda parte. Também sua qualidade de autonomia ela a tira da imagem primordial que jamais foi criada, mas está sempre presente, aparecendo na percepção tão espontaneamente que poderíamos dizer estar ela procurando por si mesma sua realização, porque o espírito a sente como potência ativa e determinante. Esta concepção não é geral, provavelmente é questão de atitude (cf. cap. VII).

822 (818) A ideia é uma grandeza psicológica que determina não só o pensamento, mas também (como ideia prática) o sentimento. Geralmente só emprego o termo ideia quando falo da determinação do pensar no tipo pensamento; também falaria de ideia na determinação do sentir no tipo sentimento. Por outro lado, é terminologicamente correto falar da determinação pela imagem primordial quando se trata da determinação apriorística de uma função não diferenciada. A dupla natureza da ideia, como algo primário e ao mesmo tempo secundário, faz com que o termo seja às vezes usado promiscuamente com "imagem primordial". Para a atitude introvertida, a ideia é o *primum movem* (primeiro motor) e para a extrovertida é um produto.

823 (821) *Identidade*. Falo de identidade no caso de uma igualdade psicológica. É sempre um fenômeno inconsciente, pois a igualdade consciente sempre pressuporia a consciência de duas coisas equivalentes e, por conseguinte, uma separação entre sujeito e objeto, o que suprimiria o fenômeno da identidade. A identidade psicológica pressupõe

sua inconsciência. É uma característica da mentalidade primitiva e o autêntico fundamento da "participação mística" que nada mais é do que o resíduo da primitiva indiferenciação psíquica entre sujeito e objeto, portanto, do estado inconsciente primordial; também é característica do estado de espírito da primeira infância e, finalmente, é característica do inconsciente do adulto civilizado que, na medida em que não se tiver tornado um conteúdo da consciência, fica em permanente estado de identidade com o objeto. Na identidade com os pais baseia-se a *identificação* (v.) com os pais; também nela se baseia a possibilidade da *projeção* e da *introjeção* (v.).

824 (822) Em primeiro lugar, a identidade é uma igualdade inconsciente com os objetos. Não é *nivelamento* nem identificação, mas um ser igual *a priori* que jamais foi objeto da consciência. Baseia-se na identidade a ingênua presunção que a psicologia de uma pessoa seja igual à de outra, que os mesmos motivos tenham validade geral, que o agradável para mim também o seja para os outros, que o imoral para mim também deva sê-lo para os outros etc. Também é responsável pela tendência muito difundida de querer corrigir nos outros o que deveria ser melhorado na própria pessoa. Nela se baseia também a possibilidade da sugestão e do contágio psíquico. A identidade se manifesta com especial evidência nos casos patológicos como, por exemplo, no delírio paranoico de relacionamento em que se pressupõe estarem nos outros os conteúdos subjetivos próprios. A identidade torna possível também um coletivismo consciente, uma atitude social consciente que teve sua expressão máxima no ideal cristão do amor do próximo.

825 (819) *Identificação.* Entende-se por identificação um processo psicológico de *dissimilação* (v. *assimilação*) parcial ou total da personalidade. Identificação é um alheamento do sujeito de si mesmo em favor de um objeto que ele, por assim dizer, assume. Por exemplo, identificação com o pai significa praticamente uma adoção dos modos do pai, como se o filho fosse igual ao pai e não uma individualidade distinta. Distingue-se da *imitação* por ser a identificação uma *imitação inconsciente,* ao passo que a imitação é um copiar consciente. A imitação é meio indispensável para a personalidade infantil ainda em desenvolvimento. É proveitosa se não for apenas suporte do comodismo e não impedir o desenvolvimento de um método individual adequado. Também a identificação pode ser proveitosa enquan-

to o caminho individual ainda não for trilhável. Mas quando surge melhor possibilidade individual, a identificação mostra seu caráter patológico ao ser, agora, tão impeditiva quanto o foi antes útil e proveitosa inconscientemente. Atua então dissociativamente porque o sujeito é partido em duas partes da personalidade, uma estranha à outra.

(820) A identificação não se refere sempre a pessoas, mas também a coisas (por exemplo, a um movimento espiritual, um negócio etc.) e a funções psicológicas. Este último caso é especialmente importante (cf. cap. II). Nele a identificação faz com que se forme um caráter secundário, levando o indivíduo a identificar-se de tal forma com sua função mais bem desenvolvida que ele se afasta muito ou totalmente de seu estado caracterológico original, caindo sua verdadeira individualidade em poder do inconsciente. Isto é praticamente regra em todas as pessoas com função diferenciada. Inclusive é ponto de passagem obrigatório para o caminho da individuação. A identificação com os pais e os familiares mais próximos é, em parte, fenômeno normal enquanto coincide com a *identidade familiar* existente *a priori*. Neste caso, recomenda-se não falar de identificação, mas de identidade, termo que exprime a situação real. A identificação com os familiares distingue-se da identidade por não ser um fato dado *a priori* e, sim, surgir secundariamente pelo processo seguinte: o indivíduo que se desenvolve a partir da identidade familiar original encontra, em seu processo de adaptação e evolução, dificuldades que não consegue superar sem mais; por causa disso surge um represamento da libido que, aos poucos, procura uma saída regressiva. A regressão faz reviver estados primitivos: a identidade familiar, entre outros. Esta identidade, regressivamente reavivada e já praticamente superada, é a identificação com os familiares. Toda identificação com pessoas segue este caminho. Sempre visa ao objetivo de conseguir uma vantagem, de remover um obstáculo ou de cumprir uma tarefa, imitando os outros. 826

(759) *Imagem*. Quando falo, neste livro, de imagem, não entendo o retrato psíquico do objeto exterior, mas uma representação imediata, oriunda da linguagem poética, ou seja, a *imagem da fantasia* que se relaciona indiretamente com a percepção do objeto externo. Esta imagem depende mais da atividade inconsciente da fantasia e, como produto dela, aparece mais ou menos abruptamente na cons- 827

ciência, como espécie de visão ou alucinação, mas sem o caráter patológico desta, isto é, sem fazer parte de um quadro clínico de doença. A imagem tem o caráter psicológico de uma representação da fantasia e nunca o caráter quase real da alucinação, isto é, nunca toma o lugar da realidade e sempre se distingue da realidade dos sentidos por ser uma imagem "interna". Em geral, não possui nenhuma projeção no espaço, salvo em casos excepcionais, quando também pode manifestar-se exteriormente. Esta forma de manifestação deve ser denominada *arcaica* (v.) se não for principalmente patológica, o que, porém, não suprime seu caráter arcaico. No grau primitivo, isto é, na mentalidade do primitivo, a imagem interna se transforma facilmente em visão ou alucinação auditiva no espaço, sem ser patológica.

828 (760) Ainda que geralmente não caiba à imagem um valor de realidade, pode, em certas circunstâncias, ter, para a experiência psíquica, um valor tanto maior, isto é, um valor psicológico enorme, como expressão de uma realidade "interna" que, às vezes, suplanta a importância da realidade "externa". Neste caso, o indivíduo não está orientado pela adaptação à realidade, mas pela adaptação à exigência interna.

829 (761) A imagem interna é uma grandeza complexa que se compõe dos mais diversos materiais e da mais diversa procedência. Não é um conglomerado, mas um produto homogêneo, com sentido próprio e autônomo. A imagem é uma *expressão concentrada da situação psíquica como um todo* e não simplesmente ou sobretudo dos conteúdos inconscientes. É certamente expressão de conteúdos inconscientes, não de todos os conteúdos em geral, mas apenas dos momentaneamente constelados. Esta constelação é o resultado da atividade espontânea do inconsciente, por um lado, e da situação momentânea da consciência, por outro, que sempre estimula a atividade dos materiais subliminares relevantes e inibe os irrelevantes. A imagem é, portanto, expressão da situação momentânea, tanto inconsciente quanto consciente. Não se pode, pois, interpretar seu sentido só a partir da consciência ou só do inconsciente, mas apenas a partir de sua relação recíproca.

830 (762) Qualifico a imagem como *primordial*[53] quando ela possui caráter *arcaico*. E só falo de caráter arcaico quando a imagem apresen-

---

53. Seguindo J. Burckhardt. Cf. JUNG, C.G. *Símbolos da transformação* [OC, 5].

ta uma concordância explícita com motivos mitológicos conhecidos. Neste caso, expressa, por um lado, sobretudo materiais derivados do *inconsciente coletivo* (v.) e, por outro, mostra que a situação momentânea da consciência é mais influenciada coletiva do que pessoalmente.

(763) A imagem *pessoal* não tem caráter arcaico e nem significação coletiva, mas traduz conteúdos do inconsciente pessoal e uma situação da consciência pessoalmente condicionada. 831

(764) A imagem primordial que também chamei de "arquétipo" é sempre coletiva, ou seja, é, no mínimo, comum a todos os povos e tempos. Provavelmente são comuns também a todas as raças e épocas os principais motivos mitológicos. Pude constatar a existência de uma série de motivos da mitologia grega nos sonhos e fantasias de negros de raça pura que sofriam de doenças psíquicas[54]. 832

(765) Do ponto de vista causal e científico-natural, podemos considerar a imagem primordial como sedimento mnêmico, um *engrama* (Semon) que surgiu da condensação de inúmeros processos semelhantes entre si. Neste sentido é um sedimento e, com isso, uma forma típica fundamental de certa experiência psíquica que sempre retorna. Na qualidade de motivo mitológico é uma expressão sempre ativa e que sempre retorna, evocando a experiência psíquica em questão ou formulando-a de maneira apropriada. Sob este aspecto, é expressão psíquica de uma disposição fisiológica e anatomicamente determinada. Assumindo alguém o ponto de vista de que uma estrutura anatômica determinada é produto de condições ambientais atuando sobre a matéria viva, então a imagem primordial, em sua ocorrência constante e universal, corresponde a uma influência externa igualmente universal e constante que, por isso, deve ter o caráter de lei natural. Dessa forma, poderíamos relacionar o mito com a natureza, por exemplo, os mitos solares com o nascer e o pôr do sol diários, bem como a mudança, perceptível aos sentidos, das estações do ano, o que realmente foi e é feito por muitos mitólogos. Mas isto não responde à pergunta por que então o sol, por exemplo, e suas aparentes transformações, não constituem direta e abertamente o conteúdo do mito. O fato de o sol, a lua ou os processos meteorológicos aparecerem, no mínimo, em forma alegórica, indica uma colaboração autô- 833

54. Exemplo típico de imagem arcaica em JUNG, C.G. *Símbolos da transformação*.

noma da psique que, neste caso, não pode ser mero produto ou estereótipo das condições ambientais. Donde lhe adviria a capacidade de buscar um ponto de vista fora da percepção sensorial? Donde lhe viria a faculdade de fazer algo mais ou algo diferente do que simplesmente corroborar o testemunho dos sentidos? Em face dessas perguntas, a teoria causal e científico-natural dos engramas, de Semon, já não satisfaz. Somos forçados a admitir que a estrutura cerebral dada não deve sua natureza peculiar apenas à influência das condições ambientais, mas também à qualidade peculiar e autônoma da matéria viva, isto é, a uma lei inerente à vida. A constituição dada do organismo é produto das condições externas, por um lado, e das condições inerentes ao vivente, por outro lado. Segue disso que a imagem primordial está sempre relacionada, por um lado, com certos processos da natureza, perceptíveis aos sentidos, em constante renovação e sempre atuantes e, por outro lado, também sempre relacionada com certas condições internas da vida do espírito e da vida em geral. O organismo confronta a luz com um novo órgão: o olho; o espírito confronta o processo da natureza com a imagem simbólica que o apreende tão bem quanto o olho apreende a luz. Assim como o olho é um testemunho da atividade criativa, específica e autônoma da matéria viva, também a imagem primordial é expressão da força criadora, única e incondicionada do espírito.

834 (766) A imagem primordial é, portanto, expressão condensada do processo vivo. Dá um sentido ordenado e coerente às percepções sensoriais e às percepções interiores do espírito que parecem, a princípio, desordenadas e incoerentes e liberta, assim, a energia psíquica da vinculação à pura e incompreendida percepção. Mas vincula, ao mesmo tempo, as energias liberadas pela percepção dos estímulos a um sentido determinado que dirige a ação dentro dos parâmetros condizentes com este sentido. Libera energia acumulada e sem aplicação, conduzindo o espírito para a natureza e dando uma forma espiritual ao instinto puramente natural.

835 (767) A imagem primordial é preâmbulo da *ideia* (v.), é sua terra-mãe. A partir dela, e após haver eliminado o *concretismo* (v.) peculiar e necessário à imagem primordial, a razão desenvolve um conceito – a ideia – que se distingue dos demais conceitos por não ser um dado da experiência, mas por ser um princípio que está na base de to-

das as experiências. Esta propriedade a ideia a recebe da imagem primordial que, enquanto expressão da estrutura cerebral específica, dá forma determinada a toda experiência.

(768) O grau de eficácia psicológica da imagem primordial é determinado pela atitude do indivíduo. Se for introvertida, grande ênfase será dada naturalmente ao objeto interno, ao pensamento, devido à retirada da libido do objeto externo. Segue disso um desenvolvimento particularmente intenso dos pensamentos dentro da linha traçada inconscientemente pela imagem primordial. Dessa forma, a imagem primordial se manifesta apenas indiretamente. A progressão desse desenvolvimento pensante conduz à ideia, que nada mais é do que a imagem primordial que chegou a formular um pensamento. Só o desenvolvimento da função contrária pode levar para além da ideia, isto é, uma vez apreendida intelectualmente, a ideia atuará sobre a vida. Ela atrai o sentimento que, neste caso, é bem menos diferenciado e, por isso, bem mais concreto do que o pensamento. O sentimento é impuro e, por ser indiferenciado, ainda está fusionado com o inconsciente. O indivíduo é incapaz de uni-lo à ideia. Neste caso, a imagem primordial aparece no campo visual interno como *símbolo* (v.) e, devido à sua natureza concreta, apreende o sentimento concreto, ainda indiferenciado; e devido à sua importância, apreende também a ideia, já que é sua mãe, e une ideia e sentimento. Desse modo a imagem primordial atua como mediadora e demonstra, uma vez mais, sua eficácia redentora que sempre possuiu nas religiões. Gostaria de aplicar à imagem primordial o que Schopenhauer disse da ideia pois, conforme já expliquei, não se deve considerar a ideia como algo totalmente apriorístico, mas também como derivada e elaborada a partir de algo. Portanto, nas palavras de Schopenhauer, a seguir, pediria ao leitor que substituísse no texto a palavra "ideia" pela de "imagem primordial" para que seja entendido o que pretendo dizer. 836

(769) "Pelo indivíduo como tal ela – a ideia – jamais será conhecida, somente o será por aquele que se posicionou acima de todo querer e de toda individualidade e se elevou a sujeito puro do conhecimento: portanto, só está ao alcance do gênio ou daquele que, motivado pelas obras do gênio, conseguiu elevar sua força de conhecimento puro para uma disposição de espírito genial: por isso não é absolutamente comunicável, mas apenas condicionalmente, pois a ideia 837

concebida e reproduzida na obra de arte (por exemplo) só apela a cada um segundo a medida de seu próprio valor intelectual" etc.

838 (770) "Devido à forma espaçotemporal de nossa apreensão intuitiva, a ideia é a unidade que se decompôs na multiplicidade".

839 (771) "O conceito se parece a um recipiente inanimado que guarda lado a lado o que nele colocamos e dele não podemos retirar mais do que colocamos: a ideia, ao contrário, desenvolve, naquele que a concebeu, representações que são novas em relação ao conceito do mesmo nome: ela se parece a um organismo vivo, que se desenvolve, e dotado de força geradora que produz o que nele não foi depositado"[55].

840 (772) Schopenhauer percebeu claramente que a "ideia", isto é, a imagem primordial, segundo minha definição, não pode ser atingida seguindo-se o mesmo caminho para produzir um conceito ou uma "ideia" ("ideia" no sentido de Kant, como um "conceito a partir de noções"[56]), mas que é preciso um elemento além da razão formuladora, ou, como diz Schopenhauer, a "disposição de espírito genial", o que significa nada mais do que um estado de sentimento. Da ideia só se chega à imagem primordial se o caminho que levou à ideia passar pelo ápice da ideia e alcançar a função contrária.

841 (773) A imagem primordial tem sobre a clareza da ideia a vantagem de ser viva. É um organismo de vida própria, "dotado de força geradora", pois é uma organização herdada da energia psíquica, sistema sólido que não é apenas expressão, mas também possibilidade do desencadear do processo energético. Caracteriza, por um lado, o modo como o processo energético sempre ocorreu desde as mais remotas eras e torna possível que continue ocorrendo regularmente, ao ensejar tal apreensão ou compreensão psíquica de situações, que a vida possa receber sua continuidade. Constitui, portanto, a necessária contrapartida do *instinto,* que é um agir teleológico, mas que pressupõe também uma apreensão sensória e teleológica da situação momentânea. Esta apreensão da situação dada é garantida pela imagem existente *a priori.* Representa a fórmula aplicável e sem a qual impossível seria a apreensão de uma nova situação.

---

55. SCHOPENHAUER, A. *Die Welt als Wille und Vorstellung.* Vol. I, op. cit., § 49.

56. KANT, E. *Kritik der reinen Vernunft.* Op. cit., p. 279.

(887) *Imagem da alma.* É um caso específico entre as *imagens* (v.) psíquicas que o inconsciente produz. Assim como a *persona*, a atitude externa, é representada nos sonhos por imagens de certas pessoas que possuem as qualidades correspondentes numa forma bem acentuada, também a alma, a atitude interna, é representada no inconsciente por certas pessoas que possuem as qualidades correspondentes à alma. Esta imagem chama-se imagem da alma. Às vezes são personagens totalmente desconhecidos ou mitológicos. Nos homens, normalmente, a alma é apresentada pelo inconsciente como pessoa feminina; nas mulheres, como masculina. Nos casos em que a individualidade é inconsciente e, por isso, associada com a alma, a imagem da alma tem o mesmo caráter sexual. Em todos os casos em que há identidade com a *persona* (v. *alma*) e, portanto, a alma é inconsciente, a imagem da alma é transferida para uma pessoa real. Esta pessoa é objeto de amor intenso ou de ódio intenso (ou também de medo). As influências dessa pessoa têm caráter imediato e absolutamente obrigatório porque sempre recebem resposta afetiva. O afeto provém do fato de ser impossível uma verdadeira adaptação consciente ao objeto que representa a imagem da alma. Devido à impossibilidade e não existência de uma relação objetiva, a libido fica represada e explode numa descarga afetiva. Os afetos sempre ocorrem onde falham as adaptações. Uma adaptação consciente ao objeto que representa a imagem da alma é impossível exatamente porque a alma é inconsciente para o sujeito. Se lhe fosse consciente, poderia distingui-la do objeto e neutralizar os efeitos imediatos do objeto, pois estes provêm da projeção da imagem da alma sobre o objeto[57]. 842

(888) Para o homem, o portador mais adequado da imagem da alma é a mulher, por causa das qualidades femininas de sua alma e, para a mulher, é o homem. Sempre que houver uma relação absoluta, de efeito mágico, por assim dizer, entre os sexos, trata-se de projeção da imagem da alma. Sendo frequentes essas relações, também a alma tem que ser muitas vezes inconsciente, isto é, muitas pessoas não tomam consciência do modo como se comportam para com os processos psíquicos internos. E pelo fato de essa inconsciência vir sempre acompanhada de uma total identificação com a *persona*, esta identifi- 843

57. Cf. JUNG, C.G. "A psicologia da transferência" [OC, 16/2].

cação tem que ser muito frequente. Realmente, muitas pessoas se identificam tanto com sua atitude externa que já não têm relação consciente alguma com os processos internos. Mas também pode acontecer o contrário: que a imagem da alma não seja projetada, mas permaneça no sujeito. Disso resulta tal identificação com a alma que o sujeito se convence de que o modo como se comporta em relação aos processos internos seja também seu único e real caráter. Devido à sua inconsciência, a *persona*, neste caso, é projetada e, além disso, sobre um objeto do mesmo sexo – o que explica muitos casos de homossexualidade aberta ou latente, ou de transferências de pai, nos homens, e transferências de mãe, nas mulheres. Esses casos acontecem sempre com pessoas com adaptação exterior deficiente e com relativa falta de relacionamento, pois a identificação com a alma cria uma atitude que se orienta principalmente pela percepção de processos internos – o que retira do objeto a influência determinante.

844 (889) Sempre que a imagem da alma é projetada, surge uma vinculação afetiva absoluta com o objeto. Se não for projetada, cria-se um estado de relativa inadaptação que Freud descreveu em parte como *narcisismo*. A projeção da imagem da alma faz com que a gente não se preocupe com os processos internos enquanto o comportamento do objeto coincidir com a imagem da alma. E, assim, o sujeito está em condições de viver sua *persona* e desenvolvê-la. Mas, com o tempo, o objeto terá pouca possibilidade de corresponder sempre às exigências da imagem da alma, ainda que haja mulheres que, sacrificando sua prórpia vida, conseguem ser para seus maridos a imagem da alma por todo o sempre. Ajuda-as neste particular o instinto biológico feminino. O mesmo pode o homem fazer inconscientemente por sua mulher, mas é levado a atos que ultrapassam suas capacidades, tanto no bem como no mal. Também ele é ajudado por seu instinto biológico masculino.

845 (890) Se a imagem da alma não for projetada, surge, com o tempo, uma diferenciação mórbida na relação com o inconsciente. O sujeito é inundado cada vez mais pelos conteúdos inconscientes que, devido à falta de relação com o objeto, não consegue valorizar e nem empregar de outra maneira qualquer. É natural que esses conteúdos prejudiquem em muito a relação com o objeto. Essas duas atitudes são casos extremos entre os quais estão as atitudes normais. Como se

sabe, o normal não se distingue por uma clareza, pureza ou profundidade especiais de seus fenômenos psicológicos, mas antes por uma obstrução e confusão geral deles. Em pessoas com atitude externa benevolente e não agressiva, a imagem da alma tem normalmente caráter malévolo. Exemplo literário disso é a mulher demoníaca que acompanha Zeus em *A primavera do Olimpo*, de Spitteler. Muitas vezes o homem depravado é uma encarnação da imagem da alma para a mulher idealista, daí as "fantasias de salvação" tão frequentes nesses casos; o mesmo se dá com homens que veem as prostitutas com auréola de almas necessitadas de salvação.

846 (823) *Imaginação* (v. *fantasia*).

847 (915) *Inconsciente*. Para mim este conceito é *exclusivamente psicológico* e não filosófico, no sentido metafísico. É um conceito-limite psicológico que abrange todos os conteúdos ou processos psíquicos que não são conscientes, isto é, que não estão relacionados com o eu de modo perceptível. A justificação para falar da existência de processos inconscientes deriva, para mim, única e exclusivamente, da experiência, e sobretudo da experiência psicopatológica onde vemos claramente que num caso de amnésia histérica, por exemplo, o eu nada sabe da existência de complexos psíquicos difusos, mas que um simples procedimento hipnótico consegue, de um momento para outro, reproduzir plenamente o conteúdo perdido. Centenas de experiências desse tipo nos dão o direito de falar da existência de conteúdos psíquicos inconscientes. A questão de saber em que estado se encontra um conteúdo inconsciente enquanto não integrado à consciência escapa de qualquer possibilidade compreensiva. É inútil, portanto, fazer suposições a respeito. Dessas fantasias faz parte, por exemplo, a suposição da cerebração, do processo fisiológico etc. Também impossível é fixar a abrangência do inconsciente, isto é, saber quais conteúdos nele se contêm. Sobre isso decide apenas a experiência. Através da experiência sabemos, por exemplo, que conteúdos conscientes podem tornar-se inconscientes por causa da perda de seu valor energético. Sabemos pela experiência que esses conteúdos que estão abaixo do limiar da consciência não desaparecem simplesmente e que, oportunamente, mesmo após decênios, podem emergir das profundezas, verificando-se alguma circunstância favorável como,

por exemplo, o sonho, a hipnose, a criptomnésia[58] ou um reavivamento de associações com o conteúdo esquecido.

848 (916) Ensina também a experiência que conteúdos conscientes podem cair abaixo do limiar da consciência sem grande perda de valor através de um esquecimento intencional – o que Freud chama *repressão* de um conteúdo desagradável. Efeito semelhante ocorre pela dissociação da personalidade, isto é, uma dissolução da unidade da consciência devido a afeto violento ou choque nervoso, ou por desintegração da personalidade na esquizofrenia (Bleuler).

849 (917) Pela experiência sabemos também que as percepções dos sentidos, devido à sua fraca intensidade ou desvio de atenção, não chegam a uma apercepção consciente, mas tornam-se conteúdos psíquicos pela apercepção inconsciente, o que pode ser demonstrado novamente pela hipnose, por exemplo. O mesmo pode acontecer com certas conclusões ou outras combinações que ficam inconscientes, devido ao valor muito pequeno ou ao desvio de atenção. Finalmente, a experiência nos ensina que existem conexões psíquicas inconscientes como, por exemplo, imagens mitológicas que nunca foram objeto da consciência, sendo produto exclusivo da atividade inconsciente.

850 (918) Vemos que a experiência nos dá pontos de apoio para aceitar a existência de conteúdos inconscientes. Mas nada sabe dizer sobre o que poderia ser *possivelmente* um conteúdo inconsciente. É perda de tempo fazer suposições, pois é ilimitado o âmbito de tudo o que pode ser conteúdo inconsciente. Qual é o limite inferior de uma percepção subliminal dos sentidos? Existe algum modo de dimensionar a sutileza ou alcance das combinações inconscientes? Quando um conteúdo esquecido está totalmente apagado? Essas perguntas não têm respostas.

851 (919) Contudo, nossa experiência até aqui sobre a natureza dos conteúdos inconscientes nos permite certa classificação geral dos mesmos. Podemos distinguir um inconsciente *pessoal* que engloba todas as aquisições da existência pessoal: o esquecido, o reprimido, o subli-

58. Cf. FLOURNOY, T. *Des Indes à la Planète Mars*. Op. cit., 1900. Cf. tb. "Nouvelles Observations sur un cas de Somnambulisme avec Glossolalie". *Archives de Psychologie*, I, 1901, p. 101s. Genebra. • JUNG, C.G. *Zur Psychologie und Pathologie sogenannter occulter Phänomene* e mais o artigo sobre Criptomnésia [ambos em OC, 1].

minalmente percebido, pensado e sentido. Ao lado desses conteúdos inconscientes pessoais, há outros conteúdos que não provêm das aquisições pessoais, mas da possibilidade hereditária do funcionamento psíquico em geral, ou seja, da estrutura cerebral herdada. São as conexões mitológicas, os motivos e imagens que podem nascer de novo, a qualquer tempo e lugar, sem tradição ou migração históricas. Denomino esses conteúdos de *inconsciente coletivo*. Assim como os conteúdos conscientes, também os inconscientes estão engajados numa certa atividade, conforme nos mostra a experiência. Assim como provêm certos resultados ou produtos da atividade psíquica consciente, também nascem produtos da atividade inconsciente, por exemplo, sonhos e fantasias. É inútil especular, por exemplo, sobre qual a participação da consciência nos sonhos. Um sonho se nos apresenta, não o criamos conscientemente. Certamente a reprodução consciente ou mesmo a simples percepção mudam muita coisa nele, mas sem acabar com o fato básico da moção produtiva de proveniência inconsciente.

852 (920) Podemos chamar de *compensador* (v.) o relacionamento funcional dos processos inconscientes com a consciência porque, de acordo com a experiência, o processo inconsciente traz à luz o material subliminal constelado pela situação da consciência, portanto, todos aqueles conteúdos que não poderiam faltar no cenário consciente, se tudo fosse consciente. A função compensatória do inconsciente se manifesta com tanto maior clareza quanto mais unilateral for a atitude consciente; e disso dá muitos exemplos a patologia.

853 (825) *Individuação*. O conceito de individuação desempenha papel não pequeno em nossa psicologia. A individuação, em geral, é o processo de formação e particularização do ser individual e, em especial, é o desenvolvimento do indivíduo psicológico como ser distinto do conjunto, da psicologia coletiva. É, portanto, um *processo de diferenciação* que objetiva o desenvolvimento da personalidade individual. É uma necessidade natural; e uma coibição dela por meio de regulamentos, preponderante ou até exclusivamente de ordem coletiva, traria prejuízos para a atividade vital do indivíduo. A individualidade já é dada física e fisiologicamente e daí decorre sua manifestação psicológica correspondente. Colocar-lhe sérios obstáculos significa uma deformação artificial. É óbvio que um grupo social constituí-

do de indivíduos deformados não pode ser uma instituição saudável e capaz de sobreviver por muito tempo, pois só a sociedade que consegue preservar sua coesão interna e seus valores coletivos, num máximo de liberdade do indivíduo, tem direito à vitalidade duradoura. Uma vez que o indivíduo não é um ser único, mas pressupõe também um relacionamento coletivo para sua existência, também o processo de individuação não leva ao *isolamento,* mas a um relacionamento coletivo mais intenso e mais abrangente.

854 (826) O processo psicológico da individuação está intimamente vinculado à assim chamada *função transcendente,* porque ela traça as linhas de desenvolvimento individual que não poderiam ser adquiridas pelos caminhos prescritos pelas normas coletivas (v. *símbolo*).

855 (827) Em hipótese alguma, pode a individuação ser o único objetivo da educação psicológica. Antes de tomá-la como objetivo é preciso que tenha sido alcançada a finalidade educativa de adaptação ao mínimo necessário de normas coletivas: a planta que deve atingir o máximo desenvolvimento de sua natureza específica deve, em primeiro lugar, poder crescer no chão em que foi plantada.

856 (828) A individuação está sempre em maior ou menor oposição à norma coletiva, pois é separação e diferenciação do geral e formação do peculiar, não uma peculiaridade *procurada,* mas que já se encontra fundamentada *a priori* na disposição natural do sujeito. Esta oposição, no entanto, é aparente; exame mais acurado mostra que o ponto de vista individual não está orientado *contra* a norma coletiva, mas apenas de *outro modo.* Também o caminho individual não pode ser propriamente uma oposição à norma coletiva pois, em última análise, a oposição só poderia ser uma *norma* antagônica. E o caminho individual jamais é uma norma. A norma surge da totalidade de caminhos individuais, só tendo direito a existir e atuar em prol da vida se houver caminhos individuais que, de tempos em tempos, queiram orientar-se por ela. A norma de nada serve se tiver valor absoluto. Só acontece um verdadeiro conflito com a norma coletiva quando um caminho individual é elevado à norma, o que é a intenção última do individualismo extremo. Esta intenção é obviamente patológica e contrária à vida. Consequentemente, nada tem a ver com individuação que, sem dúvida, toma seu próprio caminho lateral, mas que, por isso mesmo, precisa da norma para sua orientação perante a socieda-

de e para estabelecer o necessário relacionamento dos indivíduos na sociedade. A individuação leva, pois, a uma valorização natural das normas coletivas; mas se a orientação vital for exclusivamente coletiva, a norma é supérflua, acabando-se a própria moralidade. *Quanto maior a regulamentação coletiva do homem, maior sua imoralidade individual.* A individuação coincide com o desenvolvimento da consciência que sai de um *estado primitivo de identidade* (v.). Significa um alargamento da esfera da consciência e da vida psicológica consciente.

857 (824) *Individualidade.* Entendo por individualidade a originalidade e peculiaridade do indivíduo sob todo e qualquer aspecto psicológico. Individual é tudo que não é coletivo, o que, portanto, só pertence a um e não a um grupo maior de indivíduos. Dificilmente poderíamos falar dos elementos psíquicos da individualidade, mas só de seu grupamento e combinação próprios e específicos.

858 (829) *Indivíduo.* Indivíduo é um ser por si só. Caracteriza-se o indivíduo psicológico por sua psicologia peculiar e, em certo aspecto, única. A peculiaridade da psique individual aparece menos em seus elementos do que em suas formações complexas. O indivíduo (psicológico) ou a individualidade psicológica existem inconscientemente *a priori,* mas conscientemente só enquanto houver uma consciência de sua natureza peculiar, isto é, enquanto houver uma distinção consciente em relação a outros indivíduos. A individualidade psíquica é dada correlatamente com a individualidade física, mas, como dissemos, de forma inconsciente. Necessário se faz um processo consciente de diferenciação, de *individuação* (v.), para tornar consciente a individualidade, isto é, extraí-la da identidade com o objeto. A identidade da individualidade com o objeto é sinônimo de sua inconsciência. Sendo inconsciente a individualidade, não há indivíduo psicológico, mas apenas psicologia coletiva da consciência. Neste caso, a individualidade inconsciente se manifesta como idêntica ao objeto e projetada sobre ele. Por isso, o objeto tem valor exagerado e sua influência determinante é poderosa demais.

859 (911) *Instinto.* Quando falo, nesse ou em outros trabalhos meus, de instinto, entendo o mesmo que comumente se entende por essa palavra: uma *coação* para certas atividades. A coação pode vir de estímulos internos ou externos que soltam o mecanismo psíquico do instinto ou de fatores orgânicos que estão fora da esfera das relações psí-

quicas de causalidade. *Instinto* é todo fenômeno psíquico que ocorre sem a participação intencional da vontade, mas por simples coação dinâmica, podendo esta nascer diretamente de fonte orgânica, portanto extrapsíquica, ou ser condicionada essencialmente por energias simplesmente liberadas pela intenção voluntária, e, neste caso, com a restrição de que o resultado obtido ultrapasse o efeito intencionado pela vontade. Sob o conceito instinto estão, a meu ver, todos os processos psíquicos cuja energia a consciência não controla[59]. Segundo esta concepção, os *afetos* (v.) são tanto processos instintivos quanto processos sentimentais (v. *sentimento*). Processos psíquicos que, em circunstâncias usuais, são funções da vontade (isto é, submetidos totalmente ao controle da consciência), podem vir a ser, em circunstâncias anormais, processos instintivos quando se lhes fornece energia inconsciente. Este fenômeno ocorre sempre que a esfera da consciência é restringida pela repressão de conteúdos incompatíveis ou quando, por causa de fadiga, sobrevêm intoxicações ou processos cerebrais patológicos em geral, um *abaissement du niveau mental* (Janet), quando, pois, em uma palavra, a consciência já não controla ou ainda não controla os processos mais acentuados.

860 (912) Não gostaria de denominar instintivos, mas automáticos, aqueles processos que uma vez foram conscientes num indivíduo e que se *automatizaram* com o tempo. Normalmente também não se comportam como instintivos porque, em circunstâncias normais, nunca aparecem como coações. Só o fazem quando lhes advém uma energia estranha.

861 (830) *Intelecto*. Chamo intelecto o *pensamento dirigido* (v.).

862 (831) *Introjeção*. Este termo foi introduzido por Avenarius[60] como correspondente de *projeção*. Mas a *transferência* de um conteúdo subjetivo para um objeto é igualmente bem expressa pelo conceito de projeção, de modo que seria conveniente manter o termo "projeção" para este processo. Ferenczi definiu o conceito de introjeção como contrário de "projeção", ou seja, como inclusão do objeto no campo subjetivo de interesses, enquanto "projeção" significaria uma transferência de conteú-

59. Cf. JUNG, C.G. "Instinto e inconsciente", em *A natureza da psique* [OC, 8/2].

60. AVENARIUS, R. *Der menschliche Weltbegriff*. Leipzig: [s.e.], 1905, p. 25s.

dos subjetivos para fora do objeto[61]. "Enquanto o paranoico desloca para fora do eu todas as emoções desagradáveis, o neurótico acolhe no eu o máximo que puder do mundo exterior e o transforma em objeto de fantasias inconscientes". O primeiro mecanismo é projeção, o segundo introjeção. A introjeção é uma espécie de "processo de diluição", uma "expansão do círculo de interesses". Ferenczi também considera a introjeção como um processo normal.

(832) Psicologicamente, a introjeção é portanto um *processo de assimilação* (v.) e a projeção um processo de dissimilação. A introjeção supõe uma assimilação do objeto pelo sujeito; a projeção, ao contrário, supõe uma diferenciação entre objeto e sujeito, devido a um conteúdo subjetivo transferido para o objeto. A introjeção é um processo de extroversão porque necessita para a assimilação do objeto uma empatia, uma ocupação total do objeto. Pode-se distinguir uma introjeção *passiva* e uma *ativa*. Incluem-se na primeira forma os processos de transferência no tratamento das neuroses, principalmente nos casos em que o objeto exerce atração absoluta sobre o sujeito. Na segunda forma está a empatia como processo de adaptação. 863

(833) *Introversão*. Chamo introversão o voltar-se para dentro da *libido* (v.). Expressa isso uma relação negativa entre sujeito e objeto. O interesse não se dirige para o objeto, mas dele se retrai e vai para o sujeito. Quem possui uma atitude introvertida pensa, sente e age de modo a deixar transparecer claramente que o motivador é o sujeito, enquanto o objeto recebe valor apenas secundário. A introversão pode ter um caráter mais intelectual ou mais sentimental; pode ser ainda caracterizada pela intuição ou pela sensação. A introversão é *ativa* quando o sujeito *quer* um isolamento em relação ao objeto, e *passiva* quando o sujeito não consegue reintegrar no objeto a libido que dele reflui. Se a atitude introvertida é habitual, podemos falar de tipo introvertido (v. *tipo*). 864

(834) *Intuição* (vem de intueri = olhar para dentro). Segundo meu ponto de vista é uma função psicológica básica (v. *função*). É a função psicológica que transmite a percepção *por via inconsciente*. 865

61. FERENCZI, S. "Introjektion und Übertragung". *Jahrbuch für psychoanalytische und psychopathologische Forschungen*. 1910, p. 10s. Viena.

Tudo pode ser objeto dessa percepção, coisas internas ou externas e suas relações. O específico da intuição é que ela não é sensação dos sentidos, nem sentimento e nem conclusão intelectual, ainda que possa aparecer também sob estas formas. Na intuição, qualquer conteúdo se apresenta como um todo acabado sem que saibamos explicar ou descobrir como este conteúdo chegou a existir. É uma espécie de apreensão instintiva, não importando o conteúdo. Assim como a *sensação* (v.), é uma função perceptiva *irracional* (v.). Como na sensação, seus conteúdos têm caráter de "dados", em oposição ao caráter de "derivado", "produzido" dos conteúdos do sentimento e do pensamento. Daí provém seu caráter de certeza e exatidão que levou Spinoza a considerar a *scientia intuitiva* como a forma mais elevada do conhecimento[62]. A intuição partilha esta qualidade com a sensação cujo alicerce físico é causa e fundamento de sua exatidão. A exatidão da intuição repousa também em certo fato psicológico cuja origem e disponibilidade eram inconscientes. A intuição se manifesta de forma *subjetiva* ou *objetiva.* A primeira é uma percepção de fatos psíquicos inconscientes que provêm essencialmente do sujeito; a outra é uma percepção de fatos que se baseiam em percepções subliminais do objeto e em pensamentos e sentimentos subliminais que evocam. Há que distinguir também formas *concretas* e *abstratas* de intuição, segundo o grau de participação da sensação. A concreta transmite percepções que se referem à realidade das coisas; a abstrata transmite as percepções de relações de ideias. A intuição concreta é um processo reativo porque resulta, sem mais, dos fatos dados. A abstrata, porém, necessita, como a sensação abstrata, de certo elemento diretivo, uma vontade ou intenção.

866 (835) A par da sensação, a intuição é característica da psicologia infantil e primitiva. Contrabalançando a forte impressão sensorial, fornece à criança e ao primitivo a percepção das imagens mitológicas, precursoras das *ideias* (v.). Em relação à sensação comporta-se de forma compensadora e, como a sensação, é a terra-mãe a partir da qual se desenvolvem o pensamento e o sentimento como funções racionais. A intuição é função irracional, ainda que muitas intuições possam, depois, ser decompostas em seus componentes e harmoniza-

62. Igualmente Bergson.

da sua origem com as leis da razão. Quem orientar sua atitude geral pelo princípio da intuição e, portanto, pela percepção através do inconsciente, pertence ao tipo *intuição*[63] (v. tipo). Podemos distinguir intuitivos introvertidos e extrovertidos, conforme a intuição for utilizada para dentro, para o conhecimento ou contemplação interna, ou para fora, para as realizações e desempenho. Em casos anormais, a intuição vem fundida, em grande parte, com os conteúdos do inconsciente coletivo que a determinam, o que faz com que o tipo intuitivo pareça irracional e incompreensível.

867

(836) *Irracional.* Emprego este conceito não no sentido de *antirracional,* mas *extrarracional,* isto é, o que não se pode fundamentar com a razão. Aí entram os fatos elementares, como, por exemplo, que a terra possui uma lua, que o cloro é um elemento, que a água atinge sua maior densidade a 4 graus centígrados etc. Irracional é também o *acaso,* ainda que mais tarde seja possível demonstrar sua eventual causalidade racional[64]. O irracional é um fator existencial que pode ser protelado sempre mais por complicadas explicações racionais, mas finalmente complica tanto a explicação que esta ultrapassa a capacidade compreensiva do pensamento racional, atingindo seus limites, antes que abranja o todo do universo com a lei da razão. A plena explicação racional de um objeto realmente existente (e não apenas suposto) é uma utopia ou um ideal. Só um objeto que foi suposto pode ter explicação plena, pois nada existe nele além do que foi suposto pelo pensar racional. Também a ciência empírica supõe objetos racionalmente limitados, pois, mediante exclusão intencional do fortuito, não permite a consideração do objeto real como um todo, mas sempre apenas uma parte previamente selecionada para o exame racional. Neste sentido, o pensamento como *função dirigida* é racional, o mesmo acontecendo com o sentimento. Mas se estas funções não se ativerem a uma escolha racional determinada de objetos ou de qualidades e relações dos objetos, mas ao que é percebido fortuitamente – o que nunca falta ao objeto real – ficam privadas de direção e perdem algo de seu caráter racional, porque assumem o fortuito. Tornam-se, assim, parcialmente irracionais. O pensamento e o

63. Deve-se a M. Moltzer o mérito de haver descoberto a existência desse tipo.

64. Cf. JUNG, C.G. *Sincronicidade*: um princípio de conexões acausais [OC, 8/3].

sentimento que se orientam por percepções fortuitas e, portanto, são irracionais, podem ser *intuitivos* ou *sensuais*. *Intuição* e *sensação* são funções psicológicas que atingem sua plenitude na *percepção absoluta* do que se passa em geral. De acordo com sua natureza, devem estar abertas à casualidade absoluta e a qualquer possibilidade; por isso não devem ter qualquer direção racional. Denomino-as funções irracionais em oposição ao pensamento e sentimento. Estas últimas funções atingem sua plenitude na concordância total com as leis da razão.

868 (837) Ainda que o irracional em si não possa ser objeto de ciência, é de suma importância para a psicologia prática dar-lhe o devido valor. Na verdade, a psicologia prática levanta muitos problemas que não podem ser resolvidos racionalmente e exigem uma solução irracional, isto é, um caminho que não corresponde às leis da razão. A expectativa ou convicção de que todo conflito deve ser resolvido exclusivamente por meios racionais pode impedir uma verdadeira solução de natureza irracional.

869 (850) *Libido*[65]. Por libido entendo a *energia psíquica*. Energia é a intensidade do processo psíquico, seu *valor psicológico*. Mas não se trata de valor atribuído por considerações morais, estéticas ou intelectuais; o valor psicológico é simplesmente estabelecido por sua força *determinante* que se manifesta em certos efeitos ("produções") psíquicos. Também não entendo por libido uma *força* psíquica conforme vem sendo erroneamente interpretada por certos críticos. Não personalizo o conceito de energia, mas utilizo-o para intensidades e valores. A questão de saber se existe uma força psíquica específica ou não nada tem a ver com o conceito de libido. Muitas vezes emprego o termo libido promiscuamente com "energia". A justificação para denominar libido a energia psíquica foi dada minuciosamente nos meus trabalhos indicados na nota de rodapé.

870 (855) *Orientação*. Por orientação entendo o princípio geral de uma *atitude* (v.). Cada atitude se orienta por certo ponto de vista, quer seja consciente ou não. A atitude de poder vai orientar-se pelo ponto de vista do poder do eu sobre influências ou condições opres-

---

65. Cf. JUNG, C.G. *Símbolos da transformação* [OC, 5]. Cf. *A energia psíquica* [OC, 8/1] e *A natureza da psique* [OC, 8/2].

soras. A atitude do pensamento orienta-se, por exemplo, pelo princípio lógico como lei máxima. A atitude da sensação se orientará pela percepção sensual dos fatos que lhe são apresentados.

871 (856) *Participation mystique.* Termo que provém de Lévy-Bruhl[66], significa uma espécie singular de vinculação psicológica com o objeto. Consiste em que o sujeito não consegue distinguir-se claramente do objeto, mas com ele está ligado por relação direta que poderíamos chamar identidade parcial. Esta identidade se baseia numa unicidade apriorística de objeto e sujeito. A participação mística é, portanto, um resíduo desse estado primitivo. Não atinge o todo da relação sujeito-objeto, mas apenas certos casos em que se manifesta o fenômeno dessa relação peculiar. A participação mística é naturalmente um fenômeno que melhor se pode observar nos primitivos; mas também é encontrável com frequência entre os civilizados, ainda que não com a mesma extensão e intensidade. Entre os civilizados, ocorre, normalmente, entre pessoas; raras vezes entre uma pessoa e uma coisa. No primeiro caso, trata-se de uma relação de transferência em que o objeto (em geral) obtém certa influência mágica, isto é, absoluta, sobre o sujeito. No segundo caso, trata-se de influências semelhantes de uma coisa ou de uma espécie de identificação com uma coisa ou com a ideia que se faz dela.

872 (808) *Pensamento* (Gedanke). É o conteúdo ou matéria da *função do pensar,* determinado pela discriminação pensante.

873 (774) *Pensamento* (Denken). Considero o pensamento uma das quatro funções psicológicas básicas (v. *função*). O pensamento é aquela função psicológica que, de acordo com suas próprias leis, faz a conexão (conceitual) de conteúdos de representação a ele fornecidos. É uma atividade aperceptiva e, como tal, deve ser distinguida em atividade de pensamento *ativa* e *passiva.* O pensamento ativo é um agir da vontade, o passivo é um acontecer. No primeiro caso, subordino os conteúdos de representação a um ato voluntário de julgamento no segundo, há uma disposição de conexões conceituais e formam-se julgamentos que, às vezes, contrapõem-se à minha intenção e não correspondem à minha orientação finalista, de modo a carece-

---

66. LÉVY-BRUHL, L. *Les Fonctions mentales dans les sociétés inférieures*. Op. cit.

rem do sentimento de direção, ainda que posteriormente eu consiga, por um ato ativo de apercepção, chegar ao reconhecimento de sua orientabilidade. O pensamento ativo corresponderia, então, a meu conceito de *pensamento dirigido*[67]. O pensamento passivo foi insuficientemente classificado como "fantasiar" em meu trabalho acima citado[68]. Hoje o chamaria de pensamento *intuitivo.*

874 (775) Uma simples justaposição de representações, o que muitos psicólogos chamam pensamento *associativo,* não o considero um pensamento, mas simples *representar.* A meu ver, só cabe falar de pensamento quando se trata de conjugar representações através de um conceito, quando existe, pois, um ato de julgamento, quer seja ele fruto de nossa intenção quer não.

875 (776) Denomino *intelecto* a faculdade do pensamento dirigido e *intuição intelectual* a faculdade do pensamento passivo ou não dirigido. E mais, denomino função *racional* (v.) o pensamento dirigido, o intelecto, pois ordena em conceitos os conteúdos das representações, segundo a pressuposição da norma racional de que tenho consciência. Por sua vez, o pensamento não dirigido, a intuição intelectual, é para mim função *irracional* (v.), porque julga e ordena os conteúdos das representações segundo normas para mim inconscientes, e, por isso, não aceitáveis como racionais. Às vezes posso aceitar posteriormente que também o ato intuitivo de julgamento corresponda à razão, mesmo que tenha emanado de um caminho que me parece irracional.

876 (777) Por pensamento sentimental não entendo um pensamento intuitivo, mas um pensamento que depende do sentimento, um pensamento, portanto, que não segue seu próprio princípio lógico, mas que está subordinado ao princípio do sentimento. No pensamento sentimental, as leis da lógica estão apenas aparentemente à disposição, na verdade estão abolidas em favor da intenção do sentimento.

877 (857) *Persona* (v. *alma).*

878 (854) *Plano do objeto.* Quando falo de interpretar um sonho ou fantasia no plano do objeto, quero dizer que as pessoas ou situações que neles aparecem são objetivamente reais, em oposição *ao plano do*

---

67. JUNG, C.G. *Símbolos da transformação.*

68. Ibid.

sujeito (v.) em que as pessoas ou situações nos sonhos se referem exclusivamente a grandezas subjetivas. A concepção freudiana dos sonhos está quase exclusivamente no plano do objeto, uma vez que os desejos nos sonhos se referem a objetos reais ou a processos sexuais que incidem na esfera fisiológica, portanto extrapsicológica.

(892) *Plano do sujeito.* Quando falo de interpretar um sonho ou fantasia no plano do sujeito, entendo que as pessoas ou relações que ali aparecem se referem a fatores subjetivos, pertencentes totalmente à própria psique. Sabe-se que a imagem de um objeto presente em nossa psique nunca é absolutamente igual ao objeto, mas, no máximo, apenas semelhante. Forma-se evidentemente não pela percepção dos sentidos e pela apercepção desses estímulos, mas por processos já inerentes à nossa psique e que apenas são provocados pelo objeto. Segundo nossa experiência, o testemunho de nossos sentidos coincide grandemente com as qualidades do objeto, mas nossa apercepção está sob influências subjetivas quase ilimitadas que dificultam em muito o conhecimento exato do caráter humano. Uma grandeza psíquica tão complexa como é o caráter humano só fornece, além disso, à percepção pura dos sentidos, pouquíssimos pontos de apoio. Para conhecê-lo são necessárias também empatia, reflexão e intuição. Devido a essas complicações, o julgamento final é sempre de valor muito duvidoso, de modo que a imagem por nós formada de um objeto humano tem conotação extremamente subjetiva. Por isso é bom, na psicologia prática, distinguir exatamente entre a imagem, a *imago* de uma pessoa, e sua real existência. Devido à origem extremamente subjetiva de uma *imago,* é ela, não raro, bem mais imagem de um complexo subjetivo de funções do que do próprio objeto. Por isso é essencial que no tratamento analítico de produtos inconscientes não se identifique, sem mais, a *imago* com o objeto, mas seja considerada como imagem da relação subjetiva com o objeto. Isto é interpretação em plano do sujeito. 879

(893) O tratamento de um produto inconsciente no plano do sujeito revela a presença de julgamentos e tendências subjetivos dos quais o objeto se torna veículo. Quando, pois, num produto inconsciente, surge uma imago de objeto, não se trata *eo ipso* do objeto real, mas pode ser muito bem, e até preponderantemente, um complexo subjetivo de funções (v. *imagem da alma*). A interpretação em plano do sujeito nos permite uma ampla interpretação psicológica não só 880

do sonho, mas também de obras literárias em que os personagens individuais representam complexos funcionais relativamente autônomos na psique do autor.

881 (870) *Projeção.* Significa transferir para o objeto um processo subjetivo. (É o oposto de *introjeção,* v.). A projeção é, portanto, um processo de dissimilação em que é tirado do sujeito um conteúdo subjetivo e incorporado de certa forma ao objeto. Pela projeção o sujeito se livra de conteúdos penosos e incompatíveis, mas também de valores positivos que, por qualquer motivo, como, por exemplo, a autossubestima, são inacessíveis a ele. Baseia-se a projeção na *identidade* (v.) arcaica entre sujeito e objeto, mas só se pode denominá-la projeção quando aparece a necessidade de dissolver a identidade entre sujeito e objeto. Esta necessidade aparece quando a identidade se torna empecilho, isto é, quando a ausência de conteúdo projetado prejudica muito a adaptação, e o retorno desse conteúdo para dentro do sujeito se torna desejável. A partir desse momento a prévia identidade parcial adquire o caráter de projeção. Esta expressão designa, pois, um estado de identidade que se tornou perceptível e, assim, objeto de crítica, seja da crítica do próprio sujeito, seja da crítica de outros.

882 (871) Pode-se distinguir uma projeção *passiva* e outra *ativa.* A primeira é a forma comum de todas as projeções patológicas e de muitas normais que não são intencionais, mas simples ocorrência automática. A segunda é componente essencial do *ato de empatia. A empatia* (v.) como um todo é um processo de introjeção porque serve para levar o objeto a uma íntima relação com o sujeito. Para configurar esta relação, o sujeito destaca de si um conteúdo, por exemplo, um sentimento, e o transfere para o objeto, dando vida a este e incluindo-o na esfera subjetiva. A projeção ativa também se manifesta como ato de julgamento que visa separar o sujeito do objeto. Neste caso, um julgamento subjetivo é destacado do sujeito como fato válido e transferido para o objeto, ocorrendo, assim, um distanciamento entre sujeito e objeto. A projeção é, portanto, um processo de introversão porque, ao contrário da introjeção, não provoca uma inclusão ou assimilação, mas uma diferenciação e separação entre sujeito e objeto. Tem importante papel na paranoia que, em geral, conduz a um total isolamento do sujeito.

(872) *Psique* (v. *alma*). 883

(873) *Racional.* É o que corresponde à razão. Considero a razão uma atitude que tem por princípio conformar o pensamento, o sentimento e a ação com os valores objetivos. Estes valores são estabelecidos pela média das experiências de fatos psicológicos que podem ser externos ou internos. Estas experiências não poderiam representar "valores" objetivos se não fossem "valorizadas" como tais pelo sujeito, o que já é um ato da razão. A atitude racional que nos permite declarar valores objetivos como válidos em geral não é obra do sujeito singular, mas da história humana. 884

(874) A maioria dos valores objetivos – e também a própria razão são, desde tempos imemoriais, complexos sólidos de representações em cuja organização trabalharam incontáveis milênios com a mesma necessidade com que a natureza do organismo vivo reage às condições médias e sempre retomadas do meio ambiente, opondo-lhes complexos correspondentes de funções como, por exemplo, o olho, perfeitamente adaptado à natureza da luz. Poderíamos falar, assim, de uma razão universal, preexistente e metafísica se a reação do organismo vivo correspondente à média dos efeitos externos não fosse condição indispensável de sua existência – ideia já expressa por Schopenhauer. A razão humana nada mais é, pois, do que a expressão da adaptabilidade à média das ocorrências que se sedimentou aos poucos em complexos firmemente organizados de representações que constituem os valores objetivos. As leis da razão são as que designam e regulam a atitude média, "correta" e adaptada. Racional é tudo que concorda com essas leis e *irracional* (v.), ao contrário, é tudo que não concorda. 885

(875) O pensamento e o sentimento são funções racionais enquanto decisivamente influenciados pela reflexão. Realizam sua finalidade quando concordam plenamente com as leis da razão. As funções irracionais, ao contrário, são as que objetivam mera percepção, como a intuição e a sensação; devem ser desprovidas, tanto quanto possível, do racional – que pressupõe a exclusão de tudo que é não racional – para chegar a uma percepção completa de todo o porvir. 886

(876) *Redutivo.* Significa "que reconduz". Emprego este termo para designar o método de interpretação psicológica que considera o produto inconsciente não sob o aspecto de expressão simbólica, mas *semioticamente*, como signo ou sintoma de um processo subjacente. 887

E, de acordo com isso, o método redutivo trata o produto inconsciente no sentido de uma recondução aos elementos, aos processos básicos, sejam reminiscências de acontecimentos reais, sejam processos elementares que afetam a psique. Ao contrário do *método construtivo* (v.), o método redutivo está, pois, orientado para trás no sentido histórico ou no sentido figurado de reconduzir uma grandeza complexa e diferenciada para o mais geral e mais elementar. Tanto o método interpretativo de Freud quanto o de Adler são redutivos porque em ambos há uma redução a processos elementares de desejo e ambição que, em última análise, são de natureza infantil e fisiológica. E, assim, o produto inconsciente adquire necessariamente apenas o valor de uma expressão imprópria para a qual não se deveria empregar o termo *símbolo* (v.). Em relação à importância do produto inconsciente, o efeito da redução é dissolvedor, porque o reconduz a seus antecedentes históricos e, assim, o destrói, ou porque o reintegra naquele processo elementar de onde saiu.

888 (786) *Sensação.* Segundo meu entendimento, é uma das funções psicológicas básicas (v. *função*). Wundt também a considera fenômeno psíquico elementar[69].

889 (787) A sensação ou o sensualizar é a função psicológica que proporciona a percepção de um estímulo físico. Por isso é idêntica à percepção. Deve-se distingui-la rigorosamente de *sentimento,* pois este é processo bem diverso que pode associar-se à sensação como "tonalidade afetiva". A sensação relaciona-se não apenas com os estímulos externos, mas também com os internos, isto é, com as transformações dos órgãos internos. Por isso é ela, em primeiro lugar, *sensação dos sentidos,* ou seja, percepção pelos órgãos dos sentidos e pelo "sentido do corpo" (sensação cinestésica, vasomotora etc.). Por um lado, é elemento da representação porque fornece a ela a imagem percebida do objeto externo e, por outro lado, é elemento do sentimento porque dá a este o caráter de *afeto* (v.), através da percepção das transformações corporais. Enquanto fornece à consciência a

69. Para a história do conceito de sensação, cf. WUNDT, W. *Grundzüge der physiologischen Psychologie*. Vol. I, op. cit., 1902, p. 350s. • DESSOIR, M. *Geschichte der neueren deutschen Psychologie*. 2. ed. Berlim: [s.e.], 1894. • VILLA, G. *Einleitung in die Psychologie der Gegenwart*. Leipzig: [s.e.], 1902. • HARTMANN, E. *Die moderne Psychologie*. Leipzig: [s.e.], 1901.

transformação corporal, representa também os instintos fisiológicos. Mas nem por isso é idêntica a eles, pois é apenas função perceptiva.

(788) Há que distinguir entre sensação dos sentidos ou concreta e sensação abstrata. A primeira abrange as formas acima descritas. A segunda é abstraída ou separada dos outros elementos psíquicos. A sensação concreta nunca aparece "pura"; vem sempre misturada com representações, sentimentos e pensamentos, ao passo que a sensação abstrata apresenta uma espécie de percepção diferenciada que poderíamos chamar "estética" porque, seguindo seu próprio princípio, ela se afasta de toda mistura das diferenças do objeto percebido, bem como da mistura subjetiva de sentimento e pensamento, elevando-se a um grau de pureza tal que a sensação concreta jamais atingirá. A sensação concreta de uma flor, por exemplo, não só transmite a percepção da flor em si, mas também do talo, das folhas, do habitat etc. Logo se mistura também com sentimentos de prazer ou desprazer, provocados pela visão da flor, ou com a percepção olfativa ou com pensamentos, por exemplo, sobre sua classificação botânica. A sensação abstrata, ao contrário, salienta de imediato a característica sensual mais notória, por exemplo, sua cor vermelho-brilhante como único ou principal conteúdo da consciência, separada de qualquer outra mistura. A sensação abstrata convém sobretudo ao artista. Como toda abstração, é produto da diferenciação das funções e, por isso, não tem nada de primitivo. A forma primitiva da função é sempre concreta, isto é, misturada (v. *arcaísmo* e *concretismo*). A sensação concreta é, em si, um fenômeno reativo. A abstrata, ao contrário, nunca prescinde, como toda abstração, da vontade, isto é, do elemento de direção. A vontade dirigida para a abstração da sensação é o ato de exprimir e aplicar a *atitude estética da sensação*. 890

(789) A sensação caracteriza fortemente a natureza da criança e do primitivo porque, em ambos os casos, predomina sobre o pensamento e o sentimento, mas não necessariamente sobre a intuição. Considero a sensação como percepção consciente e a intuição como percepção inconsciente. Sensação e intuição são para mim um par de opostos ou duas funções que se compensam mutuamente, como o pensamento e o sentimento. A função do pensamento e do sentimento, como funções autônomas, desenvolvem-se ontogenética e filogeneticamente a partir da sensação (naturalmente também a partir da intuição, contrapartida necessária da sensação). 891

892 (790) Enquanto fenômeno elementar, a sensação é algo simplesmente dado que não está submetido às leis da razão, ao contrário do pensamento e do sentimento. Por isso, qualifico a sensação como função *irracional* (v.), ainda que a razão consiga enfeixar grande número de sensações num contexto racional.

893 (791) Uma pessoa que orienta sua atitude global pelo princípio da sensação pertence ao *tipo sensação* (v. *tipo*).

894 (792) As sensações normais são relativas, isto é, correspondem praticamente à intensidade do estímulo físico. As sensações patológicas não são relativas, isto é, são anormalmente fracas ou fortes; no primeiro caso, são inibidas; no segundo, são exageradas. A inibição nasce da predominância de outra função; o exagero resulta da fusão anormal com outra função, por exemplo, da fusão com uma função do pensamento ou do sentimento ainda indiferenciada. O exagero desaparece quando a função que está fundida com a sensação se diferencia por si mesma. A psicologia das neuroses dá exemplos bem ilustrativos pois, muitas vezes, uma forte *sexualização* (Freud) está presente em outras funções, isto é, existe uma fusão da sensação sexual com outras funções.

895 (809) *Sentimento* (Gefühl). É o conteúdo ou matéria da *função do sentimento,* determinado pela discriminação sentimental.

896 (801) *Sentimento* (Fühlen). Considero o sentimento uma das quatro funções psicológicas básicas. Não consigo endossar a orientação psicológica que entende o sentimento como fenômeno secundário, dependente de "representações" ou sensações, mas acho, com Hoeffding, Wundt, Lehmann, Külpe, Baldwin e outros, que o sentimento é função autônoma *sui generis*[70]. O sentimento é, em primeiro lugar, um processo que se realiza entre o eu e um dado conteúdo, um processo que atribui ao conteúdo um *valor* definido no sentido de aceitação ou rejeição ("prazer" ou "deprazer"), mas também um processo que, abstraindo do conteúdo momentâneo da consciência ou

---

70. Para a história do conceito de sentir e para a teoria do sentimento, cf. WUNDT, W. *Grundriss der Psychologie*. Op. cit., 1902, p. 35s. • NAHLOWSKY, J.W. *Das Gefühlsleben in seinen wesentlichsten Erscheinungen...* Op. cit., 1907. • RIBOT, T. *Psychologie der Gefühle*. Altenburg: [s.e.], 1903. • LEHMANN, A. *Die Hauptgesetze des menschlichen Gefühlslebens*. 2. ed. Leipzig: [s.e.], 1908. • VILLA, G. *Einleitung in die Psychologie der Gegenwart*. Leipzig: [s.e.], 1902, p. 208s.

de sensações momentâneas, pode aparecer como que isolado, como "disposição de ânimo" (humor). Este último processo pode ter relação causal com conteúdos anteriores da consciência, mas não necessariamente, porque pode provir de conteúdos inconscientes, conforme o demonstra copiosamente a psicopatologia. Mas o humor, seja ele um sentimento geral ou parcial, também significa uma valorização, não de um conteúdo determinado, mas de toda a situação momentânea da consciência e, novamente, no sentido da aceitação ou rejeição. Por isso o sentimento é, primeiramente, um processo de todo *subjetivo* que pode independer, sob todos os aspectos, do estímulo exterior, ainda que se ajunte a cada sensação[71]. Inclusive uma sensação "indiferente" tem "tonalidade afetiva", nomeadamente a da indiferença, com o que se exprime novamente uma valorização. O sentimento é, portanto, também uma espécie de *julgamento*, mas que se distingue do julgamento intelectual, por não visar ao estabelecimento de relações conceituais, mas a uma aceitação ou rejeição subjetivas. A valorização pelo sentimento estende-se a *cada* conteúdo da consciência, seja de que espécie for. Aumentando a intensidade, surge um *afeto* (v.), isto é, um estado sentimental com inervações corporais sensíveis. O sentimento se distingue do afeto por não provocar inervações corporais sensíveis, isto é, tantas ou tão poucas quanto um processo convencional do pensamento.

(802) O sentimento comum e "simples" é *concreto* (v.), isto é, misturado com outros elementos funcionais, muitas vezes, por exemplo, com sensações. Neste caso especial, podemos denominá-lo *afetivo* ou (como acontece, por exemplo, neste trabalho) *sensação sentimental*, entendendo-se com isso uma fusão inseparável do sentimento com elementos da sensação. Esta mistura característica se faz presente toda vez que o sentimento se mostra como função não diferenciada; isto aparece mais evidentemente na psique de um neurótico com o pensamento diferenciado. O sentimento é, em si, função autônoma, mas pode entrar na dependência de outra função, por exemplo, do pensamento, quando, então, nasce um sentimento que acompanha o pensamento e só não é reprimido para fora da consciência na medida em que se adaptar às relações intelectuais. 897

71. Para distinguir entre sentimento e sensação, cf. WUNDT, W. *Grundzüge der physiologischen Psychologie*. Vol. I, op. cit., 1902, p. 350s.

898 (803) Do sentimento concreto convencional é preciso distinguir o sentimento *abstrato*. Assim como o conceito abstrato (v. *pensamento*) deixa de lado as diferenças das coisas por ele apreendidas, também o sentimento abstrato sobreleva-se às diferenças dos conteúdos individuais por ele valorizados e produz um "humor" ou estado sentimental que abarca as diversas valorizações individuais, abolindo-as. Assim como o pensamento ordena os conteúdos da consciência em forma de conceitos, o sentimento os ordena de acordo com seu valor. Quanto mais concreto o sentimento, mais subjetivo e pessoal o valor que lhes atribui e quanto mais abstrato, mais geral e objetivo será o valor atribuído. Assim como um conceito plenamente abstrato já não coincide com a individualidade e peculiaridade das coisas, mas apenas com sua universalidade e indiferenciação, também o sentimento plenamente abstrato já não coincide com o momento singular e sua qualidade sentimental, mas apenas com a totalidade dos momentos e sua indiferenciação. Como o pensamento, o sentimento é, portanto, função *racional*, porque, conforme a experiência o mostra, os valores em geral são atribuídos segundo leis da razão que, por sua vez, também governam a formação dos conceitos.

899 (804) As definições acima não caracterizam a essência do sentimento, mas apenas o descrevem a partir de fora. A faculdade intelectual é incapaz de formular a essência do sentimento em linguagem conceitual, uma vez que o pensamento pertence a uma categoria incomensurável com o sentimento, da mesma forma que nenhuma função psicológica básica pode ser expressa exatamente por outra. A isto se deve que *nenhuma* definição intelectual será capaz de reproduzir o específico do sentimento, de maneira satisfatória. A classificação dos sentimentos nada acrescenta à compreensão de sua essência, pois mesmo a classificação mais precisa só pode fornecer aquele conteúdo intelectualmente perceptível ao qual estão vinculados sentimentos, mas sem abarcar o específico do sentimento. É possível distinguir tantos sentimentos quantas forem as classes de conteúdos intelectualmente concebíveis; mas nem assim os sentimentos em si são classificados exaustivamente, porque existem sentimentos que ultrapassam todas as classes de conteúdos intelectualmente concebíveis e se furtam a qualquer rubrica intelectual. A própria ideia de classificação é intelectual e, portanto, incomensurável com a essência do sentimento. Devemos contentar-nos, pois, com a indicação dos limites do conceito.

(805) A espécie de valorização pelo sentir é comparável à apercepção intelectual, como uma *apercepção do valor.* É possível distinguir uma apercepção sentimental *ativa* e *passiva.* O ato do sentir passivo se caracteriza pelo fato de um conteúdo estimular ou atrair o sentimento, ele força a participação sentimental do sujeito. O ato do sentir ativo, ao contrário, atribui valores a partir do sujeito; ele valoriza os conteúdos segundo uma intenção, uma intenção que privilegia o sentimento e não o intelecto. O sentimento ativo é, portanto, função *dirigida,* um ato de vontade, como por exemplo amar em contraposição a estar enamorado; este último seria um estado passivo, *não dirigido,* como a própria linguagem o mostra: o primeiro é uma atividade, o segundo é um estado. O sentimento não dirigido é *intuição sentimental.* Em sentido estrito, só o sentimento ativo, dirigido, poderia ser denominado *racional,* ao passo que o sentir passivo é *irracional,* na medida em que estabelece valores sem a participação do sujeito, às vezes mesmo contra a intenção deste. 900

(806) Orientando-se a atitude global do indivíduo pela função do sentimento, falamos de um tipo *sentimento* (v. *tipo*). 901

(891) *Si-mesmo*[72]. O si-mesmo, como conceito empírico, designa o âmbito total de todos os fenômenos psíquicos no homem. Expressa a unidade e totalidade da personalidade global. Mas na medida em que esta, devido à sua participação inconsciente, só pode ser consciente em parte, o conceito de si-mesmo é, na verdade, potencialmente empírico em parte e, por isso, um *postulado,* na mesma proporção. Em outras palavras, engloba o experimentável e o não experimentável, respectivamente o ainda não experimentado. Essas qualidades ele tem em comum com muitos outros conceitos das ciências naturais que são mais *nomina* (nomes) do que ideias. Na medida em que a totalidade que se compõe tanto de conteúdos conscientes quanto de inconscientes for um postulado, seu conceito é *transcendente,* porque pressupõe, com base na experiência, a existência de fatores inconscientes e caracteriza, assim, uma entidade que só pode ser descrita em parte e que, de outra parte, continua irreconhecível e indimensionável. Uma vez que, na prática, existem fenômenos da cons- 902

---

72. Esta definição foi escrita especialmente para este volume (1958).

ciência e do inconsciente, o si-mesmo como totalidade psíquica tem aspecto consciente e inconsciente. O si-mesmo aparece empiricamente em sonhos, mitos e contos de fadas, na figura de "personalidades superiores" como reis, heróis, profetas, salvadores etc., ou na figura de símbolos de totalidade como o círculo, o quadrilátero, a *quadratura circuli* (quadratura do círculo), a cruz etc. Enquanto representa uma *complexio oppositorum,* uma união dos opostos, também pode manifestar-se como dualidade unificada, como, por exemplo, no tao, onde concorrem o *yang* e o *yin*, como irmãos em litígio, ou como o herói e seu rival (dragão, irmão inimigo, arqui-inimigo, Fausto e Mefisto etc.). Empiricamente, pois, o si-mesmo aparece como um jogo de luz e sombra, ainda que seja entendido como totalidade e, por isso, como unidade em que se unem os opostos. Já que este conceito não é explícito – *tertium non datur* –, também é transcendente por esta mesma razão. Seria inclusive – logicamente – uma especulação inútil se ele não designasse e denominasse os símbolos de união que se manifestam empiricamente. O si-mesmo não é uma ideia filosófica já que não afirma sua própria existência, isto é, não se hipostasia. Intelectualmente significa apenas uma hipótese. Mas seus símbolos empíricos possuem muitas vezes significativa *numinosidade* (por exemplo, o mandala), isto é, um valor sentimental apriorístico (por exemplo, "Deus é círculo...", a *tetraktys* pitagórica, a quaternidade etc.), demonstrando, pois, ser uma *representação arquetípica* que se distingue de outras representações do gênero por assumir uma posição central correspondente à importância de seu conteúdo e numinosidade.

903 (894) *Símbolo.* Em minha concepção, o conceito de símbolo é bem distinto do simples conceito de *sinal.* Significado *simbólico* e *semiótico* são coisas bem diversas. Em sentido estrito, Ferrero[73] não fala, em seu livro, de símbolos, mas de sinais. Por exemplo, o costume antigo de entregar, na venda de terras, algumas relvas é designado vulgarmente como "simbólico", mas, por sua natureza, é totalmente semiótico. A relva é um sinal que representa a terra adquirida. A roda alada do ferroviário não é um símbolo da ferrovia, mas um sinal de que a pessoa integra o serviço ferroviário. O símbolo, no entanto,

73. FERRERO, G. *Les Lois psychologiques du Symbolisme.* Paris: [s.e.], 1895.

pressupõe sempre que a expressão escolhida seja a melhor designação ou fórmula possível de um fato relativamente desconhecido, mas cuja existência é conhecida ou postulada. Se a roda alada do ferroviário for tida como um símbolo, dir-se-á que este homem tem algo a ver com uma entidade desconhecida que não pode ser expressa melhor ou de outra maneira do que por uma roda com asas.

904 (895) Toda concepção que explica a expressão simbólica como analogia ou designação abreviada de algo conhecido é *semiótica*. Uma concepção que explica a expressão simbólica como a melhor formulação possível, de algo relativamente desconhecido, não podendo, por isso mesmo, ser mais clara ou característica, é *simbólica*. Uma concepção que explica a expressão simbólica como paráfrase ou transformação proposital de algo conhecido é *alegórica*. Explicar a cruz como símbolo do amor divino é *semiótico*, pois "amor divino" designa o fato que se quer exprimir, bem melhor do que uma cruz que pode ter ainda muitos outros sentidos. Simbólica seria a explicação que considerasse a cruz além de qualquer explicação imaginável, como expressão de um fato místico ou transcendente, portanto psicológico, até então desconhecido e incompreensível, que pudesse ser representado do modo mais condizente possível só pela cruz.

905 (896) Enquanto um símbolo for vivo, é a melhor expressão de alguma coisa. E só é vivo enquanto cheio de significado. Mas, uma vez brotado o sentido dele, isto é, encontrada aquela expressão que formula melhor a coisa procurada, esperada ou pressentida do que o símbolo até então empregado, o símbolo está *morto*, isto é, só terá ainda significado histórico. Pode-se continuar falando dele como de um símbolo, sob a tácita pressuposição de que falamos sobre o que ele foi no passado, antes que tivesse nascido dele uma expressão melhor. A maneira como Paulo e a especulação mística mais antiga tratam a cruz mostra que para eles era um símbolo vivo que representava o indizível de *forma insuperável*. Para qualquer interpretação esotérica, o símbolo é morto, pois o esoterismo lhe dá – muitas vezes supostamente – expressão melhor, tornando-se mero sinal convencional para relações que podem ser melhor entendidas de outra forma. Somente do ponto de vista esotérico o símbolo é vivo.

906 (897) Uma expressão usada para designar coisa conhecida continua sendo apenas um sinal e nunca será símbolo. É totalmente im-

possível, pois, criar um símbolo vivo, isto é, cheio de significado, a partir de relações conhecidas. Pois o que assim foi criado não conterá nada mais do que nele foi colocado. Todo produto psíquico que tiver sido por algum momento a melhor expressão possível de um fato até então desconhecido ou apenas relativamente conhecido pode ser considerado um símbolo se aceitarmos que a expressão pretende designar o que é apenas pressentido e não está ainda claramente consciente. Na medida em que toda teoria científica encerra uma hipótese, portanto, é uma descrição antecipada de um fato ainda essencialmente desconhecido, ela é um símbolo. Além disso, todo fenômeno psicológico é um símbolo, na suposição que enuncie ou signifique algo mais e algo diferente que escape ao conhecimento atual. Esta suposição é absolutamente possível onde há uma consciência que procura outras possibilidades de sentido das coisas. Só não é possível, e assim mesmo só para esta consciência, quando ele mesmo apresenta uma expressão que diz exatamente o que era intencionado como, por exemplo, numa fórmula matemática. Mas para uma outra consciência não existe esta limitação. Ela pode considerar a fórmula matemática como símbolo para um fato psíquico desconhecido e oculto à intenção que o estabeleceu, na medida em que este fato não é comprovadamente conhecido daquele que criou a expressão semiótica e não poderia, pois, ser objeto de uma utilização consciente.

907 (898) Depende da atitude da consciência que observa se alguma coisa é símbolo ou não; depende, por exemplo, da inteligência que considera o fato dado não apenas como tal, mas como expressão de algo desconhecido. É bem possível, pois, que alguém estabeleça um fato que não pareça simbólico à sua consideração, mas o é para outra consciência. Também é possível o caso inverso. Da mesma forma, há produtos cujo caráter simbólico não depende unicamente da atitude da consciência que observa, mas que impõem ao observador seu efeito simbólico. Esses produtos são constituídos de tal forma que lhes faltaria qualquer significado se não recebessem um sentido simbólico. Como fato puro, um triângulo com um olho no centro é tão sem sentido que seria impossível ao observador considerá-lo mera brincadeira. Tal figura evoca de imediato uma concepção simbólica. Este efeito é reforçado pelo fato de a mesma figura aparecer muitas vezes e de forma idêntica, ou por seu modo especialmente caprichado de apresentar-se que é a expressão de valor especial a ele atribuído.

(899) Símbolos que não atuam por si da maneira acima descrita, ou são mortos, isto é, foram superados por formulação melhor, ou são produtos cuja natureza simbólica depende exclusivamente da atitude da consciência que observa. Esta atitude que concebe o fenômeno dado como simbólico podemos denominá-la *atitude simbólica*. Só em parte é justificada pelo comportamento das coisas; de outra parte é resultado de certa cosmovisão que atribui um sentido a todo evento, por maior ou menor que seja, e que dá a este sentido um valor mais elevado do que à pura realidade. A esta concepção se contrapõe outra que sempre coloca o acento na crua realidade e subordina o sentido aos fatos. Para esta atitude não existe símbolo algum, quando o simbolismo depende exclusivamente do modo de observar. No entanto, também para ela existem símbolos, precisamente aqueles que levam o observador à suposição de um sentido oculto. A imagem de um deus com cabeça de touro pode ser explicada como sendo um corpo humano com cabeça de touro. Esta explicação, porém, mal pode sustentar-se diante da interpretação simbólica, pois o símbolo é por demais evidente para ser ignorado. 908

(900) Um símbolo que impõe sua natureza simbólica ainda não é necessariamente *vivo*. Pode atuar, por exemplo, apenas sobre a compreensão histórica ou filosófica. Desperta interesse intelectual ou estético. Um símbolo é vivo só quando é para o observador a expressão melhor e mais plena possível do pressentido e ainda não consciente. Nestas condições operacionaliza a participação do inconsciente. Tem efeito gerador e promotor de vida. Como diz Fausto: "Quão diferente é a atuação deste sinal sobre mim [...]". 909

(901) O símbolo vivo formula um fator essencialmente inconsciente e, quanto mais difundido este fator, tanto mais geral o efeito do símbolo, pois faz vibrar em cada um a corda afim. Uma vez que o símbolo, de um lado, é a melhor expressão possível e insuperável do que ainda é desconhecido para determinada época, deve provir do que existe de mais diferenciado e complexo na atmosfera espiritual daquele tempo. E como, de outro lado, o símbolo vivo tem que conter em si o que é comum a um grupo humano bem grande para, então, atuar sobre ele, deve abarcar exatamente o que pode ser comum a um grupo humano bem amplo. Jamais poderá ser algo muito diferenciado e inefável, porque isto só o entende e alcança a minoria, mas tem 910

que ser algo tão primitivo cuja onipresença esteja fora de dúvida. Só quando o símbolo alcançar isto e o apresentar como a melhor expressão possível, terá eficácia geral. Nisto consiste a eficácia poderosa e, ao mesmo tempo, salvífica de um símbolo socialmente vivo.

911 (902) O que falei do símbolo social vale para o símbolo individual. Há produtos psíquicos individuais que têm evidente caráter simbólico que forçam, sem mais, a uma concepção simbólica. Têm para o indivíduo importância funcional semelhante ao símbolo social para um grupo humano mais amplo. Contudo, esses produtos não têm procedência exclusivamente consciente ou inconsciente, mas originam-se da colaboração igual de ambos. Os puros produtos da consciência, bem como os produtos exclusivamente inconscientes, não são de per si símbolos categóricos, mas cabe à atitude simbólica da consciência de quem observa atribuir-lhes o caráter de símbolo. Podem ser considerados também como fatos puramente causais como, por exemplo, na escarlatina, podemos dizer que o exantema vermelho é "símbolo" dela. Neste caso, fala-se de "sintoma" e não de símbolo. Por isso, acho que Freud estava certo ao falar, segundo sua concepção, de *ações sintomáticas*[74] e não *simbólicas,* pois estes fenômenos não são para ele simbólicos, no sentido aqui dado, mas sinais sintomáticos de um processo básico bem determinado e conhecido em geral. Há evidentemente neuróticos que consideram seus produtos inconscientes – que são em primeira linha e sobretudo sintomas de doenças – como símbolos altamente significativos. Mas em geral este não é o caso. Ao contrário, o neurótico de hoje está muito propenso a considerar também o muito significativo como "sintoma" apenas. O fato de haver duas concepções distintas e contraditórias, ardorosamente defendidas pelas partes, sobre o sentido e não sentido das coisas nos ensina que há processos que não têm sentido especial algum, sendo mera consequência ou sintoma, e outros que trazem em si um sentido oculto e que não derivam simplesmente de algo, mas querem vir a ser alguma coisa e, por isso, são símbolos. Cabe ao nosso bom-senso e espírito crítico discernir se estamos diante de sintomas ou de um símbolo.

---

74. FREUD, S. *Zur Psychopathologie des Alltagslebens.* Viena: [s.e.], 1924.

(903) O símbolo é sempre um produto de natureza altamente complexa, pois se compõe de dados de todas as funções psíquicas. Portanto, não é de natureza racional e nem irracional. Possui um lado que fala à razão e outro inacessível à razão, pois não se constitui apenas de dados racionais, mas também de dados irracionais fornecidos pela simples percepção interna e externa. A carga de pressentimento e de significado contida no símbolo afeta tanto o pensamento quanto o sentimento, e a plasticidade que lhe é peculiar, quando apresentada de modo perceptível aos sentidos, mexe com a sensação e a intuição. O símbolo vivo não pode surgir num espírito obtuso e pouco desenvolvido, pois este se contentará com o símbolo já existente conforme lhe é oferecido pela tradição. Só a ânsia de um espírito bem evoluído que já não encontra no símbolo apresentado a expressão *única* da suprema união pode gerar novo símbolo. Mas exatamente porque o novo símbolo nasce das maiores realizações espirituais do homem e deve, ao mesmo tempo, conter as razões mais profundas de seu ser, não pode provir unilateralmente das funções espirituais mais diferenciadas, mas também, em igual medida, das moções mais inferiores e mais primitivas. Para que esta colaboração dos estados opostos seja possível, ambos têm que estar conscientemente lado a lado em plena oposição. Este estado tem que ser uma desunião fortíssima consigo mesmo, de tal forma que tese e antítese se neguem e que o eu tenha que reconhecer sua participação absoluta em ambas. Se houver subordinação de uma das partes, o símbolo será principalmente produto da outra parte e será, na mesma proporção, menos símbolo do que sintoma, isto é, sintoma de uma antítese oprimida. Porém, na medida em que um símbolo é mero sintoma, também lhe falta o efeito libertador, pois não exprime o pleno direito à existência de todas as partes da psique, mas lembra a opressão da antítese, mesmo que a consciência não se dê conta disso. 912

(904) Havendo, no entanto, plena igualdade e equivalência dos opostos, comprovadas pela participação incondicional do eu na tese e na antítese, produz-se uma suspensão da vontade, pois já não é possível querer porque todo motivo tem a seu lado um contramotivo igualmente forte. Mas como a vida não tolera suspensão, surge um represamento da energia vital que levaria a uma situação insuportável se da tensão dos opostos não surgisse nova função unificadora 913

que ultrapassa os opostos. Naturalmente ela nasce da regressão da libido, operada pelo represamento. Mas como se tornou impossível qualquer progresso devido à total desunião da vontade, a libido flui de volta como a torrente que retorna à fonte, isto é, a suspensão e a inatividade da consciência produzem uma atividade do inconsciente onde todas as funções diferenciadas têm sua raiz arcaica e comum, e onde todos os conteúdos existem em estado promíscuo, do qual a mentalidade primitiva dá inúmeras amostras.

914 (905) Pela atividade do inconsciente emerge novo conteúdo, constelado igualmente pela tese e antítese, e que se comporta *compensatoriamente* (v.) para com ambos. Uma vez que este conteúdo apresenta uma relação tanto com a tese quanto com a antítese, forma uma base intermédia onde os opostos podem unificar-se. Suponhamos, por exemplo, a oposição entre sensualidade e espiritualidade: o conteúdo intermediador, nascido do inconsciente, dará uma expressão benevolente à tese espiritual, por causa de sua riqueza espiritual de relacionamento, e compreenderá a antítese sensual, por causa de sua evidência sensual. Mas o eu, dividido entre tese e antítese, encontra na base intermédia sua contrapartida, sua expressão única e própria e aproveitará a oportunidade de livrar-se de sua divisão. Por isso a tensão dos opostos flui para dentro da expressão intermédia e a defende contra a luta dos opostos que logo começará dentro e ao redor dela; os opostos procuram resolver a nova expressão cada qual à sua maneira. A espiritualidade pretenderá fazer da expressão do inconsciente algo espiritual e a sensualidade, algo sensual; uma quer fazer dela ciência e arte, a outra vivência sensual. A solução do produto inconsciente numa ou noutra parte tem êxito apenas quando o eu não estiver completamente dividido, mas estiver inclinado mais para um ou para outro lado. Se um lado conseguir resolver o produto inconsciente, não só o produto inconsciente irá para este lado, mas também o eu, originando-se uma identificação do eu com a função privilegiada (v. *função inferior*). Consequentemente, o processo de divisão se repetirá mais tarde em plano superior.

915 (906) Se acontecer, porém, que, devido à estabilidade do eu, nem tese nem antítese consigam resolver o produto inconsciente, fica demonstrado que a expressão inconsciente é superior a ambas. A estabilidade do eu e a superioridade da expressão intermédia sobre tese

e antítese parecem-me correlatas e se condicionam mutuamente. Às vezes quer parecer que a estabilidade da individualidade inata seja a decisiva; às vezes, que a expressão inconsciente tenha uma força maior que determina a estabilidade incondicional do eu. Mas na verdade pode ser que a estabilidade e determinação da individualidade, por um lado, e a força superior da expressão inconsciente, por outro, nada mais sejam que indícios de um mesmo fato.

916 (907) Se a expressão inconsciente permanecer intacta, formará a matéria-prima não para um processo de resolução, mas de construção, e ela se tornará o objeto comum da tese e da antítese. Tornar-se-á um conteúdo novo que dominará toda a atitude, acabará com a divisão e obrigará a força dos opostos a entrar num canal comum. E assim acaba a suspensão da vida, ela pode continuar fluindo com novas forças e novos objetivos.

917 (908) Este processo, acima descrito, eu o designei em sua totalidade como *função transcendente*. Não entendo por "função" uma função básica, mas uma função complexa, composta de outras funções; e, por "transcendente", não uma qualidade metafísica, mas o fato de que por esta função se cria a passagem de uma atitude para outra. A matéria-prima elaborada pela tese e antítese e que une os opostos em seu processo de formação é o símbolo vivo. Em sua matéria-prima, insolúvel por longo tempo, está sua riqueza de pressentimento; e na forma que sua matéria-prima recebe, pela ação dos opostos, está sua influência exercida sobre todas as funções psíquicas. Indicações dos fundamentos do processo de formação dos símbolos encontram-se nas escassas referências sobre os conflitos experimentados pelos fundadores de religião em seus períodos de iniciação, como, por exemplo, Jesus e Satanás, Buda e Mara, Lutero e o demônio, Zwínglio e sua vida mundana anterior, o rejuvenescimento de Fausto após o contrato com o diabo, em Goethe. Ao final de *Zaratustra* encontramos exemplo típico da opressão da antítese na figura do "homem mais feio".

918 (909) *Sintético* (v. *construtivo*).

919 (913) *Tipo*. O tipo é um exemplo ou modelo que reproduz de forma característica o caráter de uma espécie ou de uma generalidade. No sentido mais estrito desse nosso trabalho, tipo é um modelo característico de uma *atitude* (v.) geral que se manifesta em muitas formas indi-

viduais. Das muitas e possíveis atitudes, saliento nesta pesquisa quatro, isto é, aquelas que se orientam sobretudo pelas quatro funções psicológicas básicas (v. *função*): pensamento, sentimento, intuição e sensação. Quando uma dessas atitudes é *habitual* e imprime ao caráter do indivíduo um cunho determinado, falo então de um tipo psicológico. Esses tipos, estribados nas funções básicas, e que podemos denominar tipos pensamento, sentimento, intuição e sensação, dividem-se, conforme a qualidade da função básica, em duas classes: *racionais* e *irracionais*. Aos primeiros pertencem o tipo pensamento e sentimento, aos últimos o tipo intuição e sensação (v. *racional, irracional*). Outra divisão em duas classes é autorizada pelo movimento dominante da libido, isto é, a *introversão* e a *extroversão* (v.). Todos os tipos básicos podem pertencer a uma ou outra classes – dependendo da atitude predominante: se é mais introvertida ou mais extrovertida. Um tipo pensamento pode ser da classe introvertida ou extrovertida e, assim, qualquer outro tipo. A divisão em tipos racionais e irracionais é outro ponto de vista e nada tem a ver com introversão e extroversão.

920 (914) Em duas colaborações anteriores sobre a teoria dos tipos[75], não diferenciei os tipos pensamento e sentimento dos tipos introvertido e extrovertido, mas identifiquei o tipo pensamento com o introvertido e o sentimento com o extrovertido. Um exame mais acurado do material fez-me, contudo, ver a necessidade de tratar o tipo introvertido e extrovertido como categorias superiores aos tipos funcionais. Esta diferenciação corresponde plenamente à experiência, pois não há dúvida que existem, por exemplo, duas espécies de tipos sentimento: um mais voltado para sua vivência sentimental, outro mais orientado pelo objeto.

921 (921) *Vontade*. Considero a vontade como soma de energia à disposição da consciência. A volição é, portanto, um processo energético, liberado por motivação consciente. Não chamaria de volição um processo psíquico condicionado por motivação inconsciente. A vontade é um fenômeno psicológico que deve sua existência à cultura e à educação moral, o que falta completamente à mentalidade primitiva.

---

75. JUNG, C.G. A questão dos tipos psicológicos (§ 931-950 deste volume). Cf. tb. *A psicologia do inconsciente* [OC, 7/1].

Epílogo

922

Nessa época que viu as conquistas da Revolução Francesa – liberdade, igualdade e fraternidade – se difundirem em correntes de pensamento social, que não se contentam em promover ou rebaixar direitos políticos a um nível geral e igualitário, mas que procuram acabar com a insatisfação através de regulamentos externos e socializações, é tarefa ingrata falar da total heterogeneidade dos elementos que compõem a nação. Sem dúvida é bonito que todos sejam iguais perante a lei, que todos tenham voz política e que ninguém domine injustamente seu irmão por causa de privilégios herdados; mas não é tão bonito assim quando estendemos essas ideias de igualdade para outros setores da vida. É preciso ter um olhar bem turvo ou contemplar a sociedade humana de uma distância bem obnubilada para achar que se possa conseguir uma partilha mais igualitária dos bens através de regulamentações válidas para todos. Deveria estar obcecado pela ilusão de que, por exemplo, a mesma participação na renda, ou seja, nas oportunidades de vida, tivesse a mesma importância para todos. Mas o que faria um legislador com aqueles cuja maior oportunidade de vida está dentro e não fora deles? Se quisesse ser justo deveria dar a um o dobro do outro porque o que significa muito para um, ao outro parece pouco. Nenhuma legislação social acabará com a diferença psicológica das pessoas, este fator indispensável da energia vital de uma sociedade humana. Por isso é sempre útil falar da heterogeneidade das pessoas. Essas diferenças trazem consigo exigências de bem-estar tão diversas que nenhuma legislação, por mais perfeita, jamais conseguiria satisfazê-las. Impossível também seria imaginar uma forma de vida externa, por mais justa e equitativa, que não significasse injustiça para um ou outro tipo. Mas que, apesar disso, haja entusiastas políticos, sociais, filosóficos e religiosos que estão em busca das condições exteriores gerais e igualitárias, que tragam maior bem-estar geral, parece-me uma atitude por demais voltada para as coisas externas. Só podemos fazer referência a essas questões abrangentes, pois não é nossa intenção tratar delas mais de perto. Temos que ater-nos só ao problema psicológico. E o fato das atitudes tipológicas diferentes é problema de primeira ordem, não só da psicologia, mas de todos os campos da ciência e da vida em que a psicologia humana desempenha papel decisivo. Qualquer pessoa de inteligência mediana compreende logo que toda filosofia, que não é pura história da filosofia, se baseia numa premissa psicológica pessoal. Esta premissa pode ser de natureza exclusivamente individual – e comumente assim vem sendo entendida, ainda quando submetida a uma crítica psicológica. E a questão fica resolvida dessa maneira. Mas esquece-se que aquilo que foi considerado preconceito individual não o é sob todos os aspectos, pois o ponto de vista de um filósofo particular tem, muitas vezes, seguidores respeitáveis. E isto porque o ponto de vista lhes diz alguma coisa, porque o podem compreender e adotar, e não só para lhe fazerem coro sem pensar. Esta compreensão seria impossível se o ponto de vista do filósofo se baseasse apenas no individual, pois, neste caso, não seria compreendido nem plenamente aceito. A peculiaridade do ponto de vista compreendido e aceito pelos seguidores deve corresponder, portanto, muito mais a uma atitude pessoal *típica,* partilhada por maior número de adeptos na sociedade, seja dessa ou de forma análoga. Em geral, as partes se digladiam apenas externamente, procurando falhas na armadura individual do adversário. Geralmente esta luta é de pouca valia. Bem mais valioso seria se a disputa fosse transferida para o campo psicológico, lugar donde se origina em primeira instância. Esta transferência logo mostraria que há atitudes psicológicas de diferentes espécies, cada qual com direito à existência, ainda que esta existência leve à formulação de teorias incompatíveis. Enquanto se tentar conciliar o conflito por arranjos de compromissos externos, satisfazem-se apenas as exigências modestas de cabeças superficiais que não conseguiram aderir ao calor de princípios. Verdadeira compreensão, a meu ver, só é possível quando for aceita a diversidade das premissas psicológicas.

923 Uma coisa que sempre se impõe em meu trabalho prático é que o homem é virtualmente incapaz de compreender e aceitar outro ponto de vista que não o seu próprio. Em coisas pequenas, a superficialidade

geral, uma indulgência e tolerância não muito frequentes e uma boa vontade rara ajudam a lançar uma ponte sobre o abismo da incompreensão. Mas, nas coisas importantes e sobretudo naquelas em que se questionam os ideais do tipo, a compreensão parece fazer parte das coisas impossíveis. É verdade que luta e discórdia sempre farão parte dos requisitos da tragicomédia humana, mas não se pode negar que o progresso da civilização levou o homem da lei da selva para a constituição de tribunais e, portanto, à formação de uma instância e medida superior às partes em luta. Para apaziguar o conflito de concepções, penso que se deveria tomar como base o reconhecimento de tipos de atitude, não só o da existência desses tipos, mas também do fato de cada um estar encerrado em seu tipo de tal modo a ser incapaz de compreender plenamente o ponto de vista do outro. Sem o reconhecimento dessa exigência básica, é inevitável a violação do ponto de vista do outro. Mas, como as partes conflitantes se reúnem diante da corte e renunciam à violência direta para submeter suas pretensões à justiça da lei e do juiz, assim cada tipo, consciente de sua própria parcialidade, deve abster-se de insultar o adversário, de desconfiar dele ou de rebaixá-lo. Pela abordagem do problema da atitude típica e por sua apresentação em grandes traços procuro chamar a atenção de meus leitores para este quadro de múltiplas possibilidades de conceber a vida, esperando ter colaborado um pouco para o conhecimento das variações e gradações quase infindas da psicologia individual. Espero que ninguém conclua de minha descrição dos tipos que pretendo sejam esses quatro ou oito tipos os únicos existentes. Seria um mal-entendido. Não duvido que seja possível abordar e classificar as atitudes existentes também sob outro ponto de vista. Apontei neste meu trabalho algumas outras possibilidades, por exemplo, uma classificação sob o aspecto da atividade. Mas, qualquer que seja o critério para a fixação de tipos, uma comparação das diversas formas de atitudes habituais levará sempre a um número igualmente grande de tipos.

924 É fácil considerar as atitudes existentes sob um ponto de vista diferente daquele usado aqui, mas seria difícil aduzir provas contra a existência de tipos psicológicos. Não duvido que meus adversários se esforçarão por eliminar da lista de problemas científicos a questão dos tipos, pois esta é, no mínimo, obstáculo incômodo para a teoria dos processos psíquicos complexos que pretende validade geral. Toda teo-

ria dos processos psíquicos complexos pressupõe uma psicologia humana uniforme, à semelhança das teorias das ciências naturais que pressupõem como base uma e a mesma natureza. Mas, no caso da psicologia, ocorre uma situação peculiar: em sua formação conceitual, o processo psíquico não é apenas objeto, mas também sujeito. Se for admitido que o sujeito é sempre o mesmo em todos os casos individuais, também é possível admitir que o processo subjetivo da formação conceitual seja o mesmo sempre e em toda parte. Mas não é isto que acontece, e a melhor prova é a existência de teorias as mais diversas sobre a natureza dos processos psíquicos complexos. Toda nova teoria pressupõe comumente que as anteriores estejam erradas e isto, muitas vezes, apenas com base no fato de o autor ter uma visão subjetiva diferente da de seus predecessores. Não se dá conta que a psicologia que ele vê é sua própria psicologia, e, melhor ainda, a psicologia de seu tipo. Acredita, por isso, só haver uma única explicação verdadeira para o processo psíquico que está pesquisando, isto é, a explicação que agrada a seu tipo. Todas as outras concepções – diria mesmo, todas as sete outras concepções – que são tão verdadeiras quanto a dele são consideradas erradas. No interesse da validade de sua teoria, mostrará antipatia profunda e humanamente compreensível contra uma teoria de tipos na psicologia humana, pois sua concepção perderia, por exemplo, sete oitavos de seu grau de veracidade. Seria preciso que, ao lado de sua própria, conseguisse pensar como igualmente verdadeiras mais outras sete teorias sobre o mesmo processo ou, diríamos, ao menos uma segunda, tão verdadeira quanto a sua.

925 Estou convencido de que um processo natural, independente da psicologia humana e que, portanto, só lhe pode servir de objeto, só pode ter uma única explicação verdadeira. Mas também estou convencido de que um processo psíquico complexo que não pode ser apreendido por nenhum aparelho registrador de objetos só pode ter necessariamente aquela explicação que ele mesmo produz como sujeito, isto é, o autor do conceito só pode produzir um conceito que concorde com o processo psíquico que está tentando explicar. Mas o conceito só concordará quando estiver de acordo com o processo a ser explicado na mente do próprio sujeito. Se não houver no autor o processo a ser explicado, nem analogia dele, o autor estará diante de um enigma total cuja explicação deverá deixar para aquele que vi-

vencia o processo. Jamais poderei captar empiricamente por aparelhos objetivos como se processa uma visão; só posso explicar seu aparecimento conforme eu o imagino. Porém, neste "conforme eu imagino" está a parcialidade, pois, na melhor das hipóteses, minha explicação surge da maneira como eu concebo o processo da visão. Mas quem pode garantir-me que um outro conceberá o processo da visão da mesma forma que eu ou de modo semelhante?

926 Pode-se aduzir, com aparente razão, a uniformidade da psicologia humana em todos os tempos e lugares como argumento em favor dessa generalização do julgamento subjetivamente condicionado. Estou profundamente convencido da uniformidade da psique humana, de tal modo que a assumi no conceito de inconsciente coletivo como um substrato universal e homogêneo, cuja uniformidade vai tão longe que encontramos os mesmos mitos e contos de fadas em todos os cantos do vasto mundo: um negro do sul dos Estados Unidos, por exemplo, sonha com motivos já presentes na mitologia grega e um comerciário suíço repete, em sua psicose, a visão de um gnóstico egípcio. Mas dessa homogeneidade fundamental destaca-se uma heterogeneidade igualmente fundamental da psique consciente. Que incomensurável distância existe entre a consciência de um primitivo, de um ateniense dos tempos de Temístocles, e a de um europeu moderno! Que diferença entre a consciência do professor catedrático e a de sua esposa! Como seria nosso mundo se houvesse predominado a uniformidade dos intelectos? A ideia da uniformidade das psiques conscientes é uma quimera acadêmica que facilita a tarefa do professor diante de seus alunos, mas que desmorona diante da realidade. Independentemente das diferenças dos indivíduos, cuja natureza mais íntima está distante anos-luz da de seus próximos, os tipos, como classes de indivíduos, diferem muito entre si, e deve-se à existência deles a divergência das concepções gerais. Para descobrir a uniformidade da psique humana tenho que descer aos fundamentos da consciência. Lá encontro aquilo em que todos se parecem. Se fundamentar uma teoria sobre aquilo que une a todos, explico a psique a partir de seu fundamento e origem. Mas nada esclareço de sua diferenciação histórica ou individual. Com esta teoria ignoro a psicologia da psique consciente. Nego, assim, todo o outro lado da psique, sua diferenciação do estado germinal primitivo. Reduziria, de certa forma,

o homem a seu protótipo filogenético ou o decomporia em seus processos elementares, e, se quisesse retirá-lo dessa redução e reconstituí-lo, sairia, no primeiro caso, um macaco e, no segundo, um amontoado de processos elementares cuja combinação resultaria numa ação recíproca sem objetivo e sem sentido. Sem dúvida, a explicação do psíquico com base na uniformidade não só é possível, como também plenamente justificada. Mas, para completar a imagem da psique, deve-se ter presente o fato da heterogeneidade dela, pois a psique individual consciente pertence a um quadro geral da psicologia, tanto quanto seus fundamentos inconscientes. Portanto, na minha formação conceitual posso partir, com o mesmo direito, da psique diferenciada e considerar o mesmo processo que antes julgava sob o ponto de vista da homogeneidade, sob o aspecto da diferenciação. Isto me leva naturalmente a uma concepção bem contrária à anterior. Tudo o que naquela concepção ficou excluído como variante individual, aqui é importante como início de outras diferenciações, e tudo o que lá recebeu valor especial em função de sua homogeneidade, agora me parece sem valor, porque simplesmente coletivo. Dessa forma, sempre procuro observar para onde a coisa vai e não donde ela provém, ao passo que na posição anterior não me preocupava com o destino, mas apenas com a origem da coisa. Por isso consigo explicar um único e mesmo processo psíquico usando duas teorias opostas que se excluem mutuamente, sem que possa dizer estar esta ou aquela errada, pois a exatidão de uma se baseia na uniformidade da psique e a da outra, na diversidade dela.

927 E aqui começa a grande dificuldade que a leitura de meu livro anterior *Wandlungen und Symbole der Libido* (traduzido em português como *Símbolos da transformação*) provocou no público leigo e também no científico e que levou muitas cabeças pensantes à confusão. Tentei aí, baseado em material concreto, expor uma e outra concepção. Mas como a realidade não consiste de teorias nem as segue, os dois aspectos que somos forçados a pensar como divididos estão juntos num só, e tudo o que vive na alma reluz em múltiplas cores. Tudo é produto do passado e carrega um futuro, e nada pode ser considerado como sendo apenas fim, pode ser também começo. Quem acha que para um processo psíquico só pode haver uma única explicação verdadeira, esta vitalidade do conteúdo psíquico que necessita

de duas teorias contraditórias é algo desesperador, principalmente se for um enamorado de verdades simples e, talvez, até incapaz de pensá-las ao mesmo tempo.

928 Já não estou convencido de que essas duas maneiras: a redutiva e a construtiva – conforme as denominei certa vez[76] – esgotem as possibilidades de análise. Acredito, ao contrário, que possa haver outras e igualmente verdadeiras explicações do processo psíquico e exatamente tantas quantos são os tipos. Estas explicações vão tolerar-se mutuamente tão bem ou tão mal como os próprios tipos em seu relacionamento pessoal. Caso fique comprovada a existência de diferenças de tipos na psique humana – e afirmo que não vejo razões para que assim não seja – o teorizador científico se defronta com um dilema desagradável: ou deixar subsistir, lado a lado, maior número de teorias contraditórias sobre o mesmo processo, ou fazer uma tentativa, de antemão fracassada, de fundar uma seita que reivindica possuir o único método certo e a única teoria verdadeira. A primeira alternativa esbarra não só na enorme dificuldade, já mencionada, de uma operação pensante dupla e internamente contraditória, mas também num dos princípios básicos da moralidade intelectual: *principia explicandi non sunt multiplicanda praeter necessitatem* (os princípios explicativos não devem ser multiplicados além do necessário). No caso de uma teoria psicológica, a necessidade de maior número de explicações é algo decisivo, pois, ao contrário de qualquer teoria das ciências naturais, o objeto da explicação é, na psicologia, da mesma natureza que o sujeito: um processo psicológico deve explicar o outro. Esta séria dificuldade já levou muitas cabeças pensantes a subterfúgios curiosos como, por exemplo, à suposição de um "espírito objetivo" que estivesse fora do processo psicológico e pudesse, assim, pensar objetivamente a psique a ele subordinada, ou à suposição semelhante, de que o intelecto fosse uma faculdade capaz de posicionar-se fora de si mesmo e de pensar-se a si mesmo. Esses e semelhantes subterfúgios foram inventados para criar aquele ponto de Arquimedes fora da terra e pelo qual o intelecto pudesse desencaixar-se de seus gonzos. Entendo a profunda necessidade humana de procurar as

---

76. JUNG, C.G. "O conteúdo da psicose" [OC, 3].

facilidades, mas não entendo por que a verdade dever-se-ia curvar a esta necessidade. Também entendo que esteticamente seria mais satisfatório se, ao invés do paradoxo de explicações mutuamente contraditórias, pudéssemos reduzir o processo psíquico a um fundamento instintivo o mais simples possível, ou dar-lhe um objetivo redentor metafísico e, depois, descansar nesta esperança.

929 Mas tudo o que tentamos penetrar com nosso intelecto acabará sempre em paradoxo e relatividade, quando se trata de trabalho honesto e não de petição de princípio que serve à comodidade. É certo que a compreensão intelectual do processo psíquico *deve* levar ao paradoxo e à relatividade, já porque o intelecto é apenas uma entre várias outras funções psíquicas que, por sua natureza, ajuda o homem a construir suas imagens dos objetos. Não pretendemos conhecer o mundo apenas com o intelecto; ele pode ser compreendido tão bem igualmente pelo sentimento. Por isso o julgamento do intelecto é, no máximo, a metade da verdade e deve, se for honesto, reconhecer sua insuficiência.

930 Negar a existência dos tipos em nada ajuda contra o fato de sua presença. Em virtude dessa existência, cada teoria sobre os processos psíquicos deve admitir que ela mesma é válida como um processo psíquico, como expressão de um tipo da psicologia humana, existente e com direito à existência. Unicamente dessas descrições típicas provêm os materiais cuja *cooperação* torna possível uma síntese maior.

Anexos

A questão dos tipos psicológicos[1]

931 Conforme se sabe, se compararmos o aspecto geral da histeria e da *dementia praecox* (esquizofrenia), saltará aos olhos o contraste de seu relacionamento com o objeto. A histeria tem, normalmente, uma intensidade de relacionamento com o objeto que ultrapassa o normal, enquanto na esquizofrenia o nível normal não é alcançado. No relacionamento pessoal isto se nota pelo fato de se ter, no caso de histeria, uma comunicação a nível do sentimento com o paciente, não ocorrendo o mesmo na esquizofrenia. Não se falará aqui das exceções a esta regra. Também se constata a diferença nas demais sintomatologias das duas doenças. No que se refere aos sintomas intelectuais da histeria, trata-se de imagens fantasiosas, que são humanamente compreensíveis, do histórico anterior do caso individual; na esquizofrenia, porém, as imagens fantasiosas têm um caráter mais relacionado com sonhos do que com a psicologia do estado de vigília. Além disso, é evidente forte interferência da psicologia da história dos povos ao invés do material das reminiscências individuais. Os sintomas físicos tão numerosos na histeria, que simulam quadros de doenças orgânicas bem conhecidas e impressionantes, não se encontram no quadro clínico da esquizofrenia. Disso é fácil concluir que a histeria se caracteriza por um movimento centrífugo da libido, ao passo que na esquizofrenia o movimento é mais centrípeto. Inversamente, a influência compensadora da doença constatada na histeria obriga a uma redução do movimento centrípeto da libido, substituindo a vivência objetiva por sonhar acordado, ficar de cama, internação em sanatório etc. Na fase de incubação, o esquizofrênico que se fechou em si mesmo e se isolou do mundo externo torna-se forte,

1. Conferência feita no Congresso Psicanalítico de Munique, setembro de 1913.

através da compensação na doença, e é forçado a sair de si procurando atrair a atenção dos outros, por meio de um comportamento intencionalmente extravagante, insuportável e diretamente agressivo.

932 Chamei *extroversão* e *introversão* essas duas direções opostas da libido. Nos casos mórbidos em que ideias delirantes, inspiradas na emotividade, ficções ou interpretações fantásticas adulteram no paciente o juízo de valor sobre os objetos e sobre si mesmo, gostaria de acrescentar o termo *regressivo*. Falamos de extroversão sempre que o indivíduo volta seu interesse todo para o mundo externo, para o objeto, e lhe confere importância e valor extraordinários. No caso contrário, quando o mundo objetivo fica praticamente na sombra, e pouca atenção recebe, mas o homem se torna o centro de seu próprio interesse e aparece como único a seus olhos, trata-se de introversão. O fenômeno que Freud chama *transferência*, em que o histérico projeta ilusões e avaliações subjetivas no objeto, eu o denomino extroversão regressiva. Por introversão regressiva entendo o fenômeno inverso, tal como ocorre na esquizofrenia, onde estas representações fantásticas atingem o sujeito.

933 Não é difícil observar como os dois movimentos da libido podem atuar num mesmo indivíduo, na qualidade de simples mecanismos alternativos da psique. No mecanismo histérico da extroversão, conforme ensina Freud, a personalidade procura livrar-se do conteúdo doloroso, do complexo, surgindo então fenômenos psíquicos que Freud denominou "repressão". Nesses casos, o indivíduo se aferra aos objetos para esquecer e deixar para trás o conteúdo doloroso. O mecanismo da introversão, ao contrário, procura concentrar a libido totalmente no complexo, libertando e isolando da realidade a personalidade juntamente com o complexo. Este processo psicológico está vinculado a fenômenos que poderíamos chamar mais apropriadamente pelo nome de "desvalorização" ao invés de "repressão". Até aqui introversão e extroversão são dois modos psíquicos de reação que podem ser encontrados num único e mesmo indivíduo. O fato, porém, de dois distúrbios psíquicos tão opostos, como histeria e esquizofrenia, serem caracterizados pela predominância do mecanismo da extroversão ou da introversão, indica que provavelmente também tipos humanos normais sejam caracterizados pela prevalência de um ou outro mecanismo. Assim, por exemplo, é fato bem conhecido

do psiquiatra que o esquizofrênico já vinha caracterizado pelo predomínio de seu tipo específico, bem antes de apresentar-se a doença, e até em sua mais tenra infância.

934 Como diz Binet, a neurose apenas coloca em relevo excessivo os traços típicos do caráter de uma personalidade. Já sabemos de há muito que o assim chamado caráter histérico não é mero produto da neurose manifesta, mas de certa forma o precede. À mesma conclusão chegou Hoch em suas pesquisas sobre a anamnese esquizofrênica; fala de uma *shut-in-personality* (personalidade fechada em si) que é anterior ao aparecimento da doença. Nestas circunstâncias, poderíamos esperar sem mais encontrar os dois tipos também fora da esfera da patologia. Sem pretensão de exaurir a série de possíveis testemunhos da existência dos dois tipos, gostaria de trazer alguns exemplos.

935 Na ótica de meu limitado saber, as observações mais pertinentes sobre o assunto devemo-las a William James que parte desta ideia fundamental: "Qualquer que seja o temperamento de um filósofo profissional, ele tenta, ao filosofar, pensar o fato a partir de seu temperamento"[2]. Segundo esta concepção, totalmente em consonância com a psicanálise, divide os filósofos em duas classes: *tender-minded* e *tough-minded*. O primeiro termo significa literalmente "de espírito meigo", o outro, "de espírito inflexível". Em tradução mais livre, poderíamos dizer "voltado para o espiritual" e "voltado para o material". Os próprios termos já deixam prever a direção do movimento da libido. A primeira classe dirige a libido para as ideias, é sobretudo introversiva; a outra dirige a libido para o objeto sensual, a matéria. É extroversiva. James caracteriza o *tender-minded* em primeiro lugar como racionalista *going by principles* (que se orienta por princípios)[3]. Para ele, os princípios e sistemas de pensar são determinantes; ele administra a experiência, isto é, coloca-se acima dela e a submete friamente a seus princípios, convicções e conclusões lógicas. Subordina os fatos e a multiplicidade empírica a suas premissas, estranhas ao material, sem deixar-se influenciar ou desconcertar pela experiência. Lembremos, por exemplo, Hegel e sua atitude para com a questão do

2. JAMES, W. *Pragmatism*. Op. cit., 1911, p. 7. [Cf. tb. § 571s., deste volume].

3. Ibid., p. 12.

número de planetas. No campo da patologia, identificamos esse filósofo como paranoico que procura impor ao mundo sua concepção delirante, não importando que todos os fatos digam o contrário, e tudo "arranja" (Adler) de tal forma a servir a seu sistema preconcebido.

936 As outras características que James atribui a este tipo são lógica e facilmente deduzidas dessa premissa. O *tender-minded* é intelectual, idealista, otimista, religioso, indeterminista, monista e dogmático. Todos esses atributos deixam facilmente entrever a centralização quase exclusiva no mundo das ideias. A centralização nesse mundo ideal, como mundo interno da personalidade, nada mais é do que introversão predominante. A única função que a experiência tem para esses filósofos é a de servir ao projeto da abstração, à necessidade de colocar em ordem a multiplicidade e desorganização dos acontecimentos que, em última análise, devem submeter-se a fatores subjetivo-ideais.

937 O *tough-minded*, ao contrário, é empírico, *going by facts* (orienta-se por fatos). A experiência manda nele, ele a segue e seu pensar é por ela determinado. O que não é fato palpável externamente não conta. Seu pensar é reação à experiência externa. Seus princípios são menos importantes que os fatos; são mais retrato dos acontecimentos, mais descritivos do que constitutivos de um sistema. Por isso suas teorias tendem a ser internamente contraditórias e são muitas vezes turvadas e sufocadas por material empírico em demasia. Para ele, a realidade psíquica se limita à observação e a uma reação de prazer ou desprazer; não vai além disso, nem procura reconhecer o direito de existir ao postulado filosófico. Da mesma forma que muda a superfície do mundo empírico, o *tough-minded* está sujeito à mudança da experiência. Conhece múltiplos aspectos e possibilidades teóricas e práticas do mundo e de suas coisas, mas, por isso mesmo, nunca chega a um sistema unificado que pudesse satisfazer ao *tender-minded*. O *tough-minded* é redutivo. Diz muito bem James: "O superior é explicado pelo inferior e sempre tratado como um caso de 'nada mais do que' – nada mais do que algo de espécie bem inferior"[4]. Os demais atributos elencados por James seguem logicamente das premissas dadas: o *tough-minded* é sensacionalista: dá mais espaço à sensação do

4. Ibid., p. 16.

que à reflexão. É materialista-pessimista: conhece bem demais a incerteza e o caso desesperançado dos acontecimentos mundiais. É irreligioso: não está em condições de sustentar a realidade do mundo psíquico interno em face do valor dos fatos externos. É determinista e fatalista, pois é resignado. É pluralista, porque incapaz de síntese. E, como consequência última e necessária, é cético.

938 O próprio James se exprime de forma tal que se conclui facilmente ser a diversidade dos tipos proveniente de uma diversidade na localização da libido, da "força mágica". Em contraste com o subjetivismo religioso do solipsista, diz James sobre nossa atitude empírica: "Mas nossa estima pelos fatos [...] ela própria é quase religiosa. Nosso temperamento científico é piedoso"[5].

939 Um segundo paralelo nos dá Wilhelm Ostwald[6]. Divide as pessoas geniais em duas formas: a forma romântica e a forma clássica. O romântico reage depressa, produz muito, mas, a par de coisas geniais há muita coisa sem valor e inacabada, é entusiasmado, brilhante, gosta de ser professor e reúne em torno de si grande número de alunos particulares. Como é fácil de perceber, este tipo se identifica com o nosso tipo extrovertido. O clássico, porém, não reage imediatamente, aparenta reação lenta, não tem influência direta sobre o meio circundante, uma forte autocrítica limita sua produção, não gosta do magistério e muitas vezes é péssimo professor; normalmente é estranho ao seu meio, não possui ou possui poucos seguidores e chega a um reconhecimento só após a morte. Nesse tipo está presente indiscutivelmente a introversão.

940 Um terceiro paralelo importante nos é dado por W. Worringer[7] em sua teoria estética. Assume a expressão de A. Riegl da "volição artística absoluta"[8] e lhe atribui duas formas: a da empatia e a da abstração. Fala de um impulso de empatia, de um impulso de abstração, tornando clara, assim, a natureza libidinal dessas formas. Diz Wor-

5. Ibid., p. 15.

6. OSTWALD, W. *Grosse Männer*. 3. e 4. eds. Leipzig: [s.e.], 1910. [Cf. também § 607s. deste volume].

7. WORRINGER, W. *Abstraktion und Einfühlung*. 3. ed. Munique: [s.e.], 1911. [Cf. também § 553s. deste volume].

8. Ibid., p. 9.

ringer: "Assim como o impulso de empatia encontra sua satisfação na beleza do orgânico, o impulso de abstração encontra sua beleza no inorgânico que nega a vida, no cristalizado ou, falando em geral, em toda normatividade abstrativa"[9]. A empatia representa um movimento da libido em direção ao objeto, ao passo que a abstração retira a libido do objeto, lixiviando dele, de certa forma, o conteúdo intelectual e cristalizando, a partir dessa lixívia, os elementos típicos que se conformam à lei e que são superpostos ao objeto ou que constituem sua antítese. Também Bergson usou a imagem da cristalização e rigidez para ilustrar a natureza da abstração e esclarecimento intelectuais.

941 Pela "abstração" de Worringer entendemos aquele processo que já havíamos conhecido como consequência da introversão, ou seja, a exaltação do intelecto ao invés da realidade externa sem valor. Aprendemos com Lipps que, por empatia, devemos realmente entender a extroversão: "O que empatizo no objeto é vida em sentido amplo. E vida é força, trabalho interno, esforço e realização. Vida, em uma palavra, é atividade. E atividade é aquilo em que experimento o gasto de minhas forças. Esta atividade é, segundo sua natureza, atividade da vontade"[10].

942 Bem na linha de nosso conceito de extroversão diz Worringer: "Prazer estético é autoprazer objetivado"[11]. A concepção estética de Worringer não sofre de nenhuma *tough-mindedness* e por isso valoriza plenamente a autonomia do fator psicológico. Diz Worringer: "O decisivo não é, pois, o tom sentimental, mas o próprio sentimento, isto é, o movimento interno, a vida interna, a atividade interna do sujeito"[12]. E em outro lugar: "O valor de uma linha, de uma forma consiste no valor da vida que ela contém para nós. Ela recebe sua beleza unicamente de nosso sentimento vital que nela projetamos inconscientemente"[13]. Essas ideias coincidem com minha concepção da teoria da libido que procura conciliar as duas psicologias.

---

9. Ibid., p. 3.

10. Ibid., p. 4.

11. Ibid., p. 4.

12. Ibid., p. 4.

13. Ibid., p. 15.

943 O polo oposto da empatia é a *abstração*. Segundo Worringer "a exigência de abstração é consequência de uma grande inquietação interna da pessoa devido aos fenômenos do mundo externo e corresponde, no campo religioso, a uma forte coloração transcendental de todas as representações"[14].

944 Reconhecemos nesta definição uma nítida tendência à introversão. Para o tipo introvertido, o mundo não se apresenta como o belo e o apetecível, mas como o pavoroso e o perigoso, razão por que se entrincheira e se protege atrás de seu mundo interior; a partir daí inventa figuras exatas, geométricas, cheias de paz, cujo significado mágico e primitivo lhe garante o domínio do mundo que o cerca. Worringer diz esta frase importante: "O impulso de abstração está no início de qualquer arte"[15]. Esta ideia encontra confirmação igualmente significativa no fato de o esquizofrênico reassumir, não só em seus pensamentos, mas também em seus desenhos, expressões análogas às dos primitivos.

945 Seria injusto não falar de Schiller neste contexto, pois também ele tentou formular algo semelhante ao falar do tipo *ingênuo* e do tipo *sentimental*[16]. O ingênuo "é natureza", o sentimental "a procura". O ingênuo manifesta a si próprio, o sentimental manifesta o objeto. Não é à toa que o velho Homero é para Schiller bom exemplo do ingênuo. Também já percebera que esses dois tipos resultavam da predominância de mecanismos psicológicos em um e mesmo indivíduo. Diz ele: "Encontramos esses dois gêneros não apenas no mesmo poeta, mas também na mesma obra"[17].

946 Outro paralelo de nosso problema é a oposição encontrada por Nietzsche entre o *apolíneo* e o *dionisíaco*[18]. Interessante é a comparação que usa para entender esta oposição. Estes opostos estão um para o outro como *sonho* e *embriaguez*. O sonho é a mais íntima das vivências psíquicas, a embriaguez é um esforço de autoesquecimento, de libertação de si mesmo, de acordo com a multiplicidade dos obje-

---

14. Ibid., p. 17.

15. Ibid., p. 16.

16. SCHILLER, Fr. V. *Über naive und sentimentalische Dichtung*. Op. cit., 1926, 18 [cf. tb. § 198s. deste volume].

17. Ibid., p. 244.

18. NIETZSCHE, F. *Die Geburt der Tragödie*. Op. cit. [cf. tb. § 206s. deste volume].

tos. Usando palavras de Schopenhauer, diz Nietzsche, ao falar de Apolo: "Como em mar bravio que, ilimitado, ergue vagalhões em frenesi, está um marujo confiante em sua frágil embarcação, assim está quieto em meio a um mundo de sofrimentos o homem só, apoiado e confiante no *principium individuationis* (princípio de individuação)"[19]. E continua Nietzsche: "Dir-se-ia que a inabalável confiança naquele princípio e a tranquila segurança do acanhado encontraram nele sua mais sublime expressão, e gostaríamos mesmo de descrever Apolo como a gloriosa imagem divina do princípio da individuação"[20]. O apolíneo é, portanto, segundo a concepção de Nietzsche, um voltar-se para dentro de si mesmo, a introversão. O dionisíaco, ao contrário, é o fluir solto da libido para as coisas. Diz Nietzsche: "Sob o feitiço do dionisíaco celebra-se novamente não só a aliança entre os homens, mas também a natureza alienada, hostil e subjugada celebra sua festa de reconciliação com seu filho perdido, o homem. A terra concede prodigamente seus dons e os animais predadores das montanhas e desertos se aproximam pacificamente. O carro de Dioniso está coberto de flores e coroas, a pantera e o tigre estão a ele atrelados. Transformar a ode de Beethoven à alegria em pintura e dar livre curso à fantasia quando os milhões se afundam horrivelmente no pó: assim é possível aproximar-se do dionisíaco. Agora, o escravo é homem livre, agora se rompem as barreiras rígidas e inimigas que a necessidade, o capricho ou a 'moda desavergonhada' colocaram entre os homens. Agora, neste evangelho da harmonia mundial, cada qual sente-se não apenas unido, reconciliado e identificado com seu próximo, mas um com ele, como se o véu de Maya se tivesse rompido e esvoaçasse em frangalhos diante da misteriosa unidade primitiva"[21]. Este texto não necessita de maiores comentários.

947 Para concluir a série de exemplos, buscados fora dos limites de minha restrita especialidade, gostaria de citar ainda um paralelo, tirado do campo da linguística, que também menciona os dois tipos. Trata-se da hipótese de Finck sobre a estrutura da linguagem[22]. Segundo ele há

---

19. SCHOPENHAUER, A. *Die Welt als Wille und Vorstellung*. Op. cit., 4° livro, p. 454.

20. NIETZSCHE, F. *Die Geburt der Tragödie*. Op. cit., p. 22s.

21. Ibid., p. 24.

22. FINCK, F.N. *Der deutsche Sprachbau als Ausdruck deutscher Weltanschauung*. Marburgo: [s.e.], 1899.

dois tipos principais de estrutura linguística. O primeiro é representado em geral pelos verbos indicativos de ações: eu o vejo, eu o mato etc. O outro, pelos verbos que indicam sensação: ele me apareceu, ele morreu a meus pés etc. Como se vê logo, o primeiro tipo indica um movimento centrífugo da libido que parte do sujeito; o segundo, um movimento centrípeto da libido, que parte do objeto. O tipo introvertido encontra-se principalmente na linguagem primitiva dos esquimós.

948 Os dois tipos foram descritos também no campo da psiquiatria por Otto Gross[23], que distingue duas formas de inferioridade: um tipo com consciência superficial e alargada, e um tipo com consciência estreitada e aprofundada. O primeiro tipo se caracteriza por uma função secundária reduzida; o outro, por uma função secundária ampliada. Gross reconheceu que a função secundária está em íntima conexão com a afetividade, sendo fácil, portanto, entender que também aqui se trata dos dois tipos, acima descritos. A comparação que Gross faz entre o tipo maníaco e o tipo com consciência superficial deixa entrever que se trata, no caso, do tipo extrovertido; a comparação do tipo com consciência estreitada com a psicologia do paranoico mostra a identidade com o tipo introvertido.

949 Após essas considerações, não será segredo para ninguém que devemos admitir a existência dos dois tipos psicológicos também na psicologia analítica. Temos aqui, por um lado, uma teoria que é essencialmente redutiva, pluralista e causalista. É a teoria de Freud que, estritamente limitada ao empírico e reduzindo o complexo ao mais primitivo e ao mais simples, entende o psicológico em grande parte como reação e dá ao momento da sensação a maior importância. Do outro lado, temos a concepção diametralmente oposta de Adler[24]. Sua teoria é totalmente intelectualista, monista e finalista. Aqui os fenômenos não são reduzidos ao mais primitivo e ao mais simples, mas considerados como "arranjos", como resultados de intenções e propósitos de natureza mais complexa. Em vez da causa eficiente, temos aqui a causa final, por isso a história anterior e as influências concretas do meio ambiente recebem pouca atenção em vista dos princípios

---

23. GROSS, O. *Die zerebrale Sekundärfunktion*. Op. cit., 1902 [cf. tb. § 527s. deste volume].

24. ADLER, A. *Über den nervösen Charakte*. Op. cit., 1912.

determinantes, das "linhas diretrizes fictícias" do indivíduo. Aqui não é fundamental a procura do objeto e o usufruto de prazer subjetivo no objeto, mas a garantia do poder do indivíduo contra as influências hostis do meio ambiente. O tom fundamental da psicologia de Freud é a procura centrífuga do prazer no objeto, ao passo que o tom fundamental da psicologia de Adler é a procura centrípeta do sujeito, de seu "estar acima", de seu poder e sua libertação das forças opressoras da vida. A explicação do tipo descrito por Freud é a transferência infantil de fantasias subjetivas para o objeto como reação compensadora das dificuldades da vida, ao passo que a explicação do tipo descrito por Adler é a "garantia", o "protesto masculino" e o fortalecimento obstinado da "ficção diretiva".

950 A difícil tarefa do futuro será criar uma psicologia que possa fazer justiça aos dois tipos.

Tipos psicológicos[1]

São bem antigas as tentativas de, por um lado, resumir em certas categorias as infindas diferenças dos indivíduos humanos e, por outro, de derrubar a aparente uniformidade de todos os homens pela caracterização mais precisa de certas diferenças psíquicas. Sem querer entrar mais profundamente nessas tentativas, gostaria de lembrar que as mais antigas e conhecidas categorias provêm de *médicos*, sobretudo de Cláudio Galeno, médico da Grécia que viveu no segundo século depois de Cristo. Distinguia ele quatro temperamentos básicos: o sanguíneo, o fleumático, o colérico e o melancólico. A ideia se baseia no ensinamento de Hipócrates (século V aC) de que o corpo humano se compõe de quatro elementos: ar, água, fogo e terra. A esses elementos correspondem, no corpo vivo, sangue, fleuma, bile amarela e bile negra. A ideia de Galeno era que as pessoas podiam ser divididas em quatro classes, de acordo com a mistura desigual desses quatro elementos nelas. Se predominasse o sangue, teríamos os sanguíneos; se predominasse a fleuma, teríamos os fleumáticos; aqueles com predomínio de bile amarela seriam os coléricos e os melancólicos seriam aqueles em que predominasse a bile negra. Conforme o demonstra nossa linguagem moderna, essas distinções de temperamentos tornaram-se imortais, ainda que estejam totalmente ultrapassadas como teoria fisiológica. 951

Sem dúvida, Galeno teve o mérito de criar uma classificação psicológica dos indivíduos humanos que persistiu por mil e oitocentos anos, classificação que se baseia na diferença perceptível da *emocionalidade* ou *afetividade*. É interessante que a primeira tentativa de tipificação ocorra no comportamento emocional da pessoa – certa- 952

1. Conferência pronunciada no Congresso Internacional sobre Educação, Territet, 1923. Publicado em *Zeitschrift für Menschenkunde*, I/1, 1925.

mente porque o aspecto afetivo é o mais evidente do comportamento humano em geral.

953 Mas não se diga que os afetos sejam a única característica da psique humana, pois é possível conseguir dados característicos também de outros fenômenos psicológicos. É necessário apenas que percebamos e observemos outras funções com a mesma clareza com que vemos os afetos. Em séculos passados, que não conheciam o conceito "psicologia" como o empregamos hoje, outras funções que não os afetos estavam envoltos em completa escuridão, da mesma forma que, ainda hoje, parecem subtilezas apenas perceptíveis à maior parte das pessoas. Os afetos podem ser observados na superfície e isto basta a quem não se interessa pela psicologia, ou seja, àquele que não vê nenhum problema na psique de seu semelhante. Basta-lhe ver no outro afetos. Se não os encontrar, o outro será para ele como que invisível, pois, à exceção dos afetos, nada perceberá com clareza na consciência alheia.

954 O fundamento de podermos descobrir na psique do próximo outras funções além dos afetos está em que nós mesmos passamos de um estado não problemático da consciência para um estado problemático. Na medida em que julgamos o outro exclusivamente pelo afeto, mostramos que nosso principal critério, ou talvez o único, seja o afeto. Isto significa que este critério vale também para nossa própria psicologia e, portanto, que nosso julgamento psicológico não é objetivo e isento, mas está submetido ao afeto. Esta é uma verdade que vale para a maioria das pessoas. Neste fato se baseia a possibilidade psicológica da guerra homicida e sua recorrência constantemente ameaçadora. Assim será enquanto julgarmos *ceux qui sont de l'autre côté* (os que estão do outro lado) sempre conforme nossos próprios afetos. Chamo de não problemático este estado de consciência porque, evidentemente, nunca se transformou ele mesmo num problema. Será ele mesmo um problema quando surgir a dúvida se o afeto – e também o afeto dele mesmo – constitui base suficiente para o julgamento psicológico. Não podemos negar que sempre estamos prontos a defender-nos contra aquele que nos acusa de termos um comportamento afetivo dizendo que agimos *apenas aí* de modo afetivo, mas que não somos assim em geral e sempre como naquele momento. Quando somos pessoalmente atingidos, gostamos de explicar o afeto

como exceção, como algo que envolve pouca responsabilidade pessoal; mas, quando se trata dos outros, o caso é diferente. Mesmo que se trate apenas de uma tentativa, talvez não muito comovente, de escusa do amado eu, há algo de positivo no sentimento de justificação dessa escusa, ou seja, a tentativa de diferenciar-se a si mesmo e também o próximo do estado afetivo. Ainda que a escusa seja mero pretexto, mesmo assim é uma tentativa de colocar em dúvida a validade do afeto e apelar para outras funções psicológicas que sejam tão características de sua personalidade ou, talvez, mais características do que o afeto. Aqueles que nos julgam pelos nossos afetos nós os acusamos de incompreensão e injustiça. Isto nos obriga também a não julgarmos os outros pelos seus afetos. Para isso é necessário que o homem primitivo e não psicológico, que considera o afeto como essencial e único critério para si e para os outros, evolua para um estado problemático da consciência, isto é, para um estado em que, além do afeto, sejam reconhecidos como válidos outros fatores. Neste estado problemático é possível ocorrer também um julgamento paradoxal, qual seja: "Eu sou este afeto" e "eu não sou este afeto". Esta contradição manifesta uma divisão do eu ou, melhor, uma divisão do material psíquico que constitui o eu. Ao me reconhecer tanto no meu afeto quanto em outra coisa que não é meu afeto, distingo entre um fator afetivo e outros fatores psíquicos, devendo, pois, o afeto descer de seu trono de poder, inicialmente soberano, e assumir o lugar de uma função psíquica entre outras. Somente quando a pessoa tiver realizado esta operação em si mesma e tiver criado dentro de si uma diferenciação entre os diversos fatores psíquicos, está em condições de procurar, em seu julgamento psicológico sobre o próximo, outros critérios e não contentar-se apenas com o afeto. Só assim haverá um julgamento psicológico realmente objetivo. O que, hoje, chamamos "psicologia" é uma ciência baseada em certos pressupostos históricos e morais, pressupostos esses que só foram sendo criados pela educação cristã durante os últimos dois mil anos. O dito, por exemplo, "Não julgueis para não serdes julgados" criou, por seu cunho religioso, a possibilidade de uma vontade que aspira, em primeiro lugar, à total objetividade do julgamento. Esta objetividade não é um desinteresse pelo outro, mas se baseia no fato de devermos usar os mesmos critérios para desculpar os outros que usamos para desculpar a nós mesmos. É o pressuposto, e exatamente o pressuposto fundamental de um julgamento justo do próximo. Talvez cause estranheza que eu insista tanto na objetividade. Mas desaparece o estranho quando se procura na prática classificar pessoas: o sanguíneo talvez nos diga que, no fundo, ele é extremamente melancólico; o colérico, por sua vez, que seu único defeito é ter sido sempre muito fleumático. Porém, uma atitude das pessoas em cuja validade só eu acredite e que seja negada por todos os demais é como uma Igreja universal cujo único membro sou eu. É preciso encontrar, pois, critérios que abarquem não só o sujeito judicativo, mas também o objeto julgado.

955 Bem ao contrário da antiga classificação dos temperamentos, o problema de nova tipificação começa com a expressa convenção de não deixar-se julgar segundo o afeto, nem julgar pelo afeto, pois ninguém pode nem quer identificar-se definitivamente com seu afeto. Por isso, não é possível haver um acordo geral – como acontece na ciência – sobre o afeto. Quando, por exemplo, nos desculpamos por um procedimento afetivo, temos que procurar aqueles fatores em que nos podemos apoiar. Diremos por exemplo: "É evidente que disse isto ou aquilo num momento de exaltação (afeto). Foi naturalmente um exagero e não era minha intenção. Na verdade, é minha opinião ou convicção que etc." Uma criança muito travessa que provocou em sua mãe tremenda irritação pode dizer: "Eu não queria fazer isso, não queria magoá-la, gosto tanto de você".

956 Essas explicações se referem à existência de outro tipo de personalidade que não aquele que se manifestou no afeto. Em ambos os casos, a personalidade afetiva aparece como algo inferior que acometeu e obscureceu o verdadeiro eu. Muitas vezes, porém, a personalidade que se revela no afeto também aparece como um ser mais nobre e melhor, cujo nível infelizmente não foi possível manter. É sabido que existem tais ataques de generosidade, amor ao próximo, dedicação e outros "belos gestos" (como observou posteriormente um espectador irônico) aos quais a gente prefere não prender-se – razão, talvez, por que tanta gente pratica tão pouco o bem.

957 Em ambos os casos, porém, o afeto vale como estado de exceção cujas qualidades podem ser apresentadas à "verdadeira" personalidade como inválidas, ou como pertinentes, mas desprovidas de credibilidade. Mas, o que significa esta "verdadeira" personalidade? Naturalmente, em parte, o que cada qual dentro de si distingue do estado

afetivo; em parte, o que é negado a cada qual como impróprio pelo julgamento dos outros. Já que não é possível negar a integração do estado afetivo no eu, então o eu é o mesmo, tanto no estado afetivo como no dito estado "verdadeiro", mas numa atitude diferente em relação a seus fatos psicológicos reais. No afeto ele não é livre, é levado pelo impulso, é forçado. No estado normal, porém, há uma livre escolha, uma capacidade dispositiva para compreender; em outras palavras, o *estado afetivo é não problemático, o estado normal é problemático, isto é, existe o problema e a possibilidade de escolha.* Neste último estado é possível uma compreensão porque só aqui existe a possibilidade do *conhecimento de motivos,* do *autoconhecimento.* Para o conhecimento é indispensável a distinção. Discriminação, porém, significa a divisão dos conteúdos da consciência em funções que se podem diferenciar.

958 Se quisermos, pois, determinar a peculiaridade de uma pessoa de modo que não apenas nós estejamos satisfeitos com nosso julgamento, mas também o objeto julgado, devemos partir daquele estado ou daquela atitude que são considerados estados conscientes normais pelo objeto. Haveremos de preocupar-nos, então, primeiramente, com a motivação consciente e abstrair de nossa própria interpretação arbitrária. Assim procedendo, descobriremos, com o tempo, que, apesar da grande variedade de motivos e tendências, há certos grupos de indivíduos que se caracterizam por uma notável conformidade de suas motivações. Encontraremos, por exemplo, indivíduos que em todos os seus julgamentos, percepções, sentimentos, afetos e ações são motivados principalmente por fatores externos ou, ao menos, neles colocam grande ênfase, quer se trate de motivos causais ou finais. Trago alguns exemplos para ilustrar o que afirmei: Santo Agostinho diz: "Não acreditaria no Evangelho se a autoridade da Igreja a isso não me obrigasse". Uma filha diz: "Não posso pensar alguma coisa que contrarie meu pai". Alguém acha muito bonita certa música moderna porque todos assim a consideram. Acontece não raro que alguém se case com certa pessoa só para agradar a seus pais, mas contra seu próprio interesse. Há pessoas que se sujeitam ao ridículo só para agradar aos outros, preferem cair no ridículo a não serem notadas. Há muitos que, no fazer ou deixar de fazer, só conhecem *um* motivo: o que os outros vão pensar. Alguém diz: "Não me envergonho de

nada de que os outros não tomaram conhecimento". Há pessoas que só encontram felicidade quando despertam a inveja nos outros; e outras que desejam e procuram sofrimento só para atrair sobre si a pena dos outros. Exemplos dessa espécie podem ser encontrados em larga escala. Eles indicam uma peculiaridade psicológica que é bem distinta de outra atitude que, por sua vez, encontra sua força motivadora principalmente nos fatores subjetivos ou internos. Esta pessoa diz: "Sei que poderia causar a maior alegria a meu pai se procedesse assim ou daquele modo, mas já tenho outra posição firmada". Ou: "Percebo que o tempo ficou feio de repente, mas assim mesmo vou executar meu plano que já tracei anteontem". Não viaja por distração, mas para transformar em fato sua ideia preconcebida. Alguém diz: "Provavelmente meu livro é incompreensível, mas para mim é bastante claro". Também é possível ouvir de alguém: "Todo mundo acha que sei alguma coisa, mas tenho plena convicção de que não sei nada". Tal pessoa pode ter tamanha vergonha que não ousa aparecer em público. Algumas pessoas só se sentem felizes quando estão certas de que ninguém sabe nada a respeito. Por isso, uma coisa é ruim quando agrada a todos. Procura o bem lá onde ninguém supõe poder ser encontrado. Em tudo é necessária a concordância do sujeito, sem ela nada se faz. Este tipo de pessoa responderia a Agostinho: "Acreditaria no Evangelho se a autoridade da Igreja não me obrigasse a isso". Esforça-se continuamente por demonstrar que tudo o que faz é resultado de sua própria decisão e convicção, não admitindo ser influenciado por alguém ou fazer algo em vista da opinião de outrem.

959 Esta atitude caracteriza um segundo grupo de indivíduos que deriva suas motivações principalmente do sujeito, das realidades internas. Há um terceiro grupo em que é difícil dizer se tira suas motivações de dentro ou de fora. Este grupo é o mais numeroso e abrange as pessoas normais menos diferenciadas; estas são consideradas as normais porque não fazem excessos ou porque não precisam deles. Segundo sua definição, a pessoa normal se deixa determinar tanto a partir de dentro quanto a partir de fora. Estas pessoas constituem o numeroso grupo do meio que inclui, de um lado, os indivíduos que se deixam determinar em suas motivações sobretudo pelo objeto externo e, de outro, os indivíduos determinados principalmente pelo sujeito. Denominei o primeiro grupo de *extrovertido* e o segundo de *in-*

trovertido. Esses termos não precisam de explicação especial, estão claros pelo que ficou dito acima.

960 Há indivíduos nos quais é possível reconhecer à primeira vista o tipo, mas isto não é o comum. Em geral, só uma observação e ponderação cuidadosas das experiências tornam possível uma classificação precisa. É simples e óbvio o princípio fundamental das duas atitudes opostas, mas complicada e difícil de inferir é sua realidade concreta, pois todo indivíduo é exceção à regra. Por isso não é possível dar uma descrição do tipo, por mais perfeita, que se aplique a mais do que *um* indivíduo, ainda que, em certo sentido, milhares pudessem ser por ela bem caracterizados. A conformidade das pessoas é apenas um lado delas, o outro lado é sua peculiaridade. A psique individual não se explica por nenhuma classificação. Contudo, a compreensão dos tipos psicológicos abre um caminho para melhor entendimento da psicologia humana em geral.

961 A diferenciação do tipo acontece, muitas vezes, bem cedo. E, inclusive, tão cedo que, em certos casos, é possível falar de hereditariedade. O primeiro sinal de extroversão numa criança é sua rápida adaptação ao meio ambiente e a extraordinária atenção que confere aos objetos, principalmente no que se refere à sua ação sobre eles. O medo dos objetos é pequeno. A criança vive neles e com eles. Aprende rapidamente, mas de modo impreciso. Parece que se desenvolve com maior rapidez do que a criança introvertida, porque é menos reflexiva e, em geral, não tem medo. Parece que não sente especial distância entre ela mesma e os objetos, podendo, assim, brincar livremente com eles e senti-los. Gosta de levar seus empreendimentos ao extremo e, por isso, se expõe a riscos. Tudo que é desconhecido parece atraente.

962 Por outro lado, um dos primeiros sinais de introversão numa criança é sua natureza reflexiva e pensativa, seu pronunciado receio e, inclusive, medo dos objetos desconhecidos. Bem cedo manifesta-se também uma tendência de autoafirmação perante os objetos e tentativas de dominá-los. O desconhecido é olhado com desconfiança. Em geral, coloca forte resistência contra influências externas. A criança quer ter seu próprio caminho e, de forma alguma, aceita um caminho estranho que não consegue entender por si só. Quando faz perguntas não é por curiosidade ou sensacionalismo, mas quer nomes, significados e explicações que lhe deem segurança subjetiva em relação ao ob-

jeto. Vi uma criança introvertida que tentou os primeiros passos só depois que se familiarizou com o nome de todos os objetos em seu quarto, com os quais poderia entrar em contato. Na criança introvertida encontramos bem cedo a atitude de defesa, característica do introvertido adulto, contra o poder dos objetos, da mesma forma que podemos observar bem cedo na criança extrovertida uma notável segurança, espírito de iniciativa e alegria confiante no tratamento com os objetos. Este é o traço fundamental da atitude extrovertida: a vida psíquica transcorre, por assim dizer, nos objetos e nas relações com os objetos, fora do indivíduo. Em casos especialmente marcantes, há uma espécie de cegueira para com a própria individualidade. O introvertido, ao contrário, se comporta em relação aos objetos como se estes possuíssem um poder sobre ele, contra o qual precisa defender-se. Seu mundo propriamente dito é seu interior, seu sujeito. É um fato triste, mas nem por isso menos frequente que os dois tipos tenham péssimo conceito um do outro. Isto chama imediatamente a atenção de quem estuda o problema. Provém do fato de os valores psíquicos estarem localizados em lados opostos. O introvertido vê tudo o que lhe parece valioso no sujeito; o extrovertido, ao contrário, no objeto. Ao introvertido a dependência do objeto parece a coisa mais desprezível, ao passo que o extrovertido considera a preocupação com o sujeito simples autoerotismo infantil. Não é de admirar, portanto, que os dois tipos se combatam mutuamente. Isto não impede que o homem, na maioria dos casos, despose uma senhora do tipo contrário. Esses casamentos são muito significativos como simbioses psicológicas, enquanto os parceiros não tentarem compreender "psicologicamente" um ao outro. Esta fase, porém, integra os fenômenos normais de desenvolvimento de todo casamento onde os esposos decidem sobre uma parada obrigatória ou sobre a necessidade de prosseguir, ou sobre ambas, tendo igualmente boa dose de ânimo para deixar que a paz matrimonial chegue ao rompimento. Se as circunstâncias forem favoráveis, esta fase entrará automaticamente na vida dos dois tipos e devido às razões seguintes:

963 *O tipo é um aspecto unilateral do desenvolvimento.* Um deles desenvolve apenas suas relações para fora e negligencia seu interior. O outro desenvolve-se apenas para dentro e estagna com referência ao exterior; mas, com o tempo, surge no indivíduo a necessidade de

desenvolver também o que ficou desprezado. *O desenvolvimento se realiza sob a forma da diferenciação de certas funções.* Por causa da importância dessas funções para o problema dos tipos, preciso dizer algo sobre elas.

964 A psique consciente é uma espécie de aparelho de adaptação ou orientação, constituído de certo número de diferentes funções psíquicas. Como funções básicas podemos elencar a *sensação, o pensamento, o sentimento* e a *intuição.* Sob o conceito de sensação pretendo abranger todas as percepções através dos órgãos sensoriais; o pensamento é a função do conhecimento intelectual e da formação lógica de conclusões; por sentimento entendo uma função que avalia as coisas subjetivamente e por intuição entendo a percepção por vias inconscientes ou a percepção de conteúdos inconscientes.

965 Segundo o alcance de minha experiência, essas quatro funções básicas são suficientes para expressar e representar os meios e caminhos da orientação consciente. Para uma orientação plena da consciência, todas as funções deveriam concorrer igualmente; o pensamento deveria facultar-nos o conhecimento e o julgamento, o sentimento deveria dizer-nos como e em que grau algo é importante ou não para nós, a sensação deveria proporcionar-nos a percepção da realidade concreta por meio da vista, do ouvido, do tato etc., e a intuição deveria fazer com que advinhássemos as possibilidades e planos de fundo mais ou menos escondidos de uma situação, pois também eles fazem parte do complexo quadro de um dado momento.

966 Mas, na verdade, essas funções básicas estão raras vezes ou nunca igualmente diferenciadas e, portanto, disponíveis. Em geral, uma ou outra dessas funções ocupa o primeiro plano e as outras permanecem indiferenciadas no segundo plano. Assim, há muitas pessoas que se limitam a perceber simplesmente a realidade concreta, sem preocupar-se em refletir sobre ela ou em considerar seu valor sentimental. Pouco se importam também com as possibilidades que podem estar em certa situação. Tais pessoas eu as denomino tipo sensação. Outras se deixam determinar exclusivamente pelo que pensam, e não conseguem adaptar-se a uma situação da qual não têm conhecimento intelectual. São os tipos pensamento. Outras pessoas, ainda, deixam-se guiar em tudo exclusivamente pelo sentimento. Perguntam apenas se algo é agradável ou não e se orientam por suas impressões sentimen-

tais. São os tipos sentimento. Os intuitivos, finalmente, não se preocupam nem com ideias nem com reações sentimentais, nem também com a realidade das coisas, mas deixam-se atrair exclusivamente pelas possibilidades e abandonam qualquer situação que não permite vislumbrar maiores possibilidades.

967 Esses tipos apresentam ainda outra espécie de unilateralidade que, no entanto, se complica de modo especial com a atitude introvertida ou extrovertida em geral. Devido a esta complicação é necessário lembrar a existência desses tipos de função e, com isso, voltamos à questão, antes abordada, da unilateralidade das atitudes extrovertida e introvertida. Esta unilateralidade levaria a uma completa perda de equilíbrio se não fosse psiquicamente compensada por uma atitude inconsciente oposta. A pesquisa sobre o inconsciente mostrou, por exemplo, que um introvertido tem, ao lado ou atrás de sua atitude consciente, uma atitude extrovertida que lhe é inconsciente e que compensa automaticamente a unilateralidade consciente.

968 Na prática, podemos vislumbrar intuitivamente a existência de uma atitude introvertida ou extrovertida em geral, mas uma pesquisa científica que pretende ser exata não pode contentar-se com premonições genéricas, mas tem que trabalhar o material concreto à sua disposição. Descobriremos, então, que ninguém é simplesmente introvertido ou extrovertido, mas o é por conformação de certas funções. Tomemos, por exemplo, um intelectual: o material consciente que ela traz à observação – ideias, conclusões, reflexões e também ações, afetos, sentimentos e percepções – é de natureza intelectual ou, ao menos, dependente diretamente de premissas intelectuais. Devemos, por isso, inferir a natureza de sua atitude geral da peculiaridade desse material. Um tipo sentimento apresentará bem outro material: sentimentos e conteúdos emocionais de toda espécie, ideias, reflexões e percepções dependentes de premissas emocionais. Somente pela peculiaridade de seus sentimentos podemos saber se um indivíduo pertence a este ou aquele tipo geral. É por isso que preciso mencionar aqui também a existência de tipos de função. As atitudes extrovertida e introvertida não podem ser demonstradas, no caso particular, como algo geral, mas só como a peculiaridade da função consciente que predomina. Assim também não existe uma atitude geral do inconsciente, mas apenas formas tipicamente ordenadas das funções inconscientes; e só pela pes-

quisa das funções inconscientes e de suas peculiaridades é possível conhecer cientificamente a atitude inconsciente.

969 Não é possível falar abertamente de funções inconscientes, ainda que na economia psíquica seja preciso reconhecer ao inconsciente uma função. Acho que se procede bem se, neste aspecto, houver muita cautela. Por isso não gostaria de afirmar nada além do seguinte: o inconsciente no estado atual de nossos conhecimentos tem uma *função compensadora* em relação à consciência. O que o inconsciente é em si e por si é especulação inútil. Ele está, segundo a natureza de sua definição, além de qualquer conhecimento. Apenas postulamos sua existência a partir de seus produtos como *sonhos* e coisas afins. É um dado seguro da experiência científica que os sonhos, por exemplo, têm normalmente um conteúdo que pode corrigir de modo essencial a atitude consciente. Daí tiramos a justificação para falar de uma função compensadora inconsciente.

970 Além dessa função geral relativamente à consciência, o inconsciente contém funções que, sob outras condições, podem tornar-se conscientes. O tipo pensamento, por exemplo, tem que reprimir e excluir sempre, tanto quanto possível, o sentimento, pois nada perturba tanto o pensamento quanto o sentimento; e o tipo sentimento tem que evitar ao máximo o pensamento, pois nada é mais prejudicial ao sentimento do que o pensamento. Funções reprimidas caem sob o domínio do inconsciente. Assim como dos quatro filhos de Hórus apenas um tem cabeça humana, também das quatro funções básicas apenas uma é totalmente consciente e diferenciada o suficiente para ser manipulada livremente e à vontade, enquanto as outras três são total ou parcialmente inconscientes. Com esta inconsciência não quero dizer que um intelectual, por exemplo, não esteja consciente de seus sentimentos. Conhece muito bem seus sentimentos na medida em que é capaz de introspecção. Mas nega-lhes qualquer validade ou influência. Manifestam-se contra sua intenção; são espontâneos e autônomos. Apoderam-se da validade que a consciência lhes nega. Agem por estímulo inconsciente, constituem como que uma contrapersonalidade, mas cuja existência só é possível deduzir após análise dos produtos do inconsciente. Se uma função não possuir disponibilidade, se for percebida como estorvo da função consciente, se caprichosamente ora se manifestar ora desaparecer, se tiver caráter obses-

sivo ou se permanecer obstinadamente escondida quando se deseja sua presença, então possui a qualidade de função situada no inconsciente. Mas esta função ainda tem outras características: é sempre algo inautêntico, isto é, possui elementos que não lhe pertencem necessariamente. Assim, por exemplo, o sentimento inconsciente do intelectual é *estranhamente fantástico*, muitas vezes em grotesca oposição ao intelectualismo exageradamente racionalista da consciência. Em oposição à intencionalidade e soberania do pensamento consciente, o sentimento é impulsivo, incontrolado, caprichoso, irracional, primitivo e arcaico como o sentimento de um selvagem.

971 O mesmo vale para cada função que está reprimida no inconsciente. Permanece sem evoluir e, fundida com outros elementos impróprios, permanece em certo estado primitivo, pois o inconsciente é o resto de uma natureza primitiva e indomada em nós, bem como a matriz do futuro incriado em nós. E, assim, as funções não desenvolvidas são sempre também as seminais. Não é de admirar, pois, se, no decorrer da vida, houver necessidade de uma complementação e mudança da atitude consciente.

972 Além dessas qualidades das funções não desenvolvidas ainda acresce a peculiaridade de que elas são extrovertidas na atitude introvertida consciente e vice-versa; elas compensam, portanto, a atitude consciente. Podemos esperar, por exemplo, descobrir num intelectual introvertido sentimentos extrovertidos. Um deles disse certa vez muito bem: "Antes do jantar sou kantiano, após o jantar sou nietzscheano". Isto significa que em sua atitude quotidiana era intelectual, mas sob a influência estimulante de um bom jantar sua atitude consciente era quebrada por uma onda dionisíaca.

973 Encontramos agora uma séria dificuldade: o diagnóstico dos tipos. O observador externo vê tanto as manifestações da atitude consciente quanto os fenômenos autônomos do inconsciente e fica indeciso sobre quais atribuir à consciência e quais ao inconsciente. Em tais circunstâncias, o diagnóstico diferencial só pode basear-se em estudo bem exato das qualidades do material observado, isto é, é preciso descobrir quais fenômenos provêm de motivos conscientemente escolhidos e quais nascem espontaneamente e também se precisa estabelecer quais as manifestações que são adaptadas e quais as que têm caráter não adaptado, arcaico.

974 Está claro, pois, que as qualidades da função principal consciente, isto é, as qualidades da atitude consciente como um todo estão em estreita oposição às qualidades da atitude inconsciente. Em outras palavras: *entre consciência e inconsciente existe normalmente uma oposição*. Mas este contraste não se apresenta como conflito, enquanto a atitude consciente não for unilateral em demasia e não estiver afastada demais da atitude inconsciente. Se isto, porém, acontecer, então o kantiano será desagradavelmente surpreendido por seu dionisismo porque este começará a desenvolver impulsos altamente impróprios. A atitude consciente vê-se, então, obrigada a suprimir as manifestações autônomas do inconsciente, e o conflito está armado. Uma vez que o inconsciente entrou em conflito ativo com a consciência não mais se deixa suprimir simplesmente. É verdade que certas manifestações especialmente visadas pela consciência não são difíceis de suprimir, mas, neste caso, os impulsos inconscientes procuram simplesmente outras saídas, difíceis de reconhecer. Uma vez abertas essas válvulas indiretas, já se inicia o caminho da neurose. Pode-se evidentemente tornar acessível à compreensão cada um desses falsos caminhos por meio da análise e, assim, levá-los à supressão consciente, mas com isto a força instintiva não é apagada e, sim, empurrada cada vez mais para um canto, se a compreensão dos caminhos indiretos não for também uma compreensão da unilateralidade da atitude consciente. Com a compreensão dos impulsos inconscientes deveria mudar a atitude consciente, pois foi sua unilateralidade que ativou a oposição inconsciente, e o conhecimento dos impulsos inconscientes só é proveitoso quando ele compensa efetivamente a unilateralidade da consciência.

975 A mudança da atitude consciente não é nenhuma bagatela, pois a essência de uma atitude habitual é sempre um ideal mais ou menos consciente, santificado pelo costume e tradição histórica, fundado na rocha do temperamento inato. *A atitude consciente é sempre, no mínimo, uma espécie de cosmovisão, quando não uma religião propriamente dita*. Esta realidade é que faz tão importante o problema dos tipos. A oposição entre os tipos não é apenas um conflito externo entre as pessoas, mas também uma fonte de infindáveis conflitos internos, não apenas a causa de disputas e antipatias externas, mas também motivo de doenças nervosas e sofrimentos psíquicos. Foi esta realidade também que obrigou a nós médicos ampliarmos nosso ho-

rizonte, originariamente apenas médico-psicológico, e incluirmos nele não só pontos de vista psicológicos em geral, mas também questões relativas à visão do mundo.

976 No espaço de uma conferência não é possível mostrar a profundidade desse problema. Devo contentar-me em apresentar em grandes traços ao menos os fatos principais e o largo alcance de sua problemática. Para maiores detalhes, indico meu livro *Tipos psicológicos*, onde desenvolvi um trabalho minucioso.

977 Resumindo, gostaria de frisar que cada uma das duas atitudes gerais, isto é, introversão e extroversão, se manifesta de acordo com uma das quatro funções básicas dominantes no indivíduo. Na realidade, não existem introvertidos e extrovertidos simplesmente, mas existem tipos funcionais introvertidos ou extrovertidos como tipos pensamento, tipos sentimento etc. Disso resulta um mínimo de oito tipos perfeitamente distintos. Obviamente este número pode ser multiplicado à vontade e a qualquer tempo se dividirmos, por exemplo, cada uma das funções em três subgrupos, o que não seria impossível na prática. Poderíamos, por exemplo, dividir facilmente o intelecto em suas três formas bem conhecidas: a forma intuitiva e especulativa, a forma lógico-matemática e a forma empírica que se baseia principalmente na percepção sensorial. Decomposições semelhantes é possível fazê-las também nas outras funções básicas como, por exemplo, na intuição que possui tanto um lado intelectual quanto sentimental. Essas decomposições permitem estabelecer arbitrariamente muitos tipos, mas cada divisão ulterior torna-se cada vez mais sutil.

978 Para completar, devo dizer que não considero a tipificação introvertido e extrovertido e as quatro funções básicas como a única teoria possível. Qualquer outro critério psicológico poderia ser empregado como classificatório, mas não encontrei nenhum que tivesse a mesma importância prática.

Tipologia psicológica[1]

979 Caráter é a forma individual estável da pessoa. A forma é de natureza corporal e também psíquica, por isso a caracterologia em geral é uma doutrina das características tanto físicas quanto psíquicas. A enigmática unidade da natureza viva traz consigo que a característica corporal não é simplesmente corporal e a característica psíquica não é simplesmente psíquica, pois a continuidade da natureza não conhece aquelas incompatibilidades e distinções que a razão humana precisa colocar a fim de poder entender. A separação entre corpo e alma é uma operação artificial, uma discriminação que se baseia menos na natureza das coisas do que na peculiaridade da razão que conhece. A intercomunicação das características corporais e psíquicas é tão íntima que podemos tirar conclusões não só a partir da constituição do corpo sobre a constituição da psique, mas também da particularidade psíquica sobre as correspondentes formas corporais dos fenômenos. É verdade que o último processo é bem mais difícil, não porque o corpo é menos influenciado pela psique do que a psique pelo corpo, mas porque, partindo da psique, temos que concluir do desconhecido para o conhecido, enquanto que no caso inverso temos a vantagem de começar pelo conhecido, ou seja, pelo corpo visível. Apesar de toda a psicologia que acreditamos hoje possuir, a alma continua sendo bem mais obscura do que a superfície visível do corpo. A psique continua sendo um terreno estranho, pouco explorado, do qual temos notícias apenas por vias indiretas, fornecidas pelas funções da consciência que, por sua vez, estão expostas a possibilidades de erro quase infindas.

---

1. Conferência pronunciada no encontro de médicos de doentes mentais, Zurique, 1928. Cf. *Seelenprobleme der Gegenwart*, p. 101s.

980 O caminho mais seguro parece, portanto, e com razão, ser o que vai de fora para dentro, do conhecido para o desconhecido, do corpo para a alma. Foi por isso que todas as tentativas de caracterologia começaram de fora: a astrologia nos tempos antigos começava no espaço cósmico para chegar às linhas do destino que, segundo Seni de Wallenstein, estão dentro da própria pessoa. O mesmo acontece com a quiromancia, a frenologia de Gall, a fisiognomia de Lavater e, modernamente, com a grafologia, a tipologia fisiológica de Kretschmer e a técnica de Rorschach. Como se vê, não faltam caminhos que vão de fora para dentro, do corporal para o psíquico.

981 Esta direção de fora para dentro tem que ser trilhada pela pesquisa até que se possam estabelecer, com relativa segurança, certos fatos elementares da psique. Uma vez estabelecidos, o caminho pode ser invertido. Podemos, então, formular a pergunta: quais são as expressões corporais de um fato psíquico determinado? Infelizmente ainda não progredimos o suficiente para formular esta pergunta, pois seu requisito básico, a constatação satisfatória do fato psíquico, está longe de ser atingido. Apenas começamos a ensaiar a composição de um inventário psíquico, e isto com maior ou menor êxito.

982 A simples constatação que certas pessoas se manifestam dessa ou daquela forma não significa nada, se não nos levar a inferir uma correlação psíquica. Só estaremos satisfeitos quando soubermos o tipo de psique que corresponde a determinada constituição corporal. O corpo nada significa sem a psique, da mesma forma que a psique nada significa sem o corpo. Se nos dispusermos a inferir um correlato psíquico a partir de uma característica física, estaremos concluindo, como já ficou dito, do conhecido para o desconhecido.

983 Infelizmente devo frisar bem esta parte porque a psicologia é, por assim dizer, a mais nova de todas as ciências e está, portanto, sujeita a muitos preconceitos. O fato de só ter sido descoberta há pouco mostra que levamos muito tempo para separar o psíquico do sujeito de tal forma que pudéssemos transformá-lo em material de conhecimento objetivo. A psicologia como ciência natural é realmente a mais nova aquisição; até há pouco era um produto tão fantástico e arbitrário quanto a ciência natural da Idade Média. Acreditava-se que psicologia podia ser feita por decreto. E este preconceito ainda nos acompanha a olhos vistos. O psíquico é para nós o mais imediato e, por

isso, aparentemente, o mais conhecido. Além de sumamente conhecido, ele nos enfada, nos aborrece com a banalidade de sua incessante vulgaridade quotidiana; sofremos, inclusive, com isso e fazemos todo o possível para não termos que pensar nisso. Sendo a psique o próprio imediatismo, e sendo nós mesmos a própria psique, somos quase forçados a aceitar que a conhecemos perfeita, duradoura e inquestionavelmente. É por isso que todos têm não só opinião sobre psicologia, mas também a convicção de que conhecem o assunto melhor do que ninguém. Os psiquiatras, por terem que lidar com o proverbial conhecimento dos parentes e guardiães de seus pacientes, foram talvez os primeiros, como grupo profissional, a se defrontarem com o cego preconceito das massas, de que, em matéria de psicologia, cada qual sabe mais de si do que os outros. Isto não impede que o psiquiatra seja aquele que sabe mais e, inclusive, a ponto de confessar: "Nesta cidade só há duas pessoas normais. A outra é o professor X".

984 Na psicologia de hoje somos forçados a admitir que o psíquico, na qualidade de mais imediato, é o mais desconhecido, ainda que pareça o mais plenamente conhecido, e que qualquer um outro provavelmente nos conhece melhor do que nós a nós próprios. Sem dúvida, isto seria um princípio heurístico muito útil por onde começar. Mas precisamente por ser a psique tão imediata é que a psicologia foi descoberta tão tarde. E, por estarmos ainda nos inícios de uma ciência, é que nos faltam conceitos e definições para apreender os fatos. Faltam conceitos e definições, mas não faltam fatos. Pelo contrário, somos cercados, quase encobertos pelos fatos, em flagrante contraste com a situação das outras ciências onde devemos, por assim dizer, procurá-los e cujo grupamento natural, como no caso dos elementos químicos e das famílias de plantas, nos dá um conceito só compreensível *a posteriori*. Bem diferente é a situação com a psique: aqui uma atitude com visão empírica nos mergulha apenas na torrente sem fim de nosso acontecer psíquico subjetivo e, quando surge dessa engrenagem qualquer conceito generalizador, trata-se, na maioria das vezes, de mero sintoma. E, por sermos nós também psique, é quase inevitável que, ao darmos livre curso ao processo psíquico, sejamos nele confundidos e fiquemos privados de nossa capacidade de reconhecer distinções e fazer comparações.

985 Esta é uma das dificuldades. A outra é o fato de que, na medida em que nos afastamos dos fenômenos espaciais e nos aproximamos da não espacialidade da psique, perdemos também a possibilidade de uma mensuração exata. Até mesmo a constatação dos fatos se torna difícil. Se desejo, por exemplo, frisar a irrealidade de alguma coisa, digo que apenas a pensei. "Não teria tido esta ideia se não [...] e, aliás, não costumo pensar essas coisas". Observações desse tipo são muito comuns e indicam quão nebulosos são os fatos psíquicos ou, ainda, quão vagos parecem subjetivamente, quando, na realidade, são tão objetivos e determinados como outro conhecimento qualquer. Realmente pensei isto e aquilo, não importando as condições e cláusulas desse processo. Muitas pessoas têm que ir formalmente ao encontro dessa concessão, por assim dizer evidente, e, às vezes, com o maior esforço moral.

986 Se concluirmos sobre a situação psíquica a partir do conhecido dos fenômenos externos, então encontraremos essas dificuldades.

987 Meu campo de trabalho específico não é o estudo clínico de características externas, mas a pesquisa e classificação dos dados psíquicos possíveis de estabelecer por conclusões. Desse trabalho resulta, em primeiro lugar, uma fenomenologia psíquica que permite uma correspondente teoria estrutural e, pelo emprego empírico da teoria estrutural, chega-se finalmente a uma tipologia psicológica.

988 A fenomenologia clínica é sintomatologia. O passo da sintomatologia para a fenomenologia psíquica é comparável à evolução da pura patologia sintomática para o conhecimento da patologia celular e metabólica, pois a fenomenologia psíquica nos permite a observação dos processos psíquicos subjacentes e que são a base dos sintomas manifestos. Como se sabe, este progresso foi conseguido pelo uso de métodos analíticos. Hoje em dia temos real conhecimento daqueles processos psíquicos que produzem sintomas psicógenos e, dessa forma, está lançada a base de uma fenomenologia psíquica, pois a teoria dos complexos nada mais é do que isto. O que quer que ocorra nos recessos obscuros da psique – e existem várias opiniões acerca disto – uma coisa é certa: são, antes de tudo, conteúdos carregados de afeto, os assim chamados *complexos* que gozam de certa autonomia. Já rejeitamos várias vezes a expressão "complexo autônomo", mas, parece-me, sem razão, porque os conteúdos ativos do inconsciente mos-

tram na realidade um comportamento que eu não saberia qualificar de outra forma que não pela palavra "autônomo". Este termo significa a capacidade dos complexos de resistir às intenções da consciência, de ir e vir a seu bel-prazer. De acordo com tudo que conhecemos deles, os complexos são grandezas psíquicas que escaparam do controle da consciência. Separados dela, levam uma existência à parte na esfera obscura da psique de onde podem, a qualquer hora, impedir ou favorecer atividades conscientes.

989 Aprofundamento ulterior da teoria dos complexos leva logicamente ao problema do *surgimento dos complexos*. Também sobre isso existem diversas teorias. Independentemente dessas, mostra a experiência que os complexos sempre contêm algo como um conflito ou, no mínimo, dão origem a ele ou dele provêm. Como quer que seja, as características do conflito, do choque, da consternação, do escrúpulo e da incompatibilidade são próprias dos complexos. São os assim chamados "fantasmas" (wunde Punkte), em francês *bêtes noires*, em inglês *skeletons in the cupboard*, dos quais não gostamos de lembrar e, muito menos, que os outros deles nos lembrem, mas que se apresentam à nossa lembrança sem pedir licença e da forma mais indesejável possível. Sempre trazem consigo recordações, desejos, temores, deveres, necessidades ou introspecções com os quais não sabemos bem o que fazer, e que, portanto, imiscuem-se em nossa vida consciente sempre de maneira perturbadora e perniciosa.

990 Sem dúvida os complexos são uma espécie de inferioridade no sentido mais amplo; mas quero sublinhar de saída que um complexo ou ter um complexo não significa logo uma inferioridade. Quer dizer apenas que existe algo discordante, não assimilado e conflitivo, um obstáculo talvez, mas também um incentivo para maiores esforços e, com isso, talvez nova possibilidade de sucesso. Neste sentido, os complexos são precisamente focos ou entroncamentos da vida psíquica que não gostaríamos de dispensar, que não *deveriam* faltar, caso contrário a atividade psíquica entraria em estado de paralisação fatal. Eles mostram ao indivíduo os problemas não resolvidos, o lugar onde sofrem, ao menos provisoriamente, uma derrota, onde existe algo que ele não pode esquecer ou superar, enfim o *ponto fraco*, no mais amplo sentido da palavra.

991 Este caráter do complexo traz muita luz para seu aparecimento. Surge obviamente do choque entre uma necessidade de adaptação e a constituição especial e inadequada do indivíduo para suprir esta necessidade. Visto assim, o complexo é um sintoma valioso para diagnosticar uma disposição individual.

992 A experiência nos mostra que há uma variedade infinda de complexos, mas uma cuidadosa comparação leva a concluir que há relativamente poucas formas, básicas e típicas, todas elas fundamentando-se nas primeiras vivências da infância. Isto tem que ser assim, pois a disposição individual já se manifesta na infância, uma vez que é inata e não adquirida no decurso da vida. O complexo parental nada mais é, portanto, do que o primeiro choque entre a realidade e a constituição inadequada do indivíduo neste aspecto. A primeira forma de complexo tinha que ser, portanto, um complexo parental, pois os pais são a primeira realidade com a qual a criança pode entrar em conflito.

993 A existência de um complexo parental nos diz o mesmo que nada sobre a constituição adequada do indivíduo. A experiência prática logo nos mostra que o essencial não está no fato da existência de um complexo parental, mas no modo especial como o complexo atua no indivíduo. E aqui se verificam as mais diferentes variações que podemos atribuir, apenas em grau ínfimo, à constituição especial da influência dos pais porque, frequentes vezes, mais crianças são expostas concomitantemente à mesma influência e, apesar disso, reagem da maneira mais diversa que se possa imaginar.

994 Voltei minha atenção exatamente para essas diferenças achando que por meio delas conseguiria discernir as peculiaridades das disposições individuais. Por que, numa família neurótica, uma criança reage com histeria, outra com neurose compulsiva, uma terceira com psicose e uma quarta talvez com nada disso? Esse problema da "escolha da neurose", com o qual também Freud se defrontou, tira do complexo parental como tal o significado etiológico, pois a questão deriva mais para o indivíduo que reage e para sua disposição específica.

995 Ainda que as tentativas de Freud para solucionar este problema me deixem insatisfeito, eu mesmo não estou em condições de responder à questão. Julgo ser prematura a mera formulação do problema da escolha da neurose. Antes de abordarmos este problema suma-

mente difícil, precisamos saber muito mais sobre *como o* indivíduo reage. A questão é esta: como reagimos a um obstáculo? Exemplo: chegamos à beira de um riacho sobre o qual não há ponte, mas que é largo demais para ser transposto com um simples passo. Temos que dar um salto. Para isso, temos à nossa disposição um sistema funcional bem complicado, isto é, o sistema psicomotor, uma função já pronta, bastando ser ativada. Mas, antes que isto ocorra, verifica-se algo puramente psíquico: a *decisão* sobre o que deve ser feito. E aqui têm lugar os acontecimentos individuais decisivos, mas que, raras vezes ou nunca, são reconhecidos pelo sujeito como característicos, pois, em geral, não se vê a si mesmo ou, apenas, em último caso. Assim como para saltar é colocado habitualmente à disposição o aparelho psicomotor, também para a decisão sobre o que deve ser feito existe habitualmente (e, por isso, inconscientemente) à disposição um aparelho exclusivamente psíquico.

996 As opiniões divergem muito sobre a composição desse aparelho; certo é apenas que todo indivíduo tem seu modo costumeiro de tomar decisões e superar dificuldades. Se perguntarmos a um deles, dirá que saltou sobre o rio porque gosta de saltar; um outro dirá que saltou porque não havia outra possibilidade; e um terceiro dirá que todo obstáculo é um estímulo para superá-lo. Um quarto não saltou porque detesta esforços inúteis; e um quinto também não porque não havia maior necessidade de passar para o outro lado.

997 Escolhi de propósito este exemplo banal para mostrar como parecem irrelevantes tais motivações e, até mesmo, fúteis, a ponto de estarmos propensos a relegá-las em seu todo e substituí-las por nossa própria explicação. Mas são precisamente estas variações que possibilitam a valiosa introspecção no sistema individual de adaptação psíquica. Tomemos o primeiro caso, em que o indivíduo salta sobre o riacho por diversão. Em outras situações da vida, provavelmente notaremos que seu fazer e deixar de fazer se pautam, em grande parte, por este aspecto. O segundo, que saltou porque não havia outra possibilidade, podemos vê-lo passar pela vida cautelosa e apreensivamente, sempre se orientando pela *faute-de-mieux* (falta de coisa melhor) etc. Em todos esses casos estão à disposição sistemas psíquicos especiais aos quais são confiadas as decisões. É fácil supor que essas atitudes são legião. Sua multiplicidade individual é tão inesgotável

como as variedades de cristais, mas que fazem parte, sem dúvida, desse ou daquele sistema.

998 Assim como os cristais apresentam leis fundamentais relativamente simples, também as atitudes mostram certas peculiaridades básicas que as remetem a grupos bem determinados.

999 As tentativas do espírito humano de construir tipos e, assim, colocar ordem no caos dos indivíduos são antiquíssimas. A tentativa mais antiga neste sentido foi feita pela astrologia do Antigo Oriente nos assim chamados trígonos dos quatro elementos: ar, água, terra e fogo. O trígono do ar consiste, no horóscopo, dos três zodíacos do ar: aquário, gêmeos e libra; o do fogo, dos três zodíacos do fogo: áries, leão e sagitário etc. Segundo esta antiquíssima concepção, quem nascesse nesse trígono teria parte nessa natureza aérea ou fogosa e apresentaria um temperamento e destino correspondentes. Por isso a tipologia *fisiológica* da Antiguidade, ou seja, a divisão em quatro temperamentos humorais, está em íntima conexão com as concepções cosmológicas ainda mais antigas. O que antigamente era representado pelos signos do zodíaco foi, depois, expresso na linguagem fisiológica dos antigos médicos, isto é, pelas palavras *fleumático, sanguíneo, colérico* e *melancólico,* que apenas designam as secreções corporais. Como sabemos, essa tipificação durou, no mínimo, mil e oitocentos anos. No que se refere à tipologia astrológica, para espanto da mentalidade esclarecida, ela permanece intacta e recebe, inclusive, novo florescimento.

1.000 Este retrospecto histórico nos tranquiliza quanto ao fato de que nossas tentativas modernas de tipologia não são novas e nem originais, ainda que nossa consciência científica nos permita retomar esses caminhos antigos e intuitivos. Temos que achar nossa própria resposta para o problema, e uma resposta que satisfaça os anseios da ciência.

1.001 E aqui se apresenta a dificuldade principal do problema tipológico, isto é, a questão de padrões ou critérios. O critério astrológico era simples: consistia na constelação imperante na hora do nascimento. A questão de saber como o zodíaco e os planetas podiam conter qualidades temperamentais penetra no obscuro nevoeiro da pré-história e fica sem resposta. O critério dos quatro temperamentos psicológicos da Antiguidade era a aparência e o comportamento do indivíduo, exatamente como na tipificação psicológica atual. Mas, qual deve ser o critério de uma tipologia psicológica?

Lembremos o exemplo dos indivíduos que deviam passar por sobre um riacho. Como e segundo que pontos de vista devemos classificar suas motivações habituais? Um deles o faz por diversão, outro porque se não o fizesse seria pior, um terceiro não o faz porque tem outra opinião etc. A série de possibilidades parece infinda e sem maiores perspectivas para o problema. 1.002

Não sei como os outros procedem em relação a esta tarefa. Só posso dizer como eu tratei o assunto e, quando me objetam que meu modo de resolver o problema é apenas o meu preconceito pessoal, devo concordar. E esta objeção é tão válida que eu não saberia defender-me contra ela. Só me ocorre trazer o exemplo de Colombo que, baseado em suposições subjetivas, em falsa hipótese, e seguindo caminho abandonado pelos navegadores da época, descobriu a América. Aquilo que contemplamos e o modo como o contemplamos sempre o fazemos com nossos próprios olhos. Por isso a ciência não é feita por um só, mas sempre exige o concurso de muitos. O indivíduo pode dar sua contribuição e, neste sentido, ouso falar do *meu* modo de ver as coisas. 1.003

Minha profissão obrigou-me desde sempre a levar em consideração a peculiaridade dos indivíduos e a especial circunstância de que ao longo dos anos – não sei quantos – ter que tratar de inúmeros casais ligados pelo matrimônio e ter que torná-los plausíveis um ao outro, homem e mulher, enfatizou mais ainda a obrigação e necessidade de estabelecer certas verdades médias. Quantas vezes, por exemplo, tive de dizer: "Sua mulher é de constituição tão ativa que não se pode esperar que sua vida toda se resuma a cuidar do lar". Isto já é uma tipificação, uma espécie de verdade estatística. Existem naturezas *ativas* e *passivas*. Mas esta verdade rudimentar não me satisfazia. Minha próxima tentativa foi dizer que havia algo como naturezas *reflexivas* e *irrefletidas*, pois percebera que muitas naturezas aparentemente passivas não eram, na verdade, tão passivas, mas sim *premeditativas*. Essas examinam, primeiro, a situação e só depois agem; e por assim procederem habitualmente, desperdiçam oportunidades onde é preciso agir imediatamente, sem premeditação, dando a impressão de serem passivas. Os irrefletidos sempre me pareciam pessoas que saltavam para dentro de uma si- 1.004

tuação com os dois pés, para só então pensarem que talvez tivessem entrado num brejo. Podíamos, portanto, designá-los irrefletidos, o que parecia mais adequado do que ativos, pois a premeditação do outro é, às vezes, uma atividade muito importante e um agir muito responsável em vista do fogo de palha impensado de uma simples ocupação. Mas de pronto descobri que a lentidão de um nem sempre era premeditação e o agir rápido de outro também não era irreflexão. A hesitação do primeiro repousa muitas vezes numa timidez habitual ou, ao menos, num retroceder instintivo diante de tarefa grande demais; a atividade imediata do outro se torna possível devido a uma autoconfiança quase desmedida em relação ao objeto. Esta observação fez com que eu formulasse a tipificação da seguinte maneira: existe toda uma classe de pessoas que, no momento de reagir a uma situação dada, primeiro se retrai, dizendo "não" em voz baixa, e só depois chega a reagir; e outra classe que reage imediatamente diante da mesma situação, aparentando plena confiança de que seu procedimento está correto. A primeira classe seria caracterizada por uma certa relação negativa com o objeto e a segunda, por uma relação positiva.

1.005 Como se pode ver, a primeira classe corresponde à atitude *introvertida* e a segunda à atitude *extrovertida*.

1.006 Mas esses dois termos significam tão pouco quanto a descoberta de que o "Bourgeois Gentilhomme" de Molière usava um linguajar comum. Só adquirem sentido e valor quando conhecemos todas as demais características que acompanham o tipo.

1.007 Ninguém pode ser introvertido sem que o seja em todos os sentidos. O conceito *introvertido* soa assim: todo o psíquico acontece assim como deve acontecer regularmente no introvertido. Se assim não fosse, a constatação que um certo indivíduo é extrovertido seria tão irrelevante quanto afirmar que sua altura é 1,75m, que tem cabelos castanhos ou que é braquicéfalo. Obviamente estas constatações não contêm muito mais do que a realidade que exprimem. Mas a expressão *extrovertido* é incomparavelmente mais exigente. Quer dizer que a consciência e o inconsciente do extrovertido têm que ter determinadas qualidades de forma que seu comportamento geral, seu relacionamento com os outros e, mesmo, o curso de sua vida apresentem certas características típicas.

Introversão e extroversão como tipos de atitudes significam um preconceito que condiciona todo o processo psíquico, porque estabelecem o modo habitual de reação e, portanto, determinam não apenas o modo de agir, mas também o modo de ser da experiência subjetiva e o modo de ser da compensação pelo inconsciente. 1.008

A determinação do hábito de reagir tem que acertar no alvo, pois o hábito é de certa forma uma central de comutação a partir da qual é regulado, por um lado, o agir externo, e, por outro, é configurada a experiência específica. Certo modo de agir traz resultados correspondentes e a compreensão subjetiva dos resultados faz surgir experiências que, por sua vez, voltam a influenciar o agir e, dessa forma, traçam o destino individual, segundo o ditado: "Cada qual é o autor de seu destino". 1.009

Ainda que não haja dúvida de que o hábito de reação nos leva ao ponto central, permanece a delicada questão se a caracterização do hábito de reação foi acertada ou não. Pode-se ter opinião diferente neste assunto, mesmo que se tenha conhecimento profundo desse campo específico. O que pude encontrar em favor de minha concepção eu o reuni em meu livro sobre os tipos, afirmando categoricamente que não pretendia fosse minha tipificação a única verdadeira ou a única possível. 1.010

O confronto entre introversão e extroversão é simples, mas infelizmente formulações simples merecem quase sempre desconfiança. Com demasiada facilidade acobertam as verdadeiras complicações. Falo de experiência própria, pois tendo publicado, há quase vinte anos, a primeira formulação de meus critérios[2], percebi, para meu desgosto, que caíra na esparrela. Algo não estava certo. Havia tentado explicar demais, com meios muito simples, o que acontece à maioria no primeiro prazer da descoberta. 1.011

O que me chamou a atenção agora foi o inegável fato de haver enormes diferenças nos introvertidos entre si e nos extrovertidos entre si. Eram tão grandes essas diferenças que cheguei a duvidar se tinha enxergado bem ou não. A solução dessa dúvida exigiu um trabalho de observação e comparação que durou quase dez anos. 1.012

---

2. Cf. § 931s. deste volume.

1.013 O problema de saber donde provinham as enormes diferenças entre os indivíduos do mesmo tipo enredou-me em dificuldades imprevisíveis que ficaram por muito tempo sem solução. Essas dificuldades não estavam tanto na observação e percepção das diferenças; a raiz era, como antigamente, o problema dos critérios, isto é, a designação adequada das diferenças características. Aqui experimentei com meridiana clareza quão nova é a psicologia. Difere bem pouco de um caos de opiniões teóricas arbitrárias que nasceram, em grande parte, em salas de aula ou em consultórios, por *generatio aequivoca* (por geração espontânea) de um cérebro erudito, isolado e, por isso, semelhante ao de Zeus. Não quero ser irreverente, mas não posso deixar de comparar o professor de psicologia com a psicologia da mulher, dos chineses ou dos aborígines australianos. Nossa psicologia tem que envolver-se na vida, caso contrário ficaremos presos à Idade Média.

1.014 Percebi que do caos da psicologia contemporânea não era possível extrair critérios seguros; era preciso criá-los, não a partir da estratosfera, mas com base nos inestimáveis trabalhos já existentes de muitos, cujos nomes a história da psicologia não poderá ignorar.

1.015 No âmbito de uma conferência é impossível mencionar todas as observações separadas que me levaram a selecionar *certas funções psíquicas* como *critérios* das diferenças em discussão. Apenas é preciso constatar em geral que as diferenças, na medida em que pude percebê-las até agora, consistem essencialmente em que um introvertido, por exemplo, não apenas se retrai e hesita diante do objeto, mas isto é um modo bem definido de proceder. Também não age como todos os introvertidos, mas sempre de um modo todo próprio seu. Assim como o leão abate seu inimigo ou sua presa com a pata dianteira (e não com a cauda, como o faz o crocodilo), também nosso hábito de reação se caracteriza normalmente por nossa força, isto é, pelo emprego de nossa função mais confiável e mais eficiente, o que não impede que, às vezes, também possamos reagir utilizando nossa fraqueza específica. Tentaremos criar e procurar situações condizentes e evitar outras para, assim, fazermos experiências especificamente nossas e diferentes das dos outros. Uma pessoa inteligente há de adaptar-se ao mundo com sua inteligência e não como um boxeador de sexta categoria, ainda que possa, num acesso de fúria, usar os punhos. Na luta pela existência e pela adaptação, cada qual emprega instintivamente sua *função mais desenvolvida*, que se torna, assim, o critério de seu hábito de reação.

1.016 A questão é esta: como reunir todas essas funções em conceitos gerais de modo que possam distinguir-se dos simples acontecimentos individuais?

1.017 Uma tipificação bruta dessa espécie já foi criada de há muito pela vida social nas figuras do camponês, do operário, do artista, do erudito, do lutador etc., ou no elenco de todas as profissões. Mas esta tipificação nada tem a ver com a psicologia, pois, como se expressou certa vez um notável sábio, existem também entre os intelectuais aqueles que são meros "estivadores intelectuais".

1.018 O que aqui se pretende é de ordem mais sutil. Não basta, por exemplo, falar de inteligência, pois é um conceito por demais vago e genérico. Pode-se chamar de inteligente praticamente tudo que funciona de modo fluente, rápido, eficiente e finalista; à semelhança da burrice, a inteligência não é função, mas modalidade; nunca diz o quê, mas sempre o como. O mesmo vale dos critérios morais e estéticos. Temos que saber dizer o que funciona primordialmente na reação habitual. E, neste caso, somos forçados a retornar a algo que, à primeira vista, parece a velha psicologia de faculdades do século XVIII; na verdade, porém, só voltamos aos conceitos já inseridos na linguagem quotidiana, acessíveis e compreensíveis a qualquer um. Quando, por exemplo, falo de "pensar", só um filósofo não sabe o que isto significa, mas nenhum leigo há de considerar isto incompreensível. Quase diariamente empregamos esta palavra e sempre significa praticamente a mesma coisa. Mas um leigo entraria em sérios apuros se pedíssemos que nos desse de pronto uma definição inequívoca de pensar. O mesmo vale de "memória" e "sentimento". Esses conceitos psicológicos puros são muito difíceis de definir cientificamente, mas são facílimos de entender na linguagem usual. A linguagem é uma reunião de evidências por excelência; por isso, conceitos muito nebulosos e abstratos não conseguem lançar raízes nela ou facilmente morrem porque têm pouco contacto com a realidade. Mas o pensamento ou o sentimento são realidades tão evidentes que qualquer linguagem não muito primitiva tem expressões absolutamente inequívocas para eles. Podemos ter certeza, então, que estas expressões coincidem com situações psíquicas bem determinadas, não importa como sejam cientificamente definidas essas situações complexas. Todos sabem, por exemplo, o que é consciência, mas a ciência ainda o desconhece; ninguém duvida que o conceito *consciência* coincida com uma determinada situação psíquica, mas a ciência não o sabe definir.

1.019 Foi por isso que tomei os conceitos leigos contidos na linguagem usual como critérios para as diferenças verificadas num tipo de atitude e com eles designei as funções psíquicas correspondentes. Tomei, por exemplo, o pensamento, como é entendido usualmente, porque me chamou a atenção que muitas pessoas pensam bem mais do que outras e dão a seu pensamento valor bem maior em suas decisões importantes. Também usam seu pensamento para entenderem o mundo e a ele se adaptarem; e tudo que lhes acontece é submetido a uma consideração ou reflexão, ou, no mínimo, a um princípio previamente estabelecido. Outras pessoas relegam o pensamento em favor de fatores emocionais, isto é, do sentimento. Fazem continuamente uma "política do sentimento" e é preciso uma situação extraordinária para levá-las a refletir. Estes se encontram em oposição evidente àqueles, e a diferença é ainda mais gritante quando se trata de sócios ou de marido e mulher. No dar preferência ao pensamento, pode-se perceber se alguém é introvertido ou extrovertido. Mas só o empregará no modo que corresponda a seu tipo.

1.020 A predominância de uma ou outra função não explica todas as diferenças que ocorrem. O que denomino tipos pensamento ou sentimento são pessoas que têm novamente algo em comum e que eu não saberia designar de outra forma do que pela palavra *racionalidade*. Ninguém negará que o pensamento é essencialmente racional, mas, quando chegamos ao sentimento, levantam-se graves objeções que não gostaria de rejeitar sem mais. Posso garantir que o problema do sentimento me trouxe não pouca dor de cabeça. Não quero, porém, sobrecarregar minha conferência com as opiniões teóricas sobre este conceito, mas trazer apenas rapidamente minha concepção. A dificuldade principal é que a palavra "sentimento" ou "sentir" é suscetível dos mais diferentes usos, especialmente na língua alemã, embora menos na língua inglesa e francesa. Temos que distinguir de antemão esta palavra do conceito de sensação, que é a função dos sentidos. Também é preciso compreender que o sentimento de compaixão, por exemplo, é conceitualmente bem diferente do sentimento de que o tempo vai mudar ou de que as ações do alumínio vão subir. Minha proposta era que se chamasse de sentimento propriamente dito o primeiro sentimento e, quanto aos outros, fosse abolida a palavra "sentir" – ao menos com relação a seu uso psicológico – e substituída pelo conceito de "sensação", enquanto se tratasse de experiência sensorial; ou pelo conceito de "intuição", enquanto se tratasse de uma espécie de percepção que não pode ser atribuída diretamente à experiência dos sentidos. Por isso, defini *sensação* como percepção através da função consciente dos sentidos e *intuição* como percepção através do inconsciente.

1.021 Evidentemente é possível discutir sobre a validade dessas definições até o fim do mundo, mas a discussão prende-se, em última análise, apenas à questão se devemos chamar um certo animal de rinoceronte ou de "com chifre no focinho", pois o que interessa é saber como designar o quê. A psicologia é terra virgem onde a linguagem ainda precisa ser fixada. Podemos medir a temperatura de acordo com Réaumur, Celsius ou Fahrenheit, apenas é preciso explicar que graduação estamos utilizando.

1.022 Como se vê, considero o sentimento uma função da índole e dele distingo a sensação e o pressentimento ou intuição. Quem misturar essas funções com o sentimento, em sentido mais estrito, não conseguirá entender a racionalidade do sentimento. Mas, quem as separa, não pode deixar de reconhecer que os valores e julgamentos do sentimento, ou seja, os sentimentos em geral, não apenas são racionais, mas podem ser também lógicos, consequentes e criteriosos como o pensamento. Este fato parece estranho ao tipo pensamento, mas isto se explica facilmente pela circunstância típica de que, na função diferenciada do pensamento, a função sentimento é sempre menos desenvolvida e, por isso, mais primitiva e contaminada com outras funções, principalmente com as irracionais, não lógicas e não judicativas, respectivamente não avaliadoras, isto é, com a sensação e a intuição. Estas duas últimas funções são opostas às funções racionais, e isto devido à sua natureza mais profunda. Quando *pensamos*, a gente o faz com a intenção de chegar a um julgamento ou a uma conclusão: e, quando sentimos, é para chegar a uma avaliação correta. Mas a sensação e a intuição, como funções perceptivas, visam à percepção do que *está acontecendo*, mas não o interpretam e nem o avaliam. Não devem, portanto, proceder seletivamente segundo princípios, mas têm que estar simplesmente abertas ao que acontece. O puro acontecer é, no entanto, essencialmente irracional, pois não há método conclusivo capaz de demonstrar que deve existir tal número de planetas ou tais e tantas espécies de animais de sangue quente. A irracionalidade é um defeito que apelaria para o pensamento e o sentimento; a racionalidade é um defeito onde a sensação e a intuição deveriam ser chamadas.

1.023 Há muitas pessoas que baseiam seu hábito principal de reação na irracionalidade e, precisamente, na sensação ou na intuição, nunca nas duas ao mesmo tempo, pois a sensação é tão antagônica à intuição quanto o pensamento ao sentimento. Se eu quiser constatar com meus olhos e ouvidos o que realmente acontece, posso fazer tudo menos perambular com sonhos e fantasias por todos os cantos – o que exatamente o intuitivo tem que fazer para garantir o necessário espaço a seu inconsciente ou ao objeto. Compreende-se, pois, que o tipo sensação seja o antípoda do intuitivo. Infelizmente o tempo não me permite abordar as interessantes variações provocadas pela atitude extrovertida e introvertida nos tipos irracionais.

1.024 Em vez disso, gostaríamos de acrescentar uma palavra ainda sobre as consequências regularmente produzidas quando se dá preferência a uma das funções. É sabido que a pessoa não pode ser tudo ao mesmo tempo nem ser perfeita. Algumas qualidades ela as desenvolve, outras deixa atrofiadas. Nunca alcança a perfeição. O que pode acontecer com aquelas funções que ela não utiliza diariamente de modo consciente e, portanto, não desenvolve pelo exercício? Permanecem em situação mais ou menos primitivo-infantil, apenas meio-conscientes ou totalmente inconscientes. E constituem, assim, para cada tipo, uma inferioridade característica que é parte integrante de seu caráter geral. Ênfase unilateral do pensamento vem sempre acompanhada de inferioridade do sentimento; sensação diferenciada perturba a faculdade intuitiva e vice-versa.

1.025 Se uma função é diferenciada ou não, é fácil de perceber por sua força, estabilidade, consistência, confiabilidade e ajustamento. Mas sua inferioridade nem sempre é tão fácil de reconhecer e descrever. Um critério bastante seguro é sua falta de autonomia e, portanto, sua dependência das pessoas e das circunstâncias, sua caprichosa suscetibilidade, sua falta de confiabilidade no uso, sua sugestionabilidade e seu caráter nebuloso. Na função inferior, estamos sempre por baixo; não podemos comandá-la, mas somos inclusive suas vítimas.

A intenção dessa conferência é dar um apanhado das ideias básicas de uma tipologia psicológica, por isso não devo entrar em descrição detalhada dos tipos psicológicos. 1.026

O resultado de meu trabalho até agora é a constatação de dois tipos gerais de atitude: a extroversão e a introversão, e de quatro tipos funcionais: os tipos pensamento, sentimento, sensação e intuição. Esses tipos variam segundo a atitude geral e, assim, produzem oito variantes. 1.027

Já fui questionado, em tom de censura, pelo fato de admitir quatro funções; não poderiam ser mais ou menos? Cheguei ao número quatro de modo puramente empírico. A explicação a seguir mostra que com quatro se chega a uma certa totalidade. 1.028

A sensação constata o que realmente está presente. O pensamento nos permite conhecer o que significa este presente; o sentimento, qual o seu valor; a intuição, finalmente, aponta as possibilidades do "de onde" e do "para onde" que estão contidas neste presente. E, assim, a orientação com referência ao presente é tão completa quanto a localização geográfica pela latitude e longitude. As quatro funções são algo como os quatro pontos cardeais, tão arbitrárias e tão indispensáveis quanto estes. Não importa que os pontos cardeais sejam deslocados alguns graus para a esquerda ou para a direita, ou que recebam outros nomes. É apenas questão de convenção e compreensão. 1.029

Mas, uma coisa devo confessar: não gostaria de perder nunca mais esta bússola em minhas viagens de descobertas. Não só devido ao fato muito natural e humano de que cada qual ama suas ideias, mas devido ao fato objetivo de que, com isso, temos um sistema de medida e orientação que torna possível o que nos faltou por muito tempo: uma *psicologia crítica*. 1.030

Tipologia psicológica[1]

1.031 Desde os primórdios da história das ciências, foi preocupação do intelecto reflexivo colocar meios-termos entre os polos da semelhança e dessemelhança absolutas do ser humano. Daí resultaram os assim chamados tipos ou – como eram denominados antigamente – temperamentos que classificavam a igualdade e desigualdade em categorias uniformes. Na Antiguidade, foram sobretudo os médicos que aplicaram esse princípio ordenador – que Empédocles havia estatuído para o caos dos fenômenos naturais, dividindo-os nos quatro elementos: fogo, ar, água e terra, em conexão com as propriedades, igualmente oriundas da filosofia naturalista dos gregos: seco, quente, úmido e frio – aos seres humanos, tentando, assim, reduzir a caótica diversidade do gênero humano a grupos organizados. Dentre esses médicos, destacou-se Galeno que, com esta doutrina, influenciou a ciência da doença e do homem doente por quase mil e oitocentos anos. Os antigos nomes dos temperamentos ainda denunciam sua procedência da "patologia humoral": melancólico (de bílis negra); fleumático (mucoso: a palavra grega *phlegma* significa queimação, inflamação; o "muco" foi considerado como produto final da inflamação); sanguíneo (de sangue); colérico (bílis "amarela"). Nossa concepção moderna de "temperamento" tornou-se bem mais psicológica, pois a "alma", nesses dois mil anos de desenvolvimento, libertou-se dessa vinculação com humores quentes e frios, mucosos e biliosos. Jamais os médicos de hoje identificariam um temperamento, isto é, uma certa espécie de estado emocional ou excitabilidade, diretamente com a constituição do fluxo sanguíneo ou linfático, ainda que sua profissão e seu contato com as pessoas, sob o ângulo da do-

1. Publicado em *Süddeutsche Monatshefte*, fevereiro de 1936.

ença corporal, os induzam mais vezes do que o leigo à tentação de considerar a psique como órgão sensível e dependente da fisiología das glândulas. Os "humores" dos médicos atuais já não são as antigas "secreções corporais", mas os sutis hormônios que influenciam em larga escala o "caráter", considerado como síntese das reações temperamentais ou emocionais. A disposição geral do corpo, ou a assim chamada constituição, no sentido mais amplo, tem muito a ver com o temperamento psicológico e, na verdade, tem tanto a ver que não podemos recriminar os médicos se consideram o fenômeno psíquico como dependente do corpo. Em algum lugar a alma é corpo vivo, e corpo vivo é matéria animada; de alguma forma e em algum lugar existe uma irreconhecível unidade de psique e corpo que precisaria ser pesquisada psíquica e fisicamente, isto é, tal unidade deveria ser considerada pelo pesquisador como dependente tanto do corpo quanto da psique. A concepção materialista concedeu a primazia ao corpo e relegou a psique à categoria de fenômeno derivado e de segunda classe, reconhecendo-lhe não maior substancialidade do que a de um "epifenômeno". O que em si é uma boa hipótese de trabalho, ou seja, que o fenômeno psíquico vem condicionado pelos processos corporais, tornou-se, no materialismo, um desmando filosófico. Qualquer ciência séria sobre o organismo vivo há de rejeitar este desmando, pois, de um lado, tem patente diante dos olhos que a matéria viva ainda possui um segredo indecifrado e, por outro, sua objetividade não pode negar que ainda persiste um abismo, para nós totalmente intransponível, entre o fenômeno físico e psíquico, de modo que o psíquico não é menos misterioso do que o físico.

1.032 O abuso materialista só foi possível recentemente, quando a concepção da psique libertou-se da visão antiga e desenvolveu-se, no curso de muitos séculos, na direção da autonomia e da abstração. Os antigos ainda conseguiam ver corpo e psique como unidade inseparável porque estavam mais próximos daquele tempo primitivo em que ainda não havia uma fenda moral na personalidade e o homem podia sentir-se como unidade indivisa em sua inocência e irresponsabilidade infantis. Os egípcios ainda gozavam da incrível ingenuidade de uma confissão negativa de culpa: "Não deixei ninguém sofrer fome. Não fiz ninguém chorar. Não matei etc." Os heróis homéricos choravam, riam, vociferavam, enganavam e matavam num mundo em que isto era considerado natural e evidente para homens e deuses e a família dos deuses olímpicos se comprazia numa irresponsabilidade imortal.

1.033 Era neste nível arcaico e pré-filosófico que vivia o homem, dominado por suas emoções. Só o que fazia seu sangue ferver, seu coração bater forte, sua respiração se acelerar ou diminuir, seus intestinos se desarranjarem, só isto era considerado "anímico". Por isso localizava a alma na região do diafragma (do grego, *phrenes* = diafragma) e do coração. Foram os filósofos que começaram a dizer que a razão estava na cabeça. Há aborígines cujos "pensamentos" estão localizados essencialmente na barriga e indígenas Pueblos que "pensam" com o coração ("só os loucos pensam com a cabeça"). A este nível, consciência é comoção e vivência da unidade. Mas foi exatamente este povo do prazer e da tragédia que inventou, quando começou a pensar, aquela dicotomia que Nietzsche achava dever imputar ao velho Zaratustra, ou seja, a descoberta dos pares de opostos, a separação de direito e esquerdo, em cima e embaixo, bem e mal. Isto foi obra dos antigos pitagóricos. Sua doutrina da responsabilidade moral e das graves consequências metafísicas do pecado infiltrou-se, no decorrer dos séculos, nas mais diversas camadas da população, através da ampla difusão dos mistérios órfico-pitagóricos. Ja Platão usa a comparação do cavalo branco e preto para designar a complicação e polaridade da psique humana; mas os mistérios já propagavam, bem antes, a doutrina da recompensa de além-túmulo para os bons, e do castigo infernal para os maus. Não se trata de sofismas psicológicos de filósofos "alheios ao mundo" ou de misticismo fanfarrão, pois o pitagorismo já era, no século VI aC, uma espécie de religião estatal na Magna Grécia. Também seu pensamento e mistérios não desapareceram, mas experimentaram inclusive um renascimento filosófico, no século II dC, quando influenciaram fortemente o mundo intelectual de Alexandria. Seu confronto com o profetismo judaico levou ao que podemos denominar de começo da religião cristã universal.

1.034 Do sincretismo helênico nasceu uma tipificação das pessoas que era totalmente estranha à psicologia humoral dos médicos, ou seja, estabelecia gradações entre os polos parmenidianos de luz e escuridão, de acima e abaixo. Distinguia as pessoas em *hylikoi, psychikoi* e *pneumatikoi* – materialistas, psíquicas e espirituais. Esta classificação não é uma formulação científica de semelhança e dessemelhança, mas um sistema crítico de valores que não se baseia em aparências externas, mas em suposições éticas, místicas e filosóficas. Mesmo não sendo propriamente "cristã", esta concepção faz parte do cristianismo primitivo ao tempo de Paulo. Sua simples presença já é prova inconteste da cisão que ocorreu na unidade primitiva da pessoa totalmente entregue às suas emoções. Após ter sido apenas um ser vivo, experimentado e experimentador, sem análise reflexiva sobre sua origem ou destino, viu-se o homem, de repente, confrontado com três fatores deterministas, moralmente obrigatórios: corpo, alma e espírito. Desde o nascimento já vinha decidido se haveria de viver na *hyle*, no *pneuma* ou num ponto indeterminado entre os dois. A cisão presente no espírito helênico tornou-se, agora, aguda, fazendo com que o acento principal recaísse no anímico-espiritual, separando-se este do corpóreo natural e firmando-se como autônomo. As metas últimas e mais importantes estavam na determinação moral e num estado espiritual e supramundano. E a separação da *hyle* ampliou-se para uma separação entre mundo e espírito. E, assim, a sabedoria primitiva e meiga dos pares de opostos dos pitagóricos transformou-se num conflito moral apaixonado. Nada é mais indicado para desafiar nosso estado consciente e vigilante do que uma desunião consigo mesmo. Não é possível imaginar outro meio mais eficaz de acordar a humanidade de seu torpor irresponsável e inocente dentro da mentalidade primitiva e trazê-la para um estado de responsabilidade consciente.

1.035 Chamamos este processo desenvolvimento cultural. Trata-se, em todos os casos, de um desenvolvimento da capacidade de diferenciação e julgamento, da consciência em geral. Com o incremento do conhecimento e da crítica foram lançados os fundamentos para o desenvolvimento total subsequente do espírito humano, no sentido do desempenho intelectual. O produto espiritual que ultrapassa em qualquer aspecto o desempenho do mundo antigo é a ciência. Ela superou a cisão entre o homem e a natureza; distinguiu o homem da natureza e, exatamente por isso, fez com que ele encontrasse novamente seu verdadeiro lugar dentro da ordem natural. Mas sua posição metafísica privilegiada entrou em colapso, enquanto não foi garantida pela fé na religião tradicional, surgindo, então, a conhecida oposição entre "fé e ciência". De qualquer forma, a ciência física e natural reabilitou a *hyle* e, neste sentido, o materialismo foi, inclusive, um ato de justiça histórica.

1.036 Mas, um campo bem essencial da experiência, isto é, a própria psique humana, permaneceu por muito tempo uma reserva metafísica, ainda que tivesse havido sérias tentativas, desde o Iluminismo, de abri-la para a pesquisa científica. Começou-se, às apalpadelas, com as percepções dos sentidos, aventurando-se, aos poucos, no campo das associações; esta linha levou finalmente à psicologia experimental, culminando na *psicologia fisiológica* de Wundt. Uma psicologia mais descritiva, com a qual os médicos entraram em contato, desenvolveu-se na França. Menciono nomes como Taine, Ribot e P. Janet. Estas tentativas científicas se caracterizaram pela dissolução do psíquico em mecanismos ou processos particulares. Contra essa postura levantaram-se alguns, apresentando o que hoje poderíamos denominar de visão globalista. Parece que esta orientação surgiu de certo tipo de biografia, sobretudo daquelas biografias que um tempo mais antigo, que também conheceu bons momentos, costumava chamar de "curiosas". Penso especialmente em Justino Kerner e em sua *Vidente de Prevorst*, e em Blumhardt (Senior) e sua *Gottliebin Dittus.* Mas, para ser historicamente justo, não devo esquecer a Idade Média e as *Acta Sanctorum.* Nesta linha vão certas pesquisas científicas atuais que vêm ligadas aos nomes de William James, Freud e Flournoy. James e seu amigo suíço, Théodore Flournoy, tentaram descrever a totalidade do fenômeno psíquico e julgá-lo como totalidade. Também Freud, enquanto médico, parte da totalidade e indivisibilidade da personalidade humana, mas impõe-se certas limitações próprias da época, no sentido de mecanismos (instintivos) e processos singulares. Também restringiu a imagem do homem à totalidade de uma pessoa coletiva essencialmente "burguesa", o que levou a uma interpretação ideologicamente unilateral. Infelizmente Freud sucumbiu à tentação médica, à maneira da psicologia humoral, de atribuir o fenômeno psíquico ao corpo, e isto com gestos rebeldes contra a reserva metafísica, perante a qual sentia algo como um pavor sagrado.

1.037 Ao contrário de Freud que, após um início psicológico correto, voltou à antiga ideia da constituição física, e quis reduzir tudo teoricamente ao instinto condicionado pelo corpo, parto eu da suposição da soberania da psique. Ainda que corpo e psique sejam uma unidade em algum lugar, em sua natureza manifesta são tão diferentes que devemos atribuir-lhes uma substancialidade própria. Enquanto não tivermos condições de verificar esta unidade, só nos resta examinar separadamente corpo e psique e proceder como se fossem independentes um do outro, ao menos em sua estrutura. Que isto não seja assim, mostra-nos a experiência diária. Mas, se nos fixarmos nisso, jamais conseguiremos dizer algo sobre a psique.

1.038 Supondo que a psique tenha soberania, vamos libertar-nos da tarefa insolúvel – ao menos até o presente – de referir todo o psíquico ao corporal. Podemos, então, tomar as manifestações da psique como expressão de seu próprio ser e estabelecer regularidades ou tipos. Se eu falar, portanto, de tipologia psicológica, trata-se da formulação de elementos psíquicos estruturais e não da descrição de emanações psíquicas de determinado tipo de constituição. Nesta última linha estão as pesquisas de Kretschmer sobre a estrutura corporal e o caráter.

1.039 A tentativa de uma tipificação puramente psicológica eu a descrevi em detalhes no meu livro *Tipos psicológicos*. A base de minha pesquisa foi uma atividade de vinte anos, como médico, que me pôs em contato com pessoas de todas as camadas e de todas as nações mais desenvolvidas. Quando se é médico principiante, nossa cabeça está cheia de quadros clínicos e diagnósticos da doença. Mas, com o correr do tempo, vão surgindo impressões de espécie bem diversa, impressionante é, por exemplo, a diversidade de indivíduos humanos e a profusão caótica de casos particulares cujas circunstâncias especiais de vida e cujo caráter singular produzem quadros clínicos que – se é que existe ainda disposição para tanto – só podem ser enquadrados num diagnóstico clínico fazendo certa violência. É irrelevante que se designe um distúrbio dessa ou daquela forma, mas é preciso notar que os chamados quadros clínicos de doenças são, antes, expressões mímicas ou teatrais de certos caracteres. A problemática patológica em torno da qual tudo gira quase nada tem a ver com um quadro clínico, mas é a expressão e a natureza do caráter. Também os complexos, na qualidade de "elementos nucleares" das neuroses, são irrelevantes, porque são meros fenômenos que derivam de certa disposição de caráter. Isto se vê facilmente no comportamento do doente em relação à sua família paterna. Ele tem, por exemplo, quatro irmãos, não sendo o primeiro nem o último; teve a mesma educação e as mesmas oportunidades que seus irmãos. Mas ele está doente e os outros sãos. Mostra sua análise que uma série de influências, à qual estiveram expostos e sob a qual sofreram também seus irmãos, só atuou de modo patológico sobre ele, ao menos na aparência. Mas, na verdade, estas influências também nele não são causas propriamente ditas, mas explicações fictícias. A causa verdadeira da neurose está na maneira como o doente assimilou e utilizou as influências do meio ambiente.

1.040 Comparando vários casos, cheguei à conclusão que deveria haver duas atitudes gerais basicamente distintas que repartiriam as pessoas em dois grupos, caso a humanidade toda se constituísse apenas de indivíduos altamente diferenciados. Como isto, evidentemente, não é o caso, podemos afirmar apenas que esta diferença de atitude é perfeitamente observável quando se trata de personalidade relativamente diferenciada, em outras palavras, que só é observável a partir de um certo grau de diferenciação e só então assume importância prática. Nos casos patológicos dessa espécie, trata-se, em geral, de pessoas que se afastam do tipo familiar, e, por isso, já não encontram bastante segurança em sua fundamentação instintiva hereditária. A insegurança instintiva é um dos motivos básicos do desenvolvimento de atitude habitual unilateral, ainda que seja, em última análise, condicionada ou reforçada pela hereditariedade.

1.041 Essas duas atitudes básicas e diferentes eu as denominei *extroversão* e *introversão*. A extroversão se caracteriza pelo pendor para o objeto externo, abertura e boa disposição para o acontecimento externo, desejo de atuar sobre ele e de deixar-se envolver por ele, prazer e necessidade de estar junto e participar, capacidade de suportar movimento e barulho de qualquer espécie e, inclusive, encontrar satisfação nisso, e, finalmente, atenção constante ao mundo ambiente, cultivo e relacionamento com amigos e conhecidos, mas sem rigorosa seleção, grande importância ao modo de influir sobre o meio ambiente e, por isso, forte tendência de exibir-se. Sua cosmovisão e ética são, por isso, de natureza coletiva, com forte acento no altruísmo, e sua consciência depende em grande parte da opinião pública. As dúvidas morais só acontecem quando "os outros tomam conhecimento". As convicções religiosas são determinadas, de certa forma, pela decisão da maioria.

1.042 O sujeito propriamente dito permanece o quanto possível no escuro. Ele é ocultado dele mesmo com inconsciência. Tem grande aversão a submeter seus motivos a um exame crítico. Não tem segredos que já não tenha partilhado com outros. Se, contudo, lhe acontecer algo inconfessável, prefere o esquecimento. Tudo o que possa estorvar o otimismo e positivismo manifesto é rejeitado. O que pensa, intenciona e faz é levado avante com convicção e ardor.

1.043 A vida psíquica desse tipo transcorre, de certo modo, fora dele mesmo, em seu meio ambiente. Vive nos e com os outros. Ocupar-se consigo mesmo lhe dá arrepios. Se perigos o espreitarem, é melhor abafá-los com ativismo. Mas, se possuir um "complexo", refugia-se no burburinho externo e faz com que os circunstantes confirmem diariamente que está tudo em ordem com ele.

1.044 Se não for ativo, atirado e superficial em demasia, pode ser um membro valioso da sociedade humana.

1.045 No limitado espaço deste artigo, devo contentar-me com um esboço geral. Pretendo dar ao leitor apenas uma ideia do que seja *extroversão*, para que o ajude em seu próprio conhecimento das pessoas. Comecei propositalmente com a descrição da extroversão, pois esta atitude é conhecida de todos. O extrovertido não só vive nesta atitude, mas também a exibe perante os outros por princípio. Ela corresponde, além disso, a certos ideais e exigências morais.

1.046 A *introversão*, que não se volta para o objeto, mas para o sujeito, e não se orienta pelo objeto, não é perceptível sem mais. O introvertido não vai ao encontro do objeto, mas está sempre em posição de retirada diante dele. Está fechado para o acontecimento externo, não participa, tem acentuado desprazer social logo que se encontra em meio a grande número de pessoas. Em grandes reuniões, sente-se só e perdido. Quanto maior a quantidade, maior sua resistência contrária. De forma alguma gosta do "estar no meio", nem do participar e imitar entusiásticos. O que faz é sempre à sua maneira, eliminando totalmente influências externas. Sua aparência é desajeitada, parecendo, às vezes, inibido; acontece muitas vezes que, devido a certa rudeza, mau humor ou escrúpulo impróprio, ofenda as pessoas. Suas melhores qualidades ele as reserva para si e muitas vezes faz o possível para ocultá-las. Facilmente é desconfiado, teimoso, sofre de sentimentos de inferioridade e, por isso, é às vezes invejoso. Sua ansiedade em relação ao objeto não reside no temor, mas no fato de lhe parecer negativo, exigente, impositivo e, mesmo, ameaçador. Por isso, imagina toda sorte de motivos ruins, tem eterno medo de tornar-se ridículo, em geral é muito sensível e se protege atrás de uma cerca de arame farpado tão fechada e impenetrável, que ele mesmo gostaria de não estar atrás dela. Com referência ao mundo, emprega um elaborado sistema de segurança que se compõe de escrupulosidade, pedantismo, frugalidade, cautela, meticulosidade angustiada, precaução, exatidão sofrida, cortesia e uma desconfiança sempre atenta. Faltam em seu mundo os tons rosa, pois é crítico e encontra em toda sopa um cabelo. Em circunstâncias normais é pessimista e preocupado, pois o mundo e a humanidade não são bons, mas oprimem e subjugam o indivíduo que não se sente acolhido em seu seio. Mas ele também não acolhe o mundo, ao menos não diretamente, pois tudo tem que ser medido e avaliado por seus modelos críticos. Enfim, só é aceito aquilo que se elabora a partir de muitas razões subjetivas.

1.047 Ocupar-se consigo mesmo lhe é gratificante. Seu próprio mundo é porto seguro, um jardim cuidadosamente cercado, vedado ao público e à curiosidade indiscreta. Sua própria companhia é a melhor. Em seu mundo, onde se altera apenas o que ele quer, sente-se bem. Sua melhor produção é o que faz com os próprios meios, por iniciativa própria e a seu modo. Se acontecer, após longo e penoso processo de assimilação, assumir algo que lhe seja estranho, é capaz de fazer bom uso dele. Multidão, maioria, opinião pública e entusiasmo geral não o convencem, apenas fazem com que se esconda ainda mais em sua casca.

1.048 Seu relacionamento com as demais pessoas é caloroso só quando a segurança está garantida, isto é, quando pode dispensar sua desconfiança protetora. Mas inúmeras vezes isto é impossível e, em consequência, seu círculo de amigos e conhecidos limita-se ao mínimo. Também a vida psíquica desse tipo transcorre totalmente no íntimo subjetivo e fica oculta ao mundo exterior. Surgindo nesse mundo interno algum conflito ou dificuldade, portas e janelas são fechadas. Tranca-se com seus complexos até atingir total isolamento.

1.049 Apesar dessas características, o introvertido não é de forma alguma um inútil para a sociedade. Seu retraimento sobre si mesmo não significa renúncia plena ao mundo, mas busca de sossego, pois só assim é capaz de dar sua contribuição para a vida da comunidade.

1.050 Este tipo de pessoa está exposto a inúmeros mal-entendidos, e não sem razão, porque dá motivos para isso. Não se pode inocentá-lo de encontrar certo prazer na mistificação, e que o ser malcompreendido lhe traga satisfação, o que confirma mais uma vez sua visão pessimista do mundo. Nessas condições é compreensível que o acusem de frieza, orgulho, teimosia, egoísmo, arrogância, esquisitice etc., e que o lembrem sempre de novo que dedicação aos objetivos da sociedade, abertura para os valores do mundo, disposição corajosa e confiança abnegada naquilo que tudo move são autênticas virtudes e sinais de vida sadia e vigorosa.

1.051 O introvertido sabe muito bem que tais virtudes existem e que talvez haja em algum lugar (não no círculo de seus conhecidos) pessoas extraordinárias que gozam da plena posse dessas qualidades ideais. Sua autocrítica e a consciência que tem de seus motivos já lhe destruíram a ilusão de ser capaz dessas virtudes; e seu olhar desconfiado e aguçado pelo medo sempre ainda consegue divisar em seus semelhantes as orelhas de burro que aparecem por sob a juba do leão. Mundo e humanidade são para ele estorvo e perigo, não apresentam nenhuma validade pela qual se pudesse orientar. A única coisa válida é seu mundo subjetivo; e, quando em estado de exaltação, acredita que este seja o mundo objetivo. Poderíamos sem mais acusar essas pessoas do mais crasso subjetivismo e, mesmo, de um individualismo doentio, se ficasse comprovado definitivamente que só existe um mundo objetivo. Esta verdade, porém, não é um axioma; é apenas meia-verdade. A outra metade é que o mundo também é como as pessoas o veem, em última análise, como o indivíduo o vê. Não existe mundo algum sem o sujeito que conhece. Por mais insignificante e singelo que seja, isto constitui a outra pilastra da ponte que sustenta o fenômeno universal. A apelação ao sujeito tem, por isso, a mesma validade que o apelo ao assim chamado mundo objetivo, porque se fundamenta simplesmente na realidade psíquica. Mas esta é uma realidade que tem suas leis peculiares e que não são de natureza secundária.

1.052 Extroversão e introversão são atitudes opostas que se apresentam em toda parte, também na história do pensamento humano. A problemática daí resultante já foi antecipada por Friedrich Schiller e está contida em suas cartas *Sobre a educação estética do homem*[2]. Mas, como desconhecesse o conceito de inconsciente, não conseguiu uma solução satisfatória. E os filósofos, que deveriam ser os primeiros a tratar desse assunto, não gostam de submeter sua função pensamento a uma crítica basicamente psicológica e, por isso, se mantêm longe dessa discussão. Mas é preciso entender que esta polaridade da atitude psíquica tem a maior influência sobre as concepções filosóficas.

1.053 Para o extrovertido, o objeto é *a priori* interessante e atrativo, assim como para o introvertido o é o sujeito, respectivamente a realidade psíquica. Podemos empregar para isso a expressão *acento numinal*, o que significa que, para o extrovertido, as qualidades positivas de importância e valor recaem em primeiro lugar sobre o objeto que desempenha, então, em todos os processos psíquicos o papel preponderante, condicionador e orientador. O mesmo vale do sujeito em relação ao introvertido.

1.054 O acento numinal não distingue apenas entre sujeito e objeto, mas também seleciona aquela função da consciência que é mais usada. Distingo quatro funções: *sensação, pensamento, sentimento* e *intuição*. O processo da sensação constata essencialmente que algo existe; o pensamento vai dizer o que significa; o sentimento, qual o valor dele; e a intuição é suposição e pressentimento sobre o "de onde" e "para onde". A percepção pela sensação e a intuição eu as denomino funções irracionais, porque se referem simplesmente ao fato acontecido ou dado. O pensamento e sentimento, porém, enquanto funções judicativas, são racionais. A sensação como *fonction du réel* (função do real) exclui a atividade intuitiva simultânea uma vez que esta não se ocupa com o ser atualmente presente, mas, antes, com as possibilidades não sensórias dele e, por isso, não se deixa influenciar muito pela realidade existente. Da mesma forma, o pensamento está em oposição ao sentimento. O pensamento não pode ser desviado ou influenciado por valores sentimentais, assim como o sentimento não pode ser viciado por demasiada reflexão. Quando dispostas em diagrama, as quatro funções formam uma cruz, com um eixo racional incidindo perpendicularmente sobre o eixo irracional.

2. Cf. § 96s. deste volume.

1.055 Evidentemente, nem tudo o que a psique consciente pode produzir está contido nas quatro funções orientadoras. Vontade e memória ou reminiscências não foram levadas em consideração. O motivo é que a diferenciação das quatro funções orientadoras é essencialmente um resultado empírico das diferenças típicas nas atitudes funcionais. Há pessoas para as quais o acento numinal recai na sensação, isto é, na percepção de dados reais e esta é constituída em princípio exclusivo de determinação e orientação. Estas são as pessoas fatuais para as quais o julgamento intelectual, o sentimento e a intuição são relegados a plano secundário em vista da extraordinária importância da realidade dos fatos. Se o acento recair no pensamento, reserva-se um julgamento sobre qual importância atribuir a este ou àquele fato. E dessa importância dependerá a maneira como o indivíduo se comportará diante dos fatos. Se o sentimento for numinal, a adaptação dependerá totalmente do valor sentimental que se atribui ao fato. Recaindo o primado numinal na intuição, a realidade atual só terá valor enquanto pareça conter possibilidades que se tornam, então, a suprema força motivadora, sem consideração com o ser realmente presente.

1.056 A localização do acento numinal dá origem a quatro tipos de função que encontrei em minha experiência com pessoas e, só depois, formulei sistematicamente. Esses quatro tipos sempre se ligam, na realidade prática, com o tipo de atitude, ou seja, com extroversão ou introversão, isto é, as funções aparecem numa variação extrovertida ou introvertida. Disso resulta um conjunto de oito tipos funcionais, demonstráveis na prática. Naturalmente é impossível expor, no espaço deste artigo, a psicologia peculiar desses tipos em sua manifestação consciente e inconsciente. Devo remeter o leitor à minha obra, acima mencionada.

1.057 A tipologia psicológica não tem a finalidade, em si bastante inútil, de dividir as pessoas em categorias, mas significa antes uma psicologia crítica que possibilite uma investigação e ordenação metódicas dos materiais empíricos relacionados à psique. É, antes de tudo, instrumento crítico para o pesquisador em psicologia que precisa de certos pontos de vista e diretrizes para ordenar a profusão quase caótica das experiências individuais. Neste sentido, poderíamos comparar a tipologia com uma rede trigonométrica ou, melhor ainda, com um sistema cristalográfico de eixos. Em segundo lugar, a tipologia representa uma ajuda para a compreensão das variações individuais e uma orientação no que se refere às diferenças fundamentais das teorias psicológicas em voga. E, por último, mas não menos importante, a tipologia significa também meio indispensável para determinar o equacionamento pessoal do psicólogo praticante que, por um exato conhecimento de suas funções diferenciadas e inferiores, pode evitar sérios erros no julgamento de seus pacientes.

1.058 O sistema psicológico que apresentei e que se baseia na experiencia prática é uma tentativa de fornecer base e moldura para a diversidade sem fronteiras que reinava até agora na formação de conceitos psicológicos. Definições precisas serão, mais cedo ou mais tarde, indispensáveis em nossa ciência ainda bem jovem. Algum dia, os psicólogos deverão concordar em certos princípios básicos, imunes a interpretações arbitrárias, se a psicologia não quiser permanecer um conglomerado não científico e fortuito de opiniões individuais.

Referências

ADLER, A. *Über den nervösen Charakter*. Wiesbaden: [s.e.], 1912.

_____. *Studie über Minderwertigkeit von Organen*. Berlim/Viena: [s.e.], 1907.

AGOSTINHO. "Contra Epistolam Manichaei". In: MIGNE, J.P. (org.). *Patrologia Latina*. Vol. 42, col. 173-206. Paris: Migne, 1844-1880.

_____. "Sermones". In: MIGNE, J.P. (org.). *Patrologia Latina*. Vol. 38, col. 1006. Paris: Migne, 1844-1880.

AMBRÓSIO. "De Institutione Virginis". In: MIGNE, J.P. (org.). *Patrologia Latina*. Vol. 16, col. 315-348. Paris: Migne, 1844-1880.

AMBRÓSIO (Pseudo-). *Expositio beati Ambrosii Episcopi super Apocalypsin*. Paris: [s.e.], 1554.

ÂNGELO SILÉSIO (SCHEFFLER, J). "Cherubinischer Wandersmann". In: HELD, H.L. (org.). *Sämtliche poetische Werke*. Munique: [s.e.], 1924.

ANQUETIL DUPERRON, A.-H. (trad.). *Oupnek'hat* (id est, Secretum tegendum). 2 vols. Estrasburgo: Argentorati, 1801-1802 [Tradução dos Upanixade].

ANSELMO DE CANTUÁRIA. *Proslogion seu Aloquium de Dei Existentia*. In: Sancti Anselmi Cantuariensis Monologium et proslogion nec non liber pro insipiente cum libro apologetico. Tübingen: [s.e.], 1858.

ATANÁSIO, bispo de Alexandria. "Life of St. Antony". In: BUDGE, Sir E.A.W. *The Book of Paradise* – By Palladius, Hieronymus etc. (Lady Meux Ms. n. 6). Vol. 1. Londres: [s.e.], 1904, 2 vols. p. 3-76.

Atharvaveda. Cf. DEUSSEN, P. *Allgemeine Geschichte der Philosophie*. Leipzig: [s.e.], 1894-1917.

AVENARIUS, R. *Der menschliche Weltbegriff*. Leipzig: [s.e.], 1905.

AZZAM, C.M.E.E. *Hypnotisme, double conscience et altérations de la personnalité*. Paris: [s.e.], 1887.

BALDWIN, J.M. *Handbook of Psychology:* Senses and Intellect. Londres/Nova York: [s.e.], 1890.

BARTSCH, K. (org.). "Meisterlieder der Kolmarer Handschrift". *Bibliothek des Literarischen Vereins von Stuttgart.* Vol. 68. Stuttgart: [s.e.], 1862.

BARLACH, E. *Der tote Tag.* Berlim: [s.e.], 1912 [2. ed., 1918].

Bhagavadgitâ. Cf. MUELLER, M. (org.). *Sacred Books of the East.* Vol. 8. Oxford: [s.e.], 1879-1910.

Bhâgavata-Purâna. Tirupati: Vyasa-Press, 1928 [Tradução inglesa de S. Subbarau].

BINSWANGER, L. "Über das Verhalten des psychogalvanischen Phänomens etc." In: JUNG, C.G. (org.). *Diagnostische Assoziationsstudien.* Leipzig: [s.e.], 1910 [vol. 2, p. 113-196].

BJERRE, P. "Zur Radikalbehandlung der chronischen Paranoia". *Jahrbuch für psychoanalytische Forschungen*, vol. 3, 1911, p. 795-847. Leipzig/Viena.

BLAKE, W. *The Writings of William Blake.* 3 vols. Londres: [s.e.], 1925.

BLEULER, E. *Lehrbuch der Psychiatrie.* Berlim: [s.e.], 1916.

______. "Zur Theorie des schizophrenen Negativismus". *Psychiatrisch- neurologische Wochenschrift*, vol. 12, 1910-1911, p. 171-176, 184, 189, 195. Halle.

______. *Affektivität, Suggestibilität, Paranoia.* Halle: [s.e.], 1906.

______. "Die negative Suggestibilität". *Psychiatrisch-neurologische Wochenschrif*, vol. 6, 1904, p. 249-269. Halle.

BOUSSET, W. *Hauptprobleme der Gnosis* – Forschungen zur Religion und Literatur des Alten und Neuen Testaments. Göttingen: [s.e.], 1907 [Caderno 10].

Brihadâranyaka-Upanishad. Cf. DEUSSEN. P. *Sechzig Upanishad's des Veda.* 3. ed. Leipzig: [s.e.], 1938. Cf. tb. MUELLER, M. (org.). *Sacred Books of the East.* Oxford: [s.e.], 1879-1910, 15, p. 73-231.

BUBER, M. *Ekstatische Konfessionen.* Jena: [s.e.], 1909.

BUDGE, E.A.W. *The Book of Paradise* – By Palladius, Hieronymus etc. 2 vols. Londres: [s.e.], 1904.

______. *The Gods os the Egyptians.* 2 vols. Londres: [s.e.], 1904.

BUETTNER, H. (org. e trad.). *Meister Eckharts Schriften und Predigten.* 2. ed. Vol. I. Jena: [s.e.], 1912. Vol. II. Jena: [s.e.], 1909.

Çânkhâyana-Brâhmanam. Cf. DEUSSEN, P. *Allgemeine Geschichte der Philosophie*. Leipzig: [s.e.], 1894-1917.

Çatapatha-Brâhmanam. Cf. DEUSSEN, P. *Allgemeine Geschichte der Philosophie*. Leipzig: [s.e.], 1894-1917.

Chândogya-Upanishad. Cf. MUELLER, M. (org.). *Sacred Books of the East*. Vol. 1. Oxford: [s.e.], 1879-1910, p. 1-147. Cf. tb. DEUSSEN, P. *Allgemeine Geschichte der Philosophie*. Vol. 1. Leipzig: [s.e.], 1894-1917.

COHEN, H. *Logik der reinen Erkenntnis*. Berlim: [s.e.], 1902.

CUMONT, F. *Textes et monuments figurés relatifs aux mystères de Mithra*. 2 vols. Bruxelas: [s.e.], 1899.

Çvetâçvatara-Upanishad. Cf. MUELLER, M. (org.). *Sacred Books of the East*. Vol. 15. Oxford: [s.e.], 1879-1910, p. 231-271. Cf. DEUSSEN, P. *Allgemeine Geschichte der Philosophie*. Vol. 1. Leipzig: [s.e.], 1894-1917.

DANTE A. *Göttliche Komödie*. 2 vols. Stuttgart: [s.e.], 1871-1872 [Tradução e comentários de Friedrich Notter].

DESSOIR, M. *Geschichte der neueren deutschen Psychologie*. 2 vols. 2. ed. Berlim: [s.e.], 1902.

DEUSSEN, P. *Allgemeine Geschichte der Philosophie*. Leipzig: [s.e.], 1894-1917 [2 vols. em 6 partes].

DEUSSEN, P. (org.). *Sechzig Upanishad's des Veda*. 3. ed. Leipzig: [s.e.], 1938.

DIELS, H. *Die Fragmente der Vorsokratiker*. 2 vols. 3. ed. Berlim: [s.e.], 1912.

EBBINGHAUS, H. *Grundzüge der Psychologie*. 2 vols. Leipzig: [s.e.], 1905-1913.

EBERSCHWEILER, A. "Untersuchungen über die sprachliche Komponente der Assoziation". *Allgemeine Zeitschrift für Psychiatrie*, vol. 65, 1908, p. 240-271. Berlim.

FÉRÉ, C. "Note sur les modifications de la résistance électrique sous l'influence des excitations sensorielles et des émotions". *Comptes rendus hebdomadaires des Séances et Mémoires de la Société de Biologie*, vol. 5, 1888, p. 217-219. Paris.

FERENCZI, S. "Introjektion und Übertragung". *Jahrbuch für psychoanalytische und psychopathologische Forschungen*, 1910. Viena.

FERRERO, G. *I simboli in rapporto alla storia e filosofia dei diritto*. Turim: [s.e.], 1893 [Tradução francesa: *Les Lois psychologiques du symbolisme*. Paris: (s.e.), 1895].

FICHTE, I.H. *Psychologie*. 2 vols. Leipzig: [s.e.], 1864-1873.

FINCK, F.N. *Der deutsche Sprachbau als Ausdruck deutscher Weltanschauung*. Marburgo: [s.e.], 1899.

FLOURNOY, T. “Une mystique moderne”. *Archives de Psychologie*, vol. 15, 1915. Genebra.

_____. *La Philosophie de W. James*. Saint-Blaise: [s.e.], 1911 [Foyer Solidariste].

_____. “Nouvelles observations sur un cas de somnambulisme avec glossolalie”. *Archives de Psychologie*, vol. 1, 1901, p. 101s. Genebra.

_____. *Des Indes á la Planète Mars* – Etude sur un cas de somnambulisme avec glossolalie. 3. ed. Paris/Genebra: [s.e.], 1900.

FREUD, S. *Die Traumdeutung*. Viena: [s.e.], 1925 [OC, 2].

_____. *Zur Psychopathologie des Alltagslebens*. Viena: [s.e.], 1924 [OC, 4].

FROBENIUS, L. *Das Zeitalter des Sonnengottes*. Berlim: [s.e.], 1904.

Garuda-Purâna Pretakalpa. Cf. *Der Pretakalpa des Garuda-Purana* – Eine Darstellung des Hinduistischen Totenkultes und Jenseitsglaubens. 3. ed. Berlim: [s.e.], 1956 [Traduzido do sânscrito e comentado por Emil Abegg].

GOETHE, J.W. von. *Briefwechsel mit Schiller in den Jahren 1794-1805*. 2 vols. Berlim/Leipzig/Viena/Stuttgart: [s.e.], 1914.

_____. *Geheimnisse*. Vol. 2. Stuttgart: Cotta, 1858 [Goethes sämtliche Werke in 30 Banden].

_____. *Pandora* – Ein Festspiel. Vol. 10. Stuttgart: Cotta, 1858 [Goethes sämtliche Werke in 30 Banden].

_____. *Prometheus*. Dramatisches Fragment, 1773. Vol. 7. Stuttgart: Cotta, 1858 [Goethes sämtliche Werke in 30 Banden].

GOMPERZ, T. *Griechische Denker* – Eine Geschichte der antiken Philosophie. 2 vols. 3. ed. Leipzig: [s.e.], 1911-1912.

GROSS, O. *Über psychopathische Minderwertigkeiten*. Viena/Leipzig: [s.e.], 1909.

_____. *Die zerebrale Sekundärfunktion*. Leipzig: [s.e.], 1902.

HARTMANN, E. von. *Die moderne Psychologie*. Leipzig: [s.e.], 1901 [Obras Seletas, 13].

HASE, K.A. *Kirchengeschichte*. 10. ed. melhorada. Leipzig: [s.e.], 1877.

HEGEL, G.W.F. *Logik*. Stuttgart: [s.e.], 1927-1940 [OC, 4 e 5. Apud EISLER, R. *Wörterbuch der philosophischen Begriffe*. 3. ed. Berlim: [s.e.], 1910.

_____. *Vorlesungen über die Ästhetik*. Vol. 12. Stuttgart: [s.e.], 1927-1940 [OC, 1, edição jubilar em 20 volumes].

HERÁCLITO. Cf. DIELS, H. *Die Fragmente der Vorsokratiker*. 3. ed. Berlim: [s.e.], 1912.

HERBART, J. Fr. *Psychologie als Wissenschaft neu gegründet auf Erfahrung* – Metaphysik und Mathematik. Leipzig: [s.e.], 1850 [OC, 6/2. *Schriften zur Psychologie*. HARTENSTEIN, G. (org.)].

HERMAS. Pastor Hermae. In: MIGNE, J.P. (org.). *Patrologia Grega*. Vol. 2, col. 891s. Paris: Migne, 1857-1886. Cf. tb. “Der Hirt des Hermas”. In: HENNECKE, Edgar. *Neutestamentliche Apokryphen*. 2. ed. Tübingen: [s.e.], 1924.

Içâ-Upanishad. Cf. DEUSSEN, P. *Sechzig Upanishad’s des Veda*. 3. ed. Leipzig: [s.e.], 1938. Cf. MUELLER, M. (org.). *Sacred Books of the East*. Vol. 1. Oxford: [s.e.], 1879-1910.

INOUYE, T. “Die japanische Philosophie”. In: WUNDT, W. et al. *Allgemeine Geschichte der Philosophie*. Leipzig: [s.e.], 1909.

JAMES, W. *Pragmatism* – A New Name for some Old Ways of Thinking. Londres/Nova York: [s.e.], 1911.

JERUSALEM, W. *Lehrbuch der Psychologie*. 5. ed. Viena/Leipzig: [s.e.], 1912.

JODL, F. *Lehrbuch der Psychologie*. 2 vols. 3. ed. Stuttgart/Berlim: [s.e.], 1908.

JORDAN, F. *Character as Seen in Body and Parentage*. 3. ed. Londres: [s.e.], 1896.

JULIANO, Apóstata. *Oratio IV, In regem Solem*. Juliani Imp. Opera omnia. Lipsiae: [s.e.], 1696.

_____. *Oratio V, In Matrem deorum*. Juliani Imp. Opera omnia. Lipsiae: [s.e.], 1696.

JUNG, C.G. Die transzendente Funktion. In: JUNG, C.G. *Geist und Werk*. [s.l.]: [s.e.], 1958 [Em português: “A função transcendente”. In: JUNG, C.G. *A dinâmica do inconsciente*. Petrópolis: Vozes, 2011 (OC, 8)].

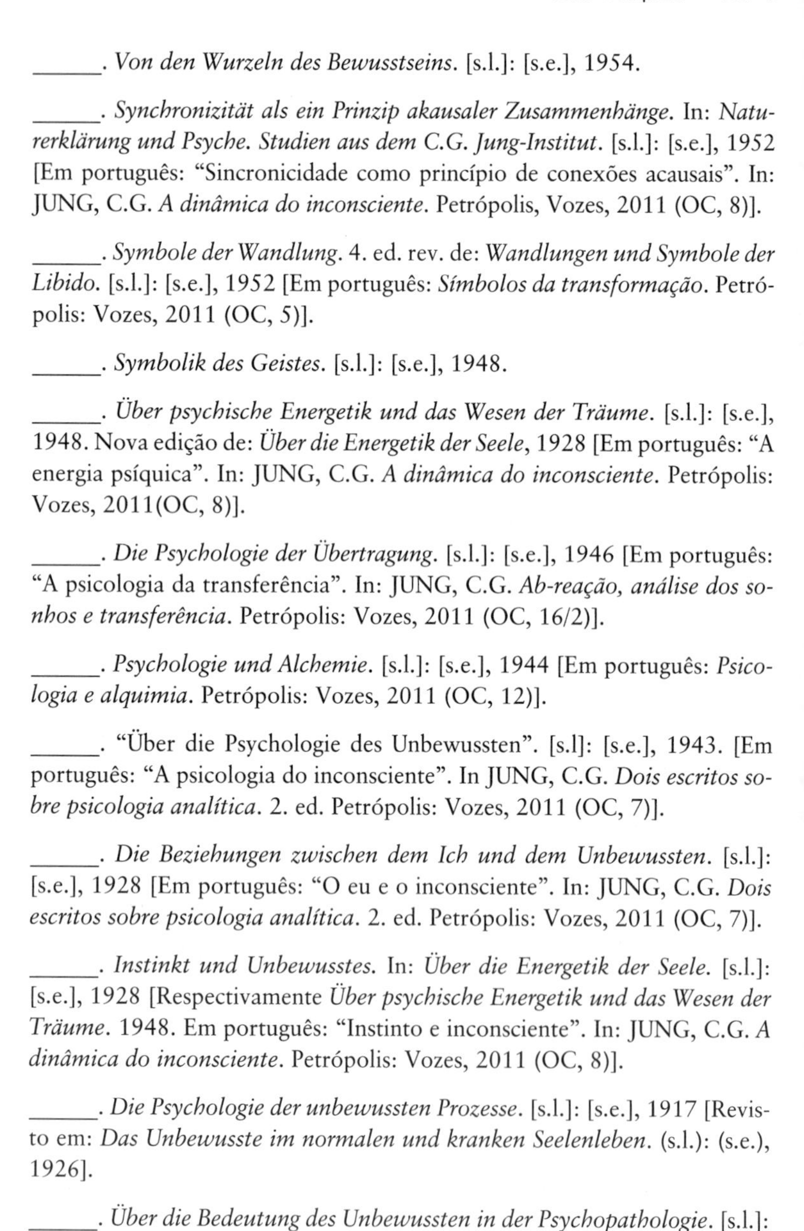

_____. *Von den Wurzeln des Bewusstseins*. [s.l.]: [s.e.], 1954.

_____. *Synchronizität als ein Prinzip akausaler Zusammenhänge*. In: *Naturerklärung und Psyche. Studien aus dem C.G. Jung-Institut*. [s.l.]: [s.e.], 1952 [Em português: "Sincronicidade como princípio de conexões acausais". In: JUNG, C.G. *A dinâmica do inconsciente*. Petrópolis, Vozes, 2011 (OC, 8)].

_____. *Symbole der Wandlung*. 4. ed. rev. de: *Wandlungen und Symbole der Libido*. [s.l.]: [s.e.], 1952 [Em português: *Símbolos da transformação*. Petrópolis: Vozes, 2011 (OC, 5)].

_____. *Symbolik des Geistes*. [s.l.]: [s.e.], 1948.

_____. *Über psychische Energetik und das Wesen der Träume*. [s.l.]: [s.e.], 1948. Nova edição de: *Über die Energetik der Seele*, 1928 [Em português: "A energia psíquica". In: JUNG, C.G. *A dinâmica do inconsciente*. Petrópolis: Vozes, 2011(OC, 8)].

_____. *Die Psychologie der Übertragung*. [s.l.]: [s.e.], 1946 [Em português: "A psicologia da transferência". In: JUNG, C.G. *Ab-reação, análise dos sonhos e transferência*. Petrópolis: Vozes, 2011 (OC, 16/2)].

_____. *Psychologie und Alchemie*. [s.l.]: [s.e.], 1944 [Em português: *Psicologia e alquimia*. Petrópolis: Vozes, 2011 (OC, 12)].

_____. "Über die Psychologie des Unbewussten". [s.l]: [s.e.], 1943. [Em português: "A psicologia do inconsciente". In JUNG, C.G. *Dois escritos sobre psicologia analítica*. 2. ed. Petrópolis: Vozes, 2011 (OC, 7)].

_____. *Die Beziehungen zwischen dem Ich und dem Unbewussten*. [s.l.]: [s.e.], 1928 [Em português: "O eu e o inconsciente". In: JUNG, C.G. *Dois escritos sobre psicologia analítica*. 2. ed. Petrópolis: Vozes, 2011 (OC, 7)].

_____. *Instinkt und Unbewusstes*. In: *Über die Energetik der Seele*. [s.l.]: [s.e.], 1928 [Respectivamente *Über psychische Energetik und das Wesen der Träume*. 1948. Em português: "Instinto e inconsciente". In: JUNG, C.G. *A dinâmica do inconsciente*. Petrópolis: Vozes, 2011 (OC, 8)].

_____. *Die Psychologie der unbewussten Prozesse*. [s.l.]: [s.e.], 1917 [Revisto em: *Das Unbewusste im normalen und kranken Seelenleben*. (s.l.): (s.e.), 1926].

_____. *Über die Bedeutung des Unbewussten in der Psychopathologie*. [s.l.]: [s.e.], 1914 [Em português: "A importância do inconsciente na psicopatologia". In: JUNG, C.G. *Psicogênese das doenças mentais*. Petrópolis: Vozes, 2011 (OC, 3)].

_____. *Wandlungen und Symbole der Libido*. Viena: [s.e.], 1912. [4. ed. rev. *Symbole der Wandlung*. Em português: *Símbolos da transformação*. Petrópolis: Vozes, 2011 (OC, 5)].

_____. *Der Inhalt der Psychose*. Viena: [s.e.], 1908. [Edição ampliada, 1914. Em português: "O conteúdo da psicose". In: JUNG, C.G. *Psicogênese das doenças mentais*. Petrópolis: Vozes, 2011 (OC, 3)].

_____. "Über die psychophysischen Begleiterscheinungen im Assoziationsexperiment". *Journal of Abnormal Psychology*, I, 1907, p. 247-255 [OC, 2].

_____. Kryptomnesie. *Die Zukunft*. XIII, 50, 1905, p. 325-334 [OC, 1, 1966].

_____. *Diagnostische Assoziationsstudien*. Leipzig: [s.e.], 1906 [OC, 2].

_____. *Zur Psychologie und Pathologie sogenannter occulter Phänomene*. [s.l.]: [s.e.], 1902 [OC, 1, 1966].

_____. *Über die Phychologie der Dementia praecox*. Halle: [s.e.], 1900. [Em português: "A psicologia da *dementia praecox*". In: JUNG, C.G. *Psicogênese das doenças mentais*. Petrópolis: Vozes, 2011 (OC, 3)].

KANT, I. *Kritik der praktischen Vernunft*. Halle/Leipzig: Kehrbach, 1878.

_____. *Kritik der reinen Vernunft*. Halle: Kehrbach, 1878.

_____. *Logik* – Ein Handbuch zu Vorlesungen. Königsberg: G.B. Jäsche, 1800 [Apud EISLER, R. *Wörterbuch der philosophischen Begriffe*. 3. ed. Berlim, 1910].

Kâthaka- ou Katha-Upanishad. Cf. MUELLER, M. (org.). *Sacred Books of the East*. Vol. 15. Oxford: [s.e.], 1879-1910, p. 1-24.

Kaushitaki-Upanishad I. Cf. DEUSSEN. P. *Sechzig Upanishad's des Veda*. 3. ed. Leipzig: [s.e.], 1938, p. 21-58.

KERÉNYI, K. & JUNG, C.G. *Einführung in das Wesen der Mythologie*. 4. ed. Zurique: [s.e.], 1951.

KING, C.W. *The Gnostics and their Remains, Ancient and Mediaeval*. Londres: [s.e.], 1864.

KOENIG, E. *Ahasver, "der ewige Jude"*. Gutersloh: [s.e.], 1907.

KÜLPE, O. *Grundriss der Psychologie*. Leipzig: [s.e.], 1893.

LANDMANN, S. *Die Mehrheit geistiger Persönlichkeiten in einem Individuum*. Stuttgart: [s.e.], 1894.

LAO-TSÉ. *Tao-te-king*. Cf. DEUSSEN, P. *Allgemeine Geschichte der Philosophie*. Vols. 1 e 3. Leipzig: [s.e.], 1894-1917, p. 692s.

LASSWITZ, K. *Wirklichkeiten* – Beiträge zum Weltverständnis. Leipzig: [s.e.], 1900.

LEHMANN, A. *Die Hauptgesetze des menschlichen Gefühlslebens*. 2. ed. Leipzig: [s.e.], 1914.

LÉVY-BRUHL, L. *Les fonctions mentales dans les sociétés inférieures*. Paris: [s.e.], 1912.

LIPPS, T. *Leitfaden der Psychologie*. 3. ed. Leipzig: [s.e.], 1909.

_____. *Ästhetik* – Psychologie des Schönen und der Kunst. 2 vols. Hamburgo: [s.e.], 1903-1906.

MAEDER, A. "Über das Traumproblem". *Jahrbuch für psychoanalytische und psychopathologische Forschungen*, vol. 5, 1913, p. 647-686. Leipzig/Viena.

Mahâbhârata. Cf. MUELLER, M. (org.). *Sacred Books of the East*. Oxford: [s.e.], 1879-1910. Cf. tb. DEUSSEN, P. *Vier philosophische Texte des Mahâbhâratam*. Leipzig: [s.e.], 1906.

Mânava-Dharmaçâstra. Cf. MUELLER, M. (org.). *Sacred Books of the East*. Vol. 25. Oxford: [s.e.], 1879-1910, p. 13.

MANUSCRITO. Oxford, Bodleian Library, Digby/MS 65. De Godfrey, Prior of St. Swithun's, Winchester, séc. XIII.

MATTER, M.J. *Histoire critique du Gnosticisme*. 2 vols. Paris: [s.e.], 1828.

MEYRINK, G. Der Golem. Leipzig: [s.e.], 1915.

_____. *Das grüne Gesicht*. Leipzig: [s.e.], 1915.

MIGNE, J.P. *Series graeca*. 116 vols. Paris: [s.e.], 1857-1866 [Citado aqui como *Patrologia grega*].

_____. *Patrologiae cursus completus*. Series latina. 221 vols. Paris: [s.e.], 1844-1880 [Citado aqui como *Patrologia latina*].

MUELLER, G.E. & SCHUMANN, F. "Über die psychologischen Grundlagen der Vergleichung gehobener Gewichte". *Pflügers Archiv für die gesamte Physiologie*, vol. 45, 1889. Bonn.

MUELLER, M. (org.). *Sacred Books of the East*. 50 vols. Oxford: [s.e.], 1879-1910.

NAHLOWSKY, J.W. *Das Gefühlsleben in seinen wesentlichsten Erscheinungen und Beziehungen*. 3. ed. Leipzig: [s.e.], 1907.

NATORP, P. *Einleitung in die Psychologie nach kritischer Methode*. Friburgo na Brisgóvia: [s.e.], 1888.

NIETZSCHE, F. *Also sprach Zarathustra*. Vol. 6. Leipzig: [s.e.], 1899 [Nietzsches Werke].

_____. *Die Geburt der Tragödie*. Vol. 1 [Nietzsches Werke].

_____. "Versuch einer Selbstkritik". *Die Geburt der Tragödie* [Nietzsches Werke, 1].

_____. "Vom Nutzen und Nachteil der Historie für das Leben" [2º Trecho de *Unzeitgemässe Betrachtungen*. In: *Die Geburt der Tragödie* [Nietzsches Werke, 1].

_____. "Sanctus Januarius". *Viertes Buch der Fröhlichen Wissenschaft* [Nietzsches Werke, 5].

NUNBERG, H. "Über körperliche Begleiterscheinungen assoziativer Vorgänge". In: JUNG, C.G. (org.). *Diagnostiche Assoziationsstudien*. Vol. 2. Leipzig: [s.e.], 1910, p. 196-222.

OLDENBERG, H. "Zur Religion und Mythologie des Veda". In: *Nachrichten von der Königlichen Gesellschaft der Wissenschaften zu Göttingen*. Philologisch-historische Klasse. Berlim: [s.e.], 1916.

_____. *Die Religion des Veda*. Berlim: [s.e.], 1894.

OSTWALD, W. *Grosse Männer*. 3. e 4. eds. Leipzig: [s.e.], 1910.

Pancavinça-Brâhmanam. Cf. DEUSSEN, P. *Allgemeine Geschichte der Philosophie*. Vol. I. Leipzig: [s.e.], 1894-1917.

PFEIFFER, F. *Deutsche Mystiker des vierzehnten Jahrhunderts*. Leipzig: [s.e.], 1º vol. 1845, 2º vol. 1857.

PLATÃO. *Symposion*. [s.l.]: [s.e.], [s.d.].

PORFÍRIO. Cf. SCHULTZ, W. *Dokumente der Gnosis*. Jena: [s.e.], 1910.

POWELL, J.W. "Sketch of the Mythology of the North American Indians". *First Annual Report of the Bureau of Ethnology to the Secretary of the Smithsonian Institution*. 1879-1880. Washington: [s.e.], 1881, p. 19-56.

PRINCE, M. *The Dissociation of a Personality*. Nova York/Londres/Bombaim: [s.e.], 1906.

Râmâyana (II, 84, 20). Benares/Londres: [s.e.], 1870-1874 [Traduzido para o inglês por T.H. Griffith].

REMUSAT, C. de. *Abelard*. 2 vols. Paris: [s.e.], 1845.

RIBOT, Th. *Psychologie der Gefühle*. Altenburg: [s.e.], 1903.

_____. *Die Persönlichkeit* – Pathologisch-psychologische Studien. Berlim: [s.e.], 1894.

RIEHL, A. *Zur Einführung in die Philosophie der Gegenwart*. 4. ed. Leipzig/Berlim: [s.e.], 1913.

Rigveda. Cf. DEUSSEN, P. *Allgemeine Geschichte der Philosophie*. Vol. I. Leipzig: [s.e.], 1894-1917.

ROUSSEAU, J.J. *Émile, ou de l'Education*. Paris: [s.e.], 1851.

SALZER, A. *Die Sinnbilder und Beiworte Mariens in der deutschen Literatur und lateinischen Hymnenpoesie des Mittelalters*. Linz: [s.e.], 1886.

SCHAERF, R. "Die Gestalt des Satans im Alten Testament". In: JUNG, C.G. *Symbolik des Geistes*. 2. ed. Zurique: [s.e.], 1953.

SCHEFFLER, J. Cf. ÂNGELO SILÉSIO. "Cherubinischer Wandersmann". In: HELD, H.L. (org.). *Sämtliche poetische Werke*. Munique: [s.e.], 1924.

SCHILLER, F. von. *Briefwechsel mit Goethe*. Cf. GOETHE. *Briefwechsel mit Schiller in den Jahren 1794-1805*. 2 vols. Berlim/Leipzig/Viena/Stuttgart: [s.e.], 1914.

_____. *Über die ästhetische Erziehung des Menschen*. Vol. 18. Stuttgart/Tübingen: Cotta, 1826.

_____. *Über die notwendigen Grenzen beim Gebrauch schöner Formen*. Vol. 18. Stuttgart/Tübingen: Cotta, 1826.

_____. *Über naive und sentimentalische Dichtung*. Vol. 18. Stuttgart/Tübingen: Cotta, 1826.

SCHILLER, F.C.S. *Humanism*. [s.l.]: [s.e.], 1906.

SCHOPENHAUER, A. *Die Welt als Wille und Vorstellung*. Vol. I, § 8. Leipzig: [s.e.], 1890-1891 [Sämtliche Werke, 6 vols.].

SCHULTZ, W. *Dokumente der Gnosis*. Jena: [s.e.], 1910.

SEMON, R. *Die Mneme als erhaltendes Prinzip im Wechsel des organischen Geschehens*. Leipzig: [s.e.], 1904.

SILBERER, H. *Probleme der Mystik und ihrer Symbolik*. Viena/Leipzig: [s.e.], 1914.

SINESIO. "De Somniis". In: *Iamblichus, De Mysteriis Aegyptiorum. etc*. Veneza: [s.e.], 1497 [Trad. Marsílio Ficino].

SPENCER, B. & GILLEN, Fr. J. *The Northern Tribes of Central Austrália*. Londres: [s.e.], 1904.

SPITTELER, C. *Prometheus und Epimetheus*. Jena: [s.e.], 1915 [1. ed. 1880-1881].

STOBAEUS, J. *Eclogarum libri duo*. Lugdunensi: [s.e.], 1609.

SULLY, J. *The Human Mind*. 2 vols. Londres: [s.e.], 1892.

Taittiriya-Aranyakam. Cf. DEUSSEN, P. *Allgemeine Geschichte der Philosophie*. Vol. I. Leipzig: [s.e.], 1894-1917.

Taittiriya-Brâhmanam. Cf. DEUSSEN, P. *Allgemeine Geschichte der Philosophie*. Vol. I. Leipzig: [s.e.], 1894-1917.

Taittiriya-Samhitâ. Cf. DEUSSEN, P. *Allgemeine Geschichte der Philosophie*. Vol. I. Leipzig: [s.e.], 1894-1917.

Taittiriya-Upanishad. Cf. MUELLER, M. (org.). *Sacred Books of the East*. Vol. 15. Oxford: [s.e.], 1879-1910. Cf. tb. DEUSSEN. P. *Sechzig Upanishad's des Veda*. 3. ed. Leipzig: [s.e.], 1938, p. 211-240.

TALBOT, P.A. *In the Shadow of the Bush*. Londres: [s.e.], 1912.

TAYLOR, H.O. *The Mediaeval Mind*. 2 vols. Londres: [s.e.], 1911.

Tejobindu-Upanishad. DEUSSEN. P. *Sechzig Upanishad's des Veda*. 3. ed. Leipzig: [s.e.], 1938, p. 664s.

TERTULIANO. *De carne Christi*. In: MIGNE, J.P. (org.). *Patrologia latina*. Vol. 2, col. 797-838. Paris: Migne, 1844-1880. Cf. tb. KEMPTEN, K. (org.). *Bibliothek der Kirchenväter*. Vol. 2. [s.l.]: [s.e.], 1872, p. 171s.

______. *Adversus Judaeos*. In: MIGNE, J.P. (org.). *Patrologia latina*. Vol. 2, col. 635. Paris: Migne, 1844-1880.

______. *Apologeticus adversus gentes pro Chrisnanis*. In: MIGNE, J.P. (org.). *Patrologia latina*. Vol. 1, col. 433. Paris: Migne, 1844-1880.

Tishtriya-Lied. Cf. CUMONT, F. *Textes et monuments figurés relatifs aux mystères de Mithra*. Bruxelas: [s.e.], 1899.

Vâjasaneyi-Samhitâ. Cf. DEUSSEN, P. *Allgemeine Geschichte der Philosophie*. Vol. I. Leipzig: [s.e.], 1894-1917.

Vedic Hymns. Cf. MUELLER, M. (org.). *Sacred Books of the East*. Vol. 46. Oxford: [s.e.], 1879-1910.

VERAGUTH, O. "Das psychogalvanische Reflexphänomen". *Monatsschrift für Psychologie und Neurologie*, vol. 21, 1907. Berlim.

VILLA, G. *Einleitung in die Psychologie der Gegenwart*. Leipzig: [s.e.], 1902.

VISCHER, F.T. *Auch Einer*. 9. ed. Leipzig: [s.e.], 1902.

WARNECK, J. "Die Religion der Batak". In: BÖHMER, J. (org.). *Religionsurkunden der Völker*. Vol. 1. Leipzig: [s.e.], 1909.

WEBER, A. *Indische Studien*. Vol. 9. Leipzig: [s.e.], 1865.

WERNICKE, C. *Grundriss der Psychiatrie in klinischen Vorlesungen*. Leipzig: [s.e.], 1894.

WORRINGER, W. *Abstraktion und Einfühlung*. 3. ed. Munique: [s.e.], 1911.

WULFEN, W. van. *Der Genussmensch* – Ein Cicerone im rücksichtslosen Lebensgenuss. Munique: [s.e.], 1911.

WUNDT, W. *Logik* – Eine Untersuchung der Prinzipien der Erkenntnis und der Methoden wissenschaftlicher Forschung. 3 vols. 3. ed. Stuttgart: [s.e.], 1906-1908.

_____. *Grundriss der Psychologie*. 5. ed. Leipzig: [s.e.], 1902.

_____. *Grundzüge der physiologischen Psychologie*. 3 vols. 5. ed. Leipzig: [s.e.], 1902/1903.

_____. *Philosophische Studien*. 20 vols. Leipzig: [s.e.], 1883-1917.

WUNDT, W. et al. *Allgemeine Geschichte der Philosophie*. Leipzig: [s.e.], 1909.

ZELLER, E. *Die Philosophie der Griechen in ihrer geschichtlichen Entwicklung*. 5 vols. 2. ed. Tübingen: [s.e.], 1856-1868.

Índice onomástico

Índice analítico*

* Os números referem-se aos parágrafos do presente volume. Os números de chamada remetem às respectivas notas de rodapé.

Conecte-se conosco:

facebook.com/editoravozes

@editoravozes

@editora_vozes

youtube.com/editoravozes

+55 24 2233-9033

www.vozes.com.br

Conheça nossas lojas:

www.livrariavozes.com.br

Belo Horizonte – Brasília – Campinas – Cuiabá – Curitiba
Fortaleza – Juiz de Fora – Petrópolis – Recife – São Paulo

Vozes de Bolso

EDITORA VOZES LTDA.
Rua Frei Luís, 100 – Centro – Cep 25689-900 – Petrópolis, RJ
Tel.: (24) 2233-9000 – E-mail: vendas@vozes.com.br